LETTRES GOTHIQUES

Collection dirigée par Michel Zink

GUILLAUME DE MACHAUT

LE LIVRE DU VOIR DIT

(Le Dit véridique)

Édition critique et traduction par Paul Imbs
Introduction, coordination et révision :
Jacqueline Cerquiglini-Toulet
Index des noms propres et glossaire : Noël Musso

Ouvrage publié avec le concours du Centre National du Livre

LE LIVRE DE POCHE

Jacqueline Cerquiglini-Toulet, ancienne élève de l'E.N.S. de Fontenay-aux-Roses, professeur à la Sorbonne (Paris IV), est une spécialiste de la littérature de la fin du Moyen Âge (*La Couleur de la Mélancolie*, Paris, Hatier, 1993). Elle a particulièrement travaillé sur Guillaume de Machaut et Christine de Pisan, qu'elle a édités.

INTRODUCTION

Guillaume de Machaut naît aux alentours de 1300. Figure majeure du XIVe siècle français dans le domaine des lettres comme dans celui de la musique, Guillaume de Machaut a été reconnu de son temps, et dans toute l'Europe qu'il avait beaucoup parcourue à la suite de son seigneur, Jean de Luxembourg, comme une autorité, un *poète*. Il meurt chanoine de la cathédrale de Reims en avril 1377. Maître des formes lyriques dont il donne des modèles dans son *Remede de Fortune*, maître de l'écriture amoureuse dans la tradition, qu'il transcende, des trouvères et du *Roman de la Rose*, Guillaume de Machaut unit art ancien et art nouveau, *ars antiqua* et *ars nova*, « vielle et nouvelle forge » selon la formule qu'il utilise dans le *Remede de Fortune*[1].

Je, Guillaume

> « Je, Guillaumes dessus nommez,
> Qui de Machau sui seurnommez. »

(Moi, Guillaume, nommé ci-dessus, qui ai pour surnom « de Machaut ».)

Guillaume de Machaut signe de cette formule son *Jugement du Roi de Navarre* (vv. 4199-4200), donnant

1. Éd. Ernest Hoepffner, *Œuvres de Guillaume de Machaut*, t. II, Paris : Firmin Didot, 1911, v. 4001.

son lieu d'origine, Machault, un petit village des Ardennes.

> « Pierre, roy de Iherusalem
> Et de Chypre, li nomma l'en
> Et moy, Guillaume de Machaut,
> Qui ne puis trop froit ne trop chaut. »

(On le nomma Pierre, roi de Jérusalem et de Chypre, et moi, Guillaume de Machaut, qui ne peut ni trop froid, ni trop chaud.)

La Prise d'Alexandrie se referme sur les noms entrelacés du poète et de son héros, le roi de Chypre (vv. 8874-8877). Guillaume de Machaut appose le sceau de son nom à sa production, d'un nom qu'il glose en rappelant l'importance pour lui de la mesure, du juste milieu[1].

Dans le prologue en forme d'art poétique qui ouvre ses grands manuscrits et achève son œuvre, il se dit élu de Nature et d'Amour et ces puissances l'interpellent et dialoguent avec lui. Déjà dans le *Jugement du Roi de Navarre,* le poète, sous le nom de Guillaume, débat avec Dame Bonneürté à laquelle il est présenté en ces termes :

> « C'est la Guillaume de Machaut,
> Et sachiez bien qu'il ne li chaut
> De rien fors que de ce qu'il chace. »
> *Le Jugement du Roi de Navarre,* vv. 573-575.

(Voilà Guillaume de Machaut et sachez bien qu'il ne se soucie de rien en dehors de ce qu'il chasse.)

Guillaume de Machaut fait de sa personne un personnage, construisant son portrait d'une œuvre à l'autre, portrait codé mais au travers duquel, dans son

---

1. Dans le *Voir Dit,* le poète précise : « Dont qui puet au moien venir, / C'est le plus seür a tenir, / Car c'est uns grans perilz, par m'ame, / De trop ou po veïr sa dame » (vv. 6375-6378 : De là je conclus que si on peut s'en tenir à la voie moyenne, c'est la voie la plus sûre à tenir, car on court un grand péril, par mon âme, de trop ou trop peu voir sa dame).

évolution, le poète fait sentir le passage du temps. Dans le *Jugement du Roi de Navarre,* Dame Bonneürté place Guillaume sous le signe de l'action et de la méditation :

> « De nuit, en estudiant, veille
> Et puis de jours, son corps traveille. »
> *Le Jugement du Roi de Navarre,* vv. 605-606.

(La nuit, il veille en étudiant et puis le jour il fatigue son corps.)

C'est le Machaut clerc, secrétaire des princes, qui a suivi Jean de Luxembourg, « le bon roi de Bohême[1] » dans ses campagnes, avec peut-être à l'arrière-plan, pour ce grand lecteur qu'est Machaut, le portrait de Darès, tel que le retrace Benoît de Sainte-Maure dans le *Roman de Troie*[2] :

> « Tot quant qu'il [les combattants] faiseient le jor
> O en bataille o en estor,
> Tot escriveit la nuit aprés » vv. 107-109.

(Tout ce qu'ils faisaient le jour en fait de batailles ou de combats, il le consignait par écrit la nuit suivante.)

Quelque quinze ans plus tard, dans le *Voir Dit,* le portrait devient :

« Mon tresdoulz cuer, vous me faites veillier grant partie des nuis et escrire grant partie des jours. » L'amant, lettre XXVII, j.

(Mon très doux cœur, vous me faites veiller une grande partie de mes nuits et écrire une grande partie des jours.)

---

1. Guillaume de Machaut, *La Fontaine amoureuse.* Texte établi, traduit et présenté par Jacqueline Cerquiglini-Toulet, Paris : Stock/Moyen Âge, 1993, v. 143. – **2.** Benoît de Sainte-Maure, *Le Roman de Troie.* Extraits du manuscrit Milan, Bibliothèque ambrosienne, D 55, édités, présentés et traduits par Emmanuèle Baumgartner et Françoise Vielliard, Paris : Librairie Générale Française, 1998 (Le Livre de Poche, Lettres gothiques, n° 4552).

L'amour a remplacé l'action, l'écriture succède à l'étude. Les rubriques qui introduisent les discours, les lettres, les compositions lyriques du personnage masculin ne s'énoncent pas en termes de « Guillaume », comme c'était le cas dans le *Jugement du Roi de Navarre*, mais sous la forme « l'amant ». La pose n'est plus cléricale et satirique mais amoureuse.

Histoire d'un amour, histoire d'un livre

Le *Voir Dit* est l'histoire d'un amour qui se vit et d'un livre qui se fait, d'un amour qui se doit de continuer pour que le livre s'écrive. L'œuvre s'ouvre sous le signe de la littérature et sur une double transgression. C'est la jeune fille qui se déclare, par le biais d'un rondeau, et qui aime le poète sur sa renommée. Une toute jeune fille – « Mais elle ot de .XV. a .XX. ans » (v. 2050 : Mais elle avait de quinze à vingt ans) —, un vieux poète, le parfum de scandale n'a pas fait peu pour la célébrité, toute relative, du livre à la fin du XIXe siècle[1].

L'amour, dans sa première phase, ne commence

1. Gaston Paris résume ainsi l'ouvrage : « C'est une espèce de confession en vers, à demi voilée sous des allégories et des pseudonymes, où le vieux poète, fort admiré de son temps, raconte l'étrange et piquante aventure qu'il eut avec une jeune fille de haute naissance, éprise de lui sans le connaître à la lecture de ses vers » (dans « Paulin Paris et la littérature française du Moyen Âge. Leçon d'ouverture du cours de langue et littérature françaises du Moyen Âge au Collège de France, le jeudi 8 décembre 1881 », *Romania*, t. XI, 1882, p. 17).

Le jugement se fait véhément avec Louis Petit de Julleville : « Au milieu d'insupportables longueurs, le *Voir Dit* renferme des parties intéressantes, originales, des traits personnels et, comme on dit aujourd'hui, des choses *vécues*. Si la langue en était moins vieille et la prolixité moins fastidieuse, il pourrait plaire encore aux amateurs de psychologie romanesque. J'avoue que je ne le goûte pas sans beaucoup de réserves : la complexité un peu maladive des sentiments et l'innocence douteuse de leur sensualité clandestine me déplaisent et m'inquiètent. C'est de la poésie de décadence » (*Histoire de la Langue et de la Littérature françaises des origines à 1900*, Paris : Armand Colin, 1896, t. II, chap. VII, p. 340).

pas par la vue, inversion calculée – mise en scène d'un amour de loin –, mais se poursuit selon les cinq degrés de la théorie amoureuse, c'est-à-dire en suivant, avec des variations, le schéma des cinq sens. À chacun des sens correspond une séquence du texte : bruit de la renommée (ouïe), rencontres (vue), baiser sous le cerisier (goût), scène du lit partagé dans l'épisode de la foire du Lendit – il s'agit d'une mise à l'épreuve du désir, de l'*asag* des troubadours (toucher). Au centre du livre se trouve la scène qui renvoie au cinquième degré de l'amour, « le fait ». C'est le moment de l'union, dérobée à la vue par la nuée envoyée par Vénus, « Si que ainsi de la nue obscure /Eüsmes ciel et couverture » (vv. 4022-4023 : de la sorte, grâce à la nuée obscure nous eûmes ciel de lit et couverture), moment qui est celui de la composition d'une chanson balladée : « Onques si bonne journee » (Jamais si bonne journée). L'union est doublement estompée. Elle l'est tout d'abord par cette nue qui voile la dame nue :

« N'elle prins nul autre atour n'a
Fors que le euvres de Nature » vv. 3919-3920.
(Elle n'avait pris nul autre atour que les œuvres de Nature.)

Eustache Deschamps, le disciple de Guillaume de Machaut, retiendra cette jolie équivoque. Il y consacre une ballade sur le refrain : « C'oncques encor ne vy si belle nue » (Que jamais encore je ne vis une si belle nue)[1]. Le miracle de Vénus, ensuite, qui remplit de joie le poète et accomplit son désir (vv. 4000-4001) est dit de manière substitutive par le chant lyrique.

L'amour est littérature. La communication entre les deux amants, différée, difficile, qui avait trouvé un premier recours dans l'envoi de lettres et de poèmes, puis dans l'envoi par la dame de son portrait, se

1. Ballade 514, t. III, pp. 345-346 des *Œuvres complètes d'Eustache Deschamps*, éditées par le marquis de Queux de Saint-Hilaire et Gaston Raynaud, Paris : Didot, 1878-1903, 11 vol. (S.A.T.F.).

résout dans une communion charnelle, mystique et lyrique.

Les amants ne se reverront plus. Tel le mouvement de la roue de Fortune, le texte fait succéder à une phase ascendante une phase de désamour, ponctuée de songes inquiétants et d'annonces de plus en plus directes concernant la tromperie de la dame. Cinq messagers de rang social croissant vont presser le poète de se détacher de son amie. L'amour est su, il est contrecarré. La production littéraire de l'amant retourne à ses « droits » possesseurs, les grands seigneurs (lettre XXV). Le texte se termine alors sur une double comparaison de la dame et du poète à Fortune et sur une réunion, souhaitée, des amants, qui remet en branle le mouvement de la roue.

Une des questions difficiles que pose le *Voir Dit* est celle de son type de lecture. Doit-on l'aborder comme une confidence ou une allégorie ? Le charme du texte réside sans aucun doute dans cette ambiguïté, de même qu'il repose sur la construction d'une forme très calculée qui joue de toutes les ressources à la disposition du poète : le vers narratif octosyllabique, la forme fixe des pièces lyriques, la prose des lettres. Il convoque tous les arts, la musique – certaines pièces sont notées et ce sont celles que la dame dit préférer –, l'enluminure : le rapport à l'image dans le *Voir Dit* est très fort, que ce soit par l'évocation du portrait de la dame, par celle de Fortune, de sa roue et de ses cinq fontaines, ou par l'évocation de « l'ymage d'Amour » – il s'agit d'amitié (vv. 7241-7345) –, véritable image de mémoire. Les différentes parties de la figure portent en effet des mentions : « Et en yver et en esté », « De prés et de loing », « A mort et a vie »[1].

1. Pour une analyse plus détaillée de cette image dans son rapport aux *Arts de Mémoire*, voir notre étude « Histoire, Image. Accord et discord des sens à la fin du Moyen Âge », *Littérature*, n° 74, mai 1989, pp. 110-126, en particulier la page 123.

Un parfum de réel, un monde de signes

Ernest Hoepffner remarquait avec justesse dans son introduction aux *Dits* de Guillaume de Machaut que, par rapport au *Roman de la Rose*, modèle puissant pour toute l'époque, l'originalité du poète était d'avoir « mêlé à la fiction abstraite et générale des éléments tout personnels et individuels[1] ». Il y a en effet dans le *Voir Dit* une géographie et des références historiques qui situent l'histoire dans un temps et un lieu très précis : Reims, la résidence du poète (lettres XXVII, XXXV), Saint-Denis où l'amant et la dame se rendent à la foire du Lendit (v. 3557), La Chapelle (v. 3616), Paris où le poète fait faire un bijou pour la dame, Paris en proie alors à une épidémie de peste : « Je vous fais faire aucune chose a Paris, la quele je ne puis avoir si tost come je cuidoie pour la mortalié » (lettre XXXV, g : Je vous fais faire quelque chose à Paris que je ne puis avoir aussi tôt que je le croyais à cause de l'épidémie). D'autres lieux encore sont mentionnés : Crecy (v. 3360), à savoir Crécy-en-Brie, Saint Quentin (lettres XXXV, i : « Ma tres douce suer, je pense estre a ceste Toussains a Saint Quentin » ; XXXVI, e ; XXXVII, b : « je ne suis pas alés a Saint Quentin ne vers Monsigneur le duc, pour aucuns ennemis qui sont en Biauvesis »). Le frère de la dame se rend à Avignon un « VIIIe jour de decembre » (lettre III, g), un messager se présente au poète (vv. 1230-1231) allant du comté de Foix jusqu'en Lorraine, c'est-à-dire des domaines de Gaston Phœbus[2] à ces terres d'Empire, proches de la Champagne de Machaut et du duché de Bar. Le duc de

1. *Op. cit.*, t. I, Paris : Firmin Didot, 1908, p. II. – 2. Il semble que Gaston Phœbus ait possédé, avant de l'offrir à Yolande de Bar, reine d'Aragon, le manuscrit des œuvres de Guillaume de Machaut, maintenant dans la collection Wildenstein à New York (ancien manuscrit Vogüé). Voir Lawrence Earp, *Guillaume de Machaut. A guide to Research*, New York and London : Garland, 1995, p. 84.

Bar, gendre de Jean II le Bon, est cité nommément à la lettre XXXIII, e.

De même les indications de date que donne le texte peuvent être suivies et reconstituées avec précision. Paul Imbs s'y était employé[1] et Daniel Leech-Wilkinson et R. Barton Palmer se livrent à une analyse serrée dans leur introduction à l'édition du manuscrit A du *Voir Dit*[2]. L'histoire se déroule de la fin de l'été 1362 à mai 1365.

Guillaume de Machaut fait jouer ce cadre spatio-temporel d'une double manière. Se superpose à la lecture référentielle de l'histoire une lecture symbolique possible. Le récit de cet amour d'automne s'ouvre sur une fin d'été. Le poète est mélancolique, couché à l'ombre par crainte du soleil et dépourvu d'amour :

> « Car vraiement il a diz ans,
> Voire, a m'entente, plus de douse
> Que j'ay goulousé et goulouse
> Qu'Amours me donnast une dame » vv. 285-287.

(Car, en vérité, il y a dix, voire, si je réfléchis bien, plus de douze ans que j'ai désiré et désire qu'Amour me donne une dame.)

Le texte se termine sur la réconciliation des amants au mois de mai. Des alternances d'hiver et de printemps, d'espoir et de désespoir, se succèdent :

> « Et s'estoit trop grans li yvers,
> Plains de jelee et pluvieux » vv. 636-637

(Et l'hiver était très mauvais, avec beaucoup de gelées et de pluies)

> « Li prinstemps vint biaus et jolis » v. 1107

(Le printemps vint beau et gai)

avec la précision :

---

1. Voir son étude : *Le Voir-Dit de Guillaume de Machaut. Étude littéraire*, Paris, Klincksieck, 1991, aux pages 33 à 54. – 2. Guillaume de Machaut, *Le Livre dou Voir Dit (The Book of the True Poem)*, edited by Daniel Leech-Wilkinson, translated by R. Barton Palmer, New York and London : Garland, 1998, pp. XXXIII-XXXV.

« Ce fu tout droit en mois d'avril » v. 1123.
(C'était juste au mois d'avril.)

Au moment de la réception de l'image de la dame, le poète signale :

« Si me vi de tous poins gari
Et le prinstemps bel et joli » vv. 1592-1593
(Je me vis en tous points guéri et le printemps m'apparut beau et léger)

alors qu'au moment de l'enfermement dans un coffre de ce même portrait, en signe de désamour, il précise :

« Ce fu droit en mois de novembre » v. 7560.
(C'était exactement au mois de novembre.)

Dans le texte narratif, Guillaume de Machaut note la saison quand elle souligne la couleur de son état mental. Il pratique un jeu subtil avec la tradition. Il ouvre son texte sur un signe de fin, l'entrée dans l'automne, saison proche du dernier âge de la vie, et le ferme sur un signe de début, le mois de mai. Le poète prend le lecteur dans le cycle infini de l'amour toujours recommencé.

Il est des emplois peut-être encore plus subtils de la date. Le premier songe du poète a lieu la veille de la fête de la Sainte Croix, à savoir le 14 septembre. Or des parallélismes apparaissent entre ce songe et le récit de l'Invention de la Sainte Croix – sa découverte – tel qu'on peut le lire dans ce texte si célèbre au Moyen Âge : *La Légende dorée* de Jacques de Voragine[1]. Mais tout ce qui est présenté de manière positive dans la légende voit sa valeur inversée dans le songe du *Voir Dit*. Le songe de Constantin comme celui de Guillaume sont prémonitoires. Mais alors que pour Constantin le signe de la croix qui se des-

1. Jacques de Voragine, *La Légende dorée*, traduction de J.-B. Roze, chronologie et introduction par le révérend père Hervé Savon, Paris : Garnier-Flammarion, 2 vol., 1967. Le récit de l'Invention de la Sainte Croix se lit au tome I, pp. 341-350.

sine dans le ciel présage sa victoire sur ses ennemis, le songe de l'amant, qui voit la robe de sa dame changer du bleu au vert, annonce son échec en amour :

> « Et tout estoit de vert vestie
> Que nouvelleté signifie » vv. 5194-5195.

(Et elle était entièrement vêtue de vert, couleur qui signifie changement.)

De plus, le poète a le sentiment que le portrait de sa dame se détourne de lui :

> « Et veü dedens mon songe hai
> Qu'en aourant ma douce ymage
> Son chief tournoit et son visage » vv. 5189-5191

(Et dans mon songe j'ai vu que, tandis que j'adorais la douce image que j'avais, elle détournait sa tête et son visage)

comme les statues faites par Virgile :

> « Qui aus Rommains le chief tournoient
> Quant leurs subjés se reveloient » vv. 5198-5199.

(Qui tournaient la tête à l'attention des Romains quand leurs sujets se rebellaient.)

Dans le récit de l'Invention de la Sainte Croix au contraire, le jeune homme qui n'a pas renié le dieu chrétien voit l'image du Christ, à Sainte-Sophie, le suivre des yeux. Qui a trahi ? L'amant, qui perd le contact visuel avec le portrait de sa dame ? La dame, dont la robe change de couleur ? Le récit nous laisse dans l'incertitude puisque nous sommes dans un songe, et qui plus est, un songe fait avant minuit, et qui n'est donc pas, selon la tradition de Macrobe, à interpréter. Il n'en pose pas moins la question de l'idolâtrie : « Ydolatrie / Que je tien a grant cornardie » (l'idolâtrie que je tiens pour une grande sottise), nous dit Guillaume de Machaut dans le *Confort d'Ami*[1]. Cette réflexion hante le poète. Il la traite dans le

1. Éd. E. Hoepffner, *op. cit.*, t. III, vv. 1287-1288.

domaine religieux à l'aide de l'exemple de Manassés, roi de l'Ancien Testament, dans le *Confort d'Ami* (vv. 1305-1310 et 1361-1548). Il l'évoque dans le domaine amoureux et à la suite du *Roman de la Rose* par l'exemple de Pygmalion dans le *Confort d'Ami* (vv. 1301-1304), par son propre exemple dans le *Voir Dit*. Cette intériorisation est très caractéristique. Le poète quitte le rôle de témoin qui était encore le sien dans la *Fontaine amoureuse*, œuvre qui précède le *Voir Dit*, pour devenir acteur.

Pour ce qui est des lieux, le jeu entre réalité et allégorie, événement et symbole, est du même ordre que pour les dates. Après avoir traversé une lande où il songe aux amours mythologiques et romanesques (vv. 4181-4190), le poète est attaqué dans une plaine, non par des *routiers*, des membres des Grandes Compagnies, qu'il évoque (vv. 4191-4193), mais par une Dame qui se révèle être Espérance (v. 4258). Elle exigera comme rançon un lai (vv. 4193-4194). La poésie lyrique est le trésor de Guillaume, sa monnaie d'échange.

De même, dans la dernière partie du texte, des dangers extérieurs : le froid, la pluie, les pillards (vv. 6600-6635, 7163-7173) sont mis en regard d'un danger intérieur : le désir. Les obstacles extérieurs devraient empêcher le poète d'aller voir sa dame, selon le secrétaire ; Désir, à l'intérieur du moi, l'y pousse. Seule l'ironie d'un très grand seigneur (v. 7527) aura raison de cette décision par l'énoncé, cruel, du proverbe : « Amis, vous arés les buissons / Dont autres ont les oisillons » (vv. 7530-7531 : Ami, vous battez les buissons dont les autres ont les oisillons).

Le poète présente son *Voir Dit* comme le récit d'une aventure :

> « Et dirai toute m'aventure
> Qui ne fu villainne ne sure » vv. 39-40.

(Et je dirai sans rien omettre l'aventure qui m'est un jour advenue et qui ne fut ni discourtoise ni désagréable.)

Une formulation identique ouvrait *Le Livre de la Fontaine amoureuse*:

> «Et dire toute la maniere
> Et la guisë et l'aventure
> Qui me fu diverse et obscure
> Au commencier» vv. 56-59.

(Et dire toute la manière et la façon dont s'est présentée l'aventure qui fut, pour moi, inquiétante et sombre au commencement.)

Toutefois les aventures chez Guillaume de Machaut ne sont plus situées dans le monde des enchantements arthuriens mais dans un monde quotidien qui nous est donné à lire dans ses désenchantements: cosmiques, politiques, sociaux et amoureux.

La dame

La dame dans le *Voir Dit* est d'abord un nom, un nom caché et un nom révélé. Le nom révélé est descriptif: Toute Belle, la destinataire de l'œuvre. «Vueil commencier chose nouvelle, / Que je feray pour Toute Belle» (vv. 11-12), nous dit le poète dans son prologue. Ce nom, Guillaume l'impose au portrait de la dame (vv. 1490-1491). Il en joue dans ses lettres: «et pour amour de Toute Belle, que vous devés bien congnoistre», écrit-il à sa correspondante (lettre XXVII, j).

Le nom caché, lui, est voilé et dévoilé de deux manières: par une anagramme où noms du poète et de la dame s'offrent entrelacés:

> «Or est raison que je vous die
> Le nom de ma dame jolie
> Et le mien qui ai fait ce dit
> Que l'en appelle *Le Voir Dit*» vv. 8986-8989

(À présent il convient que je vous dise le nom de ma dame plaisante et celui de moi-même, qui ai fait ce dit dénommé *Le Dit véridique*)

et, pour le nom de la dame, dans un rondeau chiffré. Les noms dans l'anagramme sont à trouver dans la séquence de lettres : « Pour li changier nulle autre fame. / Ma dame le » (vv. 9001-9002). Dans le rondeau, les lettres du nom sont remplacées par les chiffres désignant leur place dans l'alphabet :

« Dix [et] sept, .V., .XIII., .XIIII. et quinze » v. 6263,

à savoir R, E, N, O, P, cinq lettres comme les cinq cercles de Fortune qu'évoque le texte ou les cinq fontaines de cette dernière. Ce rondeau, annoncé dès la lettre XXV, ne paraît dans le livre que joint à la lettre XXXV. Le nom attendu, différé, crée un espace de désir, non plus comme dans la partie ascendante du texte, avec l'attente du portrait, désir de présence, mais désir d'absence. Ces lettres nous disent que la dame est la *non per*, la sans égale, c'est le *senhal* que l'on peut lire en redoublant la lettre *n*[1] et qui correspond à une façon de nommer la dame. On lit ainsi dans la lettre XXVII, c la mention, – il est question des grands seigneurs qui ont désiré voir le portrait : « et m'ont bien mandé que vous estes la nonpareille des dames » (et ils m'ont fait savoir que vous êtes la sans pareille parmi les dames).

Ces lettres composent aussi le nom de Peronne, si l'on redouble cette fois-ci, non seulement le *n*, mais le *e*. Eustache Deschamps confirme ce nom dans une ballade d'hommage à son maître : « Après Machaut qui tant vous a amé »[2], où il souhaite que Peronne, par son amour, le « recree » comme elle avait « ressuscité » Guillaume :

« Eustace suis par droit nom appellé.
Hé ! Peronne, qui estes mes recours,
Qui en tous cas bien faictes a mon gré,
Je vous pry que vous me faites secours » vv. 15-18.

---

1. Le procédé de redoublement est courant dans les jeux de lettres chez Guillaume de Machaut. Sur ces pratiques et pour d'autres suggestions de lecture, voir notre étude « *Un engin si soutil* ». *Guillaume de Machaut et l'écriture au* XIV*e siècle*, Paris : Champion 1985, pp. 228-229. – **2.** Éd. Queux de Saint-Hilaire, t. III, ballade 447, pp. 259-260.

(Je suis, par mon vrai nom, appelé Eustache. Hé ! Péronne, vous qui êtes mon recours, qui toujours agissez bien, selon mon désir, je vous prie de me venir en aide.)

La ballade est moins un aveu d'amour qu'un acte de révérence au maître bien-aimé. C'est le maître, et non la dame, qu'Eustache qualifie de la formule superlative « fleur de toutes flours », formule souvent employée par Guillaume pour sa dame. Péronne n'est convoquée là que pour incarner la source d'inspiration en poésie : l'amour. Dans une autre ballade[1] où Deschamps proclame toujours la nécessité d'aimer pour écrire, « Car sanz amours ne puis faire chansons » (v. 15), le poète adresse son amour à une « tresdoulce Gauteronne » en lui disant, au refrain : « Recevez moy : j'ay failli a Perronne. » Mais ce dernier nom serait à vérifier sur l'ensemble des manuscrits, Perronne est en effet, dans l'édition Queux de Saint-Hilaire, le résultat d'une correction pour *personne.* Est-ce le mot de l'énigme, sous la main du poète ou d'un scribe, à savoir la réponse d'Ulysse à Polyphème, à la question : Quel est ton nom ? « Personne »[2]. Polyphème est une figure majeure du poète dans le *Voir Dit*[3].

La dame est aussi un corps, un corps qui danse et une voix plus envoûtante que celle de nulle sirène[4]. Ces mentions encadrent le texte. Le premier messager présente Toute Belle :

---

1. Éd. Queux de Saint-Hilaire, t. III, ballade 493, pp. 318-319. – **2.** Voir Philippe Cormier, *Généalogie de Personne*, Paris : éd. Criterion, 1994, p. 55. – **3.** Voir Jacqueline Cerquiglini-Toulet, « Polyphème ou l'antre de la voix dans le *Voir Dit* de Guillaume de Machaut », dans *L'Hostellerie de Pensée. Études sur l'art littéraire au Moyen Âge offertes à Daniel Poirion par ses anciens élèves*, Textes réunis par Michel Zink et Danielle Bohler, Paris : Presses de l'Université de Paris-Sorbonne, 1995, pp. 105-118. – **4.** Eustache Deschamps a bien entendu Guillaume de Machaut. La « tresdoulce Gauteronne » qu'il prie d'amour dans la ballade 493 est, elle aussi, « Doulce, chantant plus que nulle seraine » (v. 2).

« Belle, bonne et la mieulz chantans
Qui fust nee depuis .C. ans,
Mais elle danse oltre mesure » vv. 113-115.

(Belle, de bonnes mœurs et non seulement la meilleure chanteuse depuis cent ans, mais aussi une danseuse hors pair.)

Le texte s'achève sur un jeu de sonorités, une *annominatio* qui prend pour thème le mot *accord* (vv. 8966-8985) et qui se termine, après une allusion à la voix :

« En une chanson recordant
D'une voix belle et accordant » vv. 8981-8982

(Rappelant l'événement en une chanson chantée d'une voix belle et juste),

par la formule : « Mais tout passe quant son corps danse » (v. 8985 : Mais elle surpasse tout quand en même temps elle danse).

Fortune aux deux visages, qui restaure et qui dévore, sirène qui chante et qui enchante, qui trompe et qui séduit, la dame est rythme et son, la dame est poésie.

Voir dire

Commentant l'insertion de la première lettre de la dame dans le texte (vv. 490-507), le poète imagine que l'on pourrait trouver le procédé indélicat. Mais tel est le vœu de cette dernière. Le poète retracera donc son aventure en y insérant l'échange de correspondance et de poésie qui l'a accompagnée. Ce faisant, il s'expose à un défaut rhétorique : la redite. Or ce défaut le préoccupe dans l'écriture de sa poésie lyrique. Parlant de quatre pièces qu'il a composées pendant une maladie, il écrit :

« Et se faute y a ou redites,
Maladie m'escusera
Envers celui qui les lira » vv. 939-940.

(S'il y a des fautes ou des redites, la maladie m'en excusera auprès du lecteur.)

Il protège le prince d'une telle imperfection dans la *Fontaine amoureuse.* Relisant la complainte qui émane de celui-ci et qu'il a copiée, il constate :

> « Et puis je lus de chief en chief
> La complainte qu'avoie escripte
> Pour vir s'il y avoit redite,
> Mais nes une n'en y trouvay » vv. 1046-1049.

(Et puis je lus d'un bout à l'autre la complainte que j'avais écrite pour voir s'il y avait des redites, mais je n'en trouvai pas une seule.)

Dans le *Voir Dit* au contraire Guillaume de Machaut fait d'un tel trait un signe de vérité :

> « Et s'aucunes choses sont dittes
> Deulz fois en ce livre ou escriptes,
> Mi signeur, n'en haiez merveille,
> Quar celle pour qui amour veille
> Veult que je mete en ce voir dit
> Tout ce qu'ai pour li fait et dit
> Et tout ce qu'elle a pour moy fait,
> Sans riens celer qui face au fait » vv. 508-515.

(J'ajoute que si certaines choses sont dites ou écrites deux fois en ce livre, mes seigneurs, n'en soyez étonnés, car celle pour l'amour de qui je veille la nuit veut que je mette en ce dit de vérité tout ce que j'ai fait et dit pour elle, et tout ce qu'elle a fait pour moi, sans rien cacher de ce qui a trait à l'action.)

La redite est à comprendre à la fois comme répétition et aussi selon un autre sens du préfixe *re* dans l'ancienne langue, qui est de distribution de la parole. *Redire,* alors, c'est « dire de son côté », ce que font respectivement texte narratif, pièces lyriques et lettres. Guillaume de Machaut crée une forme polyphonique.

Au centre du livre, au moment où le texte pivote du positif au négatif, le poète nous redit :

« Et se j'ai dit ou trop ou pau,
Pas ne mespren, car, par saint Pau,
Ma dame vueult qu'ainsi le face
Soubz pene de perdre sa grace.
Et bien vuelt que chascuns le sache,
Puis qu'il n'i ha vice ne tache » vv. 4142-4147.

(Si j'en ai dit beaucoup ou peu, ce n'est pas ma faute, car, par saint Paul, ma dame veut qu'ainsi je procède, sous peine de perdre sa bonne grâce. Or elle veut bel et bien que chacun sache la vérité, dès lors qu'il n'y a ni vice ni tache.)

Mais il précise :

« Et se le contraire y heüst
Elle bien taire s'en sceüst
Et au celer bien li aidaisse
Car par ma foi bien le celaisse.
Je vous ai ceste chose ditte,
Mais ne m'en chaut se c'est reditte » vv. 4148-4153

(Mais si c'eût été le contraire, elle aurait bien eu la possibilité de ne pas en parler et moi-même je l'aurais bien aidée à le dissimuler, car, je le jure, je l'aurais habilement caché. Je vous ai dit ceci sans me soucier si c'est une redite)

où l'on entend par deux fois la quasi signature du poète : « Et se j'ai dit ou trop ou pau », « Mais ne m'en chaut ».

Voir dire prend donc un sens tout particulier. Il s'agit moins de dire ce qui est que ce qui doit être, écriture idéale de l'amour. Mais c'est malgré tout, aussi, tout dire, le noir et le blanc, l'amour et le désamour, le monde et l'homme, dans leur complexité et leurs tensions, dans leur ambiguïté.

Il y a dans le *Voir Dit* une ambition totalisante de formes, de discours et de voix, que signale à sa manière, anecdotique, l'insertion de la ballade de Thomas Paien (vv. 6421-6444). Geste du recueil. Volonté totalisante d'un maître au soir de sa vie qui réécrit la littérature sous le double signe – ou est-ce le même ? – d'Amour et de Fortune. Le *Voir Dit* se donne comme un immense calligramme. La roue de Fortune en dit le dessein et la forme, le rythme et le sens. Musique des sphères et de l'homme, le *Voir Dit* capte les voix de la poésie.

Jacqueline CERQUIGLINI-TOULET

LA PRÉSENTE ÉDITION

C'est une longue histoire que cette édition du *Voir Dit*. Projetée par Ernest Hoepffner comme le dernier pan de sa publication de l'œuvre narrative de Guillaume de Machaut[1], elle aurait dû constituer le t. IV des *Œuvres de Guillaume de Machaut* à la Société des anciens textes français. Elle est ainsi annoncée, en préparation, à la page de garde de l'édition, par Ernest Hoepffner, de la *Chanson de Sainte Foy*[2] en 1926. Dans un bel article consacré à ce savant, Paul Imbs[3] a suggéré les raisons profondes – d'esthétique littéraire – qui expliquent sans doute l'abandon de ce projet par Ernest Hoepffner. Il a, à la mort de ce dernier, en 1956, repris l'intention de son maître. Mais accaparé par son grand œuvre, *Le Trésor de la langue française,* Paul Imbs n'a pu consacrer, pendant longtemps, au *Voir Dit* qu'un temps qu'il dérobait à ses loisirs. Ce texte est resté son jardin secret.

En 1971, ayant commencé une thèse de Doctorat

1. Ernest Hoepffner, *Œuvres de Guillaume de Machaut*, t. I, Paris : Firmin Didot, 1908 ; t. II, Paris : Firmin Didot, 1911 ; t. III, Paris : Champion, 1921 (S.A.T.F.). – 2. E. Hoepffner et P. Alfaric, *La Chanson de Sainte Foy*, 2 tomes, Paris : Les Belles Lettres, 1926 (Publications de la Faculté des Lettres de l'Université de Strasbourg, fascicules 32 et 33). Voir le tome I par Ernest Hoepffner, *Fac-similé du manuscrit et texte critique. Introduction et commentaire philologique*. – 3. Paul Imbs, « Ernest Hoepffner, l'actualité de son œuvre », *Travaux de linguistique et de littérature,* VII, 1, 1969, pp. 7-21.

d'État portant sur une étude littéraire du *Voir Dit* et des langages poétiques du XIVe siècle, sous la direction de Paul Zumthor, direction reprise l'année suivante, après le départ de Paul Zumthor pour le Canada, par Daniel Poirion, je suis entrée en contact avec Paul Imbs grâce à l'entremise décisive du Professeur Jacques Monfrin. M. Imbs a eu la générosité de mettre à ma disposition sa transcription du *Voir Dit*. J'avais pour ma part déjà pris une copie du manuscrit B.N.F., fr. 1584. Durant ces années de préparation de ma thèse, M. Imbs m'a toujours accueillie avec chaleur et confiance et j'ai eu l'honneur de le compter parmi les membres de mon jury, lors de la soutenance, en 1981.

À sa disparition en 1987[1], Paul Imbs laissait dans ses papiers une étude littéraire du *Voir Dit* (publiée en 1991 par Robert Martin)[2], l'édition critique du *Voir Dit* d'après tous les manuscrits complets (malheureusement sans introduction ni notes), et une traduction de l'œuvre.

M. Robert Martin a bien voulu me confier la publication de ce texte. Qu'il soit remercié de sa confiance, de sa patience et de son amical soutien.

Mes plus vifs remerciements également vont à Mme Françoise Weiss de l'Institut national de la Langue française à Nancy, qui, avec une intelligence et un dévouement incomparables, a mis sur un support électronique le texte laissé par Paul Imbs.

Les manuscrits du Voir Dit

Le *Voir Dit* de Guillaume de Machaut est conservé au complet dans quatre manuscrits :

Paris, Bibliothèque Nationale de France, fonds français 1584, folios 221-306. (Ce manuscrit corres-

---

1. Voir Robert Martin, « Paul Imbs », *Revue de Linguistique romane*, t. 51, 1987, pp. 671-673. – **2.** Paul Imbs, *Le Voir-Dit de Guillaume de Machaut. Étude littéraire*, Paris : Klincksieck, 1991 (C.N.R.S., Institut national de la Langue française).

pond au sigle A de la classification des manuscrits par Ernest Hoepffner[1]). Il est daté par les historiens d'art[2] du début des années 1370, c'est-à-dire du vivant de Guillaume de Machaut.

Paris, Bibliothèque Nationale de France, fonds français 9221, folios 171-210 (Ms E). Il est daté par François Avril des années 1390. Ce manuscrit a appartenu au duc Jean de Berry dont il porte la signature.

Paris, Bibliothèque Nationale de France, fonds français 22 545, folios 137 v°-198 v° (Ms F). Manuscrit en deux volumes 22 545-22 546 (F-G) daté par François Avril des années 1390.

New York, Pierpont Morgan Library, Ms M 396, folios 122-182 v°.

Ce quatrième manuscrit, identifié en 1910 par A. Guesnon[3] avant qu'il ne passe de la famille du Nord de la France qui le possédait de « temps immémorial », selon la formule d'A. Guesnon, à la bibliothèque du collectionneur Pierpont Morgan, était inconnu d'Ernest Hoepffner. Nous lui donnons le sigle adopté par Lawrence Earp dans sa remarquable bibliographie de Guillaume de Machaut[4] (Ms Pm). Ce manuscrit peut être daté des années 1425-1430. Il contient en effet, à la suite des œuvres de Machaut, le *Chemin de Pauvreté et de Richesse* de Jacques

1. *Œuvres de Guillaume de Machaut*, t. I, *op. cit.*, pp. XLIV-LI. – 2. Voir François Avril, « Les manuscrits enluminés de Guillaume de Machaut. Essai de chronologie », dans *Guillaume de Machaut, poète et compositeur*, Paris : Klincksieck, 1982, pp. 117-133. Il s'agit de la publication d'un colloque tenu en 1978 pour marquer le sixième centenaire de la mort de Guillaume de Machaut et qu'avait largement contribué à organiser Paul Imbs. – 3. Il fait mention de sa découverte dans son compte rendu de l'ouvrage de Vladimir Chichmaref : *La Poésie lyrique et les poètes lyriques du bas Moyen Âge. Études sur l'histoire de la poésie française et provençale* (ouvrage en russe), Paris : N.L. Danzig, 1911, et de l'édition de ce dernier : Guillaume de Machaut, *Poésies lyriques*, édition complète en deux parties, Paris : Champion, 1909. Ce compte rendu, très important, est paru dans la revue *Le Moyen Âge*, XXV, 1912, pp. 89-99. – 4. Lawrence Earp, *Guillaume de Machaut. A Guide to Research*, New York and London : Garland, 1995.

Bruyant, les soixante premières strophes de la *Belle Dame sans merci* d'Alain Chartier, texte composé en 1424, et un « Boeces de consolacion tant comme il a mestier aux lais ».

La description détaillée, la plus récente, de ces manuscrits peut se lire dans la somme que représente le livre de Lawrence Earp auquel nous renvoyons.

Paul Imbs n'a pas pris en compte pour son édition les manuscrits qui contiennent des extraits narratifs du *Voir Dit* :

Paris, Bibliothèque de l'Arsenal 5203, folios 147 v°-151 (Ms J).

Berne, Burgerbibliothek 218, folios 133b-137b (Ms K). Le manuscrit est daté de 1371. Ces extraits concernent les passages dans lesquels le poète compare sa dame à Fortune et est comparé en retour, par l'envoyé de cette dernière, à Fortune. Passages à succès : ce sont eux qu'Eustache Deschamps[1] choisit de lire lorsqu'il remet un exemplaire du *Voir Dit* à Louis de Male, comte de Flandre :

« Lire m'y fist, present maint chevalier ;
Si adresçay au lieu premierement
Ou Fortune parla si durement,
Comment l'un joint a ses biens, l'autre estrange. »

(Il m'y fit lire en présence de nombreux chevaliers. Je me tournai premièrement vers le passage où Fortune parla de manière si dure, disant comment elle donne à l'un ses biens, comment elle éloigne l'autre.)

Paul Imbs n'a pas pris en compte non plus les occurrences des pièces lyriques dans d'autres manuscrits et a laissé aux spécialistes le soin de l'édition de la musique des pièces notées du *Voir Dit*. Il était passionné par la richesse de ce texte. Le colloque organisé par lui autour du poète et du compositeur à

---

1. Eustache Deschamps, *Œuvres complètes*, éd. par le marquis de Queux de Saint-Hilaire et Gaston Raynaud, 11 vol., Paris : Firmin Didot, 1878-1903 (S.A.T.F.). Voir le vol. I, ballade 127, p. 249, vv. 19-22.

Reims en 1978 en témoigne, tout comme les liens qu'il avait tissés avec historiens, historiens d'art, musicologues, mais il ne souhaitait pas, néanmoins, sortir de son domaine : la philologie française.

Choix du manuscrit de base et principes de l'édition

Ernest Hoepffner avait choisi comme manuscrit de base pour son édition des Dits de Guillaume de Machaut le manuscrit A, contemporain de l'auteur, et dont François Avril pense, pour des raisons iconographiques en particulier, qu'il « pourrait avoir été copié et enluminé à Reims même, sous la surveillance du poète[1] ». Ce n'est donc pas sans des raisons philologiques longuement pesées que Paul Imbs s'est décidé pour l'autre excellent manuscrit F. Il s'appuyait pour cela sur ses recherches personnelles et sur le travail d'une élève de Mario Roques, Claire Levy, qui avait soutenu en 1935 devant l'Université de Paris un diplôme d'Études supérieures intitulé « *Le Livre du Voir Dit* de Guillaume de Machaut », travail de 98 pages. Ce mémoire excellent, soigneusement annoté par Paul Imbs, m'avait été soumis par ce dernier et je tire de ses remarques marginales les raisons de son choix, Paul Imbs n'ayant pas laissé d'autres notes à ce sujet. Examinons les quatre candidats possibles et essayons de les caractériser.

Le manuscrit Pm (New York, Pierpont Morgan) est le plus récent. Il ressort de l'examen des variantes qu'il existe une parenté entre Pm et A, mais Pm est sans musique et il abrège les lettres. Ces variantes sont volontaires et entraînent des changements, très significatifs d'un souci de cohérence. Tout d'abord nous avons l'aveu de l'abrègement. Aux vers 549-550 qui annoncent la seconde lettre et qui se lisent dans les trois autres manuscrits :

1. François Avril, « Les manuscrits enluminés de Guillaume de Machaut », art. cit., p. 126.

«Et voy ci la lettre seconde
C'est raison qu'a l'autre responde»,

le scribe de Pm substitue sa propre formulation, qui correspond à son travail :

«Et vecy la seconde lettre
Qu'en substance je vueil mettre.»

«En substance» s'oppose à «à la lettre». Il introduit, ce faisant, une faute de mesure : il manque une syllabe à son dernier vers.

Pour ce qui est de la musique, le scribe de Pm gomme les allusions aux pièces notées. Ainsi, par exemple, la mention des vers 524-525 :

«Aveuques les choses notees
Et es balades non chantees»,

disparaît. Dans la prose, une mention comme celle de la lettre X, e, «je le fais noter» – il s'agit du livre – devient «je le fais escripre et assembler», et la suite : «et pour ce il couvient que il soit par pieces ; et quant il sera notés», est omise.

Le manuscrit Pm ne peut donc être retenu comme manuscrit de base, mais une étude du travail qu'il opère, en propre, serait passionnante.

Le manuscrit E, le manuscrit offert à Jean de Berry, est le moins bon. Il est très typique en cela d'un manuscrit de luxe qui fait moins attention à la qualité du texte qu'à la mise en page raffinée et au décor. Je donne quelques exemples significatifs de modifications et d'incompréhensions. Le vers 2869 comporte un mot difficile, *vroelette* dans F (*vravelette* dans A, *vravellette* dans Pm), mot d'ailleurs que glose le poète :

«A penser a ma vroelette
C'est a dire a ma damelette» vv. 2869-2870.

E donne joliment mais incorrectement *violette*. E estompe l'opposition qui met en valeur le thème topique de l'échange des cœurs des amants, au moment de la séparation, telle que la donnent, unanimes, les trois manuscrits A, F, Pm :

« Sans cuer de moi pas ne vous partirés
Ainçois arés le cuer de vostre amie » vv. 2797-2798.
(Vous ne partirez pas de moi sans cœur car vous aurez le cœur de votre amie.)

Il écrit :

« Sans cuer de moy pas ne vous partirez
Et sans avoir le cuer de vostre amie. »
(Vous ne partirez pas de moi sans cœur et sans avoir le cœur de votre amie),

ce qui est moins bon. Les exemples sont multiples. Le lecteur intéressé pourra les retrouver grâce à l'apparat critique complet. E est donc à exclure comme manuscrit de base.

Reste le choix difficile entre A et F. Je donne quelques exemples de la supériorité de F sur A pour ce qui est du sens du texte. Dans la ballade « De mon vrai cuer jamais ne partira », on lit au vers 1686 dans le manuscrit F (et aussi dans E) : « Qu'il n'est cysel ne liqueur ne rasture » (Qu'il n'est ni ciseau, ni liquide, ni rature). A et Pm donnent à la place *oisel* qui ne fait pas sens. Autre exemple : aux vers 3183-3184, F en accord avec E donne :

« N'en monde n'a si grant signeur
C'on prise rien s'il n'a honneur. »
(Il n'y a au monde un si grand seigneur qu'on ne méprise s'il n'a pas d'honneur.)

A, suivi par Pm, donne une leçon moins bonne : « N'en monde n'a si grant honnour », qui entraîne de plus une faiblesse de versification, le même mot étant repris à la rime.

Mais l'on peut trouver aussi des omissions de F (c'est le cas pour les vers 6665-6694), des fautes de ce dernier et des leçons meilleures du point de vue du sens dans A. Un seul exemple. Au vers 3268, A propose, toujours en accord avec Pm : « Dire, ymaginer ne sommer» (Dire, imaginer ni totaliser). F et E ont *sonner*, ce qui est moins bon.

Vladimir Chichmaref, dans son édition de 1909, avait procédé à un examen et à une comparaison des manuscrits de Guillaume de Machaut pour ce qui est des pièces lyriques. Il en arrivait à la conclusion que, sur un certain nombre de plans – la complétude en particulier –, F (son manuscrit K, car malheureusement les sigles diffèrent entre les éditions de Chichmaref et de Hoepffner qui ont travaillé parallèlement) était supérieur à A (son manuscrit C), les deux manuscrits étant excellents. On lit ses conclusions aux pages CXI-CXV de son édition. Les recherches de Paul Imbs sur le *Voir Dit*, texte narratif comportant des pièces lyriques, semblent aller dans le même sens.

Quelle est la méthode critique de Paul Imbs ? On peut en restituer les principes de manière synthétique en relisant les pages que ce dernier consacrait à la méthode philologique de son maître Ernest Hoepffner, à l'ouverture du volume de *Mélanges*[1] offerts au savant strasbourgeois. Paul Imbs écrivait : « Sans doute ne s'agit-il pas, pour lui, d'aboutir à une chimérique reconstitution du texte original tel qu'il était sorti des mains de l'auteur, ni de restituer une langue uniformisée qui ne serait en fait qu'une construction de l'esprit ; mais il éditera un texte réellement lu par quelques générations de lecteurs, et transmis dans un bon manuscrit. Le texte de ce manuscrit, il le conservera dans toute la mesure du possible ; il le corrigera – d'une main légère – pour faire disparaître d'évidentes erreurs ou défaillances du copiste, ou encore ses altérations volontaires[2]. »

---

1. *Mélanges de Philologie romane et de Littérature médiévale offerts à Ernest Hoepffner par ses élèves et ses amis*, Paris : Les Belles Lettres, 1949 (Publications de la Faculté des Lettres de l'Université de Strasbourg, fascicule 113). – **2.** Paul Imbs, « Ernest Hoepffner, notice biographique », dans les *Mélanges*, précités, p. 2. Paul Imbs est revenu sur la méthode de l'édition de texte dans un chapitre de son étude *Le* Voir-Dit *de Guillaume de Machaut. Étude littéraire, op. cit.*, pp. 225-226 : « Les tâches de l'éditeur moderne ».

Ces principes, Paul Imbs les a appliqués à son édition du *Voir Dit*. Il édite un texte transmis par un bon manuscrit, le manuscrit F, B.N.F., fr. 22 545. Il en garde la graphie et le corrige légèrement quand le sens fait problème. Les signes conventionnels sont utilisés. La parenthèse signale les lettres ou syllabes à supprimer, le crochet droit les lettres ou syllabes à rétablir, les lettres en italique dans un mot indiquent des lettres empruntées à un autre manuscrit. On trouve alors la leçon du manuscrit de base dans l'apparat critique. De même est en italique le passage omis par F et emprunté à A (vers 6665-6694).

L'édition Paulin Paris[1] *et la question de l'ordre des lettres*

Le *Voir Dit* a été édité une première fois par Paulin Paris en 1875. Ce passionné du Moyen Âge, grand découvreur de textes, était alors retiré du Collège de France où son fils, Gaston, lui avait succédé. Un faisceau de raisons intimes pousse, me semble-t-il, l'érudit à s'attacher à ce texte : la Champagne, province de Machaut où lui-même est né à Avenay en 1800, l'âge qui les rapproche : « Ô mes amis ! c'étoit là le bon temps » soupire Paulin Paris[2] en évoquant les faveurs accordées au poète vieillissant par la toute jeune dame. Ces raisons et le public qu'il vise en premier : la société choisie des Bibliophiles François, fondée en 1820 et dont le nombre des membres a été fixé à vingt-quatre plus cinq associés étrangers, déterminent le type d'édition que procure Paulin Paris. Son goût personnel y passe avant le rendu intégral et fidèle des manuscrits. Et ce n'est pas sans malice à l'égard de son fils, le fondateur de la disci-

---

1. *Le Livre du* Voir-Dit *de Guillaume de Machaut où sont contées les amours de messire Guillaume de Machaut et de Peronnelle Dame d'Armentières avec les lettres et les réponses, les ballades, lais et rondeaux dudit Guillaume et de ladite Peronnelle,* Paris : Société des Bibliophiles François, 1875. – **2.** P. XXXIII de la préface.

pline philologique en France, que Paulin Paris achève sa préface sur ces mots – où il fait imprimer *scientifique* et *philologues* en italique : « Enfin le petit glossaire qui termine notre volume n'a rien de *scientifique*, pour employer une expression chère aux *philologues* de notre temps[1] ». J'ai analysé en détail, dans une étude intitulée « Le *Voir Dit* mis à nu par ses éditeurs, même »[2], les coupures opérées par Paulin Paris et leur sens. Je me permets d'y renvoyer.

Reste la question de l'ordre des lettres. Problème paradoxal. Tous les manuscrits le donnent identique et pourtant tout éditeur – Paul Imbs comme Paulin Paris, comme tout récemment Daniel Leech-Wilkinson – ressent à lire les lettres dans cet ordre un sentiment d'insatisfaction. Les missives ne semblent pas toujours se répondre parfaitement et le poète avoue même sa difficulté à les classer au moment où il doit les insérer dans le livre qu'il est en train de composer :

« Mais j'ai trop a faire a querir les lettres qui respondent les unes aus autres ; si vous prie qu'en toutes les lettres que vous m'envoierés d'ores en avant il y ait date, sans nommer le lieu » lettre XXVII, f de l'amant.

(Mais j'ai beaucoup de mal à trouver les lettres qui se correspondent les unes aux autres ; aussi vous prié-je que dans toutes les lettres que vous m'enverrez dorénavant il y ait la date – sans nommer le lieu.)

Paulin Paris a reclassé les lettres II à VII, mais, alors qu'il était sensible aux problèmes que posaient les deux dernières[3], il a renoncé à y toucher. J'ai cru pouvoir montrer[4] que sa tentative de mise en ordre

---

1. P. XXXV. – **2.** Jacqueline Cerquiglini-Toulet, « Le *Voir Dit* mis à nu par ses éditeurs, même. Étude de la réception d'un texte à travers ses éditions », *Grundriss der Romanischen Literaturen des Mittelalters*, Begleitreihe, Band 2, Heidelberg : Carl Winter, 1991, pp. 337-380. – **3.** « Les seules inexactitudes qu'il paroît s'être permises dans ce singulier ouvrage, concernent la date des dernières lettres, qui semble brouillée à dessein, sur les recommandations de son amie », préface, p. VIII. – **4.** Jacqueline Cerquiglini-Toulet, « Le *Voir Dit* mis à nu par ses éditeurs, même », art. cit., voir les pages 347-362.

introduisait plus de problèmes qu'elle n'en résolvait. Il ne faut pas oublier en effet que beaucoup de messages passent « de bouche », nous dit le texte (voir les vers 350-353, par exemple), que certains sont perdus (lettre XLVI, g, à propos de deux ballades perdues), et qu'enfin les « petitettes lettrelles » (v. 1812) sont volontairement omises.

Paul Imbs avait fini par se résoudre, pour l'édition, à laisser les lettres dans l'ordre dans lequel les offrent tous les manuscrits, mais il avait beaucoup travaillé sur ce sujet et se réservait, dans une analyse du texte qu'il projetait, de faire paraître une chronologie serrée des épîtres du *Voir Dit*. Le travail récent de Daniel Leech-Wilkinson[1] l'aurait, sans aucun doute, passionné.

1. « *Le Voir Dit* : A Reconstruction and a Guide for Musicians », *Plainsong and Medieval Music*, 2, pp. 103-140.

ÉLÉMENTS DE BIBLIOGRAPHIE

I - GUIDES BIBLIOGRAPHIQUES

EARP, Lawrence, *Guillaume de Machaut. A Guide to Research*, New York and London : Garland, 1995.

SWITTEN, Margaret L., *Music and Poetry in the Middle Ages. A Guide to Research on French and Occitan Song, 1100-1400*, New York and London : Garland, 1995.

II - ÉDITIONS DU *VOIR DIT*

PARIS, Paulin, éd., *Le Livre du* Voir-Dit *de Guillaume de Machaut où sont contées les amours de messire Guillaume de Machaut et de Peronnelle Dame d'Armentières avec les lettres et les réponses, les ballades, lais et rondeaux dudit Guillaume et de ladite Peronnelle*, Paris : Société des Bibliophiles François, 1875.

Guillaume de Machaut, *Le Livre dou Voir Dit (The Book of the True Poem)*, edited by Daniel Leech-Wilkinson, translated by R. Barton Palmer, New York and London : Garland, 1998.

[Édition diplomatique du manuscrit A, avec une traduction anglaise.]

III - ÉDITIONS DES AUTRES ŒUVRES DE GUILLAUME DE MACHAUT

1 - Les Dits

HOEPFFNER, Ernest, éd., *Œuvres de Guillaume de Machaut*, Paris : Firmin Didot, puis Champion, 3 vol., 1908, 1911, 1921 (S.A.T.F.).

Jugement du Roi de Bohême

Guillaume de Machaut, *The Judgment of the King of Bohemia (Le Jugement du Roy de Behaigne)*, edited and translated by R. Barton Palmer, New York and London : Garland, 1984.

Jugement du Roi de Navarre

Guillaume de Machaut, *The Judgment of the King of Navarre*, edited and translated by R. Barton Palmer, New York and London : Garland, 1988.

Jugement du Roi de Bohême et Remede de Fortune

Guillaume de Machaut, *Le Jugement du Roy de Behaigne and Remede de Fortune*, edited by James I. Wimsatt and William W. Kibler, music edited by Rebecca A. Baltzer, Athens and London : The University of Georgia Press, 1988 [avec traduction anglaise].

Le Dit de l'Alerion

Guillaume de Machaut, *The Tale of the Alerion*, ed. and transl. by Minette Gaudet and Constance B. Hieatt, Toronto, 1994.

Le Confort d'Ami

Guillaume de Machaut, *Le Confort d'Ami (Comfort for a Friend)*, edited and translated by R. Barton Palmer, New York and London : Garland, 1992.

La Fontaine amoureuse

Guillaume de Machaut, *La Fontaine amoureuse.* Texte établi, traduit et présenté par Jacqueline Cerquiglini-Toulet, Paris : Stock/Moyen Âge, 1993.

Guillaume de Machaut, The Fountain of Love (La Fonteinne amoureuse) *and two Other Love Vision Poems*, ed. and transl. by R. Barton Palmer, New York and London : Garland, 1993.

[En dehors de la *Fontaine amoureuse*, édition du *Prologue* et du *Dit du Vergier.*]

Le Dit de la Harpe

Guillaume de Machaut, *Le Dit de la Harpe*, éd. Karl Young, dans *Essays in Honor of Albert Feuillerat*, New Haven : Yale University Press, 1943, pp. 1-20.

Le Dit de la Marguerite, Dit de la Rose, Dit de la Fleur de lis et de la Marguerite, Dit du Cerf blanc

Édition Anthime Fourrier, dans *Jean Froissart, « Dits » et « Débats » avec en appendice quelques poèmes de Guillaume de Machaut*, Genève : Droz, 1979.

Le Dit de la Fleur de lis et de la Marguerite est édité également par James I. Wimsatt, dans *The Marguerite Poetry of Guillaume de Machaut*, Chapel Hill : The University of North Carolina Press, 1970.

La Prise d'Alexandrie

Guillaume de Machaut, *La Prise d'Alexandrie ou Chronique du roi Pierre Ier de Lusignan*, éd. Louis de Mas Latrie, Genève : Fick, 1877.

2 - Les poésies lyriques

Guillaume de Machaut, *Poésies lyriques. Édition complète en deux parties, avec introduction, glossaire et fac-similés, publiée sous les auspices de la Faculté d'Histoire et de Philologie de Saint-Pétersbourg*, par Vladimir Chichmaref, Paris : Champion, 1909, 2 vol. ; réimpression, Genève : Slatkine, 1973, en 1 vol.

Guillaume de Machaut, *La Louange des Dames*, éd. Nigel Wilkins, Édimbourg : Scottish Academic Press, 1972.

IV - ÉTUDES PORTANT SUR LE *VOIR DIT*, EN TOUT OU PARTIE

ATTWOOD, Catherine, *Dynamic Dichotomy : The Poetic « I » in Fourteenth- and Fifteenth-Century French Lyric Poetry*, Amsterdam, Atlanta, GA : Rodopi, 1998.

BÉTEMPS, Isabelle, *L'Imaginaire dans l'œuvre de Guillaume de Machaut*, Paris : Champion, 1998.

BROWNLEE, Kevin, *Poetic Identity in Guillaume de Machaut*, Madison : The University of Wisconsin Press, 1984.

BYRNE, Donal, « A 14th Century French Drawing in Berlin and the *Livre du Voir-Dit* of Guillaume de Machaut », *Zeitschrift für Kunstgeschichte*, 47, 1984, pp. 70-81.

CALIN, William, *A Poet at the Fountain. Essays on the Narrative Verse of Guillaume de Machaut*, Lexington : The University Press of Kentucky, 1974.

CERQUIGLINI[-TOULET], Jacqueline, « *Un engin si soutil* ». *Guillaume de Machaut et l'écriture au* XIVe *siècle*, Paris : Champion, 1985.

CERQUIGLINI[-TOULET], Jacqueline, « Histoire, Image. Accord et discord des sens à la fin du Moyen Âge », *Littérature*, no 74, mai 1989, pp. 110-126.

CERQUIGLINI-TOULET, Jacqueline, « Le *Voir Dit* mis à nu par ses éditeurs, même. Étude de la réception d'un texte à travers ses éditions », *Grundriss der Romanischen Literaturen des Mittelalters*, Begleitreihe, Band 2, Heidelberg : Carl Winter, 1991, pp. 337-380.

CERQUIGLINI-TOULET, Jacqueline, *La Couleur de la mélancolie. La fréquentation des livres au* XIVe *siècle, 1300-1415*, Paris : Hatier, 1993. (Traduction en anglais : *The Color of Melancholy. The Uses of Books in the Fourteenth Century*, translated by Lydia Cochrane, foreword by Roger Chartier, Baltimore : The Johns Hopkins University Press, 1997.)

CERQUIGLINI-TOULET, Jacqueline, « Polyphème ou l'antre de la voix dans le *Voir Dit* de Guillaume de Machaut », dans *L'Hostellerie de Pensée. Études sur l'art littéraire au Moyen Âge offertes à Daniel Poirion par ses anciens élèves*. Textes réunis par Michel Zink et Danielle Bohler, Paris : Presses de l'Université de Paris-Sorbonne, 1995, pp. 105-118.

DE LOOZE, Laurence, *Pseudo-autobiography in the fourteenth Century. Juan Ruiz, Guillaume de Machaut, Jean Froissart and Geoffrey Chaucer*, Gainesville ;

Tallahassee ; Tampa [*et al.*] : University Press of Florida, 1997.

HUOT, Sylvia, *The* Romance of the Rose *and its medieval Readers : Interpretation, Reception, Manuscript Transmission,* Cambridge : Cambridge University Press, 1993.
[Le chapitre 7 est consacré à Guillaume de Machaut lecteur du *Roman de la Rose.*]

IMBS, Paul, éd., *Guillaume de Machaut, poète et compositeur,* Colloque – Table ronde organisé par l'Université de Reims (Reims, 19-22 avril 1978), Paris : Klincksieck, 1982 (Actes et Colloques n° 23).

IMBS, Paul, *Le* Voir-Dit *de Guillaume de Machaut. Étude littéraire,* Paris : Klincksieck, 1991 (C.N.R.S., Institut national de la Langue française).

LEUPIN, Alexandre, *Fiction et incarnation. Littérature et théologie au Moyen Âge,* Paris : Flammarion, 1993. [Le chapitre IX, pp. 177-195, porte sur le *Voir Dit* de Guillaume de Machaut.]

POIRION, Daniel, *Le Poète et le Prince. L'évolution du lyrisme courtois de Guillaume de Machaut à Charles d'Orléans,* Paris : Presses Universitaires de France, 1965 ; réimpression, Genève : Slatkine, 1978.

TAYLOR, Jane H.M., « Machaut's *Livre du Voir-Dit* and the poetics of the title », dans *Et c'est la fin pour quoy sommes ensemble. Hommage à Jean Dufournet,* tome III, Paris : Champion, 1993, pp. 1351-1362.

En 1979, Paul Imbs, alors âgé de 71 ans, décida de se retirer du Trésor de la langue française *qu'il avait fondé et dirigé jusque-là : il savait l'œuvre en bonne voie et souhaitait se consacrer désormais à son auteur de prédilection, Guillaume de Machaut. À sa mort, en 1987, il laissait, sur le* Voir Dit, *trois contributions inédites : une « Étude littéraire » qui en clarifie la genèse et les structures, une édition critique et une traduction en français moderne. La première fut publiée par l'Institut National de la Langue Française (INaLF) en 1991. Voici à présent, ingénieusement réunies, l'une en regard de l'autre, la seconde et la troisième.*

L'établissement du texte, la collecte des variantes et la traduction sont entièrement dus à Paul Imbs lui-même. Mais il y manquait les pages introductives. Qui mieux que Jacqueline Cerquiglini-Toulet pouvait combler cette lacune ? C'est en parfaite sympathie avec l'éditeur du Voir Dit *et dans le souci constant de la fidélité que Jacqueline Cerquiglini-Toulet a su apporter les compléments indispensables et coordonner efficacement la réalisation de l'ensemble. Pour avoir souvent rencontré Paul Imbs durant ses années de retraite, je sais tout le soin, tout le labeur et je dirais tout l'amour qu'il a mis à son ultime travail. C'est donc une joie de le voir si heureusement achevé.*

Un glossaire succinct a pu être ajouté grâce à Noël Musso, chercheur à l'INaLF. La concision s'imposait d'autant plus que Noël Musso met la dernière main à un Lexique complet de Guillaume de Machaut, à paraître dans les « Matériaux pour le Dictionnaire du moyen français ». *Quant à la mise en forme informatique du texte, elle a également été réalisée à l'INaLF : Françoise Weiss s'y est consacrée avec son habituelle minutie.*

Je me réjouis que Michel Zink ait accueilli l'ouvrage dans la belle collection des « Lettres gothiques » : Paul Imbs aurait assurément apprécié ce choix éditorial.

Robert MARTIN

LE LIVRE DU VOIR DIT

Ci commence le livre du Voir Dit. [137 v° a]

A la loenge et a l'onnour
De tresfine Amour que je honnour,
Aim, obeÿ et sers et doubte,
4 Qu'en lui ay mis m'entente toute;
Et pour ma gracieuse dame
A cui j'ay donné corps et ame
Et que j'aim de vray cuer d'ami,
8 Sanz comparison plus que mi;
Et d'Esperance la vaillant,
Qui unques ne me fu faillant,
Vueil commencier chose nouvelle,
12 Que je feray pour Toute Belle.
Et certes je le doy bien faire,
Qu'elle est de si tresnoble affaire,
Tant scet, tant vault, qu'en tout le monde
16 N'a de villenie si monde
Ne de bonté si bien paree
Ne de biauté si aournee;
Quar Nature qui la fourma
20 Mis en li si douce fourme ha
Qu'onques mais œuvre si subtive
Ne fist, si plaisant ne si vive:
Assez y puet estudier,
24 Penser, muser et colier,
Quar jamais ne fera pareille.
Brief, tous li mondes se merveille
De sa bonté, de sa biauté
28 Et de sa tresgrant loyauté.
Si me vueil de li loer taire,

Titre: *Pm*E Cy; *E* commance

1. *A* loange, *E* louenge – **2.** *E* jonnour – **3.** *E* Aime; *E* obey, *Pm* obei; *A* ser – **4.** *Pm* luy, *E* li – **6.** *PmE* qui – **7.** *PmE* amy – **8.** *A* Sans; *PmE* comparaison; *PmE* my – **10.** *A* onque – **11.** *Pm* ueuil commenchier – **14.** *Pm* sy; *E* afaire – **15.** *A* uaut – **16.** *Pm* uillenie – **18.** *E* adournee – **19.** *A* Car; *E* forma – **20.** *Pm* luy, *E* lui; *AF* si *omis*; abrégé dorénavant en *om.; E* doulce forme; *APmE* a – **21.** *Pm* conques; *A* oueure, *E* euure; *APm* soutiue, *E* soubtiue – **23.** *Pm* asses – **25.** *A* Car – **26.** *Pm* ly; *E* tout le monde s'en m. – **27.** *E* et de sa beauté (+ 1) – **28.** *E* loyaulté – **29.** *Pm* sy; ly; *E* louer

Ici commence le livre du Voir Dit.

À la louange et en l'honneur de très parfaite Amour, que j'aime et dont je suis le très obéissant et très respectueux serviteur, ayant placé en elle toute ma pensée ; pour ma dame gracieuse, à qui je me suis donné corps et âme, et que j'aime d'un cœur d'ami véritable, et incomparablement plus que moi-même ; et en l'honneur d'Espérance la valeureuse, qui jamais ne me faillit au besoin, je veux commencer une œuvre nouvelle.

Je la composerai pour Toute Belle. Et certes j'ai toute raison de le faire : elle est issue d'une si illustre maison, elle est si savante, de si haut prix, que sur la terre entière il n'en est pas une qui soit de vilenie aussi exempte, de qualités aussi bien parée et de beauté à ce point ornée ; car Nature, quand elle la façonna, l'a revêtue d'une forme si séduisante, que jamais encore elle n'avait réussi un ouvrage aussi fin, aussi plaisant, aussi vivace ; et elle aura beau y employer zèle, imagination et peine, jamais plus elle ne fera sa pareille. Bref, la terre entière admire ses mérites, sa beauté et sa très grande loyauté. C'est pourquoi je veux arrêter là ma louange ;

Quar ce n'est pas si fort a faire
D'oster le tour dou firmament
32 Com de li loer proprement,
Ne d'empechier les .XII. signes;
Si m'en tais, que pas n'en sui dignes.
Or vueil commencier ma matiere
36 Pour ma tresdouce dame chiere,
Que Dieus gart en corps et en ame
De villenie et de diffame;
Et dirai toute m'aventure, [137 v° b]
40 Qui ne fu villainne ne sure,
Ains fu courtoise et agreable,
Douce, plaisant et delitable;
Quar j'estoie descongneüs
44 Et de joie despourveüs.
Mais doucement sui confortés
Par elle, et fu mes confors telz:

Il n'a pas un an que j'estoie
48 En un lieu ou je m'esbatoie,
Qui estoit d'arbrissiaus couvers
Par tout, et si estoit tous vers,
Biaus et jolis et gracieus;
52 Et pour estre delicieus,
La n'avoit chose qui l'encombre.
Si m'estoie couchiés en l'ombre
Par quoy la chaleur dou soleil
56 Ne me grevast n'au corps n'a l'ueil;
Si que parfondement pensoie
Par quel maniere je feroie
Aucune chose de nouvel
60 Pour tenir mon cuer en revel.

---

30. *A* Car; *Pm* affaire – **31.** *PmE* du – **32.** *Pm* ly louer – **33.** *A* empeeschier (+ 1) – **34.** *Pm* Sy; *E* car pas ne s. d.; *Pm* suy – **36.** *E* doulce – **37.** *A* dieux, *Pm* diex, *E* dieu – **38.** *Pm* uillenie – **40.** *APm* uilleinne, *E* uillaine; *E* seure – **41.** *A* Eins; *A* aggreable – **42.** *E* doulce – **43.** *A* Car – **45.** *E* doulcement; *Pm* suy, *E* fu; *A* confortez – **46.** *A* tels – **47.** *A* .I. an – **48.** *A* .I. lieu – **49.** *Pm* darbrissiaux, *E* dabrissiaux – **50.** *E* estoie tout – **51.** *Pm* Biaux – **54.** *E* couchié – **55.** *Pm* challeur; *PmE* du – **56.** *E* touchast au c.

car aussi bien est-il moins difficile de faire obstacle au tour du firmament et d'entraver la marche des douze signes, que de la louer en termes appropriés. Je m'en tais donc, puisque je n'y suis pas apte.

Or donc je veux commencer mon propos pour ma très douce dame bien aimée, que Dieu veuille préserver en son corps et en son âme de vilenie et de diffamation. Et je dirai sans rien omettre l'aventure qui m'est un jour advenue et qui ne fut ni discourtoise ni désagréable, bien au contraire, elle fut pleine de courtoisie et d'agrément, de douceur, de charme et de délectation. J'étais alors méconnaissable et dépourvu de joie : c'est elle qui me rendit mes forces, et voici comment.

Il n'y a pas un an, je me promenais en un certain lieu, sur toute son étendue planté d'arbrisseaux, et il était tout vert, et beau dans sa grâce légère ; et, comble de délices, rien n'encombrait son accès. M'étant alors allongé à l'ombre, pour protéger mon corps et mes yeux contre la chaleur solaire, au fond de moi-même je réfléchissais comment je composerais quelque œuvre nouvelle qui pût tenir mon cœur en joie.

Mais je n'avoie vraiement
Sans, matiere ne sentement
De quoy commencier le sceüsse
64 Ne dont parfiner le peüsse,
Qu'Amours, qui or fort me maistrie,
Sur moy n'avoit nulle maistrie;
N'elle en riens ne me maistr[i]oit,
68 Ainçois de ses gens me tryoit,
Si qu'a ce faire ne valoit
Riens, puis qu'Amours ne le voloit.

Mais ainsi comme la pensoie
72 Tous seulz et merancolioie,
Je vi venir tout droit a mi
Un mien especial ami
Qui me getta de mon penser,
76 Quar nulz homs ne porroit penser
Comment je le vi volentiers,
Qu'il avoit .XII. mois entiers
Que je ne l'avoie veü;
80 S'en eus le sang un pau meü,
Et *c*e ne fu mie merveille,
Quar trop plus pale que vermeille
Estoit ma coulour et destainte,
84 Qu'eü havoie dolour mainte
Pour ce qu'avoie vraiement
Esté malades longuement
(Nonpourquant petit a petit

---

62. *A* Scens, *E* Sens; *Pm* matyere – **63.** *E* comencier – **64.** *E* parsouir – **65.** *E* Lamour – **66.** *A* Seur – **67.** *AE* Quelle; *A* maistroit (– 1) – **68.** *A* Einsois; *APmE* trioit – **70.** *Pm* uoulloit – **71.** *A* einsi, *Pm* ainsy; pensoye – **72.** *A* seuls, *Pm* seulx, *E* ceulz; *AE* merencolioie, *Pm* merencolioye – **73.** *Pm* uy; *APmE* my; *E* Je ui tout droit venir – **74.** *Pm* Ung; *E* espescial; *APmE* amy – **75.** *A* jeta, *PmE* geta – **76.** *A* Car; *A* nuls, *Pm* nulx; *PmE* pourroit – **77.** *Pm* Comme; *Pm* uy; *PmE* voulentiers – **80.** *A* Gen; *Pm* eu; *A* sanc; *A* po, *Pm* poy; *E* sen euz un pou le sanc m. – **81.** *APm* ce, *F* se – **82.** *A* Car; *Pm* palle; *E* Car plus palle que u. (– 1) – **83.** *E* couleur – **84.** *A* auoie; *Pm* douleur; *E* Car jauoie eu douleur m. – **85.** *Pm* urayement – **86.** *E* malade – **87.** *A* Nompourquant

Mais, en vérité, je n'avais ni idée ni matière, ni n'éprouvais de sentiment vrai pour m'inciter à composer de bout en bout une telle œuvre ; car Amour, qui à présent me tient fort en son pouvoir, n'avait alors nulle autorité sur moi ; et non seulement il n'exerçait sur moi aucun pouvoir, il m'excluait même des gens de son entourage. Si bien que tout ce que je tentais pour composer une œuvre était voué à l'échec : Amour y était hostile.

Mais tandis que j'étais là, tout seul, plongé dans la mélancolie de mes réflexions, je vis venir tout droit sur moi un de mes amis intimes, qui m'arracha à mes réflexions ; on ne saurait imaginer mon plaisir à le voir, lui que je n'avais plus rencontré depuis douze mois pleins. Je repris un peu de couleur, et cela n'avait rien d'étonnant, car la pâleur avait altéré mon teint vermeil. En effet j'avais beaucoup souffert durant une longue et vraie maladie ; mais il est vrai aussi que petit à petit

88 Me revenoit mon appetit).
Brief, trop liez fui de li vëoir.
Lors le fis delez moy sëoir
Pour enquester de ses nouvelles; [138 a]
92 Si les me dist bonnes et belles,
Douces, plaisans et gracieuses,
Delitables et amoureuses,
Quar telz nouvellez m'aporta
96 Dont durement me conforta,
Et par ma foy tous m'esjoÿ
De ce que dire li oÿ.
Or vous diray de point en point,
100 Si que je n'en mentirai point,
Tout ce que la me raconta;
Et ainsi dit en son conte a:
«Amis, compains et tresdoulz sires,
104 Je serai a ce cop vos mires,
Quar telz nouvelles vous diray
Que de tous poins vous gariray.
En ce royaume ha une dame,
108 Que Dieus gart en corps et en ame,
Gente, juene, jolie et jointe,
Longue, droite, faitice et cointe,
Sage de cuer et de maniere,
112 Treshumblë et de simple chiere,
Belle, bonne et la mieulz chantans
Qui fust nee depuis .C. ans,
Mais elle danse oltre mesure;
116 Et s'est si douce creature
Que toutes autres vaint et passe

---

88. *Pm* apetit – **89-90.** *E* Lors le fis deles moy seoir Pour mielx son affaire ueoir – **89.** *Pm* lies fu de luy – **90.** *A* deles; *Pm* L. deles moy le fis s. – **91.** *PmE* enquerir – **92.** *E* dit – **93.** *E* Doulces – **94.** *Pm* Delictables, *E* Delittables – **95.** *A* Car tels, *Pm* tieulx; *A* nouuelles – **97.** *E* tout; *PmE* mesjouy – **98.** *Pm* luy; *PmE* ouy – **100.** *PmE* mentiray – **102.** *Pm* ainsy, *E* aussi – **103.** *E* compaings; *A* tresdous, *Pm* tresdoulx – **105.** *Pm* tieulx; *E* nouuelles – **107.** *E* royaulme; *AE* a – **108.** *E* dieu – **109.** *Pm* jeune, *E* Gente et jeune – **113.** *E* Belle et bonne; *A* mieux, *E* mielx – **114.** *E* fut – **115.** *AE* dance; *AE* outre, *E* oultre – **116.** *E* cest – **117.** *A* ueint

l'appétit me revenait.

Bref, je fus très heureux de le revoir. Je le fis asseoir à mes côtés, afin de lui demander de ses nouvelles. Et de fait celles qu'il me donna étaient excellentes, infiniment douces et agréables au cœur, pleines de charme et d'amour ; de ces nouvelles, dis-je, qui me rendirent à souhait mes forces ; oui, en vérité, ce que je lui entendis dire me combla de joie.

Voici relaté de point en point et en toute vérité ce que son récit me rapporta : « Ami, compagnon, et très cher seigneur, je serai cette fois-ci votre médecin, car les nouvelles que je vous dirai vous guériront entièrement. En ce royaume vit une demoiselle – Dieu veuille la garder corps et âme – noble, jeune, enjouée, aimable, grande de taille et droite, bien faite, élégante, sage de cœur, très humble de manières et simple d'abord, belle, de bonnes mœurs ; et non seulement la meilleure chanteuse depuis cent ans, mais aussi une danseuse hors pair. Bref, elle est une créature si exceptionnelle qu'elle l'emporte sur toutes les jeunes femmes

En sens, en douçour et en grace.
C'est l'escharboucle qui reluist
120 Et esclarcist l'obscure nuit;
C'est en or li fins dyamans
Qui donne grace a tous amans;
C'est li saphirs, c'est li esmaus
124 Qui d'amours puet garir les maus;
C'est droitement la tresmontainne
Qui cuers au port de Joye mainne;
C'est l'esmeraude qui resjoie
128 Tous tristez cuers et met en joie;
C'est le fins rubis d'oriant
Qui garit toulz maulz en riant;
Briefment, c'est la rose vermeille
132 Qui n'a seconde ne pareille.
Assez parler vous en porroie,
Mais jusqu'a mil ans ne diroie
Le bien, l'onneur, le scens, le pris
136 Qui sont en son gent corps compris.
Aveuc ce moult ha de franchise
Et noble cuer, dont miex la prise,
Qu'il n'a jusqu'a Constantinoble
140 Dame qui ait le cuer si noble:
Chascuns le voit, bien y apert,
Si le sarés tout en appert.
On li a dit et raconté [138 b]
144 C'un yver et pres d'un esté
Avez esté griëment malades,
Et que toudis faisiés balades,
Rondiaus, motés et virelais,
148 Complaintes et amoureus lais,

---

118. *Pm* scens, en honneur – **119.** *E* le charboucle; *PmE* reluit – **120.** *Pm* esclarcit; *A* oscure – **123.** *Pm* esmaux, *E* esmaulx – **124.** *E* damour; *PmE* maulx – **125.** *PmE* tresmontaine – **126.** *PmE* amaine – **129.** *A* li, *Pm* ly – **130.** *AE* garist; *A* tous mauls, *Pm* maulx – **134.** *E* jusques a (+ 1) – **137.** *A* Auec; molt; a – **138.** *Pm* dont miex *(exponctué?)* dont mieux l. p. – **139.** *Pm* Cotentinnoble – **141.** *Pm* chascun – **142.** *E* s. bien e. a. – **143.** *Pm* luy – **144.** *E* yuer est pres – **145.** *A* griefment – **146.** *E* feissiez – **147.** *A* Rondeaus, *PmE* Rondeaux

par son intelligence, sa douceur, son charme.

Elle est l'escarboucle dont l'éclat illumine la nuit obscure ; c'est le fin diamant serti d'or qui donne grâce à tous amants ; c'est le saphir, c'est l'émail qui sait guérir les maux d'amour ; c'est exactement la tramontane qui conduit les cœurs au port de Joie ; c'est l'émeraude qui rend liesse et gaieté à tous cœurs affligés ; c'est le fin rubis du soleil levant dont le rire guérit tous maux. En un mot, c'est la rose vermeille à nulle autre comparable.

Longuement je pourrais vous en parler, mais mille ans ne me suffiraient pas pour dire le bien, l'honneur, l'esprit, la valeur qui sont en son noble corps contenus. Ajoutez à cela la grande générosité de son cœur magnanime, qui en nulle dame d'ici à Constantinople n'a son pareil : chacun le voit, il s'y montre à découvert, et vous-même le connaîtrez en toute clarté.

On lui a rapporté que tout un hiver et presque un été vous avez été gravement malade, et que pendant tout ce temps vous composiez des ballades, des rondeaux, des motets et des virelais, des complaintes et des lais d'amour ;

Dont elle dit que c'est trop fort
D'avoir en un cuer tel confort
Qu'il soit chargiez de maladie
152 Et qu'avoir puist pensee lie.
Et vraiement trop fort li poise
De vostre anuy quant bien le poise.
Et pour ce a vous se recommande
156 Cent .M. fois, et se vous mande
Qu'en tout le monde n'a personne,
Tant soit riche, belle ne bonne,
Dont tant se peüst resjoïr
160 Com de vous vëoir et oïr,
Et si ne vous vid en sa vie;
Mais elle en ha trop grant envie.
Et, doulz sires, s'il pooit estre
164 Que vous venissiez en son estre,
Elle vous feroit tele chiere,
Si amoureuse et si entiere
Qu'elle devroit tresbien souffire
168 Au plus grant signeur de l'Empire.
Et, par Dieu, se c'estoit un homme
Qui peüst aler ainsi comme
Li hommes vont et tempre et tart,
172 Vous verriés son tresdous regart
Dedens .III. jours ou dedens quatre;
Quar elle se venroit esbatre
En ce pays prochainnement
176 Pour vous vëoir tant seulement.
Et pour ce qu'elle ne vous puet
Vëoir, dont li cuers moult li deult,
Vesci ce que [elle] vous envoie

---

149. *A* dist – **151.** *PmE* Qui; *Pm* chargies, *E* chargie – **152.** *E* a pensee puisse l. (+ 1) – **154.** *PmE* ennuy; *E* b. li p. – **156.** *AE* mille; *PmE* et si u. m. – **158.** *Pm* rice; *A* bele – **159.** *PmE* resjouir – **160.** *Pm* ouir, *E* ouyr – **161.** *A* Et se; *A* uit, *Pm* uist – **162.** *A* en a – **163.** *Pm* pouoit; *E* si pouoit – **167.** *Pm* suffire – **168.** *Pm* segneur, *E* seigneur; *E* lepire – **170.** *Pm* aller – **171.** *AE* homme – **172.** *E* ueiciez; *Pm* s. doulx r. (– 1) – **173.** *A* Quant – **175.** *E* prouchainnement – **178.** *A* duet, *Pm* dont moult ly cuers luy duet – **179.** *Pm* Vecy, *E* Vesy; *A* ce quelle, *F* que uous (– 1)

à propos de quoi elle a fait la remarque que c'est chose très difficile à imaginer qu'il y ait en un même cœur assez d'énergie pour qu'il soit capable de concevoir des pensées gaies, alors qu'il est accablé par la maladie. Et en vérité elle a le cœur bien gros chaque fois qu'elle pense à vos souffrances. Et c'est pourquoi elle se recommande à vous cent mille fois et vous fait savoir qu'au monde entier il n'y a nulle personne – si riche, belle ou bonne qu'on la suppose – qui pût lui procurer autant de joie que de vous voir et de vous entendre. Et en effet elle ne vous a jamais vu, alors qu'elle brûle d'envie de vous voir ! Aussi, cher seigneur, s'il vous était possible de venir en son manoir, elle vous réserverait un accueil chaleureux et complet, qui suffirait à tous égards pour le plus grand seigneur de l'Empire. Certes, si elle était un homme pouvant, comme font les hommes, prendre la route de bonne heure et jusque tard dans la journée, vous verriez son très doux regard au bout de trois ou quatre jours [de chevauchée], car elle ne tarderait pas à venir se promener en ces parages à seule fin de vous voir. Mais comme elle ne peut venir vous rendre visite – et cela lui fait bien mal au cœur – voici ce qu'elle vous envoie,

180 De son fait, quar, se Dieus me voie,
Je ne me doy pas de ce taire,
Quar j'estoie present au faire. »
Si me bailla un rondelet
184 Qui n'estoit pas rudes ne let,
N'il n'estoit mie contrefais,
Ainçois estoit si tresbien fais
Et en tous cas si bien servoit
188 Que nulz amender n'i savoit.
Je le prins a grant reverence
Et si le baisai sans doubtance
Plus de cent fois, ou environ.
192 Et puis j'ostai mon chaperon
Et devant lui m'agenouillay ;
Ne de moy pas ne l'eslongnay,
Ains le garday tresdoucement [138 v° a]
196 Sus mon cuer et soingneusement ;
Et souventefois le baisoie,
Quar trop grant plaisance y prenoie.
Et pour ce que si noble chose
200 Ne doit celee estre n'enclose,
Vous diray sans oster ne mettre,
Ce qu'il y avoit en la lettre.

Rondel

Celle qui unques ne vous vid *La dame*
204 Et qui vous aimme loyalment
De tout son cuer vous fait present,

Et dit que a son gré pas ne vit
Quant vëoir ne vous puet souvent
208 Celle qui unques ne vous vid
Et qui vous aimme loyalment.

---

180. *PmE* dieu – **182.** *Pm* Quer – **184.** *E* rude – **189.** *AE* Et le pris – **194.** *A* meslongnay – **195.** *A* Eins ; *Pm* gardé – **197.** *APmE* souuentes f. – **198.** *APm* auoie, *E* prenoie – **203.** *APmE* uit – **204.** *A* aime ; *A* loiaument, *Pm* loyaument, *E* loyaulment

et qui est son œuvre (ceci, j'ai de bonnes raisons de le dire, puisque, par le Dieu qui me voit, j'étais là quand elle l'a fait). »

Il me remit alors un petit rondeau, qui loin d'être gauche, disgracieux, contraire aux règles, était si parfaitement réussi et produisait à chaque lecture un si bel effet que nul n'y trouvait à amender. Je le pris avec des marques de grande révérence, et le baisai, sans hésiter, plus de cent fois – ou environ ! –; après quoi, j'ôtai mon chaperon, me mis à genoux devant le petit rondeau, et loin de l'éloigner de moi, je le gardai sur mon cœur avec grande douceur et joie, et pour mon plus grand plaisir, je le baisai souvent. Mais parce qu'une œuvre de si noble facture ne doit pas rester cachée ni enclose, je vous dirai sans rien ôter ni ajouter, ce que contenait le pli :

Rondeau [de la dame]

Celle qui jamais ne vous vit
Et qui vous aime loyalement,
De son cœur tout entier vous fait présent ;

Et elle dit qu'elle ne vit pas à son gré
Quand elle ne peut vous voir à intervalles réguliers,
Elle, qui jamais ne vous vit
Et qui vous aime loyalement ;

Quar pour les biens que de vous dit
Tous li mondes communement
212 Conquise l'avez bonnement.

Celle qui unques ne vous vid
Et qui vous aimme loyalment
De tout son cuer vous fait present.

216 Quant il ot finé sa parole, *L'amant*
Qui ne fu villaine ne fole,
Ainssois fu si sagement dite
Qu'il n'i ot vice ne redite,
220 Je respondi courtoisement :
« Gentilz compains, certainement
Vous avez fait vostre message
A loy d'omme discret et sage,
224 Et pour ce je vous veuil respondre
Sans riens enclaurre ne repondre.

Premierement sans detrier
Veuil tresbonne Amour mercier
228 Quant si bien li est souvenu
De moy qu'estes yci venu
Pour moy doucement conforter ;
C'on ne me porroit aporter
232 Chose qui tant me deüst plaire
Ne qui tel bien me peüst faire,
Car j'avoie mestier moult fort [138 v° b]
De recouvrer joye et confort.
236 Mais Amour a si bien ouvré
Que joie et paix ai recouvré :
Dont qui la sert, il fait bonne oeuvre,
Quant joye et paix par lui recuevre ;

---

213. *APmE* uit – **217.** *A* villeinne – **218.** *A* Einsois, *PmE* Aincois ; *E* si *om.* (– 1) – **221.** *A* Gentils, *Pm* Gentil ; *E* compaings ; *A* certeinnement – **225.** *A* enclorre, *PmE* enclore – **227.** *AE* Vueil – **231.** *A* Quon, *PmE* Com – **232.** *A* peust – **233.** *A* deust, *E* sceust – **234.** *A* molt – **235.** *A* joie – **237.** *A* pais – **238-9.** *E om.*

Car en raison du bien que dit de vous
Tout le monde unanimement,
Vous l'avez conquise en toute honnêteté,

Elle, qui jamais ne vous vit
Et qui vous aime loyalement,
De son cœur tout entier vous fait présent.

Quand mon ami eut fini son discours exempt de vulgarité et de déraison, et si savamment formulé qu'il n'y avait ni manque ni redite, je lui répondis courtoisement : « Aimable compagnon, assurément vous avez transmis votre message à la manière d'un homme plein de discernement et de sagesse ; aussi vais-je vous répondre sans rien garder pour moi ni dissimuler.

En premier lieu, et sans plus attendre, je veux remercier très bonne Amour de s'être si bien souvenue de moi que vous êtes ici pour mon doux réconfort, car on n'aurait rien pu m'apporter qui fût capable de me causer autant de plaisir ni faire autant de bien ; j'avais en effet grand besoin de recouvrer joie et réconfort ; et, de fait, Amour a si bien travaillé que j'ai retrouvé joie et paix. Aussi fait-on bien d'être à son service, s'il est vrai que grâce à elle on recouvre joie et paix ;

240 Si que des or mais me couvient,
Quant einsi de moy li souvient,
Mettre en li toute m'esperance
Et mon entente et ma fiance,
244 Quar je ne me puis asse(r)vir
D'Amours et ma dame servir;
Pour ce tous les jours de ma vie
Yert de moy loyalment servie,
248 Et si mourrai en son service
Sans villain penser et sans vice.

Et sans doubte je ne puis croire
Que ceste dame eüst memoire
252 Ne que de moy li souvenist
Jamais, se d'Amours ne venist.
Mais Amours est si tressubtive
Qu'elle se boute et [si] s'avive
256 Es cuers qui unques ne se virent,
De loing së aimment et desirent,
Et les fait par amours amer
Et sentir les doulz maus d'amer.
260 D'autre part qui la mouveroit
Qu'elle amoureusement feroit
De bon et de vray sentement
Sans amer amoureusement,
264 Ce me semble une trop fort chose
Qu'Amours ne soit en lié enclose,
Mais plus : ce me semble imposible,
Qu'a moy n'est pas chose possible
268 De faire d'amoureuse guise,
S'Amours n'i gouverne et Franchise.
Vous la m'avés si fort prisie
De scens, d'onneur, de courtoisie

---

241. *A* ainsi ; *Pm* de moy einsy ly s. – **242.** *E* lui ; *A* mesperence – **244.** *APm* asseuir, *FE* asseruir – **246.** *A* morray, *Pm* mourrai, *E* mourray – **251.** *A* heust – **252.** *E* Ne de moy (– 1) – **254.** *Pm* soutiue, *E* soubtise – **255.** *AE* et si sauiue, *FPm* et sauiue (– 1) – **257.** *A* long – **264.** *A* Si, *E* Se – **265.** *AE* li, *Pm* luy – **266.** *E* se ; *AE* impossible – **269.** *E* et *om.* (– 1) – **271.** *AE* sens

de quoi il résulte que moi-même désormais, puisque de moi ainsi elle se souvient, je dois mettre en elle toute mon espérance, ma sollicitude, ma confiance, car autrement je ne puis assouvir mon besoin de servir Amour et ma dame. C'est pourquoi tous les jours de ma vie Amour sera par moi loyalement servie, et ainsi je mourrai à son service, exempt de toute pensée vulgaire et de tout vice.

Et sans nul doute je ne puis croire que cette dame ait jamais pensé à moi, si cette pensée n'avait pour origine Amour. Et si je le crois, c'est parce que Amour est si extraordinairement ingénieuse qu'elle pénètre et s'active en des cœurs qui sans jamais s'être vus s'aiment et se désirent de loin ; et elle les fait s'aimer d'amour et leur fait éprouver les douces souffrances d'amertume.

En face de quoi, si quelqu'un avançait que la dame se comporte en personne aimant d'un sentiment honnête et vrai sans vraiment aimer d'amour, je répondrais qu'il me paraît difficile de soutenir qu'Amour ne soit en elle enclose ; bien plus, cela me paraît impossible, car je ne puis moi-même me comporter en amoureux, si Amour et Sincérité n'y règnent.

Vous m'avez tant vanté son intelligence, son honneur, sa courtoisie,

272 Et de tous les biens que Nature
Puet ottroier a creature,
Que je tien, se Dieus me doinst joie,
Que le rondel qu'elle m'envoie
276 Et son cuer qu'elle me presente
Soit en bonne et en vraie entente,
Et qu'elle pour riens le contraire
Ne daigneroit penser ne faire,
280 Et que jamais ne me clamast
Son ami, s'elle ne m'amast.
Si que je tien que j'ay amie
Belle, bonne, cointe et jolie.

284 Bien porroie estre voir disans,
Car vraiement il a diz ans,
Voire, a m'entente, plus de douse
Que j'ay goulousé et goulouse [139 a]
288 Qu'Amours me donnast une dame
Qui belle, bonne et preudefame
Fust, et que sans plus [je] cuidaisse
Qu'elle m'amast et je l'amaisse ;
292 Si que je pour l'amour de li
Eüsse le cuer plus joli
Et que je tant ne m'arudisse
Que mon bon sentement perdisse,
296 Et qu'elle fust de moy loee,
Servie, amee et honnouree,
Et toutes dames ensement
Pour l'amour de li seulement.

300 Aprés humblement remercy
Ma dame, qui m'a de mercy
Donné bonne et vraie esperance,

---

274. *AE* tieng ; *PmE* dieu ; *AE* doint – **277.** *E* et uraie (– 1) – **279.** *A* deigneroit – **282.** *AE* tieng ; *Pm* jaye – **283.** *Pm* Belle et bonne – **286.** *A* douxe, *PmE* douze – **287.** *A* ja g. – **289.** *A* Que ; *PmE* belle et bonne ; *PmE* preudefemme – **290.** *A* plus je c., *F* je *om.* (– 1) ; *APmE* cuidasse – **291.** *APmE* lamasse – **293.** *A* Heusse – **294.** *E* ne *om.* (– 1) – **297.** *A* Seuie – **299.** *Pm* delle s.

avec tous les biens que Nature peut octroyer à une créature, que je tiens pour vrai, oui vraiment, que l'envoi de son rondeau et l'offre de son cœur procèdent d'une pensée honnête et sincère, et que pour rien au monde elle ne consentirait à penser ou à faire le contraire, et que jamais elle ne m'appellerait son ami, si elle ne m'aimait. En sorte que je tiens pour vrai que j'ai une amie belle, honnête, distinguée et gaie.

Oui, il y a des chances pour que je dise vrai. Car, en vérité, il y a dix, voire, si je réfléchis bien, plus de douze ans que j'ai sollicité – et que je sollicite toujours ! – Amour pour qu'elle me donne une dame qui soit belle, honnête, vertueuse, et dont je serais fondé à croire, sans autre preuve, qu'elle m'aimerait et que je pourrais l'aimer, en sorte que de par mon amour pour elle j'aurais le cœur plus gai, et ne rétrograderais pas jusqu'à perdre ma flamme amoureuse ; mais qu'au contraire elle serait par moi louée, servie, honorée, (en un mot) aimée ; et, avec elle, toutes les dames, à cause seulement de mon amour pour elle.

En second lieu, je remercie ma dame qui m'a donné une honnête et véritable raison d'espérer sa faveur.

Car son renon et sa vaillance,
304 La grant biauté dont elle est plaine,
Sa fine douceur souveraine
Et la bonté qui en li maint
Me font esperer qu'elle m'aint
308 De fin cuer amoureus. Et certes
Tenez que je di tout acertes
Que ami ja clamé ne m'eüst,
S'Amours ad ce ne la meüst;
312 Et puis qu'Amours a ce s'acorde
Et ma dame ne s'en descorde,
Certes bonnement m'i accord
Ne ja n'en quier faire descort.
316 Or faisons une trinité
Et une amiable unité,
Que ce soit uns corps et une ame
D'Amours, de moy et de ma dame!

320 Aussi, chiers compains et amis,
Ma dame vous a cy tramis,
Dont vous avez eü grant paine,
Quar assez (prés d'une semaine!)
324 Vous avez chevauchié tousdis.
Mais se Diex me doinst paradis,
Volentiers le desserviroie
Par devers vous, se je pooie.
328 Et dou travail qu'avez eü,
Dont je n'ay pas fait mon deü
Envers vous si com je deüsse
Et combien que tenus y fusse,
332 Je vous en merci humblement
Et vous jur par mon ser[e]ment

---

304. A pleinne; *E a un vers estropié qui se termine par* dont, *suivi d'un* e *accolé* (– 3) – **306.** *Pm* luy, *E* lui – **310.** *A* Quamy – **312.** *A* ad ce – **313.** *E* ne se d. – **314.** *APm* acort, *E* accort – **315.** *E* quiers – **318.** *E* Que se; *E* un ame – **321.** *A* ci – **322.** *A* peinne, *E* painne – **323.** *A* Car; *A* semainne, *Pm* sepmaine, *E* sepmainne – **324.** *Pm* cheuaucie; *APmE* toudis – **325.** *Pm* Maiz; *AE* dieux; doint – **326.** *PmE* Voulentiers – **327.** *PmE* pouoie – **333.** *A* serement, *F* serment (– 1); *E* jure p. m. serment

Car son renom et sa valeur, sa très grande beauté, sa parfaite et royale douceur, et son honnêteté personnelle me font espérer qu'elle est capable de m'aimer d'un cœur de parfaite amoureuse. Et en vérité, tenez pour certain ce que je dis : elle ne m'aurait pas appelé ami, si Amour ne l'y eût poussée.

Et puisque Amour y donne son accord, et que ma dame n'y contredit pas, vraiment et en toute honnêteté j'y souscris, et ne cherche pas à y contredire. Formons donc une trinité dans une aimante unité, en sorte qu'Amour, ma dame et moi ne soyons qu'une seule et même personne de corps et d'âme.

Il y a encore ceci, cher compagnon et ami : ma dame vous a envoyé ici pour un voyage qui vous a coûté beaucoup de fatigue, car vous avez chevauché tous les jours pendant presque une semaine. Mais oui, je le jure : aussi vrai que je souhaite d'aller en paradis, je le compenserais de grand cœur si je pouvais vous le rendre ; en tout cas, quant à la peine que vous avez prise – pour laquelle je n'ai pas fait ce que j'aurais dû et alors que j'y étais tenu – je vous remercie humblement, et je vous jure sous la foi du serment

Que vous me poez commander
Et tout penre sans demander,
336 Mon corps et quanque j'ay vaillant;
Et tant com j'aurai un vaillant,
Chiers compains, vous y partirés.
Mais dites moy: quel part irés [139 b]
340 Au departir de ceste place?»
Et cil dist: «Se Dieus me doinst grace,
Je iray tout droit par devers celle
Qui son vrai ami vous appelle,
344 Et le plus tost que je porray.
Mais aussi vray com je morray,
Je sui certains qu'elle vous aime,
Car par tout son ami vous claime,
348 N'ami ja ne vous clameroit
Puis qu'elle ne vous ameroit.
Et se riens li volés escrire
Ou mander ou de bouche dire,
352 Commandés et je le ferai
Et bons messages en serai,
Car, par ma foy, j'ay grant desir
De faire vostre bon plaisir.»
356 Et je li respondi en l'eure:
«Chiers amis, se Dieus me sequeure,
Moult volentiers li escrirai;
Et ma response vous dirai,
360 Par quoy miex en sachiés parler
Quant devers li volrés aler.
Mais vous serez mon secretaire
Pour parler a point et pour taire,
364 S'il vous plaist, et je vous en pri:

---

334. *A* pouez, *PmE* poues – **335.** *E* prendre – **336.** *E* et tout quenquay u. – **337.** *A* jauray, *PmE* jaray; *E* rien u. – **339.** *Pm* dittes, *E* dictes – **341.** *A* cils, *Pm* cilz; *Pm* diex, *E* dieu; *APmE* doint – **342.** *E* d. elle – **345.** *A* mouuray, *Pm* morray, *E* mourray – **347.** *E* Et p. – **349.** *E* aymeroit – **350.** *PmE* escripre – **353.** *Pm* Et vos m.; *E* messagiers – **356.** *Pm* luy – **357.** *PmE* dieu – **358.** *Pm* uoullentiers, *E* uoulentiers; *E* escripray – **359.** *E* ma *om.* (– 1) – **360.** *E* saches – **361.** *A* d. vous u. a., *Pm* d. la u. a.; *A* uorrez, *Pm* uorres, *E* uoulrez – **362.** *E* u. soiez m. s. – **363.** *E* Pour apoint parler

que vous pouvez me demander n'importe quel service, voire tout prendre de ma personne et de mon bien : tant que j'aurai quelque richesse, cher compagnon, vous en aurez votre part. Mais dites-moi où vous vous rendrez en quittant ce lieu. »

Voici sa réponse : « Par la grâce de Dieu que je me souhaite, j'irai tout droit et le plus vite que je pourrai chez celle qui vous appelle son ami véritable ; mais oui, aussi vrai que je mourrai un jour, je suis sûr qu'elle vous aime ; car elle vous appelle partout son ami, et elle ne vous appellerait pas son ami dès lors qu'elle ne vous aimerait pas. J'ajoute que si vous voulez lui adresser un message écrit ou par voie orale, ordonnez et je vous obéirai, et je serai votre honnête messager, car, en vérité, je désire grandement faire votre bon plaisir. »

Et voici ce que je lui répliquai : « Cher ami, par le secours de Dieu que je me souhaite, c'est de grand cœur que je lui écrirai, et je vous dirai ce que je lui réponds en me servant du moyen qui vous permettra le mieux de lui dire mon message quand vous voudrez vous rendre chez elle, à savoir que vous allez être le dépositaire de ma pensée secrète, de manière à, selon le cas, parler ou vous taire, si vous voulez bien, et je vous supplie

Or ne refusés mon depri !
Et par tel rime mon rescript
Ferai comme elle m'a escript. »
368 Si qu'en present fis sans atente
Ce rondel pour ma dame gente.
Je li baillai, et il le prist
Qu'onques le penre ne reprist ;
372 Par ce vi bien qu'il me seroit
Secrez et m'onneur garderoit.

Rondel

L'amant

Tresbelle, riens ne m'abelist
Ne donne pais n'aligement
376 Sans vous, a qui sui ligement ;

Quant vo biauté, qui embelist
Tousdis, ne voy, et vo corps gent,

Tresbelle, riens ne m'abelist
380 Ne donne paix n'aligement.

Et vo douçour, qui adoucist
Mes maulz et garist doucement,
M'est trop lontaine vraiement ;

384 Tresbelle, riens ne m'abelist
Ne donne paix n'aligement.
Sans vous, a qui sui ligement.

[139 v° a]
L'amant

Ce fait, de moy se departi
388 Et me laissa a cuer parti
De maladie et de leesse
Et de pensee sanz tristesse,

---

365. *E* Ne refuses pas mon depry – **366.** *E* escript – **368.** *E* en presance (+ 1) – **370.** *Pm* prit – **371.** *E* prenre ; *Pm* reprit – **372.** *Pm* uy, *E* uis ; *E* qui m. s. – **375.** *E* nalegement – **378.** *AE* Toudis – **380.** *E* naligement – **383.** *A* lointeinne, *PmE* loingtainne – **385.** *E* nalegement – **389.** *A* leece, *E* leesce – **390.** *A* tristece, *E* tristesce

d'acquiescer à ma demande, ne la repoussez pas ! – Ma réponse aura la même forme versifiée que son message à elle. »

Si bien que, en sa présence et sans attendre, je composai pour mon aimable dame le rondeau qui suit, que je lui remis, et qu'il prit et conserva bien pardevers soi. Et je vis bien par ce geste qu'il me garderait le secret et préserverait mon honneur.

Rondeau [de l'amant]

Très-Belle, nulle créature ne me plaît
Ni ne me procure paix et soulagement
En dehors de vous, à qui j'appartiens comme votre
[homme lige ;
Dès lors que je ne vois votre beauté
Toujours plus belle, et votre aimable corps,
Très-Belle, nulle créature ne me plaît
Ni ne me procure paix ni soulagement.

Oui, votre douceur qui soulage
Mes maux et les guérit sans me faire souffrir,
Vit vraiment très éloignée de moi ;

Très-Belle, nulle créature ne me plaît
Ni ne me procure paix et soulagement
En dehors de vous, à qui j'appartiens comme votre
[homme lige.

Ceci fait, il me quitta, me laissant avec un cœur partagé entre la maladie et la joie, absorbé dans mes pensées, cependant dépourvues de tristesse,

Pour ce qu'avoie sanz demour
392 Donné cuer et corps et amour
A ma dame, et sans retolir.
Si me commençay a polir,
A cointïer, a regarder
396 Pour moy d'or en avant garder
De villenie et de meffait,
Quar, par Dieu, cilz qui ce ne fait
N'est pas dignes d'avoir amie.
400 S'oubliai mes maulz en partie,
Car Doulz Pensers adoulcissoit
Mes dolours et les garissoit
Sans avoir d'elle la veüe,
404 Qu'onques ne l'avoie veüe ;
Mais Souvenirs la figuroit
En mon cuer, et m'asseüroit
Que sa bonne grace acquerroie
408 Et que par li garis seroie.
Si ne pensoie qu'a cointise,
A leesce et a mignotise,
Si qu'einsi fui fais amoureus
412 Par les doulz pensers savoureus
Que Souvenirs m'aministroit
Et ma dame, dont il n'istroit
Jamais riens qui ne fust a point,
416 Qu'en li mal ne d'amer n'a point.

Mais ainsi com j'estoie la,
J'oÿ un homme qui parla
Et qui forment me demandoit,
420 Qu'a parler a moy entendoit.
Et je le fis vers moy venir,
Et en sa main li vi tenir

---

393. *APmE* retollir – **395.** *APmE* cointoier ; *A* resgarder – **396.** *A* ore – **397.** *A* uillennie, *Pm* uillonnie – **398.** *A* cils – **399.** *PmE* digne – **402.** *E* douleurs – **404.** *PmE* Conques – **405.** *Pm* souuenir – **408.** *Pm* luy, *E* ly ; gari – **410.** *A* leesse – **411.** *A* sui, *E* fu ; *Pm* fait – **412.** *A* Par ses d. p. – **413.** *A* manifesteroit (+ 1), *Pm* manifestoit, *E* mamenistroit – **415.** *A* rien – **418.** *A* home – **420.** *A* en – **422.** *Pm* luy ; *PmE* uis

en raison de ce que sans attendre j'avais donné ma personne et mon amour à ma dame, et pour ne plus jamais les reprendre. Alors je commençai à limer mes rugosités, à soigner ma mise, à examiner ma conscience de manière à me préserver de toute bassesse et de toute faute ; car, par Dieu, celui qui ne fait pas cela n'est pas digne d'avoir une amie. Ainsi j'oubliai en partie mes maux, car Doux Penser adoucissait mes douleurs et se mettait à les guérir sans que je voie ma dame, car je ne l'avais jamais vue ; mais de penser à elle lui donnait figure en mon cœur, et me garantissait que j'acquerrais sa bonne grâce et que par elle je serais guéri. Alors je n'avais la tête qu'aux diverses manières d'être élégant, allègre, galant. C'est ainsi que je devins amoureux par la saveur des douces pensées que Souvenir m'inspirait, ensemble avec ma dame, dont il n'émanerait jamais rien qui ne fût parfait, car en elle il n'y a nulle trace de mal ni d'amertume.

Mais tandis que j'étais là, j'entendis parler un homme qui d'une voix forte me réclamait pour s'entretenir avec moi. Je le fis venir auprès de moi, et je le vis qui tenait à la main

Une lettre close et fermee
424 De cyre vert bien seellee;
Si qu'encontre li me dressai
Et par devers li m'adressai,
Quar vraiement je ne savoie
428 En riens la cause de sa voie.
De ses nouvelles li enquis, [139 vº b]
Et il fist ce que je li quis,
Car il avoit .V. ans passés
432 Que je le congnoissoie assés,
Pour ce estoit de moy bien acointes;
Et si estoit faitis et cointes,
Sages, courtois et bien aprins.
436 Si qu'adonc par la main le prins,
Si nous seïsmes, ce me semble,
Pour plus aise parler ensemble.
Si parla bien et sagement,
440 Et je m'i portai telement
C'onques je ne respondi mot
Tant que dit sa volenté m'ot;
Si dist: « Sire, je sui venus
444 Vers vous, a qui sui moult tenus,
Car vraiement je desir fort
Vostre bien et vostre confort.
Une dame ha en ce pays
448 De qui vous n'estes pas haÿs,
Qui cent milles fois vous salue,
Et vous mande qu'Amours l'arguë
Et point d'amoureuse estincelle
452 Souvent par dessoubz la mamelle
Pour vous, qu'elle aimme chierement.
Et se sa douce chiere ment,
Jamais dame qui amera
456 Bien ne loyauté ne fera,

---

423. *Pm* et scellee – **424.** *E* uerte; *AE* seelee, *Pm* fermee – **425.** *Pm* luy, *E* ly – **426.** *Pm* luy – **427.** *AE* Car – **429.** *Pm* luy – **430.** *Pm* luy – **435.** *E* apris – **436.** *A* adont; *E* pris – **438.** *A* a aise (+ 1) – **443.** *Pm* dit – **447.** *A* cest – **449.** *E* cent *om.* (– 1); *AE* mille – **452.** *A* dessous, *Pm* dessoulx

une enveloppe fermée, bien scellée de cire verte ; à cette vue je me levai, le visage tourné vers lui, et marchai à sa rencontre ; car en vérité j'ignorais absolument la raison de sa venue. Je m'enquis auprès de lui, et il fit ce que je lui avais demandé. Il y avait plus de cinq ans que je le connaissais bien ; c'était une de mes bonnes relations ; il était bien fait et distingué, sage en sa parole, courtois dans ses manières, bien éduqué en un mot. Aussi le pris-je alors par la main, et, comme il me sembla bon, pour nous entretenir plus à l'aise, nous nous assîmes. Et en effet, il s'exprima bien et sagement, en sorte que je l'écoutai avec un vif intérêt sans l'interrompre tant qu'il n'avait pas fini son propos. Il dit : « Seigneur, je suis venu auprès de vous, en homme qui vous suis très attaché, et en vérité, je désire fort votre bien et votre bonheur. Il est en cette contrée-ci une dame qui ne vous hait point, qui vous salue cent mille fois et vous mande qu'Amour la presse et l'aiguillonne souvent sous la poitrine d'une fine flamme amoureuse pour vous, qu'elle aime ardemment ; en effet si son doux visage ment, plus jamais aucune dame qui aimera

Car c'est la flour de tout le monde,
Brief, tous li biens en li habunde.»
Si la prinst a glorifier,
460 A prisier, a magnifier,
Et a loer li et son fait
Plus que li autres n'avoit fait.
Quant je l'oÿ, je me sengnay
464 Et mon cuer en joie baignay
Quant il si forment m'affermoit
Qu'elle en moy son cuer enfermoit;
Et vi bien que pas n'estoit songe
468 Le dit de l'autre ne mensonge.
Aprés la lettre me donna
Et moult a moy s'abandonna.
Je l'ouvri et la pris a lire
472 Et commençai de joie a rire
Pour ce que le commencement
Encommençoit trop doucement.

Rondel

Pour vivre en joieuse vie, *La dame*
476 J'ai mis mon cuer en amer
Le meilleur c'on puist trouver;

Si n'ai fait point de folie,
Nulz ne m'en devroit blasmer:

[140 a]

480 Pour vivre en joieuse vie
J'ai mis mon cuer en amer.

Et quant Juenesce m'en prie,
Amours le vuelt commander,
484 Je ne m'en doi descorder:

457. *A* fleur – **458.** *A* luy h. – **459.** *A* prist, *PmE* print; *A* glorefier – **463.** *A* seingnay, *PmE* seignay – **464.** *A* baingnay – **465.** *E* si fort (– 1) – **466.** *APm* affermoit – **471.** *A* la ui, *Pm* uy, *E* louury – **477.** *A* milleur – **478.** *E* point fait – **482.** *E* quant *om.* (– 1) – **483.** *A* uuet, *Pm* uueut, *E* ueult

ne pourra démontrer l'honnêteté et la loyauté de sa conduite ; car elle est la fleur du monde entier ; bref, tout ce qui existe en fait de bien abonde en elle. »

Il se mit alors à la glorifier, à en vanter la valeur, à la magnifier, et à la louer, elle et sa conduite, plus fort encore que ne l'avait fait l'autre messager. Quand je l'eus entendu, je me signai, et mon cœur fut inondé de joie de ce que si fort il m'assurait qu'elle avait mis à l'abri son cœur chez moi. Et je vis bien que le discours de l'autre n'était ni songe ni mensonge. Sur quoi il me remit la lettre, et me laissa faire à ma guise. Je l'ouvris, me mis à la lire, et je commençai à rire de joie en voyant que son début était d'une grande douceur.

Rondeau [de la dame]

Pour vivre une vie de joie
J'ai disposé mon cœur à aimer
Le meilleur homme qu'on puisse trouver ;

Et je n'ai point commis de folie,
Nul n'aurait des raisons pour m'en blâmer :

Pour vivre une vie de joie,
J'ai disposé mon cœur à aimer.

Et puisque Jeunesse m'en prie
Et qu'Amour veut bien y donner son accord,
Je ne dois pas m'y refuser :

Pour vivre en joieuse vie,
J'ai mis mon cuer en amer
Le meilleur qu'on puist trouver.

488 Et vois cy la lettre premiere, *L'amant*
Et non mie la darreniere :

[Lettre I des mss]

(a) Treschiers sires et vrais amis, je me *La dame* recommende a vous tant comme je puis et de tout mon cuer. **(b)** Et vous envoie ce rondel ; et s'il y a aucune chose a faire, je vous pri que vous le me mandés[1]. Et qu'il vous plaise a faire .I. virelay sur[2] ceste matere[3], et le vous plaise a moy envoier noté, aveuc[4] ce rondel icy, aveuc les .II. autres : celli que je vous envoiay, et celli que vous m'aves envoiet[5] par li meïsmes. De ce vous mercy de tout mon cuer. **(c)** Et vous pri, treschiers amis[6], s'il vous plaist aucune chose par deça, je le feray de bon cuer et volentiers, com[7] pour l'omme du[8] monde que je desir[9] plus[10] a veoir. **(d)** Je vous pri, treschiers et bons amis, qu'il vous plaise a moy envoier de vos bons diz[11] notez, quar vous ne me poés faire service[12] qui[13] plus me plaise. **(e)** Nostres[14] Sires vous doint honneur et joie de quanque vos cuers aimme.

Vostre bonne amie.

Et s'il est nulz qui me reprengne *L'amant*
Ou qui mal apaiez se tiengne

---

487. *A* milleur – **488.** *A* uez ci, *Pm* uecy, *E* uescy – **489.** *PmE* derreniere

---

1. *A* mandez. – **2.** *A* seur. – **3.** *Pm* matiere. – **4.** *A* auec. – **5.** *Pm* m'envoiastes. – **6.** *Pm* Et vous pri... amis *om.* – **7.** *APm* comme. – **8.** *A* dou. – **9.** *APm* desire. – **10.** *E* d. le plus. – **11.** *A* dis. – **12.** *E* seruise. – **13.** *A* que plus. – **14.** *Pm* Nostre.

---

490. *A* repregne, *PmE* repreingne – **491.** *E* apaye ; *A* teingne, *E* tieingne

Pour vivre une vie de joie,
J'ai disposé mon cœur à aimer
Le meilleur homme qu'on puisse trouver.

Et voici la première lettre, qui en précéda beaucoup d'autres. *L'amant*

Lettre 1, de la dame [1 des mss; I de PP[1]]

Très cher seigneur et ami véritable,
Je me recommande à vous autant de fois que je puis, et de tout mon cœur.

Je vous envoie le rondeau ci-joint, et s'il y a quelque chose à y corriger, je vous prie de me le faire savoir, et d'avoir l'obligeance de composer un virelai sur le même sujet, et de le noter, en même temps que ce rondeau-ci et les deux autres, celui que je vous avais envoyé et celui que vous m'avez envoyé par le même messager. De cela, je vous remercie de tout mon cœur. Et je vous prie, très cher ami, si vous avez quelque désir en rapport avec le lieu où je suis, je le satisferai de bon cœur et de toute ma volonté, le faisant pour l'homme au monde que je désire le plus de voir.

Je vous prie, très cher et excellent ami, qu'il vous plaise de m'envoyer de vos bons poèmes déjà notés, car vous ne pouvez me faire une faveur qui me soit plus agréable.

Que Notre-Seigneur vous accorde honneur et joie en tout ce que votre cœur aime.

Votre amie sincère.

Si quelqu'un se montrait peu satisfait et me reprenait *L'amant*

---

1. Abréviation du nom de Paulin Paris, premier éditeur du *Voir Dit* (cf. Bibliographie).

492 De mettre cy nos escriptures,
Autant les douces que les sures,
Que l'en doit appeller epistres
– C'est leurs drois noms et leurs drois titres, –
496 Je respond a tous telement
Que c'est au doulz commandement
De ma dame, qui le commande :
C'est bien raison qu'au faire entende
500 Et que son doulz plaisir je face
Pour l'amour de sa douce face,
Et en cas que ne le feroie
Vers Amours et li mesprendroie.
504 Je ne sai qui en parlera,
Mais pour ce autrement ne sera,
Ains sera tout a l'ordenance
De celle en qui gist m'esperance.
508 Et s'aucunes choses sont dittes
Deulz fois en ce livre ou escriptes,
Mi signeur, n'en haiez merveille, [140 b]
Quar celle pour qui amour veille
512 Veult que je mete en ce voir dit
Tout ce qu'ai pour li fait et dit,
Et tout ce qu'elle a pour moy fait,
Sans riens celer qui face au fait ;
516 Et vuelt que toutes les rassemble
Pour les y mettre tout ensemble.
Le Voir Dit veuil je qu'on appelle
Ce traitié que je fais pour elle,
520 Pour ce que ja n'i mentirai.
(Des autres choses vous diray
Se diligemment les querés,
Sans faillir vous les trouverés

---

493. *E* d. com l. s.; *E* seures – **494.** *E* epistre – **495.** *E* leur droit non et leur droit tistre – **496.** *AE* respons – **497.** *E* commedement – **502.** *E* ou c. – **503.** *A* mespenroie, *E* mesprenroie – **506.** *Pm* lordonnance – **510.** *Pm* My segneur, *E* Mes seigneurs – **511.** *E* amours – **512.** *A* mette – **513.** *Pm* luy, *E* lui – **518.** *Pm* lapelle, *E* lappelle

de ce que j'insère ici, sans faire de différences entre les aimables et les amers, nos écrits qu'en bonne justice on appelle Épîtres (tel est leur nom exact et leur désignation codifiée), je leur réponds ceci : c'est ma douce dame qui en a ainsi ordonné, et il est tout à fait raisonnable que je m'emploie à faire son bon plaisir, pour l'amour de son doux visage ; si je ne le faisais pas, je serais en faute aussi bien envers Amour qu'envers elle-même. Peu importe qui murmurera là contre ; je le redis : cela ne changera rien, tout se fera selon les prescriptions de celle en qui repose mon espérance. J'ajoute que si certaines choses sont dites ou écrites deux fois en ce livre, mes seigneurs, n'en soyez étonnés, car celle pour l'amour de qui je veille la nuit veut que je mette en ce Dit de Vérité tout ce que j'ai fait et dit pour elle, et tout ce qu'elle a fait pour moi, sans rien cacher de ce qui a trait à l'action. Et elle veut que je réunisse toutes ces choses pour les rassembler en un tout ; ce livre que je compose pour elle, je veux qu'on l'appelle *Voir Dit*, car je n'y dirai rien qui ne soit pas exact.

Quant aux autres morceaux, non compris dans le groupe de ces textes authentiques, je vous dirai que si avec attention vous les cherchez, vous les trouverez sans faute

524 Aveuques les choses notees
Et es balades non chantees;
Dont j'ay mainte pensee eü
Que chascuns n'a mie sceü,
528 Car cilz qui vuet tel chose faire
Penser li faut ou contrefaire.)

Or vueil laissier ceste matiere
Et retourner a la premiere
532 Et dire ce que je rescry
Celeement, a pau de cry,
En tel maniere et en tel rime
Com elle en son rondelet rime.

Rondel

536 Belle, bonne et envoisie, *L'amant*
Plaisant et douce sans per,
Je ne vous puis trop loer.

Mes cuers tous a vous (s')ottrie
540 Son chant pour vous honnourer,

Belle, bonne et envoisie,
Plaisant et douce sans per.

Et se ami, de cuer d'amie,
544 Me daigniés ja mais clamer,
Je ne vous veuil plus rouver.

Belle, bonne et envoisie,
Plaisant et douce sanz per,
548 Je ne vous puis trop loer.

Et voy ci la lettre seconde,
C'est raison qu'a l'autre responde:

524-5. *Pm om.* – **524.** *A* Aueques, *E* Auecques – **526.** *Pm* Ou – **527.** *PmE* chascun – **529.** *PmE* fault – **533.** *A* po, *E* pou – **539.** *E* Mon cuer a uous tout sotrie – **542.** *Pm om., remplacé par* etc. *à la fin du vers précédent* – **546.** *Pm* Belle, bonne etc. – **547-8.** *Pm om.* – **549.** *A* uez ci, *PmE* uecy; *Pm* la seconde lettre – **550.** *E* que l'autre r.; *Pm* Quen substance je uueil mettre (– 1)

aussi bien parmi les morceaux notés qu'au nombre des ballades non chantées : j'ai eu en les faisant mainte inspiration, qui n'est pas à la portée de chacun, car celui qui veut composer de tels textes, il lui faut longuement méditer, ou alors aboutir à des malfaçons.

À présent je vais laisser ce sujet et retourner au premier, et vous dire ce que sans témoin [autre que mon secrétaire] et à voix basse je répondis à l'intention de ma dame, selon le même style et le même rythme que celui de son petit rondeau :

Rondeau [de l'amant]

Belle, bonne et enjouée,
Plaisante et douce sans pareille,
Je ne puis trop vous louer.

Mon cœur tout entier vous offre
Son chant pour vous honorer,

Belle, bonne et enjouée,
Plaisante et douce sans pareille.

Si d'un cœur d'amie
Vous daignez désormais m'appeler ami,
Je ne veux pas vous demander davantage.

Belle, bonne et enjouée,
Plaisante et douce sans pareille,
Je ne puis trop vous louer.

Et voici la seconde lettre : elle correspond exactement à la première de ce dit.

[Lettre II des mss]

L'amant

(a) Ma treschiere et souveraine[1] dame, je vous remercy, tant humblement comme je puis, de vos douces, courtoises[2] et amiables escriptures; quar vraiement je y pren grant plaisance, grant confort et grant deduit[3] toutes les fois que je les puis veoir, oÿr[4] et tenir[5]. Et certes je vous en doy bien mercier, quar elles font[6] et ont [140 v° a] fait plus grans miracles a ma personne que je ne vi unques faire a saint n'a sainte qui soit en paradis; quar je estoie assourdis[7], arudis, mus et impotens, par quoy Joie m'avoit de tous poins guerpy et mis en oubly. Mais vos douces escriptures me font oÿr et parler, venir et aler; et m'ont rendu Joie, qui ne savoit mais ou je demouroie. Mais orendroit elle fait sa droite mansion[8] emmi mon cuer, si que je sui[9] de tous poins garis, la merci Nostre Signeur[10] et la vostre, fors[11] seulement Desirs[12], qui ne me lait[13] durer de vous veoir. Mais la tresdouce esperance que j'ay de vous veoir vaint[14] de tous poins mon desir; et quant l'[15]esperance que j'ay de vous veoir me garit[16] de toutes dolours[17] et me fait avoir toute joie, que ce seroit ce, se je pooie[18] bien mes yeulz[19] et mon cuer saouler de vous veoir[20]? Certainement tuit cil qui sont et qui seront et qui ont esté ne porroient penser, ymaginer ne considerer en cent mil ans la centisme partie de la joie que je aroie. Et ce sera briément, se Dieu plaist et je puis. **(b)** Et sur ce[21] je ay fait une balade, laquele je vous envoie enclause[22] en ces presentes, et y feray le chant du plus tost que je porrai, aveuc vos .II. choses que vous m'avés envoïez. Je vous envoie aussi[23] une balade de mon piteus estat

---

1. *A* souueraine. – **2.** *Pm* courtoises *om.* – **3.** *Pm* grant confort, plaisance et deduit. – **4.** *APm* oïr, ueoir. – **5.** *Pm* u. ou tenir. – **6.** *A* elle font. – **7.** *E* tous assourdis. – **8.** *E* mencion. – **9.** *E* suis. – **10.** *A* Seigneur. – **11.** *A* for. – **12.** *A* desir. – **13.** *A* laist. – **14.** *A* ueint. – **15.** *E* l' *om.* – **16.** *E* garist. – **17.** *E* douleurs. – **18.** *E* pouoie. – **19.** *A* yeux. – **20.** *Pm* mes yeux bien saouler de uous ueoir. – **21.** *Pm* Et certes... Et sur ce *om.* – **22.** *AE* enclose. – **23.** *E* auxi.

Lettre 2, de l'amant [2 des mss ; IV de PP]

Ma très chère et souveraine dame,

Je vous remercie aussi humblement que je puis de vos douces, courtoises et aimables écritures. En effet, vraiment j'y prends grand plaisir, grand réconfort et grande joie chaque fois que je puis les entendre lire, les voir, les tenir en main. Et assurément c'est pour moi un juste devoir de vous en remercier, car elles produisent et ont produit sur ma personne des effets plus miraculeux que je n'en vis jamais produire à un saint ou à une sainte du paradis. J'étais en effet devenu sourd, abruti, muet, impotent, du fait que la joie m'avait absolument quitté et mis en oubli. Au contraire, grâce à vos douces écritures, j'entends, je parle, je viens et je vais ; et elles m'ont rendu la joie, qui ne savait plus où j'habitais, alors que désormais elle établit sa juste demeure dans mon cœur.

Si bien que je suis complètement guéri, grâce à Notre-Seigneur et à vous ; à l'exception seulement de Désir, qui ne permet pas que je ne sois impatient de vous voir. Mais la très douce espérance que j'ai de vous voir l'emporte à tous égards sur mon désir.

Et alors que l'espérance que j'ai de vous voir me guérit de toutes les douleurs et me procure toute joie, que serait-ce si je pouvais réellement rassasier mes yeux et mon cœur par votre vue ? Pour sûr, tous ceux qui sont, seront ou ont été ne pourraient en cent mille ans se représenter en pensée, en imagination, en réflexion, la centième partie de la joie que j'aurais. Et c'est pour bientôt, s'il plaît à Dieu, et que je puisse.

Sur ce thème j'ai composé une ballade, que je vous envoie sous ce même pli ; et j'en composerai la mélodie le plus tôt que je pourrai, en même temps que celle des deux pièces que vous m'avez envoyées. Je vous envoie aussi une ballade sur le pitoyable état

qui a esté[1] (si vous pri que vous en aprennés le chant, quar il n'est pas fort, et si me plaist tresbien la musique[2]) et comment je prie aus dames qu'elles se vestent de noir pour l'amour de moy; j'en feray une autre ou je leur prieray que elles se vestent de blanc pour ce que vous m'avés garit[3]. Et vraiement, pour l'amour de vous seulement, elles seront toutes d'or en avant de moy serviez et loees plus que unques mais, quar vous avez resuscité[4] mon corps, mon avis et mon petit engien[5], qui estoit tous arrudis. **(c)** Ma treschiere dame, je me recommend[6] a vous tant humblement comme je puis, et vous di que vous ne me devez riens[7] commander, ainçois[8] devez penre[9] moy et quanque j'ai en tous estas comme vostre chose et comme cellui qui est tous vostres sanz riens retenir. **(d)** Ma treschiere et souveraine dame, je prie[10] Dieu[11] qu'il vous doinst[12] honneur, joye, paix et santé, tele comme vous meïsme volriés[13] avoir[14]. **(e)** Et ma treschiere dame, je vous suppli que, se jamais vous m'escrisiés aucune chose[15], que vous ne m'appellez pas seigneur, quar[16] qui de son serf fait son signeur ses ennemis monteplie; et, par Dieu, c'est trop plus biaus nons[17] d'ami ou d'amie, quar[18], quant Signourie saute[19] en place, Amours s'en fuit.

Vostre tresloial amy.

[140 v° b]

L'amant

Ceste response li baillai
552 Et ses journees li taillai
Et li dis: « Doulz amis, par m'ame,
Vous en alez devers ma dame,
Et je n'i puis venir n'aler,
556 Ne je ne puis a li parler!

---

1. *E* en quoy j'ay esté. – **2.** *Pm* si v. p.... musique *om.* – **3.** *A* m'avez gary. – **4.** *A* ressuscite. – **5.** *E* engin. – **6.** *A* recommande. – **7.** *Pm* rien. – **8.** *A* einsois. – **9.** *E* prenre. – **10.** *A* pri. – **11.** *E* je prie a d. – **12.** *A* doint. – **13.** *A* uorriés, *E* mesmes voldriez. – **14.** *Pm* comment je p.... volriés avoir *om.* – **15.** *Pm* e. aucune chose *om.* – **16.** *Pm* quer. – **17.** *A* noms. – **18.** *Pm* non d'amy ou d'amie est trop plus biau nom, quer. – **19.** *Pm* sault.

qui a été le mien (je vous prie d'en apprendre le chant, qui n'est pas très difficile, et dont j'aime beaucoup la mélodie), et où je prie les dames de se vêtir de noir par amour pour moi. J'en ferai une autre, où je les prierai de se vêtir de blanc pour ce que vous m'avez guéri. Et en vérité, rien que pour l'amour que je vous porte, elles seront toutes désormais servies et plus que jamais louées ; car vous avez ressuscité mon corps, mon esprit, mon petit génie, qui était devenu tout stupide.

Ma très chère dame, je me recommande à vous aussi humblement que je puis ; et j'ajoute que vous ne devez rien ordonner qu'on doive me remettre en cadeau ; au contraire, vous devez me prendre moi et tout ce que je possède sous quelque forme que ce soit, comme votre bien à vous et comme l'homme qui est à vous sans aucune réserve.

Ma très chère et souveraine dame, je prie Dieu qu'Il vous accorde honneur, joie, paix et santé, comme vous-même désireriez les avoir.

Et ceci encore : ma très chère dame, je vous supplie, si jamais vous m'écrivez, de ne plus m'appeler seigneur, car qui de son serf fait son seigneur multiplie ses ennemis ; et, pour l'amour de Dieu, le nom d'ami ou d'amie est un nom bien plus beau, car, quand Seigneurie bondit sur le terrain, Amour s'enfuit.

Votre très fidèle ami.

L'amant

Je donnai à mon ami cette lettre-réponse, puis je lui réglai ses journées de voyage, et lui dis : « Doux ami, par mon âme, vous allez chez ma dame, alors que moi je ne puis y faire un aller-retour, ni lui parler ;

Je n'en ay que le souvenir
Que Doulz Penser me fait venir.
Et tout par deffaut de santé,
560 Non pas de bonne volenté,
Car je n'aim riens tant ne desir :
En li sont mis tuit mi desir,
Tout mon cuer et tuit mi penser,
564 Ne je ne puis qu'a li penser.
C'est mon dieu souverain en terre,
C'est ma paix, ma joie et ma guerre,
C'est mes deduis, c'est mes soulas,
568 C'est ce qui me fait dire : hé ! las !
C'est celle a qui du tout m'otroy.
Pleüst or a Dieu que nous troy
Fuissiens un jour ou .II. ensemble !
572 Tous li cuers me fremist et tremble
Toutes les fois que me souvient
Dou parfait bien qui de li vient
Et de ce que j'en oy retraire,
576 Et si ne puis devers li traire
A li me recommenderés
Cent mille fois, et li dirés
Que je sui tous siens sans partie,
580 Et qu'elle est ma mort et ma vie,
Et que je l'aim, sans decevoir,
Sur toute riens, a dire voir,
Et plus que moy, se Dieus me gart ;
584 Et que, se de son doulz regart
Souventefois l'espart eüsse,
De tous mes maulz garis feüsse.
Je la verrai quant je porray,
588 Et non mie quant je volray. »

---

558. *A* pensers – **559.** *E* Tout par deffaulte – **560.** *A* Nompas – **562.** *Pm* tout – **563.** *E* tout mon p. – **566.** *E* et *om.* – **567.** *AF* C'est ma joie, *Pm* mon plaisir, *E* mon deduit ; mon s. – **569.** *A* dou – **570.** *APm* ore – **571.** *APm* Fussiens, *E* Fussions – **572.** *E* Tout le cuer – **573.** *A* quil, *E* qui (= qu'i) – **574.** *APm* Du – **575.** *E* quay oy r. – **579.** *A* suis, *Pm* suy ; *E* sien – **582.** *A* Seur ; *E* rien – **583.** *Pm* diex, *E* dieu – **585.** *APmE* Souuentes ; *A* heusse – **586.** *Pm* De trestous m. maulx g. fusse, *E* Que de t. m. maulz g. fusse – **588.** *A* uorray, *E* uourray

je ne fais que rêver à elle selon ce que me suggère Doux Penser. Et tout cela par manque de santé, mais non par défaut de volonté, car il n'y a rien que j'aime et désire autant. J'ai placé en elle tous mes désirs, tout mon cœur, tout mon esprit, je ne puis penser qu'à elle. Elle est mon dieu souverain sur terre, elle est ma paix, ma joie, mon tourment, mon plaisir, ma consolation ; elle est celle qui me fait dire « hélas ! » ; elle est celle à qui je me livre entièrement. Plût à Dieu que nous trois fussions ensemble un jour ou deux. Tout mon cœur frémit et tremble chaque fois que je pense au parfait bonheur émanant d'elle, et de ce que j'entends rapporter à son sujet ; et je ne puis me rendre auprès d'elle !

Vous me recommanderez à elle cent mille fois et lui direz que je suis tout à elle sans partage ; qu'elle est ma vie et ma mort ; que, sincèrement, je l'aime plus que personne, et, pour dire la vérité (que Dieu me garde !), plus que moi-même ; et que si, à intervalles réguliers, rapprochés, je recevais l'éclair de son doux regard, je serais guéri de tous mes maux ! Je la verrai quand je pourrai, et non pas quand je voudrai. »

Ainsi dalés li demourai,
Et moult parfondement plouray
Quant de moy se voloit partir,
592 Et croy que il eüst fait partir
Mon dolent cuer, et sans attente,
Pour ma tresdouce dame gente,
Se ce ne fust douce Esperance
596 Qui m'affermoit que sans doubtance
Elle m'amoit de cuer parfait
Par dit, par pensee et par fait ;
Si que la me reconfortoie
600 De tous les maulz que je sentoie.
Mais si tost ne se parti mie
Que [a] ma douce dame jolie
Ces .II. balades n'envoiasse,
604 Et que le chant ne li chantaisse, [141 a]
Par quoy de par moy li deïst,
Pour Dieu, qu'elle les apreïst,
Car trop fort les amenderoit
608 En cas qu'elle les chanteroit.
Bien et longuement m'entendi,
Et puis aprés me respondi
Qu'il ne pooit si tost aler
612 Vers ma dame n'a li parler.
Hé ! las ! dolens ! et je cuidoie
Qu'il alast vers li droite voie !

Si demouray tous esgarés,
616 Ainsi com aprés le sarés,
Quar je fui .II. mois tous entiers
Qu'il ne fu voie ne sentiers,
Homme, fame ne creature
620 Qui de ma douce dame pure

---

589. *A* dalez, *Pm* deles, *E* delez ; *A* demorray, *avec premier r exponctué* – **592.** *E* qui (= qu'i) e. – **602.** *FPmE* Que ma d., *A* Qua ma d. – **604.** *Pm* luy ; *APmE* chantasse – **605.** *Pm* luy – **608.** *E* Ou – **611.** *PmE* pouoit – **612.** *Pm* luy, *E* lui – **613.** *Pm* Hellas ; *E* dolent – **614.** *Pm* luy, *E* lui – **615.** *Pm* demoure ; *E* tout esgares – **617.** *PmE* fu – **618.** *E* Qui (= qu'i) – **619.** *A* feme, *PmE* femme

Ainsi parlant, j'étais resté à ses côtés ; mais je pleurai en poussant de profonds soupirs quand il s'apprêtait à me quitter, et je suis persuadé qu'il eût fait aussitôt éclater mon cœur attristé à cause de ma très douce et très belle dame, s'il n'y avait eu douce Espérance, qui me garantissait que sans nul doute elle m'aimait d'un cœur parfait, en paroles, en pensée, en action ; et ainsi je me consolais de tous les maux que je ressentais.

Il me laissa cependant le temps de préparer pour ma douce dame enjouée ces deux ballades et de lui en chanter la mélodie, pour que de ma part il pût lui dire de les apprendre, pour l'amour de Dieu, car elle en augmenterait grandement la valeur en les chantant. Il avait écouté avec une grande attention mon long propos, après quoi il me répondit qu'il ne pouvait pas de sitôt se rendre chez ma dame ni donc lui parler. Hélas, malheureux que je fus ! Et moi qui m'imaginais qu'il irait tout droit chez elle !

Et je demeurai tout égaré, comme vous l'apprendrez ci-après ; car je fus deux mois tout entiers sans qu'il se trouvât chemin ou sentier par où homme, femme ou quiconque vînt m'apporter quelque nouvelle de ma douce dame sans tache.

Me deïst aucune nouvelle,
Hé! las! dolens! Et pour ce qu'elle,
Ne sai pour quoy, estoit alee
624 Demourer en autre contree.
Si prins a merencolier,
A penser et a colier
Comment maintenir me porroie,
628 Quar personne ne congnoissoie
En lieu ou elle demouroit.
Dont mes cuers tendrement plouroit,
Si en valoit pis mes affaires;
632 Et si estoit mes secretaire
Alés en un lontain pays,
Dont j'estoie trop esbahis.
Si m'estoit li temps moult divers
636 Et s'estoit trop grans li yvers,
Plains de jelee et pluvieus.
Si deving merancolieus,
Tristes, pensis et plain d'anoi,
640 S'au pis assez c'onques mais n'oi;
Quar vraiement j'estoie en doubte
De perdre m'esperance toute.
Et s'estoie flewes assés
644 Et de maladie lassés,
Ne nulz ces meschiés ne savoit,
Qu'aveuc moy personne n'avoit
A qui je m'osaisse complaindre.
648 Si prins a palir et a taindre
Et mes cuers trop fort a fremir,
Si que j'en perdi le dormir
Et le mangier, car ne manjoie
652 Se petit non ne ne dormoie.

---

622. *Pm* Hellas; *E* dolent – **625.** *APmE* pris – **630.** *E* mon cuer – **632.** *APmE* secretaires – **633.** *E* Ale – **635.** *Pm* luy t., *E* le t. – **636.** *E* Et si e. t. grant li uers, *Pm* lui yuers – **637.** *A* Pleins, *PmE* Plain; *A* jalee, *Pm* gellee, *E* gelee; *Pm* pluuieux, *E* pluieux – **638.** *APmE* deuins – **639.** *A* pleins, *Pm* plains, *E* plain – **640.** *A* Seus, *E* Bien p. a.; *A* quonques – **643.** *A* flesues, *Pm* fleues, *E* flebes – **645.** *E* se meschief – **646.** *APmE* auec – **647.** *APmE* mosasse – **648.** *APmE* pris – **649.** *E* mon cuer – **650.** *E* je p. – **651.** *E* je m.; *PmE* mengoie

Hélas, malheureux que je fus ! parce que, en outre, je ne sais pour quelle raison, elle était allée demeurer en une autre contrée. Je devins alors tout mélancolique, à me creuser la tête et à chercher comment je pourrais me soutenir ; car je ne connaissais personne au lieu où elle demeurait, et mon cœur en pleurait chaudement, et mon état n'en faisait qu'empirer. D'autre part, mon secrétaire s'en était allé en une contrée lointaine, et j'en étais tout égaré. Et le temps m'était très pénible, et l'hiver était très mauvais, plein de gelées et de pluies. Aussi devins-je mélancolique, triste, accablé, inquiet, et mon état fut pire qu'il n'avait jamais été ; en vérité, je craignais de perdre tout ce que j'avais d'espérance. J'étais très affaibli, fatigué par la maladie, et nul n'était au courant de ces contrariétés, car avec moi il n'y avait personne à qui j'eusse osé me plaindre. C'est ainsi que je commençai à perdre ma couleur, à pâlir, et mon cœur se mit à battre très fort, si bien que j'en perdis le sommeil et l'appétit, car je ne mangeais et ne dormais que peu.

Joie n'avoie ne soulas,
Ains disoie souvent : « Hé ! las ! »
Secretement et en mon lit,
656 Sans avoir joie ne delit,
N'avoie bon jour ne demi. [141 b]
Mais il ne m'estoit riens de mi,
Fors de ma douce dame chiere,
660 S'en avoie mate la chiere.
Bonnes gens, ainsi me cheÿ
Qu'aveuc ces meschiés rencheÿ ;
La cuidai bien faire ma fin !
664 Mais j'amoie de cuer si fin
Et d'une amour si affinee
Toute Belle, la bien amee,
Qu'autre que li ne regretoie
668 Ne riens fors li ne souhaidoie.
Si que je fis mon testament
Et le commançai telement,
Et a ma dame l'envoiai
672 Par un vallet que je trouvai :

Balade, et y a chant

Plourés, dames, plourés vostre servant *L'amant*
Qui tousdis ai mis mon cuer et m'entente,
Corps et pensers et desirs en servant
676 L'onneur de vous, que Dieus gart et augmente !
Vestés vous de noir pour mi,
Car j'ai cuer taint et viaire palli,
Et si me voi de mort en aventure,
680 Se Dieus et vous ne me prenés en cure.

Mon cuer vous lais et met en vo commant,
Et l'ame a Dieu devotement presente,

---

658. *E* Ne – **661.** *A* cheui, *Pm* cheuy ; *E* men chey – **662.** *APmE* Auec ; *Pm* mes m., *E* ses meschiefs – **664.** *E* lamoye – **667.** *Pm* luy, *E* lui – **668.** *Pm* luy ; *E* souhaitoie – **670.** *Pm* commenchay – **672.** *E* uarlet ; **672 *bis.*** *Pm* et y a chant *om.* – **673.** *E* Pleures – **674.** *APmE* toudis ; *E* Qui ay t. d. – **675.** *APm* penser et desir, *E* Cuer et desir et penser – **678.** *A* teint – **680.** *E* dieu

Je n'avais ni joie ni agrément, et je disais souvent : « hélas ! », en cachette et dans mon lit ; bref, privé de joie et de plaisir, je n'avais pas un seul jour heureux, ni même la moitié d'un jour. Mais ce n'était pas de moi-même que je m'inquiétais, seule comptait ma douce dame chérie, et j'en avais la mine défaite. Gens de bien, mon sort fut tel que je fis une rechute accompagnée des misères dont je vous ai parlé : je m'imaginais bel et bien que je m'approchais de ma fin. Cependant j'aimais d'un cœur si sincère et d'un si pur amour Toute Belle, la bien aimée, que je ne pleurais et ne regrettais qu'elle seule. Finalement je me mis à rédiger en ces termes mon testament, que j'envoyai à ma dame par un jeune page que je trouvai.

Ballade [de l'amant ; avec chant]

1. Pleurez, dames, pleurez votre serviteur,
 Moi, qui toujours ai consacré mon cœur et ma
 [volonté,
 Mon corps et ma pensée et mon désir à servir
 Votre honneur, que Dieu veuille garder et augmenter
 Vêtez-vous de noir pour moi,
 Car j'ai le cœur assombri et le visage pâli,
 Et ainsi je me vois en péril de mort,
 Si Dieu et vous de moi ne prenez soin.

2. Je vous laisse mon cœur et le mets sous votre
 [bonne garde,
 Et j'offre dévotement mon âme à Dieu ;

Et voist ou doit aler le remanant:
684 La char aus vers, quar c'est leur droite rente,
Et l(i)'avoir soit departi
Aus povres gens! Hé! las! en ce parti
En lit de mort sui a desconfiture,
688 Se Dieus et vous ne me prenés en cure.

Mais certains sui qu'en vous de bien a tant
Que dou peril ou je suis, sans attente
Me jetterés, se de cuer en plourant
692 Priés a Dieu qu'a moy garir s'assente;
Et pour ce je vous depry
Que Dieu pour moy veuilliez faire depry,
Ou paier crieng le treü de Nature,
696 Se Dieus et vous ne me prenés en cure.

Balade

[141 v° a]

Amours, ma dame et Fortune et mi oeil, *L'amant*
Et la tresgrant biauté dont elle est plaine
Ont mis mon cuer, ma pensee et mon veuil
700 Et mon desir en son tresdoulz demaine;
Mais Fortune seulement
Me fait languir trop dolereusement
Et trop me fait avoir paine et anoy
704 Quant sur tout l'aim et souvent ne la voy.

De ma dame ne de son bel acueil,
De mes deulz yeus, d'Amours ne de ma paine
Ne me plaing pas, car par eulz en l'escueil
708 Sui mis d'avoir toute joie mondainne;

---

683. *PmE* uoit; *Pm* on – **684.** *Pm* aux, *E* au; *A* car – **685.** *APm* lauoir – **686.** *Pm* aux – **688.** *E* dieu – **690.** *PmE* du; *A* sui, *Pm* suy – **691.** *Pm* du c.; *Pm* pleurant – **692.** *E* Priez dieu (– 1) – **694.** *APmE* Qua d. – **695.** *A* crien, *Pm* crain – **697.** *A* oueil, *Pm* oeuil – **698.** *E* beaute – **699.** *APmE* uueil – **702.** *E* douloureusement – **704.** *A* seur – **706.** *A* dous; *Pm* Ses doulx yeux de moy ne d. m. p., *E* .II. – **707.** *A* plein – **708.** *A* mondeinne, *PmE* mondaine

Et que le reste aille où il doit aller :
La chair aux vers, car c'est leur juste part,
 Et que mes biens soient distribués
Aux pauvres. Hélas, tandis que je fais ce partage,
Je suis au lit de mort et en pleine déconfiture,
Si Dieu et vous de moi ne prenez soin.

3. Mais je suis certain qu'en vous il y a tant de vertu
Que, du péril où je suis, sans attendre, vous
Me jetterez, si en pleurant du fond du cœur
Vous suppliez Dieu qu'il consente à me guérir.
 Et voilà pourquoi je vous prie ardemment
De vouloir pour moi adresser à Dieu votre
 [supplication ;
Sinon je crains de devoir payer son tribut à Nature,
Si Dieu et vous de moi ne prenez soin.

Ballade [de l'amant]

1. Amour, ma dame et Fortune et mes yeux
Et la très grande beauté dont elle est pleine
Ont mis mon cœur, ma pensée et ma volonté
Et mon désir en son très doux pouvoir ;
 Cependant Fortune
Me fait languir douloureusement
Et me cause une peine et inquiétude extrêmes,
Quand, alors que par-dessus tout je l'aime, je ne la
 [vois souvent.

2. De ma dame ni de son bel accueil,
De mes deux yeux, d'Amour, ni de ma peine
Je ne me plains, car grâce à eux j'ai la faveur
D'avoir toute joie qu'on peut avoir au monde ;

Mais tout mon entendement
Et mes bons jours et mon gai sentement
Fortune estaint, s'en morray, par ma foy,
712 Quant sur tout l'aim et souvent ne la voy.

Car Fortune, dont je me plaing et dueil,
Fait que ma dame est de moi trop lontainne,
Et si me tolt Bon Espoir qu'avoir sueil
716 Et Desespoir dedens mon cuer amaine;
Ainsi sans aligement
Vif pour ma dame, a qui sui ligement;
S'en plaing et pleur et souspir en recoi
720 Quant sur tout l'aim et souvent ne la voi.

Et quant elle vit mon message, *L'amant*
Elle, com bonne, aperte et sage,
Moult longuement ne musa mie,
724 Ainçois fist comme bonne amie,
Car en l'eure me volt rescrire
Ces lettres que cy orrés lire:

[Lettre III des mss]

(a) Treschiers et doulz amis, j'ai receu vos *La dame* lettres dés le juesdi[1] devant Noel, de quoy je vous mercy de tout mon cuer; quar, par ma foy, je ne hos[2], long[3] temps ha, si grant joie comme je heuy a l'eure que je les receuy[4], tant pour ce que j'avoie grant desir de savoir nouvelles de vostre bon estat, et aussi pour ce que vous[5] m'avés escript que ce petit de chose que je vous ay envoiét vous a donné santé et joie; quar certainement plus grant joie ne me porroit avenir com de faire chose qui vous donnast santé et

---

714. *A* lonteinne, *Pm* lointaine, *E* lontaine – **716.** *Pm* desespoirs; *A* ameinne – **717.** *E* alegement – **719.** *A* plein, *Pm* plain, *E* pleing – **720.** *A* seur – **723.** *A* longement – **724.** *A* Einsois, *Pm* Eincois, *E* Aincois – **725.** *PmE* rescripre

---

1. *Pm* juedi, *E* mardi. – **2.** *A* n'os, *Pm* n'eus. – **3.** *A* lonc. – **4.** *A* recus. – **5.** *E* en ce que u.

Mais tout mon esprit
Et mes jours heureux et mes gais sentiments,
Fortune les annule ; et j'en meurs vraiment
Quand, alors que par-dessus tout je l'aime, je ne la vois [souvent.

3. Car Fortune, dont je me plains et souffre,
Fait que ma dame est très loin de moi,
Et ainsi me ravit Bon Espoir que j'avais d'ordinaire
Et amène Désespoir dans mon cœur ;
Ainsi sans soulagement
Je vis pour ma dame dont je suis l'homme lige ;
Et je me plains de cela et en pleure, et soupire en [cachette
Quand, alors que par-dessus tout je l'aime, [je ne la vois souvent.

L'amant

Quand elle vit mon messager, en personne vertueuse, avisée et sage, elle ne fut pas longue à rester inactive, mais agissant en amie sincère, sur l'heure elle voulut me répondre par la lettre que vous allez entendre lire ci-après :

Lettre 3, de la dame [3 des mss ; V de PP]

Très cher et doux ami,
J'ai reçu votre lettre et l'ai en main depuis le jeudi avant Noël ; et je vous en remercie de tout mon cœur, car, en vérité, il y a longtemps que je n'eus une joie aussi grande que celle que j'éprouvai lorsque je l'ai reçue, autant parce que j'avais un grand désir d'apprendre des nouvelles de votre bon état, que parce que vous m'avez écrit que cette petite pièce que je vous ai envoyée vous a donné santé et joie ; car assurément il ne pourrait m'arriver joie plus grande que celle de composer une poésie qui vous procurât santé et

leesce[1]. **(b)** Et se vous prenés grant plaisir[2] a veoir et a tenir[3] ce que je vous ay envoié, je cuide certainement que je le pren plus grant a veoir ce que vous m'avez envoiét; que, par ma foy[4], il ne fu jour depuis que je les ressus que je ne les baisasse deulz ou trois fois tout du mains[5]. Et aussi vos .II. balades, et celle qui est notee, [141 v° b] ai je tant fait que je les sarai par temps; car, pour tant que vous m'avez escript qu'elle est de vostre estat (lequel est amendé, la mercy Nostre Signeur, quar j'en ay moult grant joie), pour tant je mettrai tele diligence a la bien apenre que, quant il plaira a Dieu que je vous voie, je la chanteray aveuc vous du mieulz que je porray. **(c)** Et aussi me plaist elle moult pour tant que vous m'avez mandé que la musique vous plaist. Et certes je ne pren nul si grant plaisir a chanter ne a oÿr nulles chansons ne nulz dis comme je fais a ceulz qui viennent de vous; car pour le bien que je en ay oÿ, et que je croy qu'encore y hait[6] il plus que on ne porroit dire, je aim et tien chier tout ce que de vous vient. **(d)** Quar je n'eusse pas creu, pour nulz qui le me deist, que je peusse avoir si grant amour a nul homme sans ce que je l'eusse veu, come j'ai a vous[7]; quar dés ce que je oÿ premierement retraire le bien et l'onneur qui est en vous, il ne fu puis heure que mon cuer ne vous amast; et encor croist et croistera[8] l'amour de jour en jour[9]. **(e)** Et sur ce je vous envoie un virelay lequel j'ai fait; et se yl y a aucune chose a amender, si le veuilliez[10] faire, car vous le sarés miex faire[11] que je ne fais, car j'ai trop petit engien pour bien faire une tele besongne. **(f)** Et aussi ne eu je unques qui rien m'en aprist; pour quoy[12] je vous pri, treschiers amis, qu'il vous plaise a moy envoier de vos livres et de vos dis[13], par quoy je puisse tenir de vous a faire de vos

---

1. *Pm* tant pour... leesce *om.* – **2.** *Pm* gr. plaisance. – **3.** *Pm* a tenir et ueoir. – **4.** *Pm* quer, par ma foy. – **5.** *Pm* tout d. m. *om.* – **6.** *E* y en h. – **7.** *Pm* Et aussi vos... come j'ai a vous *om.* – **8.** *E* croistra. – **9.** *Pm* et encor... en jour *om.* – **10.** *A* vueilliez. – **11.** *E* les s. m. f. – **12.** *Pm* et se yl... pour quoy *om.* – **13.** *Pm* de vos bons dis.

bonheur. Et si vous prenez un grand plaisir à regarder et à tenir en main ce que je vous ai envoyé, pour sûr je suis convaincue que je prends un plaisir encore plus grand à regarder ce qui m'a été envoyé par vous ; car en vérité il ne s'est passé de jour depuis que j'ai reçu la lettre sans que je la baise deux fois ou trois au moins.

Et il en est de même de vos deux ballades, y compris de celle qui est notée ; je les ai tant travaillées que je les saurai bientôt par cœur. Quant à la ballade notée, parce que vous m'avez écrit qu'elle porte sur votre mauvais état (qui s'est, grâce à Notre-Seigneur, bien amélioré, ce dont je me réjouis fort), je redoublerai de zèle pour la bien savoir, de manière que, quand il plaira à Dieu que je vous voie, je puisse la chanter avec vous du mieux que je pourrai. Aussi bien me plaît-elle beaucoup du fait que vous m'avez écrit que la mélodie vous plaît. Et soyez sûr que nulle chanson ni aucun poème ne me donnent autant de plaisir à les chanter et à les entendre déclamer que ceux qui viennent de vous : à cause du bien que j'en ai entendu dire – et j'imagine qu'il y a plus encore en elles que ce qu'on en pourrait exprimer – j'aime et affectionne tout ce qui vient de vous.

Du reste, je n'eusse pas cru, qui que ce fût qui me l'eût dit, que je pusse éprouver pour un homme que je n'aurais jamais vu un amour aussi grand que celui que j'éprouve pour vous ; car depuis le premier instant où j'entendis relater le bien et l'honneur qui sont en vous, il n'y eut pas un moment où mon cœur ne vous aimât ; et mon amour croît, et croîtra encore, de jour en jour.

Sur ce thème je vous envoie un « virelai » [rondeau] dont je suis l'auteur ; s'il y a quelque chose à corriger, faites-le, car vous saurez faire cela mieux que moi, qui ai trop peu d'esprit pour une telle besogne ; d'ailleurs je n'eus jamais personne pour me l'apprendre. C'est pourquoi je vous prie, très cher ami, qu'il vous plaise de m'envoyer de vos livres et de vos poèmes, pour que je puisse apprendre de vous bons dis et de bonnes chansons, quar c'est le plus grant esbatement que je aie que de oÿr et de chanter bons dis et bonnes chansons, se je le savoie bien faire. Et quant il plaira a Dieu que je vous voie (laquele chose je desire tant que je ne le vous porroie escrire ne vous ne le porriés penser), s'il vous plaist, vous les m'apenrez a mieulz faire et dire ; quar je en apenroie plus de vous en un jour que je ne feroie d'un autre en .I. an.

(g) J'ai receu les lettres que vous envoi[i]ez a mon frere, et me sui tant faite forte de vous et de ly que je les ai ouvertes et leües. Et, par ma foy, je volroie bien que vous et lui vous tenissiés fors de moy de ce et de plus grant chose. Et aussi mes diz freres n'est pas ou pays, quar il se parti de moy le VIIIe jour de decembre[1] pour aler en Avignon. Et ce dit jour li et vostre secretaire [me[2]] dirent nouvelles [de vous[3]], et me baillierent un virelai tout noté, et me dirent que vous l'aviez fait ; si l'ai apris tant que je le say.

(h) Treschiers amis, je me recommende a vous de tout mon cuer, tant come je puis ; et vous pri que[4], se je puis faire chose qui vous plaise[5], qui vous donne santé et joie[6], que vous le me mandiés, ainsi[7] [142 a] com vous feriés a vostre suer et a vostre compaigne et amie ; et je vous promet loyaument que je le ferai de tresbon cuer. Et vous me ferés tresgrant joie et grant confort, s'il vous plaist a moy escrire nouvelles de vostre bon estat[8]. **(i)** Je prie a Nostre Signeur qu'il vous doinst[9] joie, santé et honnour, autant comme je volroie[10] pour l'omme du[11] monde que je plus aimme.

Vostre vraie et leal amie[12].

---

1. *E* le VIIIe de déc. – **2.** *F* me *om.* – **3.** *AE* me d. n. de vous, *F* de vous *om.* – **4.** *Pm* par quoy je puisse… vous pri que *om.* – **5.** *Pm* quil v. p. – **6.** *Pm* qui… joie *om.* – **7.** *Pm* mandes le moy ainsi. – **8.** *Pm* Et vous me ferés… bon estat *om.* – **9.** *A* doint. – **10.** *A* voldroie. – **11.** *A* dou. – **12.** *E* Vostre loyale et vraye a.

à composer de bons poèmes et de bonnes chansons selon votre manière ; c'est en effet mon plus grand divertissement que d'entendre et de chanter de bons poèmes et de bonnes chansons. Ah ! si je savais bien faire cela ! Aussi, quand il plaira à Dieu que je vous voie (chose que je désire tant que je ne pourrais vous l'écrire, ni que vous ne pourriez le concevoir !), s'il vous plaît, vous m'enseignerez à mieux les composer et dire : j'apprendrai plus de vous à ce sujet en un jour que d'un autre en un an !

J'ai reçu la lettre que vous envoyiez à mon frère ; et j'ai pensé que j'avais assez votre confiance et la sienne pour l'ouvrir et la lire. Et – je vous le jure – je voudrais bien que vous et lui ayez confiance en moi à ce sujet, et pour de plus grandes affaires. J'ajoute que ce mien frère n'est pas en ce pays : il m'a quittée le huit décembre pour se rendre en Avignon. Et ce même jour lui et votre secrétaire me donnèrent de vos nouvelles et me remirent un « virelai » [rondeau] entièrement noté, en précisant qu'il était votre œuvre ; et je l'ai si bien appris que je le sais par cœur.

Très cher ami, je me recommande à vous de tout mon cœur, et autant que je puis. Si je peux faire quelque chose qui vous plaise en vous procurant santé et joie, je vous prie de me le faire savoir, comme vous feriez à votre sœur, à une personne vivant avec vous comme une amie : je vous promets en toute loyauté que j'y pourvoirai de très bon cœur. De votre côté vous me procurerez une très grande joie et un grand réconfort s'il vous plaît de me donner par lettre des nouvelles de votre bon état.

J'adresse des prières à Notre-Seigneur pour qu'Il vous donne autant de joie, de santé et d'honneur que j'en voudrais pour l'homme que j'aime le plus au monde.

Votre véritable et loyale amie.

Rondel

Celle qui nuit et jour desire *La dame*
728 De vous vëoir
Sui pour oster vostre cuer d'ire ;

N'a nulle autre riens tant ne tire
Ne n'a voloir
732 Celle qui nuit et jour desire
De vous vëoir,

Com de vëoir vostre martyre,
Qu'a son pooir
736 Elle sera du garir mire.

Celle qui nuit et jour desire
De vous vëoir
Sui pour oster vostre cuer d'ire.

740 Mais ainsi comme la musoie *L'amant*
Et la merci Dieu attendoie,
Un vallet d'aventure vi
En ma chambre, et si vous plevi
744 Que, tantost com je l'o veü,
De joie eus le cuer esmeü.
Et me sembla qu'il m'aportoit
Aucun bien qui me confortoit.
748 Et vraiement il m'aporta
Chose qui tant me conforta
Que cuer penser ne le saroit
Ne bouche aussi ne le diroit.
752 Dont mes gens orent tel merveille
Que chascuns s'en sengne et merveille,
– Car devant je ne me peüsse

---

734. *E* Comme (+ 1) ; *APmE* martire – **735.** *PmE* pouoir – **736.** *A* dou – **739.** *E om.* – **742.** *PmE* uarlet – **743.** *A* et se – **744.** *E* t. que ; *APmE* los u. – **745.** *E* euz – **750.** *A* cuers – **751.** *Pm* auxi – **752.** *Pm* ouirent (+ 1) ; *E* tel *om.* (– 1) – **753.** *APmE* seigne – **754.** *E* je devant n. m. p.

Rondeau [de la dame]

Je suis celle qui nuit et jour désire
  Vous voir
Pour délivrer votre cœur du chagrin.

Et elle ne vise
  Ni ne veut rien d'autre,
Celle qui nuit et jour désire
  Vous voir,

Que d'examiner votre martyre
  Dont, selon son pouvoir,
Elle sera le médecin soucieux de vous guérir.

Je suis celle qui nuit et jour désire
  Vous voir
Pour délivrer votre cœur du chagrin.

L'amant

Tandis que j'étais là à ne rien faire et à attendre la grâce de Dieu, je vis un jeune homme entré à l'improviste dans ma chambre, et je vous garantis que, dès que je l'eus vu, j'en eus le cœur remué de joie, et il me parut manifeste qu'il m'apportait quelque bonne chose qui me réconforterait. Et en vérité il m'apportait une chose qui me fut un réconfort tel qu'aucun cœur ne saurait se le représenter ni bouche le dire; ce dont mes gens furent si surpris qu'ils se signèrent d'étonnement; car auparavant je n'eusse pu me

Retourner, se gaingnier deüsse
756 Tout l'avoir qui est en l'Empire –
Quar je commensai fort a rire,
Et tous seulz en mon lit m'assis.
Et il, comme meurs et rassis,
760 Me vint presenter tout en l'eure [142 b]
Les lettres qui sont cy desseure
– Vous les avés tantost veües
Et croy que les aiés leües –
764 Et dist: « La belle vous salue
Qui est vostre amie et vo drue
Et qui tant vous aimme et desire
Qu'estre vueult et sera vo mire
768 Pour vos maulz sener et garir.
Doulz sire, or pensés de garir,
Qu'elle y vuelt moult grant paine mettre.
Tenés et lisiés ceste lettre! »
772 Je respondi moult feblement
En riant et longuettement:
« Vous soiés li tresbien venus!
Je sui moult fort a vous tenus
776 Quant venus estes si a point,
Quar doleur ne de mal n'ai point
Puis que vous m'aportés nouvelle
Et lettres de par Toute Belle. »
780 Les lettres pris et les ouvry,
Mais a tous pas ne descouvry
Le secret qui estoit dedens,
Eins les lisoie entre mes dens.
784 Et quant je vi le contenu,
Ne sceus qu'il me fu avenu,
Tant fui doucement pourveüs
Des biens d'Amours et repeüs!

---

755. *A* gaaignier (+ 1) – **756.** *A* em – **757.** *PmE* commencay – **758.** *PmE* tout; *A* seuls, *Pm* seulx – **761.** *A* sunt – **763.** *Pm* ayes – **764.** *Pm* dit – **766.** *PmE* aime – **768.** *A* saner, *E* sentir – **769.** *APm* sires (+ 1); *Pm* or *om.* (– 1); *E* penser – **770.** *A* peinne – **771.** *Pm* t. or l., *AE* lisiez – **772.** *Pm* flebement – **776.** *E* si *om.* (– 1) – **784.** *Pm* uis – **785.** *E* aduenu – **786.** *PmE* fu – **787.** *E* De b.

retourner, même si je devais gagner toutes les richesses de l'Empire. En effet je me mis à rire très fort, et je m'assis sans aucune aide dans mon lit. Et le jeune homme, à la manière d'un homme d'âge mûr et de sens rassis, vint sur-le-champ me présenter la lettre ci-dessus – vous venez de la voir et je suppose que vous l'avez lue – et me dit : « La belle vous salue, elle, votre amie très chère, qui vous aime si ardemment qu'elle veut être – et elle le sera – votre médecin pour guérir complètement vos maux. Cher Seigneur, veillez à votre guérison, à laquelle elle veut consacrer toute sa peine. Tenez et lisez cette lettre ! »

Je répondis d'une voix très affaiblie, mais avec le sourire et assez longuement : « Soyez le très bien venu. Je vous suis très obligé de ce que vous êtes venu si opportunément : car je n'ai plus ni douleur ni mal, du fait que vous m'apportez des nouvelles et une lettre de la part de Toute Belle. »

Je pris la lettre et l'ouvris, mais je ne communiquai pas aux personnes présentes ce qui devait rester secret, et [pour cela] je lisais la lettre à voix basse. Quand j'eus pris connaissance du contenu, je ne sus ce qui m'était advenu, tellement je fus agréablement pourvu et nourri des biens d'Amour.

788 Si vous dirai ce qui m'avint.
De souspirs jettai plus de vint,
Et puis demandai a mengier,
Si mengai bien et sans dangier;
792 Et puis un petit m'endormi,
Mais je mis mes lettres sur mi,
C'est a dire desseur mon cuer,
Car ce n'oubliaisse a nul fuer.
796 Aprés dormir je fui trop liez,
Et non pas com homs essilliés,
Desconfortés ne desconfis:
Mais de cela soiez tous fis
800 Que dedens .II. jours me levai,
Je me bagnay, je me lavai,
Et me mis en estat deü
Le plus cointe que j'ai peü,
804 Dont moult de gent se mervilloient
Quant en tel estat me veoient.

Ainsi fu comme dit vous ay,
Et lors ma pensee arrousay
808 De plaisance et de gaietté
Et de toute jolieté,
Et mis cuer et corps et estude,
Comment qu'il soient assez rude,
812 En ma douce dame honnourer, [142 v° a]
Servir, amer et aourer;
Et, par Dieu, faire le devoie
Dou cuer et dou sens que j'avoie,
816 Com a ma dame et ma deesse
Et ma souveraine maistresse,
Car unques mais je ne vi certes
Faire miracles si apertes

---

789. *PmE* Des s. – **794.** *A* dessus, *E* desseure (+ 1) – **795.** *APm* Mais ce, *F* Car je, *E* Car ce; *APmE* oubliasse – **796.** *PmE* fu – **797.** *A* comme – **800.** *E* menleuay – **801.** *APmE* baignay; *A* et m. l. – **803.** *Pm* je p. – **804.** *PmE* merueilloient – **807.** *E* atournay – **808.** *E* et *om.* – **809.** *E* joliuete – **811.** *Pm* quilz – **812.** *A* hounourer, *E* honnerer – **815.** *PmE* Du c., du s.; *A* scens – **818.** *Pm* mais ne uy acertes

Je vais cependant vous dire ce qui m'arriva. Je poussai plus de vingt soupirs, après quoi je demandai à manger ; et je mangeai bien et sans hésitation ; puis je m'endormis pour un petit moment, non sans avoir placé la lettre que j'avais reçue sur moi, c'est-à-dire sur mon cœur : c'était un geste à n'oublier à aucun prix. À mon réveil, je fus très gai, et non plus semblable à un miséreux découragé, désaxé. Soyez-en certain : en moins de deux jours je me levai, pris un bain, me lavai et, comme il se doit, je m'habillai aussi élégamment que je pus, ce dont beaucoup s'étonnaient quand ils me voyaient ainsi transformé.

Les choses étant comme je vous ai dit, j'arrosai le jardin de ma pensée de plaisance, de gaieté et de toute sorte d'enjouement, et je disposai cœur, corps, zèle, tout mal éduqués qu'ils fussent, à honorer ma douce dame, à la servir, à l'aimer, à l'adorer. Oui, par Dieu, c'était mon devoir d'y employer les ressources de mon cœur et de mon esprit pour celle qui était ma dame, ma déesse, ma souveraine maîtresse, car jamais, en vérité, je n'avais vu opérer des guérisons miraculeuses aussi manifestes

820 Com elle fist a ma personne ;
Et ce si bon renon li donne
Qu'on dit, quant elle finera,
Qu'en paradis sainte sera,
824 Car bien puis dire en verité
Que .II. fois m'a ressuscité.
Car j'estoie tous arrudis
Et d'oÿr leesce assourdis ;
828 Et, perdu mon entendement
Et mon amoureus sentement,
En ma bouche n'avoit loenges
De dames privees n'estranges,
832 Et aussi pas ne les blasmoie,
Quar de toutes riens ne disoie.
Je me tenoie rudement
Et haoie l'esbatement
836 Et fuioie les compagniez
Ou on menoit les bonnes viez ;
En riens de moy ne me chaloit,
Qu'a mon gré autant me valoit
840 A faire une tresgrant rudesce
Com de faire une gentillesce.
Amour ne m'amoit ne je li,
Ainçois ressambloie a celi
844 Qu'on compere a une viez souche
Qui en un grant marés se couche
Et qui dou marés si se cuevre
Que nulz ne la puet mettre en oeuvre,
848 N'on ne la puet tirer de la
Pour l'yaue qui couverte l'a.
Mon pain en mon sachet menjoie
Sans avoir leesce ne joie ;
852 Et aussi(s) moult me desplaisoit

---

821. *E* Et se ; *APmE* renom ; *Pm* luy – **822.** *E* Com – **827.** *E* doy l. – **830.** *Pm* bouce – **831.** *E* Des d. – **832.** *Pm* auxi – **835.** *APm* l' *om.* (– 1) – **838.** *E* machaloit – **842.** *APmE* Amours ; *Pm* luy, *E* lui – **843.** *PmE* celuy – **844.** *Pm* uieulx s. – **845.** *Pm* marest – **846.** *Pm* marest ; *PmE* cueuure – **847.** *A* oueure, *Pm* oeuure, *E* euure – **849.** *A* liaue, *Pm* leaue – **852.** *A* aussi, *Pm* auxi

que celle qu'elle fit pour ma personne ; et ce prodige lui vaut une telle réputation qu'on dit que, quand elle mourra, elle sera sainte au paradis. Je puis en effet attester en toute vérité qu'elle m'a ressuscité deux fois : j'étais devenu tout abêti et incapable de prêter l'oreille à aucune parole enjouée ; ayant perdu mon entendement et toute sensibilité aux choses de l'amour, il n'y avait plus dans ma bouche la moindre louange de dames de mon entourage particulier ou étrangères à cet entourage, pas plus d'ailleurs que des mots de blâme ; je ne disais absolument rien des unes et des autres. Je me conduisais en bête sauvage, et je haïssais les divertissements et fuyais les compagnies où l'on menait joyeuse vie. J'étais indifférent à tout ce qui me concernait, car, à mon gré, autant valait pour moi de commettre quelque très vilaine action que d'en faire une qui fût généreuse. Amour ne m'aimait pas, ni moi lui. Je ressemblais à un homme comparable à une vieille souche couchée en un grand marais et que la vase couvre au point qu'on ne peut l'utiliser ni même la retirer à cause de l'eau qui l'a submergée. Je mangeais mon pain dans mon sachet, sans la moindre joie ; tout ce qui plaisait aux autres me déplaisait.

Tout ce qui aus autres plaisoit.
Et tout ce vint par une perte
Qui fu pour moy trop mal aperte,
856 Car depuis que je la perdi
Leesce a moy ne s'aherdi,
N'onques puis ne fis chiere lie
(Fors puis que ma dame jolie,
860 Qui de tous maulz garit et cure,
Me prinst de sa grace en sa cure).
Et par teles merancolies
Me vinrent les grans maladies,
864 Les doleurs et les grans meschiés [142 v° b]
De quoy j'ay esté entechiés.
Mais c'est chose que nulz ne puet
Amender, quant Dieus le vuet.
868 Si revenrai a mon propos,
Qui est de joie et de repos.

La bele me purifia
De tous vices ; et plus y ha,
872 Que joie et vie me rendi.
Mais son labeur pas ne vendi,
Ains le fist par droite franchise,
Com dame large et bien aprise,
876 Qui m'aida si tresfranchement
Que ce fu de son mouvement,
Qu'onques a li pensé n'avoie
Quant elle me mist en la voie.

880 Or pensons que les dames font,
Comment ellez font et desfont :
Li bons sont d'elles adés fait
Et li mauvais en sont desfais,

---

853. *A* aus *om.* (– 1), *PmE* aux – **855.** *E* f. sur moy – **857.** *APmE* saerdi – **860.** *E* garist – **861.** *A* prist, *PmE* print – **863.** *E* uindrent – **864.** *Pm* grant ; *E* meschiefs – **866.** *Pm* nul – **876.** *Pm* tresfrancement – **877.** *E* se fu – **878.** *Pm* luy, *E* lui ; *E* pensée (+ 1) – **879.** *A* men m. – **882.** *E* s. ades delles f.

Tout cela avait pour origine la perte d'une amie, perte qui se révéla très douloureuse pour moi ; car après cette perte Joie ne s'attacha plus à moi, et à personne je ne montrai plus une mine réjouie, jusqu'au moment où, par un brusque revirement pour moi, ma dame, par son enjouement qui soigne et guérit tous les maux, me fit la faveur de prendre soin de moi. C'est à la suite des accès de mélancolie susdits que m'étaient venues les longues maladies, avec les douleurs et les grandes contrariétés dont j'avais été affecté. Mais nul ne peut remédier à de telles fatalités, quand c'est Dieu qui les veut.

Aussi vais-je revenir à mon propos, qui porte sur la joie et la paix.

La belle me purifia de tous vices de santé ; bien plus, elle me rendit la joie de vivre. Et elle ne faisait pas commerce de sa peine, mais agit par pure générosité, en dame éduquée à donner libéralement, et qui me vint en aide aussi noblement et de sa propre initiative, car je n'avais jamais pensé à elle quand elle me remit en train.

Examinons à présent l'action des dames sur les hommes, comment elles les rendent vaillants ou lâches : les vaillants sont continûment par elles rendus tels, les lâches sont par elles abattus ;

884 Car ja mauvais bien ne fera
Et ja bons ne se mesfera.
Mais prenons un vrai amoureus.
Il sera si tresdolereus,
888 Si vains, si mas, si entrepris
Et des maus d'amer si espris
Pour un pau de racointement
Qu'on li fera duretement,
892 Qu'il se gerra sur une couche
Ou sur un lit ou on se couche,
Et la ne se porra aidier,
Ains ne fera que souhaidier
896 Mercy ou mort. Hé ! las ! Li las
Sera d'Amours si prins au las,
Que ses corps tremblera de doubte,
Et si suera goute a goute.
900 Il sera chaus et esmeüs,
Et de son goust si decheüs,
Qu'il ne porra mengier ne boire,
On le scet bien, c'est chose voire.
904 La dame devers lui venra,
Et de sa blanche main penra
Sa main ou sa gorge ou sa teste
Et li fera un po de feste
908 Et li dira : « Mes doulz amis,
Qui vous a en cest estat mis ?
Ne vous devés pas esmaier,
Car ce fu pour vous essaier
912 Quant je vous fis petite chiere.
Ne veuil pas estre envers vous fiere,
Car vous estes mon ami vrai,
N'autre de vous jamais n'aurai. »
916 Lors li donra un annelet [143 a]

884-5. *Comme F, A marque ces deux v. du signe nota* – **886.** *E* prenon – **890.** *A* po, *Pm* poy, *E* pou ; *E* recointement – **892.** *A* seur – **893.** *A* seur, *E* on le c. – **894.** *PmE* pourra – **896.** *E* ay las – **897.** *APmE* pris – **899.** *E* si *om.* (– 1) – **901.** *E* goux – **902.** *PmE* pourra – **904.** *APm* Sa d. ; *E* uendra – **905.** *Pm* blance ; tenra, *E* prendra – **907.** *Pm* luy ; *E* pou – **911.** *E* se f. – **915.** *Pm* naray – **916.** *Pm* donrra, *E* donna

jamais plus dès lors un lâche n'agira bien, ni un brave n'agira mal.

Prenons plutôt un véritable amoureux. Pour des paroles un peu sèches à lui adressées par sa dame dans une rencontre, il sera si chagrin, si épuisé, si abattu, à ce point mis à mal, si enfiévré par les maux d'amour, qu'il s'étendra sur un divan ou sur un lit de chambre à coucher, et là il ne pourra plus faire usage de ses forces, seule lui restera la possibilité de souhaiter la pitié de sa dame ou la mort. Hélas ! le malheureux sera tellement pris au filet d'Amour que son corps tremblera de peur et suera goutte après goutte, il sera brûlant de fièvre et troublé, et son appétit sera si diminué qu'il ne pourra plus ni manger ni boire : cela est bien connu, et c'est la vérité. La dame viendra pardevers lui, et de sa main blanche elle saisira sa main ou son cou ou sa tête, et lui procurera un peu de bon temps ; et elle lui dira : « Mon doux ami, qu'est-ce qui vous a mis en cet état ? Vous ne devez pas vous troubler, car c'était pour vous éprouver que je vous témoignai cet accueil réservé : je ne veux pas être hautaine envers vous, car vous êtes mon ami véritable ; et je n'en aurai jamais d'autre que vous. » Alors elle lui remettra une petite bague

Ou aucun petit jouelet,
Et li dira : « Car vous levés,
Et si mengiés et si bevés,
920 Quar sans doubte je ne veil mie
Que vous menés si dure vie. »
Cilz en l'eure se (se) levera
Et de tous maulz garis sera :
924 Il buvera et mangera
Se mestiers est, et s'armera
De cotes de fer ou de tacles.
Ne sont ce pas belles miracles ?
928 Or querés un saint qui ce face
Et qu'en l'eure une fievre efface :
Il puelent moult, bien l'ai creü,
Mais encor ne l'ai pas veü,
932 Qu'onques nul miracle ne vi
Si grant com d'un amant ravi.

En ces .II. mois que dit vous ay,
En ma maladie dittay
936 Et en mon lit ces .IIII. choses
Qui sont en ces lettres encloses
Et sont icy aprés escriptes ;
Et se faute y ha ou redites,
940 Maladie m'escusera
Envers celui qui les lira.
Ce sont .III. chansons baladees
Qui ne furent unques chantees ;
944 Une balade y ha aussi
Qu'en joie fis et en soussi.
Je les tramis par le vallet
Qui vers ma dame s'en alet.

919. *E* buuez – **920.** *APmE* uueil – **922.** *A* cils, *E* cil ; *F* se se l. : se *non exponctué* ; *E* lieuera – **923.** *Pm* guery – **924.** *E* buuera il m. – **926.** *APmE* cote ; *E* ou de plates – **929.** *Pm* Qui – **930.** *E* Ilz ; *Pm* peuent, *E* puent ; *Pm* la c. – **931-2.** *Pm* M. e. nay je pas u. Ce quonques miracle n. u. – **935.** *E* dictay – **940** *Pm* mexcusera – **941.** *E* Enuers lui (– 1) – **943.** *A* onques, *E* oncques – **945.** *Pm* souxi – **946.** *E* Je ; uarlet

ou quelque autre petit bijou, et lui dira : « Levez-vous et mangez et buvez, car, n'en doutez pas, je ne veux pas que vous meniez une vie aussi pénible. » Et lui à l'instant se lèvera, et il sera guéri de tous ses maux, et il boira et mangera ; et en cas de besoin, il s'armera d'une cotte de fer ou d'un bouclier. – Ne sont-ce pas là de beaux miracles ? Cherchez voir un saint qui en fasse autant, et qui soit capable de faire disparaître en un instant une fièvre : les saints peuvent beaucoup, c'est pour moi un vrai article de foi, mais je ne l'ai pas encore vu de mes yeux, car jamais je n'ai vu aucun miracle aussi grand que celui d'un amant en extase.

Durant les deux mois dont je vous ai parlé [avant d'avoir reçu la lettre 3, écrite peu avant Noël 1362], et où j'étais malade, j'avais composé, au lit, les quatre poèmes contenus dans la lettre [lettre n° 4], et transcrite ci-après. S'il y a des fautes ou des redites, la maladie m'en excusera auprès du lecteur. Il s'agit de trois chansons balladées, qui jamais encore ne furent chantées, avec en plus une ballade, que je fis à la fois dans la joie et dans le souci. Ces quatre pièces, je les envoyai à ma dame par le jeune homme qui s'en allait chez elle.

Balade

948 Vëoir n'oÿr ne puis riens qui destourne *L'amant*
Moi ne mon cuer, quel part que face tour,
Qu'a vous tousdis ma pensee ne tourne
Et que vostres ne soie sans retour ;
952 Si que de loing voi vostre cointe atour
Et vo gent corps ou il n'a que redire :
Pour ce tousdis ma pensee a vous tire.

Si Doulz Pensers a vous amer m'atourne
956 Tresloiaulment, et je aussi m'i atour ;
Mais mon desir mon memoire bestourne,
Dont maintes fois de la gent me destour.
La voi souffrir sa pointure en destour,
960 La doucement m'assaut et me martire :
Pour ce tousdis ma pensee a vous tire.

Mais cilz desirs n'atent pas qu'il adjourne
Pour moy faire maint amoureus estour,
964 Dont mes vrais cuers, qui demeure et sejourne
En vo prison – qui n'est chastiaus ne tour
Et s'est plaine de joie et de tristour – [143 b]
Recort pour vous souvent joie et martyre :
968 Pour ce tousdis ma pensee a vous tyre.

Chanson baladee

L'ueil, qui est le droit archier *L'amant*
D'Amours pour traire et lancier
Mignotement,
972 N'a pas peü bonnement
Mon cuer blecier ;

948. *E* n'oÿr *om.* (– 2) – **949.** *E* quil f. t. – **950.** *APm* toudis – **952.** *A* long – **953.** *E* gens – **954.** *APm* toudis, *E* touz jours – **965.** *Pm* chastiau, *E* chasteau – **966.** *E* Et cest – **967.** *APmE* Recoit ; *dans A le* i *de* recoit *est écrit d'un trait de plume plus appuyé, et semble donc être une correction d'une autre main* ; *E* nous – **968.** *E* touz jours – **969.** *E* Loeil – **970.** *Pm* lanchier

Ballade [de l'amant]

1. Je ne puis rien voir ni entendre qui fasse dévier
Moi et mon cœur, où qu'il aille,
En sorte que ma pensée ne se tourne sans cesse vers
Et que je ne sois vôtre sans retour; [vous
Si bien que de loin je vois votre élégante silhouette
Et votre gracieux corps, où il n'y a rien à redire :
Voilà pourquoi ma pensée sans cesse vers vous se
[tourne.

2. Doux Penser m'incite à vous aimer
Très loyalement, et moi aussi je m'y applique.
Mais mon désir retourne mon esprit,
Et c'est pourquoi maintes fois je me détourne des
[gens,
Je me réfugie dans une cachette pour souffrir sa piqûre;
Alors silencieusement il m'assaille et me martyrise :
Voilà pourquoi sans cesse ma pensée vers vous se
[tourne.

3. Désir n'attend pas qu'il fasse jour
Pour me livrer maint combat d'amour;
En suite de quoi mon cœur sincère (qui demeure
[dans le séjour
De votre prison, laquelle n'est ni forteresse ni tour,
Mais est pleine de joie et de tristesse)
Récapitule souvent la joie et le martyre éprouvés
[pour vous :
Voilà pourquoi ma pensée sans cesse vers vous se
[tourne.

Chanson balladée [de l'amant]

[Refrain]
Les yeux [de ma dame] qui sont le naturel archer
D'Amour pour tirer et lancer
Ses gracieux projectiles,
N'ont pu simplement
Blesser mon cœur;

Et s'aim de fin cuer entier
Tresloialment !

976 Vescy pour quoy vraiement :
Unques ne vi le corps gent,
Cointe et legier
De celle qui liement
980 Me tient et joliement
En son dangier,
Në il moi, mais l'ai tant chier
Que jamais faire *n'en* quier
984 Departement.
Il puet bien crueusement
Moi menacier,
Mais ne le prise un denier
988 Quant ad present.

L'ueil qui est le droit archier, etc.

Qu'onques ne me fist present
De joie ne de tourment,
Në empechier
992 Ne me porroit nullement
A vivre joieusement
Son menacier.
Envis le puis aprochier
996 Ne il moi, fors par souhaidier ;
Pour ce souvent
Mon amoureus pensement
Me fait cuidier
1000 Qu'il me doie trespercier
Soudainement.

L'ueil qui est le droit archier, etc.

---

983. *A* nen, *FPmE* ne – **988.** *PmE* a p. – **991.** *A* empeechier, *mais l'*e *qui suit le* p *a été exponctué*, *PmE* empeschier – **992.** *PmE* pourroit – **994.** *E* Sans m. – **996.** *Pm* Nil

Et pourtant j'aime de tout mon cœur sincère
Et en toute loyauté !

1. Voici pour quelle raison, en toute vérité :
Jamais je ne vis le corps gracieux,
Aimable et svelte
De celle qui gaiement,
Avec enjouement me tient
En son pouvoir ;
Ni lui ne me vit, et pourtant je l'aime si fort
Que pas un instant je ne cherche
À m'en séparer.
Il aura beau, dans sa cruauté,
Me menacer :
Je n'estime un denier ses menaces.
Quant à présent.

– Les yeux...

2. Car jamais ses yeux ne me gratifièrent
De joie ou de tourment,
Ni leur menace
Ne pourrait
M'empêcher
De vivre dans la joie.
Point facilement je ne puis les approcher,
Ni eux moi, seul le souhait nous est possible ;
C'est pourquoi souvent
Mon penser amoureux
Me fait supposer
Qu'ils vont me transpercer
Soudainement.

– Les yeux...

C'est cilz qui trop doucement
Scet un cuer, et subtilment,
1004 Penre et lier
Et contraindre telement
Qu'il le fait treshumblement
Humilier.
1008 C'est l'amoureus messagier,
Qui use de son mestier
Si sagement
Que cuers scet si proprement
1012 Entrelacier
Qu'on ne les puet deslacier
Legierement. [143 v° a]

L'ueil qui est le droit archier, etc.

Chanson baladee

Plus belle que le biau jour, *L'amant*
1016 Plus douce que n'est douçour,
Corps assevi
De riche maintieng joli,
Pris sans retour
1020 M'avés par vo cointe atour
Qu'onques ne vi !

Mais j'ay tant de vous oÿ
Par vostre bon renon, qui
1024 Croist nuit et jour,
Que vous estes le droit try,
Le fruit et la flour aussi
De toute honnour.
1028 Et quant vous avés valour
Sur toute mondaine flour,
S'a vous m'otry
Et doins mon cuer sans detry,
1032 Trop fort m'onnour
De mettre en si doulz sejour
Le cuer de mi.

3. Ce sont eux qui très doucement
Et subtilement savent
Prendre et attacher un cœur,
Et le contraindre si fort
Qu'ils le font s'humilier
Très bas.
Ils sont le messager d'amour
Qui use de son art
Si savamment
Qu'il sait si exactement entrelacer
Des cœurs
Qu'on ne peut aisément
Les délacer.

– Les yeux...

Chanson balladée [de l'amant]

[Refrain]
Plus belle que le beau jour,
Plus douce que n'est douceur,
Corps accompli
Par la splendeur de son gracieux maintien,
Vous m'avez pris sans retour
Par la séduction de votre charme,
Que jamais je ne vis !

1. Mais j'ai tant entendu dire sur vous
Par votre excellente renommée qui
Croît nuit et jour,
Que vous êtes légitimement le premier choix,
Le fruit et en même temps la fleur
De tout ce que désigne le mot honneur.
Et puisque vous emportez le prix
Sur toute fleur du monde,
Si je me livre à vous
Et vous donne mon cœur sans hésiter,
C'est pour moi un très grand honneur
De placer en un si doux séjour
Mon cœur.

Plus belle que le biau jour, etc.

Si ne veuil autre mercy,
1036 Quar vous m'avez assevy
Si que mi plour
Et mi souspir sont tary,
Dame; dont je vous mercy
1040 Et Bonne Amour,
Qui fait cesser ma dolour
Et joie de ma tristour,
Et enrichi
1044 M'a de souffisance si
Que la savour
Doucement en assavour:
Ce m'a gary.

Plus belle que le biau jour, etc.

1048 Si n'ay paine ne soussy
Ne de riens ne me soussy,
Quar mon labour
Me nourist et a nouri
1052 En flun ou cuer(s) esbahy
Prennent vigour:
C'est en la tresdouce oudour
De la bonté que j'aour,
1056 Qui a ravi
Mon fin cuer, qui m'a guerpi
Pour son millour;
Qu'il ha trop milleur demour
1060 En vous qu'en mi.

Plus belle que le biau jour, etc. [143 v° b]

1044. *Pm* suffisance – **1055.** *E* la *om.* (– 1); *Pm* De uo b.

– Plus belle que le beau jour…

2. Et je ne veux pas d'autre faveur,
Car vous m'avez à ce point comblé
Que mes pleurs
Et mes soupirs sont taris
Ma dame ; de quoi je vous remercie, vous
Et Bonne Amour,
Qui fait cesser ma douleur,
Transforme en joie ma tristesse,
Et m'a enrichi
Tellement de grâces de satisfaction,
Que j'en goûte
Doucement la saveur :
C'est cela qui m'a guéri.

– Plus belle que le beau jour…

3. Et ainsi je n'ai ni peine ni souci,
Ni ne m'inquiète de rien,
Car ma peine
Me nourrit – et m'a déjà nourri –
Au fleuve où les cœurs désenchantés
Prennent vigueur :
À savoir dans le très doux parfum
Du haut mérite que j'adore,
Qui a ravi
Mon cœur pur, lequel m'a quitté
Pour un sien plus grand bonheur,
Car il a une bien meilleure demeure
En vous qu'en moi.

– Plus belle que le beau jour…

Chanson baladee

Je ne me puis saouler *L'amant*
De penser, d'ymaginer
Que je ferai
1064 Ne quel maniere j'aray,
Quant le vis cler
De ma dame qui n'a per
Premiers verrai.

1068 Certains sui que prins serai
Si fort que je ne sarai
A li parler,
Et que sans froit tremblerai
1072 Et sans chaleur suerai,
Et souspirer
Me faurra et recoper
Mes souspirs pour moy celer;
1076 La n'oseray
Mot sonner : pour cen lairai
Amours ouvrer,
Qui scet comment sans fausser
1080 L'aim de cuer vray.

Je ne me puis saouler, etc.

Hé ! Dieus ! comment porterai
Le tresdoulz amoureus rai
Dou regarder
1084 De ses doulz yeulz, je ne sai,
Quar assez a porter hai
Des maulz d'amer :
Vers eulz ne porray durer,
1088 Et pour telz cops endurer
Flebe me sai ;
S'Espoirs, qui scet mon esmai,
Resconforter

1076. *E* Ja – **1077.** *APmE* ce en – **1088.** *A* tel, *Pm* tieulx – **1089.** *APmE* foible

Chanson balladée [de l'amant]

[Refrain]
Je ne puis me rassasier
De rêver ni de m'imaginer
  Ce que je ferai
Ni quelle attitude j'aurai
  Quand je verrai pour la première fois
Le visage clair de ma dame
  Qui n'a son pareil.

1. Je suis certain que je serai saisi
 Si fort que je ne saurai
   Avec elle parler,
 Et que sans qu'il fasse froid je tremblerai
 Et sans qu'il fasse chaud je suerai ;
 Et il me faudra
   Soupirer et étouffer
 Mes soupirs pour dissimuler mon désarroi ;
   Alors je n'oserai
 Articuler un mot ; c'est pourquoi je laisserai
   Amour œuvrer,
 Qui sait combien sans hypocrisie
   Je l'aime d'un cœur sincère.

 – Je ne puis me rassasier...

2. Hé Dieu ! Comment je supporterai
 Le très doux rai
   Du regard amoureux
 De ses doux yeux, je ne sais,
 Car j'ai à supporter nombre
   Parmi les maux d'amour :
 En face d'eux je ne pourrai subsister,
 Et pour soutenir de tels chocs
   Je me sais faible ;
 Si Espoir, qui connaît mon trouble,
   Ne me vient

1092 Ne me vient, sans arrester
Me partirai.

Je ne me puis saouler, etc.

Et nonpourquant trop m'esmai,
Quar je me deliterai
1096 En remirer
Son doulz vis riant et gai,
Trop plus doulz que rose en mai
A odorer;
1100 Et se je puis esperer
Qu'elle me daignast amer,
Je oublierai
Tous maulz: ainsi garirai
1104 Nés dou penser,
Si ne doi pas tant doubter
Les maulz que trai.

Je ne me puis saouler, etc.

[Lettre IV des mss]

[144 a]

L'amant

(a) Ma treschiere et souveraine dame, je ne sui mie telz[1] ne si sages que je vous sceüsse mercier, ainsi comme il appartient, de vos douces, courtoises et amiables escriptures. Et toutesvoies je vous jur en ma lealté qu'ellez me font tant de bien que je ne me resveille a nulle heure qu'il ne m'en souviengne[2] et que je n'aie l'ueil, et le cuer et la pensee a vous, pour faire chose a mon pooir qui soit a vostre loenge et a vostre honnour. **(b)** Et quant ad ce que vous me mandez que, se vous estiés uns homs,

1099. *A* oudorer, *E* odourer

1. *Pm* tieulx. – **2.** *A* soueingne.

Réconforter, sans attendre
Je m'enfuirai.

– Je ne puis me rassasier...

3. Et pourtant, non, je me trouble trop,
Car je me délecterai
À contempler
Son doux visage riant et gai,
Bien plus doux que le parfum
De la rose en mai ;
Et si je puis espérer
Qu'elle daigne m'aimer,
J'oublierai
Tous les maux : je guérirai ainsi
Rien que d'y penser,
Et je n'ai pas de raisons de tant redouter
Les maux que je traîne avec moi.

– Je ne puis me rassasier...

Lettre 4, de l'amant [4 des mss ; VI de PP]

Ma très chère et souveraine dame,

Je ne suis pas de taille ni assez savant pour savoir vous remercier comme il convient de ce que vous m'écrivez si courtoisement et si aimablement. Mais quoi qu'il en soit, je vous jure en toute sincérité que vos envois me font tant de bien, que je ne me réveille jamais la nuit sans que je pense à eux, et que je ne tourne mon regard, mon cœur, ma réflexion vers vous, avec l'intention de composer une pièce qui, autant que je puisse, soit à votre éloge et en votre honneur.

Quant à ce que vous me mandez, à savoir que, si vous étiez un homme, vous me verriés bien souvent[1], je vous pri, pour Dieu et sur toute l'amour que avez a moy, que vous me veuilliés tenir pour excusé se je ne vois et sui alés devers vous; quar, par m'ame, Dieus scet que ce n'a mie esté[2] par deffaute d'amour ne de bonne volenté, mais j'ai esté en tel point et si pressés de maladie puis un an, que encor nouvelement, puis que T. revint, j'ai esté malades sans issir de ma chambre se pau[3] non. Et je pense[4] que vous estes si bonne et si sage que vous ne volriés mie [que[5]] moi, qui sui vostre creature, que vous avés resuscité et doucement nourry de vos douces et amiables paroles, me meisse en aventure d'estre perdus a tous jours mais pour aler vers vous, car oultre pooir nient. Et, par Jhesuscrist, je le desire plus que chose qui soit en monde, et vos douces promessez me contraingnent fort. Et, par Dieu, se vous demouriés a Romme la grant, se vous verrai je le plus tost que je porrai. Et vescy le nouvel temps, que je serai en bon point, se Dieu plaist. **(c)** Et, ma souveraine dame, quant ad ce qu'il vous plaist que je chasse hors de mon cuer la mortel paour et le grief[6] penser qui y est, toutes vos paroles me sont commandement; si le ferai par tele maniere que la bonne esperance que j'ai en tresdoulces promesses que vous me faites, se Dieus voloit que je vous peusse veoir[7], lez chassera hors sans revenir, comment que je ne soie mie dignes de recevoir en cent mil ans le menre des biens que vous me porriés faire[8]. **(d)** Et de vostre douce ymage que vous me devez envoier[9], certes je le desir trop fort, si vous suppli humblement que vous la me veilliés[10] envoier le plus tost que vous porrez bonnement. **(e)** Se je puis par nulle voie, je vous verrai environ ceste Pasque[11]. **(f)** Je vous fais escrire l'un de mes livres que j'ai

---

1. *F* bien s., *ajouté au-dessus de la ligne.* – **2.** *A* estet. – **3.** *A* po. – **4.** *A* je p. *om.* – **5.** *AFE* que (moi q. s. v. creature) *om.* – **6.** *AE* grief, *F* gries. – **7.** *E* je les p. v. – **8.** *Pm* Et toutesvoies... v. m. p. faire *om.* – **9.** *Pm* v. me prometes enuoier. – **10.** *A* vueillies. – **11.** *Pm* et uous uerray se je puis p. n. u. environ ceste Pasque.

vous me verriez très souvent, je vous prie, pour l'amour de Dieu et au nom de tout l'amour que vous me portez, de vouloir bien m'excuser si je ne suis pas encore allé – ni ne suis en train d'aller – par-devers vous. En effet, par mon âme, Dieu sait que ce ne fut pas par défaut d'amour ni de bonne volonté ; la vérité est que j'ai été en un tel état et si tourmenté par la maladie depuis un an, que récemment encore, après le retour de T., j'ai été malade sans pouvoir presque sortir de ma chambre. Je suis convaincu que vous êtes si honnête et si sage que vous ne voudriez pas que moi, qui suis votre créature que vous avez ressuscitée et aimablement nourrie de vos douces et délicates paroles, je m'expose au risque d'être perdu à jamais en allant chez vous ; et en effet, à l'impossible nul n'est tenu. Mais, par Jésus-Christ, je désire ce voyage plus que quoi que ce soit au monde, et vos douces promesses m'y poussent fort. Si bien que, par Dieu, même si vous séjourniez à Rome la grand-ville, je vous verrais le plus tôt que je pourrais. Or voici le printemps où je serai en bonne santé, s'il plaît à Dieu.

Quant à ce que, ma souveraine dame, il vous plaît que je chasse de mon cœur la mortelle peur et la désagréable inquiétude qui s'y trouve, toutes vos paroles me sont des ordres ; je le ferai donc de la manière que voici : c'est la confiance que j'ai en vos très douces promesses, si Dieu voulait que je vous pusse voir, qui les chassera dehors sans possibilité de retour, quelque indigne que je sois de recevoir en cent mille ans le moindre des bienfaits que vous pourriez m'accorder.

Pour ce qui est de votre doux portrait que vous vous disposez à m'envoyer, certes je le désire très fort, et je vous supplie humblement de vouloir bien me l'adresser le plus tôt que vous pourrez le faire dans de bonnes conditions.

Si je puis trouver quelque itinéraire sûr, je vous verrai autour de la Pâque prochaine.

Je fais transcrire pour vous l'un de mes livres, celui que j'ai fai*t*[1] derrainement, que on appelle *Morpheus*, et le vous porterai ou envoierai, se Dieu[2] plaist. **(g)** Je vous mercy de ce que la longueur de mes escriptures ne vous anuie point; car [144 b] certainement, quant je commence, je n'i sai faire fin, pour la tresgrant plaisance que je pren en penser, en parler et en escrire[3]. **(h)** Je vous mercy[4] trop humblement de la belle et bonne verge que vous m'avez envoïe[5]. Et certes il ne faut mie que vous me pryez de la bien garder, car j'en sui tous pryés[6]. **(i)** Ma treschiere et souveraine dame, se je vous escris[7] plus rudement, nicement et mal sagement que je ne deusse, si le me veuilliés pardonner; car il sont .II. choses qui font destourner le memoire d'un homme: trop grant joie, et trop grant doleur. Et, par m'ame, quant je regarde[8] vos douces et amoureuses paroles, vos riches promesses que je n'oseroie souhaidier ne desirer pour ce que telz biens n'apartient pas a moi, j'ai si grant et si parfaite joie, que creature humaine ne le saroit ne porroit penser; et, quant je pense et voi que par nulle voie je ne puis aler vers vous pour saouler mon cuer et mes yeus de vous veoir, ma joie en dolour se mue, et en ai tant qu'il n'a si dur cuer en monde[9], se il avoit pitié en li[10], qu'il n'en eust compassion s'il me veoit. Mais telz est li mestiers d'Amours: pour une joie .C. dolours, si que je ne vous escri mie si reveremment ne si humblement come je deusse. **(j)** Ma treschiere et tressouveraine dame, je pri Dieu[11] qu'il vous doint honneur et joie tele comme vous meisme[12] le volriés, et tele come mes cuers le desire, comme a la creature du monde que j'aimme plus et que je desire plus a veoir.

(k) Ma tressouveraine dame, je vous pri que vous

---

1. *APm* j'ai fait, *F* fais. – **2.** *A* dieux. – **3.** *Pm* certes… en escrire *om.* – **4.** *F* mercy: *une main étrangère a ajouté un* s *en haut à droite du* y. – **5.** *Pm* enuoiee dont je vous mercy treshumblement. *La suite de la lettre est omise jusqu'à la clausule du dernier §.* – **6.** *E* tous prestz. – **7.** *A* escri. – **8.** *A* resgarde. – **9.** *E* ou m. – **10.** *E* p. en luy. – **11.** *E* prie a dieu. – **12.** *A* meismes, *E* mesmes.

récemment composé, et qui a pour titre *Morpheus*, et je vous le porterai ou enverrai, s'il plaît à Dieu.

Je vous remercie de ce que la longueur de ce que je vous écris ne vous contrarie pas ; car il est certain que lorsque je commence, je ne sais y mettre un terme, à cause du très grand plaisir que j'éprouve à réfléchir, à parler, à écrire.

Je vous remercie très humblement de la belle et précieuse bague que vous m'avez envoyée. Et assurément, il n'est pas nécessaire de me prier de bien la garder : j'en suis tout prié.

Ma très chère et souveraine dame, si je vous écris avec moins d'apprêt, plus simplement et moins savamment que je ne devrais, veuillez me le pardonner, car il y a deux choses qui font dévier l'esprit d'un homme : la joie excessive et l'excessive douleur. Et en effet, par mon âme, quand je relis vos douces paroles amoureuses, vos riches promesses, que je n'oserais ni souhaiter ni désirer parce que je n'ai pas droit à un tel bonheur, j'éprouve une joie si grande et si complète que nulle créature humaine ne saurait ni ne pourrait se l'imaginer ; mais quand je considère – et constate – que par aucun chemin je ne puis aller vers vous pour rassasier mon cœur et mes yeux de votre vue, ma joie se change en douleur, et celle-ci est si grande qu'il n'y a cœur au monde qui, ayant quelque pitié en lui, n'eût compassion de moi s'il me voyait. Mais telle est la coutume d'Amour : pour une joie, cent douleurs ; voilà pourquoi je ne vous écris pas avec le respect et l'humilité que je devrais.

Ma très chère et très souveraine dame, je prie Dieu qu'il vous accorde honneur et joie tels que vous-même le voudriez et tels que le désire mon cœur, comme à la créature au monde que j'aime le plus et désire le plus de voir.

Ma très souveraine dame, je vous prie de

ne bailliés nulles copies de ce que je vous envoie, pour ce que je y pense a faire les chans, especialment sur celles qui mieulz vous plairont. **(l)** Et se je n'ai envoiét[1] vers vous si tost come je deusse, si le me veilliés pardonner, car, par m'ame, ce n'est mie par deffaut d'amour ne de souvenance, car il me souvient plus de vous que de tou*t*[2] le monde, et pense que je fusse pieça mors se li souvenirs[3] que j'ai de vous ne fust. **(m)** Mais je pren joie et confort et vraie esperance que je vous verrai encor, tout ainsi que[4] mes cuers le desire.

(n) J'ai au jour de hui receu vos letres, que mon secretaire[5] m'a envoïes[6], es queles vous me faites savoir vostre bon estat, dont je sui moult liés. Et vraiement c'est la plus grant joie que je puisse avoir que d'en oÿr bonnes nouvelles. **(o)** Et ad ce que vous me mandés que je vous escrise souvent, plaise vous savoir que je ne truis mie message[7] a ma volenté en qui je m'ause[8] bien fyer, et c'est la cause pour quoy je n'en envoie mie si souvent devers vous. **(p)** Pour ce que je[9] pense que vous orriés volentiers nouvelles de mon estat, plaise vous savoir que je sui en assez bon [144 v° a] point et pense que je chevaucheroie bien se il faisoit un pau[10] plus chaut. **(q)** Et certes se je avoie vostre douce ymage, aprés Dieu et vous je l'ameroie, serviroie et obeÿroie[11], et feroie maintes choses nouvelles en l'onneur de vous et de li[12]. **(r)** J'ay fait le chant sur *Le grant desir que j'ai de vous veoir*, ainsi comme vous le m'aviez commandé. Et l'ai fait ainsi comme un rés d'Alemaigne[13]. Et vraiement il me semble moult estranges et moult nouviaus[14], si le vous envoierai le plus tost que je porrai. **(s)** Par ma foy vous m'avez envoiét un trop bon rondelet et qui trop bien me plaist. **(t)** Ma treschiere et souveraine dame, je pri Dieu qu'il vous doinst autant de bien et

---

1. *A* enuoie. – **2.** *F* tous, *A* tout. – **3.** *E* le souuenir. – **4.** *A* a. come. – **5.** *A* mon secretaires. – **6.** *E* enuoiees. – **7.** *E* nul m. – **8.** *A* ose. – **9.** *A* je *om.* – **10.** *A* po, *E* pour. – **11.** *A* oubeiroie. – **12.** *E* de lui et de uous. – **13.** *E* un rez d'A. – **14.** *E* m. estrange et m. nouveau.

ne donner à personne copie de ce que je vous envoie, car je pense en composer la musique, spécialement pour les pièces qui vous plairont le mieux.

Si je ne vous ai pas répondu aussi rapidement que j'aurais dû, veuillez me le pardonner, car, par mon âme, ce n'est pas par manque d'amour ni faute de penser à vous : je pense plus à vous qu'à toute personne au monde, et je crois qu'il y a longtemps que je serais mort s'il n'y avait le fait que je pense à vous. Mais j'éprouve de la joie et du réconfort dans la sincère espérance que je vous verrai bientôt, comme mon cœur le désire.

J'ai reçu aujourd'hui votre lettre que mon secrétaire a envoyée, où vous me faites savoir votre bonne santé, ce qui me réjouit fort ; et en vérité c'est la plus grande joie que je puisse avoir que d'entendre de bonnes nouvelles. Quant à ce que vous me dites que je vous écrive souvent, sachez, s'il vous plaît, que je ne trouve pas à mon gré un messager en qui j'ose avoir pleine confiance, et c'est la raison pour laquelle je n'envoie pas aussi souvent vers vous. Parce que je pense que vous aimeriez avoir des nouvelles de mon état, sachez que je suis en excellente forme et que je crois que je pourrais bien chevaucher s'il faisait un peu plus chaud. Soyez assurée aussi que si je possédais votre doux portrait, après Dieu et vous-même, je l'aimerais, le servirais, lui témoignerais ma soumission ; et je composerais mainte poésie nouvelle en votre honneur et au sien. J'ai fait le chant sur *Le grand désir que j'ai de vous voir*, selon ce que vous m'aviez commandé ; c'est à la manière d'Allemagne ; et vraiment il me semble très exceptionnel et très nouveau ; je vous l'enverrai le plus vite que je pourrai. Croyez-moi, vous m'avez envoyé un très bon rondelet et qui me plaît beaucoup. Ma très chère et souveraine dame, je prie Dieu de vous accorder autant de bonheur et de honneur comme vous meïsme[1] le volriés[2] et comme je le desire de tout mon cuer.

Vostre tresloial ami.

L'amant

*L*i prinstemps vint biaus et jolis
1108 Et je *f*ui cointes et poli[s],
Liés de cuer, gais et envoisiés,
Et de tous mes maulz acoisiés,
Bien abilliés et bien montés,
1112 Et d'esperance sourmontés
Qu'aroie ce que desiroie,
Du vëoir trop me defrioie.
Si montai sur ma haguenee
1116 Grosse et grace et bien reposee,
Si m'en alai par mi le[s] champs
Pour oÿr des oisiaus les chans
Et pour avoir l'air – quar, sans fable,
1120 Chose m'estoit moult profitable –
Et aussi pour moy essaier
Se je porroie chevauchier.
Ce fu tout droit en mois d'avril
1124 Que cilz oisillons en l'abril
Font leurs amoureuses tençons,
Leurs doulz hoqués et leurs chansons ;
Si me mis delez un aunoy.
1128 Mais unques deduit si biau n'oy
Comme de ces doulz oiselés : [144 v° b]
La estoit li rousignolés
Qui sur tous se faisoit oÿr,
1132 Dont moult fist mon cuer resjoÿr ;
En ma vie deduit n'os tel.
Mais je m'en reving a l'ostel

1. *A* meïsmes. – 2. *A* uorriés, *E* uoldriez.

1107. *AEPm* Li, *F* Si ; *A* primtemps, *PmE* printemps ; *E* uient **1108.** *A* fui, *F* sui, *PmE* fu ; *APm* joli, *FE* poli – **1113.** *E* je desiroie (+ 1) – **1115.** *E* haquenee – **1116.** *Pm* Grasse grosse – **1117.** *APmE* les ch., *F* le champs – **1119.** *Pm* flabe – **1125.** *E* amoureux tensons (– 1) – **1126.** *E* Leur ; *Pm* l. tencons – **1128.** *E* Car ; *APm* si b. d. – **1134.** *AE* reuins

d'honneur que vous en voudriez vous-même et que moi-même j'en désire de tout mon cœur.

Votre très loyal ami.

L'amant

Le printemps vint beau et gai, et moi-même je m'étais élégamment paré ; le cœur plein de joie et de gaieté exubérante, tous mes maux calmés, bien équipé et disposant d'un bon cheval, débordant de l'espoir que j'aurais ce que je désirais, j'étais fort impatient de voir du pays. Je montai alors sur ma haquenée grosse et grasse, et bien reposée, et je m'en allai à travers champs pour écouter les ramages des oiseaux et pour prendre l'air (car, sans mentir, cela m'était de grand profit), et, en outre, pour mettre à l'épreuve la possibilité que j'aurais d'aller à cheval.

C'était juste au mois d'avril, alors que, selon leurs coutumes, les petits oiseaux font en leurs abris leurs amoureux débats, leurs doux hoquets et leurs chansons. Je me dirigeai vers une aulnaie. Agréable surprise, jamais rien ne me procura une jouissance aussi belle que ces doux oiselets : il y avait là le petit rossignol, dont la voix dominait celle de tous les autres oiseaux, et causa une très grande joie à mon cœur ; de ma vie je n'avais eu un tel plaisir. Cependant je m'en revins à mon hôtel

Pour le chaut qui ja la rousee
1136 Abatoit qui estoit levee.
Si prins a penser durement
A ma dame, a qui bonnement
Me sui, sans retollir, donnés
1140 Et ligement abandonnés;
Et pensoie dont ce puet naistre
Que je sui si fort mis a maistre
Que j'ai et cuer et corps ravi
1144 Pour ma dame c'onques ne vi:
Ce me semble si grant merveille
C'onques mais ne vi la pareille;
Mais il n'est chose qui n'aveingne,
1148 Ne si dur cuer qu'Amours ne freingne.
En ce paÿs ha pluseurs dames
Bonnes, belles et preudefames,
Juenes, gentes et renvoisies,
1152 Longues, droites et alignies,
Douces, plaisans et gracieuses,
Taillies pour estre amoureuses.
Je les puis tous les jours vëoir
1156 Et moi delés elles sëoir,
Jouer, moquer, chanter et rire,
Et leur puis ma volenté dire.
Je les voi dancer et baler,
1160 Cointement venir et aler;
Je leur voi toutes choses faire
Honnestez et de bon affaire,
Mais ce ne porroit advenir
1164 Qu'amours peüst en moy venir
Pour laissier celle qui lontaine
M'est de l'ueil et du cuer prochaine.
Et comment se puet cecy joindre
1168 Qu'elle me puet de si loing poindre
Sans ce qu'onques je la veÿsse
Ne que son doulz parler oÿsse?

1142. *Pm* Dont – **1147.** *Pm* nauiengne, *E* nauieigne – **1149.** *E* plusieurs – **1151.** *Pm* Jeunes – **1157.** *Pm* J. dancer ch. – **1159.** *AE* dancier – **1163.** *APmE* auenir – **1168.** *A* long

à cause de la chaleur qui déjà séchait la rosée qui s'était levée de terre. Je me mis alors à penser très fort à ma dame, à qui honnêtement et sans intention de me reprendre, je me suis donné, tel un vassal, à son entière disposition ; et je me demandais comment il a pu se faire que je sois à ce point dominé que le cœur et le corps me soient dérobés au bénéfice de ma dame que jamais je n'avais vue : cela me paraît un si grand prodige que je n'en ai jamais vu de comparable. Mais il n'est rien qui ne puisse arriver, ni cœur si dur qu'Amour ne brise.

En mon pays il y a bon nombre de dames honnêtes, belles et sages, jeunes, nobles et enjouées, grandes, se tenant droites et élancées, douces, plaisantes et aimables, sculptées pour inviter à l'amour. Je puis les voir tous les jours et m'asseoir à côté d'elles, et jouer, railler, chanter et rire avec elles, et je peux leur dire ma pensée intime ; je les vois danser toutes sortes de danses, élégamment allant et venant ; je les vois se livrer à toutes sortes d'occupations honnêtes et de bonne compagnie ; et pourtant il est impensable que pût naître en moi un amour qui m'engageât à abandonner celle qui m'est loin des yeux, et proche du cœur.

Mais comment peut-on accorder ensemble que sa flèche peut de si loin m'atteindre sans que je l'aie jamais vue ni n'aie jamais entendu son doux parler ?

On y puet assez bien respondre.
1172 Amours se scet mettre et repondre
– Et de ce ne fais je pas doubte –
En tel qui unques ne vit goute
Ne qui ja goute ne verra,
1176 Mais tant de sa dame enquerra
Et de sa bonne renommee
Qu'elle sera de li amee;
Qu'Amours, qui est sage et subtive,
1180 Com uns charbons en li s'avive
Et tous dis s'i avivera, [145 a]
Si que tant comme il vivera
Sera ses sers et ses rentiers
1184 Et fins loyaulz amis entiers.
(Si m'est avis qu'il fait plus fort
Que je ne fais, s'il aime fort;
Car je vif en tresdoulz espoir
1188 De vëoir ma dame, et s'espoir
Qu'elle me fera bonne chiere
Et ne me sera pas trop chiere,
Et par ce porrai percevoir
1192 S'elle m'aimme sans decevoir.)
Mais s'elle li faisoit la moe,
Elle n'en donroit une aloe,
Car ja ne s'en percevera,
1196 Ainçois tousdis perseverra
En l'amour dont il est souspris
Pour amer sa dame et son pris.
Mais s'un homme d'outre la mer
1200 Vuelt dessa par amours amer
Une dame de cest paÿs,
Je n'en sui de riens esbahis,
Qu'Amours si le doctrinera
1204 Que sans li vëoir l'amera.

1179. *A* sutiue; *Pm* soutiue – **1182.** *E* uiura (– 1) – **1183.** *A* ses ses sers : *le second* ses *n'est pas exponctué* – **1188.** *Pm* ueir, *E* uoir (– 1) – **1190.** *Pm* fiere – **1194.** *Pm* dourroit, *E* doubtoit – **1196.** *E* perseuerera (+ 1) – **1197.** *A* sourpris, *Pm* soupris – **1200.** *PmE* deca – **1204.** *E* uoir (– 1)

La réponse est très facile : Amour sait entrer et se cacher – nul doute pour moi à ce sujet – chez tel qui jamais ne vit ni ne verra quoi que ce soit de ce manège ; et cependant, oui, il s'enquerra si soigneusement au sujet de celle qui est déjà sa dame, et la renommée de celle-ci se révèlera si bonne qu'il finira par l'aimer d'amour ; car Amour, qui est savante et inventive, comme un charbon intensifie son feu en lui et tous les jours l'y intensifiera, si bien que toute sa vie durant l'homme sera serf et débiteur de son amante, et son ami parfaitement fidèle et exclusif. Il me semble que sa conduite est plus difficile que la mienne, s'il aime profondément ; car, quant à moi, je vis dans l'espoir très doux de voir ma dame, et je puis présumer qu'elle me réservera un bon accueil et ne sera pas trop chiche envers moi, et ainsi je pourrai constater si elle m'aime sincèrement. Lui au contraire, si la dame ne le servait que de simagrées, ne l'estimait en réalité pas même le prix d'une alouette, lui n'aura jamais le moyen de découvrir la vérité, il ne cessera de persévérer dans l'amour qui sournoisement s'est emparé de lui et l'a poussé à aimer sa dame de si haute renommée.

Il y a plus : supposons un chevalier d'outre-mer qui veut, de ce côté-ci de l'eau, aimer d'amour une dame de notre contrée : je n'en suis absolument pas surpris, car Amour lui fera si bien la leçon qu'il l'aimera sans la voir.

Si qu'on ne se doit merveillier
Se je veuil penser et veillier
A celle qui unques ne vid
1208 Moi, ne [je] li ; mais mon cuer vit
Par li en tresdouce plaisance,
C'est ma joie et ma soustenance,
C'est mes deduis, c'est mes delis,
1212 C'est droitement la fleur de lys
Dont roy, duc et conte se perent ;
Car vraiement tuit la comperent
A la fleur de lys en blancheur,
1216 A la rose en fine douceur,
En honneur a la tresmontaine
Et en chanter a la seraine.
Hé ! Dieus ! quant son noble renon
1220 Puis oÿr et son tresdoulz non
D'aucune aventure nommer,
Il n'est clers qui sceüst sommer,
Dire, penser ne mettre a nombre
1224 La joie qui en moy s'aombre.

Si com j'estoie en ce parti,
Un varlet sur moy s'embati
Qui dist : « Sire, ce vous tramest
1228 Savés vous qui ? vostre dame est,
Qui vous salue mille fois.
Je sui de la conté de Fois
Et m'en vois tout droit en Lorrainne
1232 Et revenray l'autre semaine ;
Et, s'il vous plaist, vous rescrirés, [145 b]
Si ferai ce que vous dirés. »
Je di : « Volentiers rescrirai
1236 Et ma volenté vous dirai. »

1205. *A* mervillier – **1207.** *APmE* uit – **1208.** *APmE* ne je, *F* je *om.* (– 1) – **1210.** *Pm* Cest ma uie – **1211.** *Pm* Cest ma joie – **1213.** *PmE* parent – **1214.** *Pm* tous ; *PmE* comparent – **1216.** *A* Et l. r. – **1219.** *Pm* Hee (+ 1) – **1222.** *Pm* clerc – **1224.** *PmE* a moy – **1226.** *APm* uallet – **1227.** *Pm* dit ; *E* si u. t. ; *Pm* tramet – **1230.** *E* suis – **1231.** *A* Lorreinne, *Pm* Lorreine, *E* lontaine – **1232.** *E* Je ; *PmE* sepmaine – **1233.** *Pm* plest – **1235.** *APm* dis ; *PmE* rescripray

Et ainsi on ne doit pas s'étonner que je veuille penser jour et nuit à celle qui jamais ne me vit ni moi elle ; car, au contraire de ce qu'on attendrait, mon cœur vit, grâce à elle, dans la plénitude d'un plaisir très doux : elle est ma joie et mon soutien, mon divertissement et mon délice, elle est authentiquement la fleur de lis dont s'ornent les blasons des rois, ducs et comtes ; car, en vérité, tout le monde la compare à la fleur de lis pour sa blancheur, à la rose pour son fin parfum, à l'étoile polaire pour l'éclat de son honneur, à la sirène pour la beauté de son chant. Hé Dieu ! quand il m'arrive d'entendre parler de sa noble renommée et nommer par quelque hasard son très doux nom, il n'y a pas de clerc qui fût capable de dire, de totaliser, d'imaginer et d'évaluer à sa juste mesure la joie qui choisit pour demeure l'ombre secrète de mon cœur.

Tandis que j'étais là, un jeune homme arriva à l'improviste vers moi et dit : « Seigneur, ceci vous transmet savez-vous qui ? c'est votre dame, qui vous envoie mille salutations. Je suis originaire du comté de Foix et je m'en vais tout droit en Lorraine et je reviendrai la semaine prochaine ; si vous le désirez, écrivez une réponse et je ferai la commission pour ce que vous me direz. » Je lui répondis : « J'écrirai volontiers une réponse et je vous dirai mes intentions. »

A moy prinst congié et je a lui.
La lettre prins et si la lui,
Et voi la cy de mot a mot,
1240 Ainsi comme baillyé la m'ot.

[Lettre V des mss]

Mon tresdoulz cuer et vrai ami, **(a)** j'ai *La dame* receues vos lettres[1]; depuis que je eus ycelles receües[2], le .IIII. jour ensievant[3], je reçu[4] ycelles de quoi vous m'avés escript[5]. Et aussis[6] les chansons, de quoi je vous mercy[7] tant doucement comme je puis; et en l'ame de moi elles sont toutes si bonnes, et me plaisent tant, et aussi tout quanque vous m'escrivez[8], car je ne preng confort ni esbatement fors en veoir et es lire[9]; et preng si grant[10] plaisance que je en laisse souvent autres besongnes. **(b)** Si vous pri, mon tresdoulz cuer, qu'il vous plaise de les moi envoier notées, et vous pri que vous les m'envoiés avant que vous les monstrés a nul autre; car par ma foi, tant come j'aie des vostres, je ne quier nullez autres aprendre[11]. **(c)** Et se je vous ai escript[12] que se je fuisse[13] uns homs je vous veysse bien souvent, par ma foi, j'ai dit voir. Mais pour ce n'est ce mie que je veuille que vous venés vers moi, se n'est a l'aise et santé de vostre corps; ainçois vous pri, sur l'amour que vous avez en mi, que vous ne vous metés en chemin de venir jusques a tant que li chemins soit[14] plus seurs, et aussi que vous soiés en milleur santé, laquelle je prie a Nostre Signeur qu'i[l] la vous doint[15] tele come mes cuers desire. **(d)** Et par

---

1237. *A* prist, *PmE* print – **1238.** *A* pris – **1239.** *A* uez la, *Pm* ue la, *E* uoy la

1. *Pm* receu v. l. – **2.** *E* pour dieu *ajouté après* receues. – **3.** *A* ensiant. – **4.** *A* recus. – **5.** *Pm* de puis… escript *om.* – **6.** *A* aussi, *Pm* aussis *om.* – **7.** *Pm* dont je v. m. – **8.** *Pm* et tout ce que v. m'e.; *E* m'escrisiez. – **9.** *APm* et oir lire. – **10.** *APm* pren s. g. – **11.** *Pm* et preng… aprendre *om.* – **12.** *Pm* Et quant a ce que je v. ai e. – **13.** *APm* fusse. – **14.** *A* les chemins soient. – **15.** *E* qu'il la u. d.

Ayant pris congé l'un de l'autre, je pris et lus la lettre, que voici textuellement, telle qu'il me l'avait remise :

Lettre 5, de la dame [5 des mss ; VII de PP]

Mon très doux cœur et vrai ami,

J'ai reçu votre lettre. Après avoir reçu celle-ci, le quatrième jour après j'ai reçu celle que vous m'avez annoncée. Et en outre les chansons, dont je vous remercie aussi doucement que je puis ; en effet, par mon âme, elles sont toutes si bonnes et me plaisent tant (comme aussi tout ce que vous m'écrivez) que je ne prends réconfort et divertissement qu'à les regarder et à les lire ; et j'y prends un si grand plaisir qu'à cause de cela je néglige souvent d'autres occupations.

Je vous prie, mon très doux cœur, veuillez m'envoyer les mélodies des chansons ; mais je vous prie de ne les montrer à personne d'autre auparavant ; car, en vérité, tant que je pense en avoir des vôtres, je ne cherche pas à en apprendre qui viennent d'autres poètes.

Si je vous ai écrit que si j'étais un homme je vous verrais très souvent, croyez-moi, j'ai dit la vérité. Cependant je ne l'ai pas dit parce que je voudrais que vous veniez chez moi autrement que dans le confort et la santé de votre corps ; au contraire, je vous prie, au nom de l'amour que vous avez pour moi, de ne pas vous mettre en route pour venir ici jusqu'à ce que le chemin soit plus sûr, et, aussi, que vous soyez en meilleure santé – laquelle je prie Notre-Seigneur de vous accorder telle que mon cœur la souhaite. Et ma foi je croy certainement que vous avés aussi grant desir de moi veoir comme j'ai de vous. Si vous pri, mon tresdoulz cuer, que vous ostés de vostre cuer trestous meschiés et toute ire, quar, en l'ame de moi, je ne puis avoir bien ne joie tant comme je vous sente a meschief; car je ne cuide pas que vous ne autres peust penser le grant desir que j'ai de faire chose qui mette vostre cuer hors de toutes doleurs et qui le mete en aise[1] et en parfaite joie. Et se n'aiez nulle doubte que tant comme je viverai ma volenté ne sera changye. **(e)** Et vous prie que, le plus tost que vous porrés, vous veuilliés faire le chant des chansons que vous m'avez envoiées[2], et par especial *L'ueil qui est le droit archiers*, et de *Plus belle que le biaus jours*; et ces .II. me veuilliez envoier le plus tost que vous porrés. Et sur l'autre chanson baladee[3], je en ai fait une autre; et, s'il vous semble que elles se puissent chanter ensemble, si les y faites: je n'en ai encores fait que une [145 v° a] couple, car les vostres sont si bonnes que elles m'esbahissent toute, si vous pri que vous y veuilliez amender ce[4] qui y sera a amender[5]. **(f)** Et, pour Dieu, mon doulz ami, ne vous mettés point a chemin jusques a tant que il y face meilleur[6] et meilleur temps[7] pour vous; quar je auroie[8] plus chier que je ne vous veysse d'un an, ce qui me seroit moult griez, que ce que vous venissiez en doubte et en peril de vostre corps[9]. **(g)** Mais sur toutes riens je vous pri que je oie nouvelles de vous le plus souvent que vous porrés. **(h)** Mon tresdoulz ami, je prie a Nostre Signeur qu'il vous doinst[10] paix, santé[11], leesce et joie de tout ce que vostres cuers aimme.

Vostre leal amie.

---

1. *A* en aaise. – **2.** *A* enuoies, *E* enuoiees. – **3.** *E* l'autre chancon qui est baladee. – **4.** *E* amender tout ce. – **5.** *Pm* ainçois vous pri... y sera a amender *om.* – **6.** *A* milleur. – **7.** *Pm* f. meilleur temps et plus seur. – **8.** *A* aueroie, *E* aroie. – **9.** *Pm* quar je auroie plus chier... vostre corps *om.* – **10.** *APm* doint. – **11.** *Pm* santé *om.*

vraiment je crois fermement que votre désir de me voir est aussi fort que le mien à votre sujet.

Je vous prie aussi, mon très doux ami, d'ôter de votre cœur toutes contrariétés et tout chagrin, car, par mon âme, je ne puis avoir bonheur ni joie aussi longtemps que je vous sentirai malheureux, et je ne pense pas que vous ni personne d'autre pût imaginer le grand désir que j'ai de faire n'importe quoi qui délivre votre cœur de toutes douleurs et le mette à l'aise et en parfaite joie. Et n'ayez pas de doute : ma volonté ne sera pas changée tant que je vivrai.

Je vous prie de vouloir bien composer le plus vite que vous pourrez la mélodie des chansons que vous m'avez envoyées, et plus particulièrement celle de *Les yeux qui sont le naturel archer* et celle de *Plus belle que le beau jour* : ces deux, veuillez me les envoyer le plus tôt que vous pourrez. Sur le modèle de la troisième chanson balladée j'en ai composé une à mon tour ; et s'il vous semble qu'elles puissent se chanter sur la même mélodie, faites le nécessaire pour cela : je n'en ai achevé qu'une strophe, car les vôtres sont si bonnes qu'elles me décontenancent totalement ; c'est pourquoi je vous prie de vouloir bien y corriger ce qui devra y être corrigé.

Oui, pour l'amour de Dieu, mon doux ami, ne vous mettez pas en route jusqu'à ce que le temps soit meilleur et que pour vous-même les choses aillent mieux ; car j'aimerais mieux ne pas vous voir avant un an – ce qui me peinerait beaucoup – que si vous aviez à redouter quelque péril pour votre corps. Cependant, par-dessus tout, je vous prie de me donner de vos nouvelles le plus souvent que vous pourrez.

Mon très doux amour, je prie Notre-Seigneur de vous accorder paix, santé, liesse et joie en tout ce que votre cœur aime.

Votre loyale amie.

Chanson baladee

Ne vous estuet guermenter, *La dame*
Tresdoulz amis, ne doubter
N'estre en esmai,
1244 Quar vos dolours muerai
Par bien amer
Et par doucement parler
Quant vous verrai.

1248 Quar certes volenté hay
De tout quanque je saray
Qui conforter
Porra vostre doulz cuer vrai,
1252 Sachiés que je le ferai
Et sans tarder.
Si ne devés esperer
Que nul mal doiés porter
1256 Tant com serai
En present ; quar bien sarai
Vos maulz saner,
Et pour vous confort donner
1260 Mire en serai.

Ne vous estuet guermenter,
Tresdous amis, etc.

Mais quant Amours .I. amant point, *L'amant*
Il n'est pas tous jours en .I. point,
Ains a des pensees diverses
1264 Et des douces et des perverses.
Si prins une merancolie
Contre moi, dont ce fu folie,
Quar de ma dame a la hautesce
1268 Pensoie et a ma petitesce,
Et en mon cuer [ymaginoie]

Titre : *E* uirelay balade – **1249.** *Pm* tout que (– 1) – **1263.** *Pm* des pensees des pensees d. *(sans exponctuation)* – **1266.** *APm* d. je fis f., *E* d. se fu f. – **1268.** *E* a la p. – **1269.** *APmE* ymaginoie, *F om.* (– 4)

Chanson balladée [de la dame]

[Refrain]
Il ne faut pas vous lamenter,
Très doux ami, ni craindre
Ni vous troubler :
Je changerai vos chagrins
Par mon véritable amour
Et par mes douces paroles
Quand je vous verrai.

1. Car, en vérité, j'y suis décidée :
Tout ce que je saurai
Qui réconforter
Pourra votre doux cœur sincère,
Sachez que je le ferai
Et sans tarder.
Ainsi vous ne devez pas vous attendre
À avoir à supporter quelque peine
Tant que je serai
En votre présence : car je saurai bien
Guérir vos maux,
Et pour vous donner réconfort
J'en serai le médecin.

Il ne faut pas vous lamenter
Très doux ami...

L'amant

Mais quand Amour de sa flèche atteint un amant, celui-ci n'est pas toujours dans le même état : il a des pensées variables, tantôt douces, tantôt perverses. C'est ainsi que je fus la victime d'un accès de mélancolie, c'était folie de ma part, car je réfléchissais sur la haute naissance de ma dame et mon humble origine ; et en mon cœur je me représentais

Que riens encontre li n'estoie
Et que c'estoit grant cornardie
1272 De penser qu'elle fust m'amie;
Et qu'elle en vëoit tous les jours,
Au lieu ou estoit ses sejours, [145 v° b]
De milleurs une quarantaine,
1276 Voire, par Dieu, une centaine;
Et que l'ueil moult souvent contraint
Un cuer et maistrie et destraint
Par Plaisance qui le doctrine
1280 Si qu'il aimme d'amour tresfine;
Mais quant l'ueil ne voit pas la chose,
Il n'i puet riens, ains se repose.
Si que l'ueil n'a cy nul pooir.
1284 Pour quoy? qu'il ne me puet vëoir;
Et aussi qui de l'ueil eslongne,
Il ne fait pas bien sa besongne,
Qu'amours se vuelent prés tenir,
1288 Qui en vuelt a joie venir.
Si fis ceste balade cy
Ains que me partisse d'icy.
Lors vint li varlet de Gascongne,
1292 Qui avoit bien fait sa besongne.
Je li baillai ceste escripture,
Si s'en ala grant aleüre.

Balade *L'amant*

Quant ma dame est noble et de grant vaillance
1296 Et je me sen de trespetit affaire,
Je n'en puis mais se je sui en doubtance
Que je n'aie moult durement a faire
  Ainsois que j'aie s'amour;
1300 Quar moult petit prisera la clamour

1271. *Pm* la conardie – **1274.** *Pm* Ou, *E* En – **1278.** *Pm* destaint – **1282.** *E* mais s. r. – **1284.** *Pm* uuelt ueoir – **1287.** *APmE* Qui, *F* Que; *APm* ualles – **1296.** *PmE* sens – **1300.** *APm* petit *om.* (– 2)

que je n'étais rien en face d'elle et que c'était une grande niaiserie que de m'imaginer qu'elle fût mon amie, alors que, au lieu de son séjour, elle voyait tous les jours des hommes mieux placés que moi (une quarantaine, voire, par Dieu, une centaine), et que souvent les yeux font violence au cœur, le dominent et le pressent, avec l'aide de Plaisir, qui lui dicte sa conduite, tant et si bien qu'il aime de parfait amour ; au sens contraire, quand les yeux ne voient pas la personne en question, ils ne peuvent rien sur elle, et restent inopérants, de quoi il résulte, en ce qui me concerne, que les yeux [de ma dame] n'ont aucun pouvoir [sur mon cœur]. Pourquoi ? parce qu'ils ne peuvent me voir ; à quoi il faut ajouter que qui vit loin des yeux soigne mal ses intérêts, car les amoureux veulent se tenir près l'un de l'autre, s'ils désirent parvenir à la joie.

Je fis alors la ballade qui suit avant de quitter le lieu où j'étais.

Lorsque vint le jeune Gascon, qui avait bien terminé sa tâche, je lui donnai ce que j'avais écrit ; et il s'en alla à vive allure.

Ballade [de l'amant]

1. Puisque ma dame est noble et de haut lignage
Et que je suis conscient de ma très humble origine,
Je ne puis m'empêcher de craindre
D'avoir mainte difficulté à surmonter
  Avant de posséder son amour ;
Car elle fera bien peu de cas de la plainte

De mon vrai cuer et la grant loyauté;
Si m'ara tost selond droit oublyé.

Et s'aucuns ont parlé pour ma grevance
1304 Qui sont a moy haÿneus et contraire,
S'elle les croit, c'iert pechiés et enfance.
Mais en li est de moi faire ou deffaire:
Or en face son millour,
1308 Qu'en moi jamais mon cuer n'ara retour,
Ains sera siens tous, et contre son gré,
Si m'ara tost selond droit oublyé.

Amours scet bien que j'ai grant desplaisance
1312 Tousdis en ce que li porroit desplaire
Et que j'ai mis cuer, desir et plaisance
En faire ce que li puet et doit plaire;
Si ne seroit pas s'onnour
1316 S'elle en amer muoit sa grant douçour,
Et s'il avient, mors sui pour sa biauté;
Si m'ara tost selond droit oublyé.

Et ce rondel, en ce voiage, *L'amant*
1320 Ou il ha chant, li envoia ge:

Rondel, et y a chant

L'amant

Dame, se vous n'avés aperceü [146 a]
Que je vous aim de cuer sans decevoir,
Essaiez le, si le sarés de voir.

1324 Vo grant biauté m'aroit trop deceü
Et vo douçour, que trop me fait doloir,

1302. *A* seloncl, *PmE* selon – **1305.** *Pm* cest – **1309.** *E* seins et tous contre – **1312.** *PmE* qui – **1314.** *APm* plaist et – **1320.** *A* enuoiai ge, *E* enuoyage; *Pm* Par luy mesmes luy enuoyay je – **1322.** *Pm* du – **1323.** *Pm* Essaier – **1325.** *APmE* qui; *E* me font

De mon cœur sincère et de ma grande loyauté.
Et elle m'aura bientôt légitimement oublié.

2. Et si d'aucuns qui me haïssent
Et sont mes ennemis ont parlé à mon préjudice
Si elle les croit, ce sera péché et folie,
Cependant elle a en elle de quoi me faire ou me
Qu'elle agisse donc pour le meilleur ; [défaire :
Car en moi mon cœur jamais ne connaîtra de retour,
Mais il sera à elle tout entier, serait-ce contre son
[gré –
Auquel cas elle m'aura bientôt légitimement oublié.

3. Amour sait bien que j'ai toujours grande répugnance
Pour ce qui pourrait lui déplaire
Et que j'ai mis cœur, désir et plaisir
À faire ce qui peut et doit lui plaire.
Aussi ne serait-ce pas à son honneur
Si elle changeait en amertume sa grande douceur.
Et si cela advient, je suis mort, victime de sa beauté ;
Et elle m'aura bientôt légitimement oublié.

Et par ce même courrier je lui envoyai ce rondeau avec la mélodie :

Rondeau [de l'amant ; avec chant]

Dame, si vous n'avez pas clairement vu
Que je vous aime de cœur sans chercher à vous
[tromper,
Mettez-le à l'épreuve, et vous le saurez en toute vérité.

Votre grande beauté m'aurait fait grande illusion,
Et votre douceur, ce qui me fait beaucoup souffrir,

Dame, se vous n'avez aperceü
Que je vous aim de cuer sans decevoir.

1328 Quar mon cuer ont si tresfort esmeü
A vous amer, que ne puis percevoir
Que ja mais bien doie ne joie avoir,

Dame, se vous n'avés aperceü
1332 Que je vous aim de cuer sans decevoir.
Essaiez le, si le sarés de voir.

[Lettre VI des mss]

(a) Ma treschiere et souveraine dame, *L'amant*

[Rondeau]

Quant vous m'appellez ami,
Bien vous doy clamer amie,

Car c'est grant honneur a mi
Quant vous m'appellés ami.

Pour c'est vraie amour[1] enmi
Mon cuer, qui veult que je die :

Quant vous m'appellés ami,
Bien vous doy clamer amie.

(b) Et aussi, ma treschiere dame[2], je ne vous sai ne puis[3] mercyer assez de la grant honneur, de la grant joie et du parfait bien que vous me faites par vos douces escriptures ; quar, par m'ame, je pren joie, plaisance et douce nourreture[4] au lire, quar je les lis

---

1327. *A* sas – **1329.** *E* conceuoir – **1330.** *Pm* bien ne joie doie auoir

---

1. *E* ceste v. a. – **2.** *E* Et aussi, m. t. d. *om.* – **3.** *Pm* v. puis ne scay. – **4.** *E* nourreteure.

Dame, si vous ne vous êtes aperçue
Que je vous aime de cœur, sans chercher à vous
[tromper.

Car elles ont si fortement mû mon cœur
À vous aimer que je ne puis concevoir
Que jamais je ne doive avoir ni bonheur ni joie,

Dame, si vous ne vous êtes aperçue
Que je vous aime de cœur sans chercher à vous
[tromper.
Mettez-le à l'épreuve, et vous le saurez en toute vérité.

Lettre 6, de l'amant [6 des mss; II de PP]

Ma très chère et souveraine dame,

Rondeau

Quand vous m'appelez ami,
Je vous dois légitimement appeler amie,

Car c'est un grand honneur pour moi
D'être par vous appelé ami.

C'est pourquoi mon cœur est plein d'amour véritable,
Et il veut que je dise:

Quand vous m'appelez ami,
Je dois légitimement vous appeler amie.

En outre, ma très chère dame, je suis incapable de vous remercier suffisamment du grand honneur, de la grande joie et du bien absolu que vous me faites par vos doux écrits; car, par mon âme, les lire me procure joie, plaisir et douce nourriture; je les lis en effet si souvent que la douce saveur en demeure en mon cuer a toutes heures. Et, se je estoie li plus vaillans et li plus sages et li plus riches qui onques fut[1] et vesquisse cent mille ans, je ne porroie mie desservir la menre partie dez biens que vous me faites. Et, ma tresdouce dame, vous dites que vous prenés grant plaisance en ce que je vous envoie ; je doi prenre[2] cent mille fois plus grant plaisance en ce que vous m'envoiez, quar vos douces escriptures me font tous les biens pour ce que elles me font vivre lyement[3] et joieusement. Et, comment que je ne vaille riens et sache meins, elles me font amer honneur et haÿr deshonneur et fuyr vice, pechié et toute villenie, si que[4] je en amende tant que je fusse piessa mors se vos et ellez ne fussent ; que elles me donnent parfaite souffisance que je y preng au goust de mercy, et mercy n'est autre chose que souffisance[5]. Mais chose que je vous envoie ne vous puet amender ne embelir, quar vous estez des dames la flour, le fruit d'onneur, l'estoc de bonté et de toute biauté, et si avés en vous tout ce que Dieus et Nature donnent a dame bonne eureuse. **(c)** Et, comment que je aie parfaite souffisance es doulz biens que vous me faites, nulz n'est si assevis[6] qu'il ne li faille aucune chose[7]. Si vous plaise[8] a savoir que j'ai une trop [146 b] grief pensee et une trop mortel paour ; car vous me faites vivre en paix et en joie long de vous, et, se je estoie en vostre presence, je porroie bien querir ce que je ne vorroie mie avoir. Et voi cy la cause : je sui petis, rudes et nyces et desapris, ne en moi n'a scens, vaillance, bonté ne biauté par quoi vos doulz yeus me deussent veoir ne regarder ; et aussi je ne sui mie dignes de penser a vous, si porroit avoir vostre noble cuer indignation contre moi et li repentir des doulz biens que vous m'avez fait et faites tous les jours, comment que

1. *A* o. fust. – **2.** *APm* penre. – **3.** *E* lieement. – **4.** *Pm* v. d. escriptures… si que *om.* – **5.** *Pm* que elles me d…. que souffisance *om.* – **6.** *E* assouuis. – **7.** *Pm* et si avés… aucune chose *om.* – **8.** *E* Or v. pl.

si souvent que leur douce saveur demeure en permanence en mon cœur. Et si j'étais le plus courageux, le plus sage et le plus riche qui ait jamais existé, et que je vécusse cent mille ans, je ne pourrais pas mériter la moindre partie du bien que vous me faites.

Vous dites, ma très douce dame, que vous prenez grand plaisir à recevoir ce que je vous envoie ; je dois moi-même prendre un plaisir cent mille fois plus grand à recevoir ce que vous m'envoyez, car si vos doux écrits me font tout le bien que j'ai dit, c'est parce qu'ils me font vivre dans la joie et dans le bonheur. Et bien que ma valeur soit nulle et mon savoir petit, ils m'incitent à aimer l'honneur et à haïr le déshonneur, et à fuir le vice, le péché et toute bassesse ; si bien que ma valeur s'en trouve augmentée assez pour que je puisse dire : je serais depuis longtemps mort s'il n'y avait vous et vos écrits. Et en effet, ils me procurent un parfait contentement, que je savoure en y trouvant un goût de faveur d'amour ; or faveur d'amour n'est pas autre chose que contentement du cœur. Au contraire ce que je vous envoie ne peut augmenter ni votre valeur ni votre beauté, car vous êtes la fleur des dames, le fruit mûr de l'honneur, la racine du bien et de toute beauté, et vous avez en vous tout ce que Dieu et Nature donnent à une dame favorisée du destin.

Et bien que j'aie pleine satisfaction dans le doux bien que vous me faites, nul n'est si comblé qu'il ne lui manque quelque chose. Qu'il vous plaise de savoir que j'ai un bien grave souci et une très mortelle peur. En effet grâce à vous je vis en paix et en joie en étant loin de vous ; mais si j'étais en votre présence, il se pourrait bien que je cherche ce que je ne voudrais point avoir. Et voici pourquoi. Je suis petit, gauche, sot et fruste, et il n'y a en moi ni intelligence, ni vertu, ni mérite, ni beauté qui puissent obliger vos doux yeux à me discerner et à me regarder. Et je ne suis pas davantage digne de m'intéresser à vous, et votre noble cœur pourrait s'indigner contre moi et se repentir du doux bien que vous m'avez fait et faites tous les jours, alors que je ne vous veysse onques[1]. Et s'en veés tous les jours pluseurs meilleurs et plus biaus, *sans*[2] nulle[3] comparison[4], que je ne suis, qui rien ne sui encontre vous; si n'est pensers que vous presissiés a moi a certes. Toute voie je pren confort en ce que ja mais si grant biauté comme la vostre ne puet estre sans pitié, ne si gentil corps sans noble cuer qui ne volroit dire ne faire que loyauté et verité. Et, par Dieu, s'il avenoit autrement, vous m'ariés mort, quar *se*[5] je avoie en ce monde .I. seul souhait, je souhaideroie que je peusse mon cuer et mes yeulz saouler de vous veoir et oÿr. Et soiés certaine que

Nés qu'on porroit espuissier la grant mer
Et la force des fors vens arrester
Et les nues esclarcir ne troubler
Et la clarté du soleil destourner,
Ne porroit on mon cuer de vous oster
  Jusque(s) a la mort,
Et aprés mort, tresdouce, en vous amer
  Seront mi sort.

(d) Et pour ce que je ressoingne[6] d'aler en vostre presence pour les doubtes dessus dites, je vous suppli encor, tant humblement[7] comme je puis comme a ma souveraine dame, que vous me veuilliés envoier[8] vostre douce ymage au vif et en une petite tablette, quar se il ha leu au monde ou on la puist bien faire, c'est la ou vous estes. Car je vous jur et promet par ma foy que elle sera de moi bien amee[9], bien gardee, honnouree, aouree, nuit et jour enclinee, desiree et loee. **(e)** Ne a creature nee ne gehirai ma pensee ne m'amour; et se il n'estoit ainsi, je seroie li plus faus et li plus mauvais, li plus traitres et li plus desnaturés qui onques fu, et pleins du mauvais pechié que on

---

1. *Pm* et aussi... veysse onques *om.* – **2.** *APm* sans, *F* cent. – **3.** *E* cent mille. – **4.** *PmE* comparoison. – **5.** *AE* se, *F* ce. – **6.** *A* ressongne. – **7.** *A* doucement. – **8.** *Pm* qu'il vous plaise envoier. – **9.** *Pm* et en une petite... bien amee *om.*

je ne vous aie jamais vue. Et vous voyez tous les jours plusieurs hommes qui valent mieux et sont plus beaux incomparablement que moi, qui ne suis rien à côté de vous ; ainsi il n'y a pas d'espoir sérieux que vous vous attachiez à moi pour de bon. Toutefois je me réconforte à la pensée que jamais une beauté aussi grande que la vôtre ne peut être sans pitié, ni un corps aussi distingué sans un noble cœur, décidé à ne dire et à ne faire que des choses loyales et sincères.

Mais si, par Dieu, il en arrivait autrement, je mourrais à cause de vous ; car si je n'avais en ce monde qu'un seul souhait, ce serait que je pusse rassasier mon cœur et mes yeux de vous voir et de vous entendre. Et soyez certaine que

Pas plus qu'on ne pourrait épuiser la vaste mer,
Et arrêter la force des vents violents,
Et rendre lumineux les nuages ou les troubler,
Et empêcher le soleil de luire,
Pas plus ne pourrait-on détacher de vous mon cœur
  D'ici à ma mort,
Et après la mort, très douce, de vous aimer
  Sera ma destinée.

Et parce que j'appréhende de venir en votre présence à cause des craintes susdites, aussi humblement que je puisse m'adresser à celle qui est ma souveraine dame, je vous supplie de vouloir bien m'envoyer dès maintenant votre doux portrait pris sur le vif et sous la forme d'une petite planchette ; car, s'il y a un lieu au monde où l'on puisse bien le faire, c'est là où vous êtes. Je vous jure et vous promets en vérité qu'il sera par moi très aimé, bien gardé, honoré, adoré, jour et nuit vénéré, désiré et loué.

À personne au monde je n'avouerai ma pensée amoureuse ; et s'il n'en était pas ainsi, je serais l'être le plus perfide et le plus malhonnête, le plus grand traître et le plus dénaturé qui ait jamais été, plein du méchant péché qu'on appelle ingratitude, c'est a dire rendre mal pour bien. Car vous m'avés resuscité et donné mercy qui est souffisance, et rendu mon sentement que j'avoie tout perdu; car ja mais par moy ne fust fais chans ne lais se vous ne fussiez. Mais, se Dieu plaist et je puis, je ferai a vostre glo[i]re[1] et loenge chose dont il sera bon memoire. Et se vous jur et promet que, a mon pooir, onques Lancelos ne ama Genevre ne Paris Helaine ne Tristan Yseult plus leaulment que vous serés de moi amee et servie, et sans partir; car je vous amerai et obeirai, doubterai, servirai, tant com je vivrai, de cuer, [146 v° a] loyaulment[2], garderai, celerai; et, quant je mourrai, mon cuer vous lairai et envoierai; c'iert mon testament. **(f)** Les .II. choses que vous m'avés envoïes sont tresbien faites a mon gré; mais, se j'estoie .I. jour aveuc vous, je vous diroie et apenroie ce que je n'apris onques a creature, par quoy vous les feriés mieulz. Ma treschiere et souveraine dame[3], je vous envoie .I. rondelet noté[4] que j'ai fait nouvellement pour l'amour de vous. **(g)** Je vous suppli humblement que vous me veilliez mander vostre bon estat, et quant vous partirés de la ou vous estes, car trop le desir a savoir; et les quelz vous volez de mes livres, si les ferai tantost escrire.

Et se je vous escris[5] trop longuement, si le me pardonnés, car de l'abondance du cuer la bouche parole; ne je ne puis mon cuer saouler de penser a vous et de parler de vous a moy seul. **(h)** Ma treschiere et souveraine dame, je prie Dieu qu'il vous doinst[6] tele joie et tele honneur, de vous et de quanque vostre cuer aime, comme vous meisme[7] le volriés[8] avoir et comme mes cuers le desire.

Vostre plus loial ami.

---

1. *AE* gloire, *F* glore. – **2.** *A* loiaument. – **3.** *Pm* enclinee... et souveraine dame *om.* – **4.** *Pm* noté *om.* – **5.** *A* u. escri. – **6.** *APm* doint. – **7.** *PmE* mesmes. – **8.** *APm* vorries, *E* uouldriez.

appelle ingratitude, laquelle consiste à rendre le mal pour le bien. Car vous m'avez ressuscité et accordé la faveur de contentement du cœur, et vous m'avez rendu mon inspiration poétique ; car jamais plus ne fût composé par moi ni chanson ni lai si vous n'aviez été. Au contraire, s'il plaît à Dieu et que je puisse, je composerai à votre gloire et à votre louange un poème dont il sera fait bonne mémoire dans l'avenir. Et je vous jure, je vous garantis que je ferai tout pour qu'il en soit ainsi : jamais Lancelot n'aima Guenièvre, ni Pâris Hélène, ni Tristan Yseut plus fidèlement que vous ne serez aimée et servie par moi, et sans partage ; car je vous aimerai et vous obéirai, vous respecterai, vous servirai tant que je vivrai, protégeant et celant notre amour ; et quand je mourrai, je vous lèguerai et vous ferai envoyer mon cœur : tel sera mon testament.

Les deux pièces que vous m'avez envoyées sont à mon gré très bien faites ; cependant, si j'étais un seul jour avec vous, je vous enseignerais de vive voix telles choses que je n'ai jamais enseignées à personne, et qui vous permettraient de faire encore mieux.

Ma très chère et souveraine dame, je vous envoie un rondelet mis en musique que j'ai fait récemment pour l'amour de vous.

Je vous supplie humblement de vouloir bien me faire savoir si vous allez bien et quand vous quitterez votre résidence actuelle ; car je brûle de le savoir ; et lesquels de mes livres vous désirez, et je les ferai aussitôt transcrire.

Et si vous trouvez que je vous écris trop longuement, pardonnez-le-moi, car c'est de l'abondance du cœur que la bouche parle, et je ne puis rassasier mon cœur de penser à vous et de parler de vous à moi tout seul.

Ma très chère et souveraine dame, je prie Dieu qu'il vous accorde pour vous et pour toutes les personnes que votre cœur aime telle joie et tel honneur que vous-même voudriez avoir et que moi-même je désire dans mon cœur.

Votre ami le plus loyal.

L'amant

Quant ma dame mes lettres vid,
Savés comme elle se chevit?
1336 De bon entendement et sain
Sus son cuer les mist en son sain;
Et puis elle n'atendi pas,
Ains s'en ala plus que le pas
1340 En sa chambre celeement
Et clouÿ l'uis tout belement;
Et puis elle les print a lire
D'un cuer qui tendrement souspire,
1344 En disant que j'avoie tort
Et cuer nice, rude et entort
Quant ainsi de li me doubtoie
Et quant en riens la mescrëoie
1348 Que ses cuers ne fust tous en mi.
Et souvent en disoit: «Aimmi!»
Qu'Amours li disoit: «Belle, plain te!»
Si commença ceste complainte,
1352 Mais pour ce onques ne me maudit. [146 v° b]
Et savez vous qui le me dit?
Celle qui la presente estoit
Et qui la chaussoit et vestoit.

Complainte

La dame

1356 Mes doulz amis, a vous me veuil complaindre
Dou mal qui fait mon cuer palir et taindre;
Car de vous vient, si le devez savoir,
Ne sans vous seul confort ne puet avoir.
1360 Or veuillés dont entendre ma clamour
Et aveuc ce considerer l'amour
Dont je vous aim; car briés seroit ma fin
Se ne m'amiés de cuer loial et fin.

1334. *APmE* uit – **1335.** *Pm* S. uous com (+ 1), *E* S. comment (+ 1) – **1337.** *A* le (= lé) m.; *E* a son s. – **1343.** *Pm* soupire – **1348.** *E* riens en my – **1351.** *A* complaite – **1361.** *APmE* auec – **1362.** *PmE* brief; *E* la f.

Quand ma dame vit ma lettre, savez-vous comment elle se comporta? En personne pleine d'esprit et de sagesse, elle la mit en son sein contre son cœur; puis, sans attendre, elle s'en alla à grands pas dans sa chambre, à la dérobée, et ferma bien la porte; après quoi elle se mit à lire la lettre, avec de tendres soupirs du cœur, disant que j'avais tort, un cœur trop simple, mal instruit, entortillé, quand je la craignais de la sorte et soupçonnais un rien de n'avoir pas placé son cœur tout entier en moi. Et plusieurs fois elle disait à ce propos: «Malheur de moi!»; car Amour lui disait: «Belle, plains-toi.» Et elle commença la complainte que voici, sans cependant pour autant me vouer au malheur! Et savez-vous qui me l'a rapporté? Celle qui était là présente et la chaussait et l'habillait.

L'amant

Complainte [de la dame]

Mon doux ami, à vous je veux me complaindre
Pour le mal qui fait pâlir mon cœur,
Car, sachez-le bien, c'est de vous que cela vient,
Nul ne peut d'un autre que vous seul avoir de [réconfort.
Or donc veuillez écouter ma plainte
Et considérer en même temps l'amour
Que j'ai pour vous; car rapide serait ma fin
Si vous ne m'aimiez d'un cœur loyal et pur.

1364 Amis, je n'ai nulle joieuse vie,
Ains sui tousdis en grant merancolie,
Quar je ne fais nuit et jour que penser
A vous vëoir. Mais po vault mon penser
1368 Quant il n'est tour, soubtilité ne voie
Ne maniere que je y sache ne voie;
Si qu'ainsi sont mi mortel ennemi
Tuit mi pensers, et tousdis contre mi;
1372 Si n'ai confort, amis, fors que tant plour
Que je cuevre ma face de mon plour.

Et quant je sui saoule de plourer,
Souvenirs vient mon las cuer acourer,
1376 Quar il n'est biens ne joie qu'il m'aporte,
Ainsois tousdis me grieve et desconforte;
Dont souvent ay estranglé maint souspir
Pour ce que trop profondement souspir.
1380 Aprés Desirs ne me laisse durer.
Si n'ai pas corps pour tel fais endurer,
Quar flebe sui, dont piessa fusse morte
S'Espoirs ne fust, qui .I. po me conforte.

1384 Et si ne sai que c'est de cest Espoir,
Car pas ne vient, si me deçoit espoir,
Et se ai cause de penser le contraire
De ce qu'il dist: pour ce ne sai que faire.
1388 Or soit ainsi com Dieus l'a ordené!
Mais je vous ay si franchement donné
Moi et m'amour, que c'est sans departir; [147 a]
Et s'il couvient m'ame du corps partir,
1392 Ja ceste amour pour ce ne finera,
Qu'aprés ma mort m'ame vous amera.

1366. *Pm* Que – **1368.** *A* subtilite, *Pm* subtillite, *E* subtillete – **1370.** *A* sunt; *APm* anemy – **1371.** *Pm* Tout; *APm* penser – **1373.** *Pm* cueuure – **1374.** *Pm* suy uaincue d. p. – **1375.** *Pm* souuenir – **1376.** *E* bien; *Pm* qui – **1377.** *Pm* griefue – **1381.** *A* tels, *Pm* tieus, *E* telz – **1382.** *A* feble, *PmE* foible – **1383.** *Pm* Sespoir – **1387.** *Pm* dit – **1388.** *E* comme (+ 1); *Pm* ordonne – **1389.** *E* Car

Ami, je n'ai un instant de vie heureuse,
Et je suis toujours en grande mélancolie,
Car, jour et nuit, ma seule pensée
Est de vous voir ; mais ma pensée a peu de prix,
Quand pour cela il n'est pas de moyen, d'invention,
De voie ni de manière que je voie ou dont j'aie
[connaissance ;
Si bien que tous mes pensers sont mes ennemis
Mortels, sans cesse tournés contre moi ;
Et je n'ai d'autre réconfort, ami, que de verser
Tant de larmes que j'en couvre mon visage.

Et quand je suis rassasiée de pleurs,
Souvenir vient frapper à mort mon cœur lassé,
Car il n'est ni bienfait ni joie qu'il m'apporte,
Mais sans cesse il m'accable et me ravit mon courage ;
En suite de quoi j'ai souvent étranglé maints sanglots
Suscités par mes très profonds soupirs.
Après c'est Désir qui ne me laisse vivre.
Mais je n'ai pas la force de supporter une telle charge,
Car je suis faible, et j'en serais depuis longtemps morte,
N'eût été Espoir pour m'apporter un peu de réconfort.

Mais je ne sais ce qu'il en est de cet Espoir,
Car il ne s'approche pas, et me trompe peut-être ;
Et ainsi il me donne des raisons de penser le contraire
De ce qu'il dit, à cause de quoi je ne sais que faire.
Eh bien ! qu'il en soit selon que Dieu l'a disposé !
Sachez cependant que je vous ai si sincèrement donné
Moi et mon amour que c'est sans jamais vous quitter ;
Et s'il faut qu'un jour mon âme se sépare de mon
[corps,
Ce mien amour pour cela ne cessera pas,
Car après ma mort mon âme encore vous aimera.

Et elle m'escript en la guise *L'amant*
Qui est yci derriere mise;
1396 Mais dedens sa rescription
Fu ceste lamentation.

[Lettre VII des mss]

(a) Treschiers et doulz amis, je vous mercy[1] *La dame* de vo douces et amiables escriptures, quar, par ma foy, c'est la chose qui soit en monde ou je pren plus grant plaisir que de veoir et de oÿr tout ce qui vient de vous; et le plus grant desir que j'ay, ce est de vous veoir, et, se je peusse aler par pays ainsi com fait uns homs, je vous promet loyaument que je vous veisse bien souvent[2]. **(b)** Mais je me merveille moult de la pensee et de la doubte en quoi vous estes, qui doubtés de venir en ma presence pour doubte que je ne vous en aimme meins[3]; car vous savés bien que je ne vous vi onques et que je ne vous aimme point pour biauté ne pour plaisance que je veisse onques en vous, ains vous aime pour la bonté et bonne renommee de vous; et si ai tout enquis[4] de vostre estat, car, se je estoie .C. fois[5] milleur de toutes bontés que je ne suis, si sui je certaine que vous estes bien souffisans d'avoir milleur que je ne suis. Si vous pri, tresdoulz amis, que vous ne soiez en doubte ne en pensee que en toute ma vie je me doie repentir de vous amer et de faire tout ce que je sarai qui vous plaira. Car vous savés qu'il a esté maint amant qui amoient ce qu'il n'avoient onques veu, par les biens qu'il en oioient[6] dire; et depuis venoient a perfection de loial amour, si comme fist Artus de Bretaigne et Florence la fille au roy Emenidys, et maint autre dont je sui certaine que vous avez oÿ parler. Et aussi ai je esperance que,

---

1394. *APmE* escripst – **1395.** *A* darriere – **1397.** *E* fut

---

1. *E* mercie. – **2.** *Pm* et, se je peusse... bien souvent *om.* – **3.** *Pm* qui doubtés... meins *om.* – **4.** *Pm* ai tant e. – **5.** *E*. C. mille foiz. – **6.** *A* ooient.

Elle m'écrivit en la forme que l'on trouvera ci-après, étant précisé que sa réponse contenait la complainte ci-dessus. *L'amant*

Lettre 7, de la dame [7 des mss; III de PP]

Très cher et doux ami,

Je vous remercie de vos doux et aimables écrits, car, je vous le jure, c'est la chose au monde qui me donne le plus grand plaisir que de voir et d'écouter tout ce qui vient de vous; mais le plus grand désir que j'ai, c'est de vous voir, et, si je pouvais voyager comme fait un homme, je vous garantis sincèrement que je vous verrais bien souvent.

Mais je m'étonne fort de votre inquiétude et de votre crainte de venir me voir en tête à tête, de peur que je vous en aime moins; car vous savez bien que je ne vous ai jamais vu et que si je vous aime ce n'est point pour votre beauté ni pour les agréments que m'eût jamais procurés votre vue, mais à cause de vos qualités et de votre bonne renommée. Je me suis si bien enquise de votre personnalité que si, quant à la somme de toutes les qualités, j'étais cent fois meilleure que je ne suis, je suis certaine que vous êtes bien mieux en mesure d'avoir le dessus que je ne le suis. C'est pourquoi je vous prie, très doux ami, n'ayez ni crainte ni inquiétude qu'à aucun moment de ma vie je doive me repentir de vous aimer et de faire tout ce que je saurai qui vous plaira. Vous savez qu'il y a eu maints amants qui aimaient des personnes qu'ils n'avaient jamais vues, en raison du bien qu'ils en entendaient dire; et après cela ils en arrivaient à la perfection d'un amour fidèle, comme ce fut le cas pour Arthur de Bretagne et pour Florence, la fille du roi Emenidus, et maint autre dont je suis certaine que vous avez entendu parler. Et moi aussi j'ai espoir que, quant il plaira a Dieu que je vous voie, que de ma partie l'amour ne descroistra[1] point, car j'ai cuer et volenté de vous faire et dire toutes les douceurs et amours que amie doit a amy[2], loiaument, au mieulz que je la porrai et savrai faire[3]. **(c)** Et de mon ymage que vous m'avés escript que je vous envoie le plus tost qu'elle sera pourtraite, sachiés que je la fais pourtraire[4] et la vous envoierai[5] le plus tost qu'elle sera pourtraite. **(d)** J'ai veü le rondel que vous m'avés envoié et l'ai apris. **(e)** Et veuilliés savoir que je ne me partirai point de la ou je sui avant Pasques. **(f)** Je ne sai les nons de vos livres ne liquel valent [147 b] mieus; mais je vous prie[6] tant comme je puis qu'il vous plaise a moi envoier des meilleurs, et aussi de vos chanssons le plus souvent que vous porrés, quar, tant comme j'aie des vostres, je ne quier chanter nulles des autres. **(g)** Tresdoulz amis, vous m'avez escript que je vous veuille pardonner se vous m'escrisiés trop longuement: quar le pardon arés vous assez legierement de moy. Et, par ma foi, se ce que vous m'escrisiés tenoit autant comme *li Rommans de la Rose* ou *de Lancelot*, il ne m'en enuieroit mie a lire; quar ainsi come vous m'escrisiés que vous ne vous poés saouler de parler et de penser a moi, tout ainsi ne puis je assez lire ne resgarder ce que vous m'envoiez. **(h)** Et de ce que vous dites que chose qui vient de vous ne me puet amender, je di que, sauve vostre grace, qu'elle m'a amendee et amende de jour en jour; quar je me paine de faire chose a mon pooir de quoy il aille bonnes nouvelles par devers vous; et vostre bonté si m'i fait amer tous les bons et eslongnier[7] tous les autres. **(i)** Je vous mercy de vostre verge et vous promet que je la garderai bien pour l'amour de vous, et vous envoie une des moies, si vous pri que vous la gardés pour l'amour de moi[8]. **(j)** Mon

---

1. *A* descroistera. – **2.** *F* d. fait (*exponctué*) a amy, *AE* d. faire a amy. – **3.** *Pm* et de faire... et savrai faire *om.* – **4.** *Pm* le plus tost... pourtraire *om.* – **5.** *Pm* et la v. e. bien brief. – **6.** *A* pri, *E* pry. – **7.** *AE* eslongier. – **8.** *Pm* Et veuilliés savoir... pour l'amour de moi *om.*

quand il plaira à Dieu que je vous voie, de mon côté l'amour ne décroîtra pas, car j'ai la ferme volonté de vous faire et dire toutes les douceurs et amabilités qu'une amie doit à un ami, en toute loyauté, au mieux que je pourrai et saurai m'en acquitter.

Quant à mon portrait, dont vous m'avez écrit que je vous l'envoie aussitôt qu'il sera achevé, sachez que je le fais faire et que je vous l'enverrai dès qu'il sera terminé.

J'ai vu le rondeau que vous m'avez envoyé et je l'ai appris.

Veuillez savoir aussi que je ne quitterai pas avant Pâques le lieu où je suis.

Je ne connais pas les noms de vos livres ni lesquels ont le plus de valeur ; cependant je vous prie aussi fort que je puis qu'il vous plaise de m'en envoyer parmi les meilleurs, avec aussi, le plus souvent que vous pourrez, de vos chansons, car tant que je puis avoir des vôtres, je ne cherche pas à en chanter d'autres poètes.

Très doux ami, vous m'avez écrit que je veuille vous pardonner de ce que vous m'écriviez très longuement : vous aurez sans difficulté mon pardon. Et, je vous le jure, si ce que vous m'écrivez avait la longueur du *Roman de la Rose* ou du *Roman de Lancelot*, il ne me déplairait pas de le lire ; car de même que vous m'écriviez que vous ne pouvez vous rassasier de parler de moi et de penser à moi, de même je ne puis assez regarder et lire ce que vous m'envoyez.

Quant à ce que vous dites que des choses qui viennent de vous ne peuvent me rendre meilleure, je prétends, sauf votre permission, qu'elles m'ont rendue et continuent de me rendre meilleure de jour en jour ; car je m'efforce de faire, autant que je puis, des choses au sujet desquelles de bonnes nouvelles aillent jusque chez vous ; et ainsi vos qualités me font aimer tous les gens de bien et fuir tous les autres.

Je vous remercie de votre bague, et vous promets que je la garderai soigneusement pour l'amour de vous ; et je vous envoie une des miennes, et je vous prie de la garder pour l'amour de moi.

Mon

tresdoulz et vrai ami, je prie a Nostre Signeur qu'il vous doinst honneur et joie de quanque vostre cuer[1] aimme autant comme je vorroie, comme a l'omme du monde que mon cuer aime et desire plus.

Vostre leal amie.

L'amant

Ceste complainte me tramist
Dedens sa lettre, et se me mist
1400 En grant joie et en grant tristesce;
Quar cë estoit la droite adresce
Et le chemin de desconfort,
Mais sa lettre estoit de confort.
1404 Mais estre liés je ne povoie
Se ma dame a meschief savoie,
Et sa lettre tant me plaisoit
Que ma tristesce rapaisoit;
1408 Si ne savoie le moien
Trouver en amoureus loien,
Car joie et tristeur, ce me semble,
Ne peulent en un cuer ensemble:
1412 Et en mon cuer estoit l'espine
De sa complainte feminine,
Qui faisoit mon grief empirer
Et mon cuer souvent souspirer;
1416 Mais la douceur l'adoucissoit
De sa lettre et me garissoit;
Et d'autre part la douce atente
D'avoir s'ymage douce et gente
1420 Qu'en sa lettre me promettoit [147 v° a]
Si grant joie en mon cuer mettoit
Et me faisoit si grant profit
Que, par celui Dieu qui me fist,
1424 Je n'en vossisse pas avoir
Tout le bien, la joie et l'avoir

---

1. *A* vostres cuers.

1399. *APmE* et si – **1401.** *E* cestoit (– 1) – **1404.** *A* pooie, *PmE* porroie – **1407.** *E* Qui – **1411.** *A* pueent, *PmE* puent – **1412.** *E* sespine – **1413.** *A* femenine – **1418.** *E* entente – **1423.** *A* fit

très doux et véritable ami, je prie Notre-Seigneur de vous accorder, autant que je le voudrais, honneur et joie pour tout ce que votre cœur aime, comme à l'homme que mon cœur aime et désire le plus au monde.

Votre loyale amie.

L'amant

Elle m'envoya cette complainte dans sa lettre, et ce faisant elle me mit à la fois en grande joie et en grande tristesse, car la complainte me mettait tout droit sur le chemin du chagrin, tandis que le ton de sa lettre était de réconfort. Mais il y avait une difficulté : je ne pouvais être heureux en sachant ma dame dans le malheur, sa lettre au contraire me causait un tel plaisir qu'elle apaisait complètement ma tristesse ; et ainsi je ne savais trouver le juste équilibre dans le lien de l'amour, car joie et tristesse, me semble-t-il, ne peuvent dominer au même moment dans un seul et même cœur. Or dans mon cœur se trouvait l'épine de sa complainte de femme, qui aggravait ma souffrance et y multipliait les soupirs, cependant que la douceur de sa lettre soulageait le mal et me guérissait ; à quoi s'ajoutait d'autre part que l'agréable espoir de posséder bientôt son doux et charmant portrait, promis par sa lettre, me mettait au cœur une si grande joie et m'était d'un tel profit que, par le Dieu qui me créa, je n'eusse pas voulu en échange posséder tout le bien, toutes les jouissances, toute la richesse

Que je peüsse deviser,
Tant y sceüsse bien viser ;
1428 Si que souvent la regretoie
Et trop forment la desiroie.
Mais n'avoie encor riens rescript
A la lettre qu'elle m'escript
1432 N'a sa complainte dolereuse
Qui m'ert au cuer douce et piteuse.
Et tout ainsi comme rescrire
Li voloië, on me vint dire
1436 Une merveilleuse aventure
Qui trop me fu diverse et dure,
Qu'en tel cas de petit m'effroi
Et pour ce j'en fui en effroi.
1440 On me dist que ma dame chiere,
Que j'aim d'amour fine et entiere,
Doubtoit que ne fusse celli
Qui amast un[e] autre que li,
1444 Et que forment li desplaisoit
En cuer, mais elle s'en taisoit.
Et quant je oÿ celle nouvelle,
Je di : « Ma dolour renouvelle !
1448 Or voi je bien que je sui mors.
He ! las, dolens ! ou est la Mors,
Qui ne vient tost sans demourer
Pour mon dolent cuer acourer ?
1452 Certes ja tant de mal n'eüsse
Se d'autre amer la mescreüsse,
Qu'espoir eüsse en sa bonté
Et en sa fine loiauté ;
1456 Or ai perdu tout mon espoir
Et sui cheüs en desespoir. »
Si li rescri par tele guise
Com ceste lettre le devise :

1426. *E* puisse – **1427.** *APm* sceusse – **1429.** *Pm* moult f. – **1432.** *E* De sa – **1434.** *PmE* rescripre – **1439.** *Pm* fu, *E* sui – **1442.** *A* celi, *Pm* celluy, *E* celuy – **1443.** *AFE* un, *Pm* une – **1444.** *Pm* luy, *E* lui – **1447.** *APmE* dis – **1450.** *Pm* Que – **1455.** *E* sa *om.* (– 1) – **1457.** *E* suis – **1458.** *A* rescris, *PmE* rescrips

que j'eusse pu escompter en ajustant au mieux, pour les atteindre, la visée de mon tir. Tant et si bien que je pleurais et repleurais son absence, puisque j'étais d'un violent désir.

Cependant je n'avais pas encore répondu à sa lettre ni à sa douloureuse complainte, douce l'une et pitoyable l'autre à mon cœur. Or tandis que je m'apprêtais à lui répondre, on vint me rapporter une étonnante nouvelle, qui me causa une bien pénible contrariété (car en pareil cas un rien me terrorise), et cela a suffi pour me mettre en effroi. On me dit que ma chère dame, elle que j'aime d'un amour pur et total, craignait que je n'aimasse une autre qu'elle, et que cela affectait son cœur d'un vif déplaisir, qu'elle gardait cependant secret. Quand j'entendis cette nouvelle, je dis : « Ma douleur se renouvelle ! À présent je vois bien que me voilà blessé dans ma chair ! Hélas ! malheureux que je suis ! Où est la Mort, qui ne vient pas à toute allure et tout de suite pour faire périr mon cœur affligé ? Pour sûr, je ne souffrirais pas autant que ma dame si je la soupçonnais d'aimer un autre, car je garderais confiance en sa bonne nature et en sa parfaite loyauté ; mais à présent j'ai perdu toute mon espérance ! J'ai sombré dans le désespoir. » Alors je lui ai écrit en guise de réponse la lettre que voici.

[Lettre VIII des mss]

(a) Ma treschiere et souveraine dame, on *L'amant* m'a dit que vous vous doubtés de moi que je ne vous fasse fausseté ; et comment que je n'en feisse onques semblant a la personne qui le me dist, l'impression de ceste parole est telement emprainte dedens mon cuer que ja mais n'en partira se par vous n'est. **(b)** Et vous plaise savoir que je ne le vorroie mie ne porroie ne daigneroie[1] faire nés que li plus grans homs du monde. Et s'il advenoit, dont Dieus me gard, je seroie li plus faus et li plus traitres qui onques fut[2], et plains de mauvais pechié d'ingratitude – c'est rendre [147 v° b] mal pour bien[3]. Et, comment que je ne soie mie dignes de vous regarder ne de vous loer, se vous aviez ymagination contre moi, je seroie perdus et mors, quar je aroie perdu m'esperance et mon confort. Et legierement m'ariés oublié et guerpi ; mais ce seroit a tort, quar, par m'ame[4], se toutes les dames du monde estoient en une place, je vous ameroie plus toute seule que toutes les autres ; car cuers donnés ne se doit retolir. Et tant ha folz en bonne ville qu'il aimme ou il veult[5] ; et s'aim mieulz languir pour vous[6] que de nul[le] autre[7] joÿr. Si que, toutes les fois qu'il me souvient de ceste parole, je sui en tel frisson et en tel paour de vous perdre, ou je n'ai riens fors ce que Esperance m'en fait avoir[8], que mes tristes et dolens cuers pleure larmes[9] de sang. **(c)** Et, ma souveraine dame, vous poés legierement veoir et savoir que mes cuers est fermes en vous com pierre en or et com chastiaus sur roche. Car vous savés qu'il n'est si juste ne si vraie chose comme experience ; et vous poez assez savoir et veoir par[10] experience que toutes mes choses ont

---

1. *E* ne le d. – **2.** *AE* o. fust. – **3.** *Pm* Et s'il advenoit… pour bien *om.* – **4.** *Pm* se vous aviez ymagination… par m'ame *om.* – **5.** *Pm* Et tant ha folz… il veult *om.* – **6.** *APmE* pour uous languir. – **7.** *AE* nulle a. – **8.** *Pm* de vous perdre… fait avoir *om.* – **9.** *Pm* sue larmes. – **10.** *E* chose… veoir par *om.*

Lettre 8, de l'amant [8 des mss ; VIII de PP]

Ma très chère et souveraine dame,

Quelqu'un m'a dit que vous aviez quelque crainte à mon sujet, à savoir que je vous sois infidèle ; et bien que je n'en fisse rien voir à la personne qui me l'apprenait, l'empreinte de cette nouvelle en mon cœur est si profonde qu'elle n'en sortira jamais sans votre aide. Et sachez que je ne voudrais ni ne pourrais ni ne daignerais commettre une pareille trahison, pas plus que ne le ferait le plus puissant seigneur du monde. Si cependant cela se produisait – ce dont Dieu me garde ! – je serais l'homme le plus fourbe et le plus félon qui eût jamais été, car je serais plein du lâche péché d'ingratitude, lequel consiste à rendre le mal pour le bien. Certes je ne suis pas digne de vous regarder dans les yeux ni de vous louer ; mais si vous vous faisiez de fausses idées sur moi, je serais perdu, anéanti, car j'aurais perdu mon espérance et mon réconfort. Et vous m'auriez aisément oublié et abandonné ; ce qui serait, à mon sens, une injustice, car, par mon âme, si toutes les dames de ce monde étaient rassemblées en une seule place, c'est vous seule que j'aimerais de préférence à toutes les autres, s'il est vrai qu'un cœur donné ne doit se reprendre... Sans doute, tel fou, comme il y en a tant dans une grande ville, aime là où le caprice le pousse ; or moi, j'aime mieux languir pour vous que trouver ma joie auprès d'une autre.

La vérité est que chaque fois que je pense à la nouvelle qu'on m'a rapportée, j'ai comme un frisson et j'ai tellement peur de vous perdre – alors que je n'ai aucune autre faveur que celle qu'Espérance me fait entrevoir – que mon triste cœur affligé pleure des larmes de sang.

Ma souveraine dame, vous pouvez aisément constater et vous convaincre que mon cœur est aussi fermement fixé en vous comme une pierre précieuse est sertie dans l'or et un château bâti sur une roche. Il y a plus. Vous savez qu'il n'y a rien d'aussi pertinent ni d'aussi véridique que l'expérience ; or vous pouvez fort bien savoir, pour le constater par expérience, que toutes mes poésies ont esté faites de vostre sentement, et pour vous especiaulment, depuis que vous m'envoiastes *Celle(s) qui onques ne vous vid Et qui vous aimme loyaument*; car elles sont toutes de ceste matere, et, par Jhesucrist, je ne fis onques puis[1] riens qui ne fust pour vous. Car je ne sai et ne veuil[2] faire de sentement d'autrui fors seulement dou mien et[3] du vostre, pour ce que, qui de sentement ne fait, son dit et son chant contrefait[4].

Si vous suppli[5], tant humblement comme je puis et sai, comme a la feminine creature qui vive que j'aimme le plus et en cui j'ai plus grant fiance, vous ne veuillez[6] avoir pensee ne ymagination contre moy. Car, par m'ame, si tost comme je le sarai, ja mais par moi ne seront fais dis, loenges ne chans ne lais; si que vous remis m'averez[7] ou vous me preistes, car, aussi tost comme vous m'avés fait, me poés vous deffaire[8] quant il vous plaira. **(d)** Je vous pense a veoir bien prochainement, se Dieus plaist et je puis; et, par Dieu, ce ne sera mie si tost comme je volroie. **(e)** Ma treschiere et souveraine dame, je pri Dieu qu'il[9] vous doinst[10] paix et santé, et volenté de moi amer, et honneur tele comme mes cuers desire[11].

Vostre plus loial ami.

1460 Si que la tendrement plouroie *L'amant*
Et parfondement souspiroie.
Mais il vint un certain message
Qui m'aportoit sa douce ymage;
1464 Et cestes lettres me bailla,
Qui mon cuer dormant esveilla: [148 a]

1. *E* je n'euz o. p. – **2.** *E* ne puis ne ne u. – **3.** *E* et dou mien et *om.* – **4.** *Pm* Et, ma souveraine dame… contrefait *om.* – **5.** *E* S. u. pry et supply. – **6.** *Pm* que u. ne u. – **7.** *Pm* lais jusques ad ce que uous m'arez mis, *AE* u. m'auerez remis. – **8.** *Pm* auxi bien comme uous m'auez fait uous me poues deffaire. – **9.** *E* prie a d. qu'il, *Pm* qu'il. – **10.** *A* dieu qui u. d. – **11.** *Pm* et honneur… desire *om.*

1464. *APmE* ceste lettre

été faites sous votre inspiration, et pour vous spécialement, depuis que vous m'avez envoyé *Celle qui jamais ne vous vit Et qui vous aime loyalement*; car elles portent toutes sur ce sujet, et, par Jésus-Christ, je le répète, je n'ai plus jamais rien composé depuis qui ne fût inspiré par vous. Et en effet je ne sais et ne veux écrire que d'après ce que moi et vous avons éprouvé à l'exclusion de ce qu'a éprouvé toute autre personne; tant il est vrai que, tant pour les paroles que pour le chant, ce qui ne procède pas du vécu personnel n'est que malfaçon. C'est pourquoi, avec toute l'humilité dont je me sais capable, je vous supplie, comme la femme au monde que j'aime le plus et en qui j'ai la plus grande confiance, de ne pas vous abandonner à des idées ou à des inventions malveillantes sur moi; car, par mon âme, au cas contraire, à peine l'apprendrai-je, je cesserai de composer des dits, des «éloges», des chants ou des lais; si bien que vous m'aurez remis dans l'état où vous m'aviez pris, car aussi vite que vous avez refait de moi un homme, vous pouvez m'anéantir quand il vous plaira.

Je pense vous voir très prochainement, s'il plaît à Dieu et que je puisse; mais, par Dieu, ce ne sera pas aussi rapidement que je voudrais.

Ma très chère et souveraine dame, je prie Dieu de vous accorder paix, santé, volonté de m'aimer, et honneur tel que mon cœur le souhaite.

Votre plus loyal ami.

Ainsi je pleurais là tendrement et poussais de profonds soupirs, quand, par bonheur, arriva un messager qui m'apportait le doux portrait de ma dame; il me remit en outre la lettre que voici, qui réveilla mon cœur abattu.

[Lettre IX des mss]

(a) Mes tresdoulz cuers et ma tresdouce amour, je vous envoie mon ymage faite[1] au vif si proprement comme on la peut faire[2], pour vous conforter de ce que nous ne nous poons veoir. Si vous pri, mon doulz cuer, qu'il ne vous desplaise de ce que je ne la vous hai plus tost envoïe, car, en verité, je ne l'ay peu amender[3]. **(b)** Et, mon doulz cuer, je vous pri, sur toute l'amour que vous avez a mi et si a certes comme je puis, que vous ne veilliez pas mettre vostre cuer a meschief ne croire les paroles que vous m'avez escriptes, quar, en l'ame de mi je ne le pensai onques, ne que vous me volsissiés[4] ne daignissiés faire, ne que je volroie faire a vous, que j'aim plus que moi, n'autrui[5], si en soiés[6] du tout hors de doubte. **(c)** Mon tresdoulz cuer, veuilliez moi envoier vostre livre le plus tost que vos porrés, car je ne pren plaisance ne esbatement que en vous et en vos choses. **(d)** Je prie a Nostre Seigneur qu'il vous doint honneur et joie de tout ce que vostre cuer aimme. *La dame*

Vostre loial amie.

L'amant

Ainsi s'image m'envoia
Par le vallet qui s'avoia
1468 A moi et me dist en recoi :
« Sire, voy cy je ne sai quoi
Que vostre dame vous envoie,
Et bien m'a dit, se Dieus m'avoie,
1472 Qu'en autre main la chose n'aille
Qu'a vous : tenés, je la vous baille ! »
Et je la reçus lyement

---

1. *A* y. fait, *Pm* faite *om.* – **2.** *AE* puet f., *Pm* la peu f. – **3.** *AE* peut amender. – **4.** *Pm* onques de ce que u. me vousissiez. – **5.** *Pm* et autruy. – **6.** *Pm* mes en soiés.

1466. *E* Aussi ; son ymage (+ 1) – **1469.** *E* je *om.* (– 1) – **1474.** *E* lieement

Lettre 9, de la dame [9 des mss; IX de PP]

Mon très doux cœur et mon très doux amour,

Je vous envoie mon portrait fait sur le vif et aussi exactement qu'il est possible, pour vous consoler de ce que nous ne pouvons nous voir. Je vous prie, mon doux cœur, de ne pas vous chagriner de ce que je ne vous l'ai pas plus tôt envoyé, car, en vérité, je n'ai pu faire mieux.

Mon doux cœur, je vous prie aussi, au nom de tout l'amour que vous avez pour moi et avec toute la conviction dont je suis capable : ne laissez pas votre cœur s'abandonner au malheur et n'ajoutez foi aux racontars dont vous m'avez écrit ; car, en mon âme, je n'ai jamais pensé, pas plus que vous vouliez ou daigniez agir de la sorte envers moi, que moi-même j'aurais envie un jour de me conduire ainsi envers vous, que j'aime plus que moi-même et que n'importe qui d'autre, n'ayez absolument aucun doute sur ce point.

Mon très doux cœur, veuillez m'envoyer votre livre [*Morpheus*] le plus tôt que vous pourrez, car je ne prends plaisir et divertissement qu'en pensant à vous et avec vos œuvres.

Je prie Notre-Seigneur de vous accorder honneur et joie en tout ce que votre cœur aime.

Votre loyale amie.

L'amant

C'est ainsi qu'elle m'envoya son portrait par le jeune homme qui avait fait le voyage jusque chez moi, et qui me dit en aparté : « Seigneur, voici je ne sais quoi que votre dame vous envoie ; et elle m'a dit expressément (que Dieu me protège !) que le paquet n'aille en d'autres mains que les vôtres. Tenez, je vous le remets. » Et je le reçus avec joie

Et la prins honnourablement,
1476 Et puis de men or li donnai.
Et quant a li fait mon don hai,
Je m'en alai grant aleüre,
Tous seulz, sans nulle creature,
1480 Et m'enfermai dedens ma chambre
Com cilz qui n'avoit cuer ne manbre
Qui ne fremist de droite joie
Pour le grant desir que j'avoie
1484 De vëoir ce riche present.
Et, quant n'i ot fors moi present,
Je pris ceste ymage jolie,
Qui trop bien fu entortillie
1488 Des cuevrechiés ma douce amour.
Si la desliay sans demour,
Et, quant je la vi si tres belle,
Je li mis a non *Toute Belle*.
1492 Et tantost li fis sacrefice,
Non pas de tor ne de genice,
Ainçois li fis loial hommage [148 b]
De mains, de bouche et de courage,
1496 A genous et a jointes mains.
Et vraiement ce fu du mains,
Car sa douce plaisant empraínte
Fu en mon cuer si fort empraínte,
1500 Que ja mais ne s'en partira
Tant com li corps par terre ira,
Ains sera de moi aouree,
Servie, amee et honnouree
1504 Com ma souveraine deesse
Qui garist tout ce qu'Amours blesse
En moi, ou elle ouvra jadis
Trop plus que sains de paradis;
1508 Quar j'estoie du tout perdus,
Mas, desconfis et esperdus;

1476. *APmE* mon – **1481.** *APmE* membre – **1484.** *Pm* si rice – **1485.** *Pm* il niot (+ 1); *E* en present (+ 1) – **1488.** *Pm* cueuurechies, *E* cueurechiefs – **1489.** *A* desloiay, *Pm* desloyay – **1491.** *PmE* nom – **1492.** *A* Car – **1494.** *E* leal – **1498-9.** *A* empreinte – **1509.** *E* Mais

et le pris avec les honneurs qui lui étaient dus ; après quoi je donnai au messager une pièce d'or.

Quand je lui eus fait cette gratification, je m'en allai à vive allure, tout seul, sans personne, et m'enfermai dans ma chambre, en homme dont le cœur et tous les membres frémissaient d'une vraie joie à cause du grand désir que j'avais de voir ce riche présent. Quand il n'y avait plus là que moi seul, je pris en main ce bien plaisant portrait, qui était fort bien enveloppé dans des fichus de tête de ma bien-aimée. Je défis le nœud sans tarder, et quand je vis le portrait si parfaitement beau, je lui donnai pour nom *Toute Belle*. Et aussitôt je lui offris un sacrifice, non pas de taureau ou de génisse, mais en lui rendant un hommage de fidélité des mains, de la bouche et du cœur, me mettant à genoux en joignant les mains. Et en vérité c'était le moins que je pouvais faire, car son empreinte douce, agréable, s'imprima si fort en mon cœur qu'elle ne s'en séparera plus tant que mon corps vivra sur terre ; bien plus, Toute Belle sera par moi adorée, servie, aimée, honorée comme ma déesse souveraine, qui guérit toutes les blessures faites par Amour en moi, où elle œuvra naguère bien plus que saint du paradis ; car, alors que j'étais à deux doigts de la mort, complètement à bout, abattu, désemparé,

Mais .II. fois m'a resuscité
Par franchise et douce pité.

1512 Si la tins en grant reverance
Pour la bonté et la vaillance
De celle dont elle venoit,
Quar mieulz de li ne couvenoit.
1516 Si la mis haut dessus mon lit
A grant joie et a grant delit,
Pour li vëoir et atouchier
A mon lever et au couchier.
1520 Je la vesti, je la parai,
Et maintes fois la comparai
A Venus, quant je l'aouroie,
Et plus encor, quar je disoie :
1524 « Douce ymage, douce semblance,
Plus que Venus as de puissance :
Toute vertu, douce dame, has !
Pour ce d'un fin drap de damas,
1528 Fait de fin or, seras paree,
Qu'a toi nulle n'est comparee. »
Ainsi sus mon chevés la mis
Com vrai serf et loiaulz amis ;
1532 Dont moult de gent se merveilloient
Que c'estoit, quant la regardoient.
Ainsi la mis et tout de gré, [148 v° a]
Dont je fui en si grant degré
1536 Et si tresriche de cuidier
Que nulz ne l'oseroit cuidier.
Et certes bien le devoie estre,
Car, foi que doi le Roy Celestre,
1540 Quant j'avoie aucune pensee
Contre moi ou mal ordenee,
Et la maniere simple et coie

1518. *Pm* luy, *E* lui – **1525.** *E* de *om.* (– 1) – **1530.** *A* su, *PmE* sur ; *E* cheuet – **1531.** *A* urais sers, *E* uray serf – **1533.** *E* cestoient (+ 1) – **1535.** *A* suis, *F* sui, *PmE* fu ; *A* haut d., *PmE* hault – **1536.** *E* riche (tres *om.* – 1) – **1537.** *A* ne le feroit c., *Pm* ne le saroit c. – **1539.** *E* que je d. (+ 1)

elle m'a deux fois ressuscité par sa générosité et sa douce pitié.

Ainsi je tenais le portrait en grande révérence en raison de la qualité et du haut prix de celle qui me l'avait envoyé, car on eût perdu son temps à chercher meilleure qu'elle. Alors, débordant de joie, je le plaçai en haut, au-dessus de mon lit, de manière à le voir et à le toucher à mon lever et au coucher. Je l'habillai de beaux atours, et maintes fois, quand je venais lui faire mes dévotions, je la comparais à Vénus, et à plus haut encore, car je disais : « Douce image, douce splendeur, tu es plus puissante que Vénus ; tu possèdes, douce dame, toute vertu magique ! C'est pourquoi tu seras parée d'un précieux drap de Damas, brodé d'or pur, toi à qui nulle autre n'est comparable ! »

C'est ainsi qu'en véritable serf et comme loyal ami, je la plaçai au-dessus de mon chevet, ce qui fit que, en la regardant, bien des gens s'étonnaient qui cela pouvait être. C'est ainsi que je la plaçai, à ma pleine satisfaction ; en suite de quoi je me trouvai si exalté et si riche de raisons de me croire quelqu'un que cela dépasse toute imagination. Mais certainement j'étais très fondé à l'être, car, par la foi que je dois au Roi céleste, quand j'étais en proie à quelque contrariété ou à quelque folie, et que je regardais l'expression naturelle et calme

De ceste ymage regardoie,
1544 Tous mes pensers estoit taris
Et tous mes maulz estoit garis.
Et pour quoi la m'envoia elle ?
Pour ce qu'elle savoit bien qu'elle
1548 Ne pooit devers moi venir,
Aussi ne pooit advenir
Que devers li si tost alasse,
Si voloit que me confortasse
1552 Et que j'eüsse ramembrance
De sa tresdouce contenance.
Ne fu ce pas noblement fait
Quant de fin cuer, loial, parfait
1556 Et sans requeste de partie
Me sauva m'onneur et ma vie ?
Ainsi os l'ymage de pris,
Que j'aim sur toute rien et pris –
1560 Aprés ma dame debonnaire,
Qui sur toutes est de bon aire.
Mais sans doubte, ains que je l'eüsse,
Il convint que j'en receüsse
1564 Mainte frisson, mainte doleur,
Et que j'eüsse la couleur
Souvente fois tainte et destainte
Et feÿsse mainte complainte.
1568 Car cilz qui aimme par amours
Ha des joies et des clamours
Et des diverses aventures
Et des joieuses et des dures,
1572 Des grans desirs et des pensees
Diversement entremellees ;
Et souvent ne scet qui li faut
Et mainte fois a grant deffaut
1576 De ce dont il ha grant plenté.

1543. *Pm* cest ; *A* resgardoie – **1544.** *Pm* Tout mon penser – **1550.** *E* si *om.* (– 1) – **1551.** *APm* Or – **1554.** *E* fusse – **1558.** *E* los – **1561.** *A* bonne aire – **1564.** *E* frecon – **1572.** *E* et (des *om.*) p. (– 1) – **1574.** *Pm* quil luy, *E* que li – **1575.** *APmE* maintes – **1576.** *E* ce quil a (– 1)

de ce portrait, tout le flot de mes folles idées était tari et tout mon mal guéri.

Mais pourquoi me l'avait-elle envoyé ? Parce qu'elle savait bien qu'elle ne pouvait venir chez moi et qu'il ne pouvait pas davantage être question pour moi de me rendre si vite chez elle, elle voulait que je me console en me représentant sa très douce allure. Ne fut-ce pas un noble geste quand d'un cœur pur, loyal, sans défaut, et sans requête en forme, elle me sauva l'honneur et la vie ?

C'est ainsi que j'accueillis le portrait de haut prix, que j'aime et apprécie par-dessus toute chose – après ma dame généreuse qui au-dessus de toutes est de bonne naissance.

Mais, en vérité, avant de le recevoir, il me fallut endurer maints tremblements de mes membres, maintes douleurs, maintes alternances de pâleur et de teint coloré, et pousser maints soupirs. Car celui qui aime d'amour connaît des moments de joie et de plainte, et des péripéties contraires, gaies ou pénibles, variablement mêlées de grands élans de désir ou de pensées inquiètes ; et souvent il ne sait pas ce qui lui manque, et maintes fois lui fait défaut [lui semble-t-il] ce qu'il possède en grande quantité.

Or est malades, en santé,
Or ha paix, or fait chiere lie,
Or est en grant merancolie.
1580 C'est des amoureus la coustume:
Qui bien aime a ce s'acoustume.
Si fui en ce point longement,
Or en leesce, or en tourment,
1584 Quar une dame ainsi demaine
L'amant qu'elle ha en son demaine.
Mais finablement ma leesce [148 v° b]
Desconfit toute ma tristesce
1588 Pour l'ymage plaisant et pure
Qui estoit pourtraite en painture,
Car tous mes maulz adoucissoit
Le dous qui de la belle issoit.
1592 Si me vi de tous poins gari,
Et le prinstemps bel et joli,
La douceur de la matinee,
L'erbe vert dessoulz la rousee,
1596 La fleur et la fueille en boscage.

Si devoie un pelerinage
A. II. lieues pres du manoir
Ou ma dame devoit manoir.
1600 Si m'avisai que jë iroie
Et que mon veu adcompliroie
Et qu'en l'ombre de ce voiage
Je verroie le doulz visage,
1604 Le doulz oueil et le cointe atour
Et le gentil corps fait a tour,
Dont j'ay l'ymage belle et cointe
Qui de paix et joie m'acointe,
1608 Qui me rent toute ma vigour
Par son amoureuse rigour,
Et qui me fait parler et vivre

1582. *APmE* longuement – **1591.** *E* Le doulz regart qui (+ 2) – **1592.** *E* uoy – **1593.** *A* primtemps, *PmE* printemps – **1595.** *E* dessus – **1600.** *Pm* m' *om.* – **1601.** *E* mon bon a. – **1604.** *E* oeil – **1607.** *A* et de joie (+ 1)

Un jour il est malade, un autre en bonne santé, tantôt il est apaisé et montre un gai visage, tantôt il est plein de mélancolie. C'est le sort habituel des amoureux: qui aime bien, à cela s'habitue.

Je fus longuement en cet état, un jour en liesse, un autre dans le tourment, car une dame ainsi mène l'ami qu'elle tient en son pouvoir. Mais à la fin ma joie vainquit toute ma tristesse à cause du portrait plaisant et sans défaut que le peintre avait fait, car la douceur que rayonnait la Belle adoucissait tous mes maux.

Et ainsi je me vis à tous égards guéri, et le printemps m'apparut beau et léger, dans la douceur de la matinée, l'herbe verte sous la rosée, la fleur et la feuille au bois.

Or je devais un pèlerinage à deux lieues de la demeure où ma dame allait résider. Je décidai de m'y rendre pour m'acquitter de mon vœu, et, sous le couvert de cette chevauchée, de voir la douceur de son visage, de ses yeux, la grâce des atours dont elle revêt son noble corps façonné au tour, dont je possède l'image belle et distinguée, qui me fait connaître la paix et la joie, me rend toute ma vigueur par la constance de son amour, et me permet de parler et de vivre,

Et faire pour s'amour ce livre.
1612 Mais ainçois com je me partisse,
Il couvenoit que j'escrisisse
Et que humblement la merciasse
De sa douce ymage, qui passe
1616 Plus que sains, sans comparison,
Pour mes maulz mettre a garison.
Si m'ordenai tout bellement,
Bien et bel et faiticement,
1620 Pour aler ou je desiroie
Cent fois plus que ne vous diroie.
Mais ainçois fis ceste balade
De joli sentement et sade,
1624 Et en ces lettres l'encloÿ,
Dont ma dame moult s'esjoÿ:

Balade, et y a chant

Nés qu'on porroit les estoilles nombrer *L'amant*
Quant on les voit luire plus clerement,
1628 Et les goutes de pluie et de la mer
Et l'arene sur quoi elle s'estent,
Et compasse[r] le tour du firmament,
Ne porroit on penser ne concevoir
1632 Le grant desir que j'ai de vous vëoir.

Et si ne puis par devers vous aler
Pour Fortune qui le viee et deffent;
Dont maint souspir me couvient estrangler
1636 Quant a vous pense et je sui entre gent; [149 a]
Et quant je sui par moi secretement,
Adonc me fait tous meschiés recevoir
Le grant desir que j'ay de vous vëoir.

1611. *Pm* par amour – **1612.** *APm* eincois; *E* a. que – **1616.** *E* comparaison – **1619.** *Pm* Bel et bien – **1626.** *E* Ne com – **1627.** *A* on *effacé par l'usure* – **1628.** *E* Ne l. g.; et *om.* – **1629.** *E* Et la greue – **1630.** *E* Ne c.; *APmE* compasser, *F* compasse – **1637.** *E* Et quant apar moy sui s. – **1638.** *Pm* reuoir (– 1)

et de composer cette œuvre par amour pour elle.

Mais avant de partir, il me fallait lui écrire une lettre d'humble remerciement pour son doux portrait, qui sans comparaison surpasse les saints pour guérir mes maux. Je m'habillai de mes vêtements les plus beaux et les mieux faits, en vue de ce voyage que je désirais cent fois plus que je ne saurais vous dire. Mais j'ajoute qu'avant de partir je fis cette ballade de plaisante et savoureuse inspiration ; j'en inclus le texte dans ma lettre, ce qui causa une grande joie à ma dame :

Ballade [de l'amant ; avec chant]

1. Pas plus qu'on ne saurait dénombrer les étoiles
Quand on les voit luire dans tout leur éclat,
Ou les gouttes de la pluie ou celles de la mer,
Ou les grains de sable sur lesquels celle-ci s'étend,
Ni mesurer le tour du firmament,
Pas plus on ne saurait s'imaginer ni concevoir
Le grand désir que j'ai de vous voir.

2. Et pourtant je ne puis me rendre auprès de vous
À cause de Fortune qui me l'interdit et me le défend ;
En raison de quoi il me faut étouffer maints soupirs
Quand je pense à vous et que je suis au milieu des
Et quand je suis tout seul, sans témoins, [gens ;
Alors me fait subir tous les chagrins
Le grand désir que j'ai de vous voir.

1640 [Q]uar il me fait complaindre et dolouser
Et regreter vostre viaire gent
Et vo biauté souveraine et sans per
Et la [tres]grant douceur qui en descent.
1644 Ainsi me fait languir piteusement,
Mon cuer esprent et estaint mon espoir
Le grant desir que j'ai de vous vëoir.

[Lettre X des mss]

(a) Ma treschiere et ma tres souveraine[1] *L'amant* dame,

envis muert qui apris ne l'a,
ne bons cuers ne puet mentir,
et qui bien aimme a tart oublie.

Vous m'avez fait, Dieus le vous mire, tant de biens et d'onneurs[2], de graces et de douceurs, que onques dame ne fist[3] tant a son servant et ami, com vaillans que il fust[4], que vous m'en avés fait. Et comment qu'il en ait esté et soit encores pluiseurs qui volentiers leur donnassent confort, elles n'avoient mie si bien le sens et la maniere come vous avez, dont je me tien pour le plus eureus qui vive. Et comment que je sache[5] certainement que pluiseurs vous ont dit[6] que je sui lais, rudes et mal gracieus, par Dieu, com petis que je soie, j'ai bien vaillant .I. cuer d'ami; et je voi bien que vostres nobles cuers ne daigne encliner ne croire[7] leurs paroles. Et vous le me moustrés bien par vostre douce, plaisant et tresbelle ymage[8] que vous m'avez envoïe, dont je ne vous sai mercier ainsi comme je devroie[9], quar, par m'ame, mes sens ne

---

1640. *A* Quar, *PmE* Car, *F* uar (Q *om.*) – **1642.** *Pm* et *om.* – **1643.** *APmE* tresgrant, *F* grant (– 1)

---

1. *APm* ma t. s. *om.* – **2.** *Pm* des biens tant et d'onneurs. – **3.** *A* nen fist. – **4.** *Pm* et ami, com vaillans que il fust *om.* – **5.** *E* combien q. j. s. – **6.** *Pm* Et comme que l'en uous ait dit. – **7.** *Pm* encliner a croire. – **8.** *E* plaisant parole et tr. b. y. – **9.** *A* c. j. deueroie.

3. Car il me force à me plaindre, à épancher mon [chagrin
Et à déplorer l'absence de votre gracieux visage
Et de votre beauté souveraine et sans pareille,
Et de la très grande douceur qui s'en dégage.
C'est ainsi que me fait languir misérablement,
Enflamme mon cœur, puis éteint mon espoir
Le grand désir que j'ai de vous voir.

Lettre 10, de l'amant [10 des mss ; X de PP]

Ma très chère et ma très souveraine dame,
Il meurt à contrecœur, qui ne s'y est entraîné ;
Honnête cœur ne peut mentir ;
Qui bien aime pas de si tôt n'oublie.

Vous m'avez comblé (Dieu vous en récompense !) d'une telle multitude de bienfaits et de marques d'honneur, de faveurs et d'amitiés que jamais dame n'en a fait autant à son serviteur et ami, si grande fût sa valeur, que vous en avez fait à moi. Et quoi qu'il y ait eu (et ait encore !) nombre de dames qui de grand cœur donnassent du réconfort à leurs amis, elles n'en avaient pas aussi bien que vous l'intelligence et la manière ; en vertu de quoi je me tiens pour le plus heureux des hommes vivants.

Et bien que je sache parfaitement que plusieurs personnes vous ont dit que je suis laid et mal dégrossi et peu gracieux, par Dieu, quelque humble que soit mon origine, j'ai bel et bien, pour me faire valoir, un cœur d'ami ; et je vois bien que votre noble cœur ne daigne pas s'abaisser à croire ce que ces personnes disent. Et vous me le prouvez bien en m'envoyant votre doux, plaisant, très beau portrait, dont je ne sais vous remercier comme je devrais, car, par mon âme, ni mon esprit ni mes entendemens ne sont pas telz que je peusse faire mon devoir de vous en mercyer. Quar, en l'ame de moi, c'est ma vie, c'est mes soulas, c'est mes depors[1]; quar je ne porroie avoir doleurs ne adversités que[2], tantos[t][3] comme je la vois[4] ou qu'il m'en souvient, que je ne soie garis et confortés. Et sans doubte jamais en jour[5] de ma vie, pour chose ne[6] pour parole que on me die, je ne penserai ne croirai que vous ne veuillés estre ma souveraine dame[7], et que vous ne faites de vrai cuer[8] tous les biens que je reçoi de vous. Et, ma souveraine dame, uns chevaliers ne doit avoir autre mestier n'autre science que armes, dames et conscience; si vous jur et promet loyalment que, a mon pooir, je vous servirai loyalment et aussi diligemment de ce que sai et puis faire, et tout a vostre honneur comme Lancelos ne Tri[s]tans servirent onques leurs dames, et aourrai[9] comme dieu terrien et come la plus precieuse et glorieuse relique que je veÿsse onques en lieu ou je fuisse[10]. Et d'or en avant[11] ce sera

Mes cuers, mes chastiaus, mes tresors
Et contre tous maus mes confors [149 b]
Sans nulle fausseté.

(b) Se Dieu plait, je vous verrai dedens la Penthecouste, quar vous et vostre douce ymage m'avés mis en tel point que, Dieu merci, vous m'avez tout gary; et chevauche par tout, et fuisse piece ha partis, mais il ha une grant compaigne a .VI. et a .IIII. lieues de nous, pour quoi on chevauche tresperilleusement[12]. **(c)** Je vous envoie mon livre de *Morpheus*, que on appelle *La Fontaine Amoureuse*, aveuc *Le grant desir que j'ai de vous veoir*, ou j'ai fait un chant a vostre

---

1. *Pm* quar, par m'ame... depors *om.* – **2.** *E* adversites car. – **3.** *PmE* tantost, *F* tantos. – **4.** *AE* voy. – **5.** *E* jamaiz jour. – **6.** *Pm* pour chose ne *om.* – **7.** *Pm* que uous ne soies m. s. d. – **8.** *Pm* faciez de v. c. – **9.** *A* aourerai, *E* aouray. – **10.** *AE* fusse. – **11.** *A* d'ores e. a. – **12.** *Pm* uns chevaliers... tresperilleusement *om.*, *E* trop perilleusement.

mon intelligence ne sont capables de me rendre apte à m'acquitter de mon devoir de reconnaissance envers vous. En effet, en mon âme et conscience, ce portrait est ma vie, il est ma consolation, il est ma joie, car je ne pourrais avoir ni douleurs ni contrariétés sans que, en le regardant ou en y pensant, je sois aussitôt guéri et réconforté. Et sans aucun doute, pas un seul jour de ma vie, une action ou une parole de vous qu'on me rapporterait ne me feront concevoir ou imaginer que vous ne vouliez plus être ma souveraine dame et que ce n'est pas d'un cœur sincère que vous m'accordez tous les bienfaits que je reçois de vous. Or, ma souveraine dame, un chevalier ne doit avoir d'autre tâche ni d'autre savoir que les armes, les dames et la conscience droite ; aussi je vous jure et vous promets sincèrement de faire tout mon possible pour vous servir avec loyauté et zèle en tout ce que je sais et puis faire ; et tout cela pour votre honneur, comme Lancelot et Tristan ont toujours servi leurs dames ; et j'adorerai votre portrait comme mon Dieu sur terre et comme la plus précieuse et la plus glorieuse relique que j'eusse jamais vue en quelque lieu que ce fût. Et dorénavant il sera

Mon cœur, mon château, mon trésor
Et mon réconfort contre tous maux
    Sans hypocrisie aucune.

S'il plaît à Dieu, je vous verrai d'ici la Pentecôte, car vous et votre doux portrait m'avez à ce point changé que, Dieu merci, vous m'avez entièrement guéri. Je chevauche en tout terrain, et je fusse parti depuis longtemps, s'il n'y avait à six et à quatre lieues de chez nous une Grande Compagnie, ce qui rend la chevauchée très périlleuse.

Je vous envoie mon livre sur Morphée, intitulé *La Fontaine amoureuse*, et en même temps *Le grand désir que j'ai de vous voir*, sur quoi j'ai composé, selon vos commandement ; et est a la guise d'un rés d'Alemaigne[1] ; et, par Dieu, long temps ha que je ne fis si bonne chose a mon gré, et sont les tenures[2] aussi doulces comme papins[3] dessalés : si vous suppli que vous le daigniés oÿr et savoir la chose ainsi comme elle est faite, sans mettre ne oster, et se vuelt dire de bien longue mesure ; et qui la porroit mettre sur les orgues, sur cornemuses ou autres instrumens, c'est sa droite nature[4]. **(d)** Je vous envoie aussi une balade que je fis avant que je receusse vostre doulce ymage, pour ce que je estoie un pau bleciés en l'esperit pour aucunes paroles que on m'avoit dit ; mais si tost que je vi vostre douce ymage je fui garis et hors de merancolie. **(e)** Ma trés souveraine dame[5], je vous eusse porté mon livre pour vous esbatre, ou toutes les choses sont que je fis onques ; mais il est en plus de .XX. pieces, quar je l'ai fait faire pour aucun de mes signeurs, si que je le fais[6] noter, et pour ce il couvient que il soit par pieces ; et quant il sera notés[7], je le vous porterai ou envoierai, s'il plait a Dieu. **(f)** Ma tressouveraine dame, je pri Dieu qu'il vous doint tout ce que vostres cuers desire, et tele honneur comme je volroie que vous eussiez ; et ainsi comme pour moi vorroie, vous doint Dieus soulas et joie.

Vostre tresleal ami.

Aprés ce je me acheminai *L'amant*
1648 Et tout droit prins mon chemin hai,
Pour bien mon voiage assevir
Et aussi pour ma dame vir.
Si montai sur ma haguenee, [149 v° a]

---

1. *E* d'Alemaigne deuisez. – **2.** *E* teneurs. – **3.** *E* comme sont pappins. – **4.** *Pm* aveuc... droite nature *om.* – **5.** *Pm* tres douce maistresse et s. d. : *ajouté.* – **6.** *Pm* le f. escripre et assembler. – **7.** *Pm* et pour ce... notés *om.*, *A* et quant il sera notés *om.*

1650. *E* ueir (+ 1) – **1651.** *E* haquenee

ordres, un chant. Celui-ci est fait à la manière d'un rès d'Allemagne ; par Dieu, il y a longtemps que je n'ai fait une œuvre aussi bonne, à mon gré ; et les tenures en sont aussi douces que bouillies sans sel pour enfants : je vous supplie de daigner écouter et apprendre l'œuvre telle qu'elle est écrite, sans rien ajouter ni rien ôter ; elle veut être dite selon le rythme de mesures à valeurs très longues ; il est conforme à sa nature de pouvoir éventuellement être transposé sur orgues, sur cornemuses ou autres instruments.

Je vous adresse aussi une ballade que j'ai écrite avant de recevoir votre doux portrait, et qui avait pour cause le fait que mon esprit était quelque peu blessé par certaines paroles qu'on m'avait rapportées ; mais dès que je vis votre doux portrait, je fus guéri et délivré de ma mélancolie.

Ma très souveraine dame, je vous eusse porté, pour votre divertissement, mon livre où se trouvent toutes les œuvres que j'ai écrites depuis les origines ; mais il est formé de plus de vingt fascicules, que j'ai fait copier pour un de mes seigneurs (devant être noté, il faut qu'il soit divisé en fascicules) ; quand il sera noté, je vous le porterai, ou je vous l'enverrai, s'il plaît à Dieu.

Ma très souveraine dame, je prie Dieu de vous accorder tout ce que votre cœur désire, et telles marques d'honneur comme je vous les souhaite et comme je les voudrais pour moi-même ; qu'Il vous donne réconfort et joie.

Votre très loyal ami.

L'amant

Sur ce, je me disposai à partir et sans tarder je m'engageai sur mon chemin pour accomplir mon pèlerinage – mais aussi pour aller voir ma dame. Monté sur ma haquenée

1652 Qui estoit grosse et grasse et lee,
Et m'en alai tout bellement,
Quar bien en avoie aisement.
Tant fis que je vin a la ville
1656 Ou plus avoit barat et guille
Qu'en ville ou je fuisse unques mais.
Si alai a l'esglise; mais,
Tantost com le piet mis dedens,
1660 Je fis un veu entre mes dens
Que, tant comme laiens seroie,
Tous les jours de nouvel feroie
Pour l'amour de ma dame douce,
1664 Qui vuelt et qui desire tout ce
Qui me plaist par bien – Dieus li myre! –
Et si vuelt estre mon doulz mire.
La fui en grant devotion;
1668 Et c'estoit mon entention
Que je y feïsse ma .IX[ne].;
Mais je y fui pres d'une .XV[ne].
Pour .I. accident qui me vint,
1672 Quar de la partir me couvint
Au commandement d'un seigneur
Qu'en France n'a point de grigneur
Fors un – Dieus le gart ou il maint
1676 Et a grant joie le ramaint! –
Mais ce ne me desplaisoit mie,
Quar j'aloie veÿr m'amie!
Si que la maintes fois pensai
1680 Et mon veu ainsi commensai
(Mais elle si bien l'entendi
Qu'a chascun fait me respondi):

1652. *Pm* et (gr.) *om.* – **1655.** *APmE* uins – **1657.** *APmE* fusse – **1659.** *PmE* pie – **1667.** *PmE* fu – **1669.** *A* nuefeinne, *Pm* nuefuaine – **1670.** *A* quinseinne, *Pm* quinzaine – **1678.** *APm* ueir, *E* ueoir – **1681.** *APm* mentendi, *E* lentendy

grosse et grasse et bien large, je m'en allai tout bonnement, car j'avais toutes mes aises pour cela. Je fis tant que je parvins à la ville où il y avait plus de fourberie et d'hypocrisie qu'en aucune ville où j'aie jamais séjourné. Je me rendis à l'église ; mais à peine y avais-je posé le pied, que je fis un vœu entre mes dents, à savoir que, tant que je serais en ce lieu, je composerais tous les jours une nouvelle poésie pour l'amour de ma douce dame, qui veut, qui désire tout ce qui peut me procurer du plaisir, en tout bien et tout honneur (que Dieu le lui rende !) ; car c'est ainsi qu'elle entend être mon doux médecin.

Je fus là tout à mes dévotions ; mon intention était d'y faire ma neuvaine, mais, en réalité, j'y fus près d'une quinzaine à cause d'un événement imprévu qui m'advint ; en effet, je dus partir de là sur l'ordre d'un seigneur qui en France n'a au-dessus de lui qu'un seul homme (lequel Dieu garde là où il séjourne et le ramène en grande pompe !). Mais ce retard ne me déplaisait pas, car j'allais encore voir mon amie !

Si bien que maintes fois j'étais absorbé dans mes réflexions, et je commençai à accomplir mon vœu en ces termes (chose étonnante, elle avait si bien compris le jeu, qu'à chacune de mes poésies, elle répondait par une pièce à elle) :

Balade

De mon vrai cuer jamais ne partira *L'amant*
1684 L'impression de vo douce figure ;
Quar vostre ymage emprainte si l'i ha,
Qu'il n'est cysel ne liqueur ne rasture,
N'au monde n'a si subtil creature
1688 Qui l'en peüst effacier në oster,
Ne qu'on porroit tarir la haute mer.

Mon dieu terrien est et fu et sera
Tant comme en moi sera vie et nature ;
1692 Et aprés mort mon ame l'amera
Pour sa biauté, qui en envoiseüre
Nourist mon cuer de si douce pasture
Que ne la puet guerpir n'entr'oublier,
1696 Ne qu'on porroit tarir la haute mer.

Et aveuc cë elle me garira
De tous les maulz qu'amans sueffre et endure ;
Et toutesfois que mes cuers la verra,
1700 M'esperance sera ferme et seüre
Qu'estes si bonne et si sage et si pure [149 v° b]
Que ne volriés ne daigneriés fausser,
Ne qu'on porroit tarir la haute mer.

Chanson baladee

1704 Cilz ha bien fole pensee *La dame*
Qui me cuide a ce mener
Que cellui ou sui donnee
Laisse pour un autre amer.

1708 Ne ne porroit avenir
Que guerpir

1686. *APm* oisel – **1688.** *E* Que – **1690.** *E* Si est mon dieu terrien et sera (– 1) – **1692.** *Pm* mame si l. – **1695.** *PmE* Quil ; *E* garir – **1698.** *A* amours – **1702.** *APm* uorries, *E* uouldriez – **1708.** *APmE* Ce – **1709.** *E écrit ce vers sur la même ligne que le vers précédent ; id. pour les vers 1712, 1719, 1722, 1729, 1732*

Ballade [de l'amant]

1. De mon cœur sincère ne partira plus
L'empreinte qu'y a faite votre doux visage ;
Car votre portrait l'a si profondément gravée
Qu'il n'est ciseau, ni liquide, ni rature,
Ni personne savante au monde
Qui soit capable de l'effacer et la faire disparaître –
Pas plus qu'on ne pourrait tarir la haute mer.

2. Le portrait est et a été et sera mon dieu terrestre
Tant qu'en moi subsisteront la vie et les forces de [ma nature ;
Et après la mort mon âme l'aimera
Pour sa beauté, qui, pour sa joie,
Nourrit mon cœur d'une si douce pâture
Qu'il ne le peut abandonner ni oublier –
Pas plus qu'on ne pourrait tarir la haute mer.

3. Outre cela le portrait me guérira
De tous les maux qu'un amant souffre et endure ;
Et chaque fois que mon cœur le verra,
Mon espérance sera fermement assurée
Que vous êtes si vertueuse et si sage et si pure
Que vous ne voudriez ni ne daigneriez vous [conduire en perfide –
Pas plus qu'on ne pourrait tarir la haute mer.

Chanson balladée [de la dame]

[Refrain]
Celui-là a une pensée bien folle
Qui pense m'amener
À délaisser celui auquel je me suis donnée,
Pour en aimer un autre.

1. Ni il ne pourrait se produire
Qu'abandonner

Le peüsse nullement,
Ne qu'en moi peüst venir
1712 Le plaisir
D'autre amer; car vraiement
En s'amour sui si fermee
Et mise sans dessevrer
1716 Que pour creature nee
Ne le porroie oublier.

Cilz ha bien fole pensee etc.

Mi penser, mi souvenir,
Mi desir
1720 Et m'amour entierement
Sont en li sans departir,
Qu'avenir
Ne puis a joie autrement;
1724 Et sans li riens ne m'agree,
Sans li tout doulz m'est amer:
D'autre ne quier estre amee
Fors de lui qu'aim sans fausser.

Cilz ha bien fole pensee etc.

1728 Nient plus qu'on porroit tarir
Et tenir
La mer sans nul mouvement,
Ne porroit on repentir
1732 N'alentir
Mon cuer d'amer loiaument
Li, qui desseur tous m'agree;
S'en doi bien Amours loer
1736 Quant je sui enamouree
Du meilleur qu'on puist trouver.

Cilz ha bien fole pensee etc.

1710. *E* puisse – **1716.** *E* Ne p. – **1730.** *A* mouuemet – **1734.** *E* Le quel d.; tout

Je le puisse aucunement,
Ni que je conçoive
    Le plaisir
D'aimer un autre ; car, en vérité,
En l'amour qu'il m'inspire je suis si fixée
Et établie sans idée de m'en séparer
Que pour qui que ce soit
Je ne pourrais l'oublier.

Celui-là a une pensée bien folle...

2. Mes pensées, mes souvenirs,
    Mes désirs
Et mon amour entièrement
Reposent en lui sans idée de m'en séparer,
    Car parvenir
Je ne puis à la joie autrement ;
Et sans lui rien ne m'agrée,
Sans lui toute douceur m'est amertume :
D'un autre je ne cherche à être aimée
Que de lui, que j'aime sans perfidie.

Celui-là a une pensée bien folle...

3. Pas plus qu'on ne pourrait tarir
    Ni retenir
Immobile la mer,
Ne pourrait-on faire se repentir
    Ni freiner
Mon cœur d'aimer loyalement
Celui qui par-dessus tous m'agrée ;
Aussi dois-je bien louer Amour
De ce que je suis enamourée
Du meilleur ami qu'on puisse trouver.

Celui-là a une pensée bien folle...

Rondel

Belle, vostre doulz ymage *L'amant*
Que j'aim amoureusement
1740 M'a mis en vo doulz servage ;

Souvent contre mon courage
Me fait vivre lyement,
Belle, vostre doulz ymage,
1744 Que j'aim amoureusement.

Car, quant je li fais hommage,
Elle rit si doucement, [150 a]
Que tous mes maulz assouage ;

1748 Belle, vostre doulz ymage,
Que j'aim amoureusement,
M'a mis en vo doulz servage.

Rondel

Amis, pour ce l'envoiai je *La dame*
1752 A vous, qui j'aim loiaulment,
De cuer, sans penser folage,

Pour abaissier le haussage
De Desir, qui vous esprent ;
1756 Amis, pour ce l'envoiai je
A vous, qui j'aim loyaulment.

Et s'il fait en vous outrage,
Souffrés debonnairement
1760 Et baisiés son doulz visage ;

Amis, pour ce l'envoiai je
A vous, qui j'aim loyaulment,
De cuer, sans penser folage.

1742. *E* lieement – **1752** ***et*** **1757.** *AE* que – **1762-3.** *Pm om.*

Rondeau [de l'amant]

Belle, votre douce image
Que j'aime de vrai amour
M'a mis en votre doux servage;

Souvent contre l'état de mon cœur
Elle me fait vivre en joie,
Belle, votre douce image
Que j'aime de vrai amour.

Car, quand je lui fais hommage,
Elle rit si doucement
Qu'elle soulage tous mes maux;

Belle, votre douce image,
Que j'aime de vrai amour,
M'a mis en votre doux servage.

Rondeau [de la dame]

Ami, si je l'envoyai
À vous que j'aime loyalement,
Du fond du cœur, sans pensée folle,

C'est pour rabaisser la montée
De Désir qui vous brûle;
Ami, c'est pour cela que je l'envoyai
À vous que j'aime loyalement.

Et s'il se livre en vous à des excès,
Supportez-le patiemment
Et baisez le doux visage de mon portrait;

Ami, c'est pour cela que je l'envoyai
À vous que j'aime loyalement,
Du fond du cœur, sans pensée folle.

Rondel, et y a chant

1764 Se mes cuers art et li vostres estaint, *L'amant*
Dame, ja mais ne puis a joie ataindre ;

Car li desirs, qui a mort m'a ataint,
Se mes cuers art et li vostres estaint,

1768 Bruÿst mon cuer et mon viaire taint,
Si que sans vous m'ardeur ne puet estaindre ;

Se mes cuers art et li vostres estaint,
Dame, ja mais ne puis a joie ataindre.

Rondel *La dame*

1772 L'amour de vous, qui en mon cuer remaint,
Tresdoulz amis, ja mais ne puet estaindre ;

Car sans cesser en ma pensee maint
L'amour de vous, qui en mon cuer remaint,

1776 Ne nulle riens n'est qui tant mon cuer taint,
Si croist adés, ne ja mais jour n'iert meindre :

L'amour de vous, qui en mon cuer remaint,
Tresdoulz amis, ja mais ne puet estaindre.

1780 Aprés les choses dessus dites, *L'amant*
Tant de grandes com les petites,
Ma dame m'escript doucement
Qu'elle desiroit durement
1784 Que je par devers li alaisse
Et que ma .IX[ne]. laissasse.
Mais ce pas ne me commandoit ;
Toute voie elle me mandoit,
1788 Et je tenoie vraiement

1768. *E* bruit – **1777.** *Pm* croit – **1784.** *APmE* alasse – **1785.** *Pm* neuaine

Rondeau [de l'amant ; avec chant]

Si mon cœur brûle et si le vôtre s'éteint,
Dame, je ne puis désormais atteindre la joie ;

Car le désir, qui m'a touché mortellement,
Si mon cœur brûle et si le vôtre s'éteint,

Enflamme mon cœur et pâlit mon visage
Si fort que sans votre aide mon ardeur ne peut
[s'éteindre ;
Si mon cœur brûle et le vôtre s'éteint,
Dame, je ne puis désormais atteindre la joie.

Rondeau [de la dame]

Mon amour pour vous, qui en mon cœur demeure,
Très doux ami, ne peut plus s'éteindre ;

Car sans cesse il reste en ma pensée ;
Mon amour pour vous, qui en mon cœur demeure ;

N'il n'y a rien qui affecte mon cœur autant ;
C'est pourquoi, croissant sans cesse, ni jamais un seul
[jour n'étant moindre,

Mon amour pour vous, qui en mon cœur demeure,
Très doux ami, jamais plus ne peut s'éteindre.

Après l'échange des pièces ci-dessus rapportées, les grandes comme les petites, ma dame m'écrivit doucement qu'elle désirait vivement que j'allasse chez elle en interrompant ma neuvaine. Mais, naturellement, elle ne me le commandait pas, tout en me le mandant ; moi-même je prenais véritablement

Sa parole a commandement.
Si me parti et m'en alai
Et fis tant que veüe l'ai. [150 b]
1792 Mais ainssois que je la veïsse
Ne que parole li deÿsse,
Si Dieus me doint beneÿsson,
Je n'os onques si grant frisson,
1796 Si grant paour ne si grant doubte,
Car la char me fremissoit toute;
Et la cause je ne savoie,
Fors tant que veoir la devoie.
1800 Si appellai mon secretaire
Et li descouvri mon affaire,
Comment fort estoie entrepris
Et du mal amoureus espris.
1804 Il dist que je me confortasse
Et que de riens ne me doubtasse,
Qu'elle ne me morderoit pas!
Si m'en aloie pas a pas,
1808 Mais mon cuer et mon corps ensemble
Trambloient plus que fueille en tremble.
Je ne met pas icy sa lettre,
Que ce seroit trop long a mettre.
1812 De si petitettes lettrelles,
Ja soit ce qu'elles soient belles,
Qu'a li tous les jours envoioie
Et elle a moi, que vous diroie
1816 Dont cy mettre enhardir ne m'os?
Quar il n'i avoit que .II. mos,
Et pour ce seulement m'en tais.
Car d'autre chose sui entais:
1820 Si fis en alant ces .II. choses
Qui en ce livre sont encloses:

1808. *E* Mon cuer et tout mon c. e. – **1809.** *E* fueilles (+ 1) – **1814.** *E* enuoie (– 1) – **1819.** *E* chose en sui e.

sa parole pour un ordre. Si bien que je me disposai à partir et me mis en route, et je cheminai sans m'arrêter jusqu'à ma venue en sa présence. Cependant avant de la voir et de lui adresser la parole, par la bénédiction de Dieu, je fus en proie à un tremblement et à une peur mêlée d'inquiétude d'une force inconnue jusque-là, car c'est tout mon corps qui tremblait, et je ne connaissais d'autre raison que celle que j'allais la voir. Je m'adressai à mon secrétaire et lui découvris ce qui m'arrivait, la situation critique où je me trouvais, consumé que j'étais par le mal d'amour. Il me dit de prendre courage et de ne rien craindre, car elle ne me mordrait pas ! Et je poursuivis ma route, un pas de cheval après l'autre, sans cependant que cessât le frémissement conjoint de mon cœur et de mon corps, plus agités que feuille de tremble.

Je n'insère pas ici sa lettre qui allongerait inutilement mon texte. Quant aux minuscules billets, si beaux fussent-ils, que nous nous envoyions tous les jours l'un à l'autre, que vous dirais-je d'autre pour expliquer pourquoi je n'ai pas le cœur de les insérer ici, sinon qu'ils se limitaient à deux mots ? Et c'est la seule raison de leur omission car mon souci est de présenter ici des œuvres plus importantes. C'est ainsi que je composai pendant mon trajet ces deux pièces qui, elles, sont insérées dans mon livre [avec les réponses de ma dame].

Rondel

Vos pensees me sont commandement, *L'amant*
Si ferai ce que vos cuers me commande ;

1824 Quant j'oi et voi vostre doulz mandement
Vos pensees me sont commandement.

S'Amours me doinst joie et amendement
De vous, a qui mon vrai cuer recommande,

1828 Vos pensees me sont commandement,
Si ferai ce que vos cuers me commande.

Rondel

Amis, venés vers moy seürement, *La dame*
Quar il n'est riens ou tant mes fins cuers tende ;

1832 Veüs serés tresamoureusement :
Amis, venés vers moy seürement.

Et se vous jur et promet loyaulment
Que pour vos maulz faut que joye vous rende :

1836 Amis, venés vers moy seürement,
Car il n'est riens ou tant mes fins cuers tende.

Chanson baladee

[150 v° a]

Douce, plaisant et debonnaire, *L'amant*
Onques ne vi vo doulz viaire
1840 Ne de vo gent corps la biauté ;
Mais je vous jur en loiauté
Que sur tout vous aim sans meffaire.

Certes, et je fais mon deü,
1844 Car j'ai moult bien aperceü

1823. *Pm* uo cuer – **1826.** *E* Se dieux ; *APmE* doint

Rondeau [de l'amant]

Vos pensées me sont des ordres,
Je ferai donc ce que votre cœur m'ordonne ;

Quand j'entends et vois votre doux message,
Vos pensées me sont des ordres.

S'il est vrai qu'Amour me donne joie et guérison
Par vous, à qui mon cœur sincère se recommande,

Vos pensées me sont des ordres,
Je ferai donc ce que votre cœur m'ordonne.

Rondeau [de la dame]

Ami, venez chez moi en toute assurance,
Car il n'est rien à quoi du fond du cœur autant j'aspire ;

Vous serez regardé d'un regard très amoureux :
Ami, venez chez moi en toute assurance.

Et je vous jure et garantis très loyalement
Qu'en échange de vos maux il faut que je vous donne
[la joie :
Ami, venez chez moi en toute assurance,
Car il n'est rien à quoi du fond du cœur autant j'aspire.

Chanson balladée [de l'amant]

[Refrain]
Douce, plaisante et généreuse,
Je n'ai jamais vu votre doux visage
Ni la beauté de votre gracieux corps ;
Et pourtant je vous jure sincèrement
Que plus que tout je vous aime, sans chercher à mal
[faire.

1. En vérité, je ne fais que mon devoir,
Car j'ai fort bien constaté

Que de mort m'avez re[s]pité
Franchement, sans avoir treü;
Qu'a ce faire a Amours meü
1848 Vo gentil cuer plain de pité.
Si ne doi pas estre contraire
A faire ce qu'il vous doit plaire
A tous jours mais; qu'en verité
1852 Mon cuer avés et m'amisté
Sans partir en vo doulz repaire.

Douce, plaisant et debonnaire, etc.

Ne m'avés pas descongneü,
Ains m'avez tresbien congneü
1856 Par vostre grant humilité
En lit de mort ou j'ai geü,
Belle, quant il vous a pleü
Que vous m'avés resuscité;
1860 Si que je ne m'en doi pas taire,
Ains doi par tout dire et retraire
Le grant bien qu'en vous ai trouvé,
La douceur, le bien, l'onnesté
1864 Qui en vo cuer maint et repaire.

Douce, plaisant et debonnaire, etc.

Et se Fortune m'a neü
Et fait dou pis qu'elle ha peü,
Vostre douceur l'a sormonté
1868 Qui m'a de joie repeü
Et sa puissance ha descreü
Et son orgueil suppedité.
Pour ce avez mon cuer sans retraire,
1872 Qu'Amours, qui tout vaint et tout maire,
Le vous ha franchement donné;

1847. *APm* faire amours (– 1) – **1848.** *E* gentilz corps – **1850.** *APm* ce qui – **1852.** *A* mamistie – **1859.** *Pm* resuscixite (+ 1) – **1864.** *A* mait – **1867.** *Pm* surmonte

Que si ma mort a été l'objet d'un sursis, c'est grâce
À vous qui avez agi spontanément, sans recevoir
[aucun tribut ;
Car à agir ainsi c'est Amour qui a incité
Votre noble cœur plein de pitié.
C'est pourquoi je ne dois pas m'opposer
À faire ce qui doit vous plaire
Désormais ; car, en vérité,
Vous possédez mon cœur et mon amitié
Sans partage en votre douce demeure.

Douce, plaisante et généreuse…

2. Vous ne m'avez pas ignoré,
Au contraire vous m'avez très bien distingué,
Dans votre grande humilité,
Au lit de mort où je gisais,
Belle, quand il vous a plu
De faire de moi un ressuscité.
C'est pourquoi je n'ai pas le droit de m'en taire,
Mais dois dire et publier partout
Le grand bien que j'ai en vous trouvé :
La douceur, le mérite, l'honnêteté
Qui demeurent en permanence en votre cœur.

Douce, plaisante et généreuse…

3. Et si Fortune m'a nui
Et fait le pire qu'elle a pu,
Votre douceur l'a vaincue
En me repaissant de joie,
Et elle a réduit sa puissance
Et foulé aux pieds son orgueil.
Voilà pourquoi vous possédez mon cœur sans
[réserve,
Car Amour, qui tout vainc et tout maîtrise,
Vous l'a libéralement donné ;

Se li vostre le prant en gré,
Onques ne vi si douce paire.

Douce, plaisant et debonnaire, etc.

Chanson baladee

1876 Des que premiers oÿ retraire *La dame*
De vous, doulz amis debonnaire,
La valeur et la grant bonté,
Mon cuer fu si en vous enté
1880 Qu'onques puis ne l'en po retraire.

Ja soit ce qu'onques congneü
Ne vous eüsse ne veü,
Vous fist Amours mon cuer donner;
1884 Et si n'eüsse pas creü [150 v° b]
Que tout mon temps eusse peü
Sans v(o)ir nul homme tant amer.
Mais Bonne Amour le me fist faire
1888 Et le renon de vostre affaire,
Qui a mon cuer entalenté
Si fort, que j'ai en volenté
De vous amer sans riens meffaire.

Des que premiers oÿ retraire, etc.

1892 Mais pluseurs fois ymaginai *L'amant*
En mon cuer et determinai
Que je penroie un homme estrange
Et de nous .II. feroie change
1896 Et le menroie devant elle
Telement et a tel cautele
Qu'on diroit: « Vescy vostre ami »,
Pour vëoir s'elle aroit de mi

Titre. *E* Virelay balade – **1887.** *E* bon; *Pm* fit – **1892.** *Pm* plusieurs – **1897.** *E* telle (+ 1)

Si le vôtre l'agrée,
Jamais je n'aurai vu si douce paire.

Douce, plaisante et généreuse...

Chanson balladée [de la dame]

[Refrain]
Dès que pour la première fois j'entendis rapporter,
Doux ami généreux, votre
Valeur et vos grands mérites,
Mon cœur s'est si profondément en vous enté
Que jamais depuis je n'ai pu l'en retirer.

Bien que jamais je ne vous eusse
Rencontré ni vu,
Amour vous donna mon cœur,
Alors que je n'eusse pas cru,
Qu'à aucun moment de ma vie j'eusse pu,
Sans le voir, tant aimer un homme
Et pourtant, Parfait Amour me pousse à le faire,
Ainsi que le renom de vos faits et gestes
Qui a séduit mon cœur
Si fort que je suis décidée
À vous aimer sans penser à mal.

Dès que pour la première fois j'entendis rapporter...

L'amant

J'ajoute que plusieurs fois j'avais imaginé en moi-même et décidé de choisir un étranger à notre aventure, d'échanger nos deux identités, de le conduire devant ma dame en recourant à une ruse: un homme de sa suite dirait: «Voici votre ami!»; mon intention étant de voir si elle

1900 Congnoissance, et qu'elle diroit,
Ne quel semblant elle feroit;
Et celle meïsme pensee
Estoit en son cuer enfermee,
1904 Si com elle l'a cogneü
Depuis ce que je l'ai veü.
Mais ne fu pas fait ensement,
Et ce fu le mieus vraiement.
1908 Briement je vins en sa presence.
Et quant je vi sa contenence,
Sa maniere, son bel acueil,
Son doulz vis et son riant oeil,
1912 Et sa coulour blanche et vermeille,
Et son gent corps qui a merveille
Estoit lons et drois et traitis,
Envoisiez, cointes et faitis;
1916 Et je oÿ sa douce parole
Qui n'estoit estrange ne fole,
Ainsois me dit: « Mon doulz ami,
Venez avant, parlés a mi!
1920 Vous soiez li tresbien venus!
Longuement vous estes tenus
De moi visiter et veoir:
Venez ça delez moi seoir! »;
1924 Et si me prist de sa main blanche
Trop plus que la noif sur la branche;
Et quant elle me salua
Par nom d'ami, mes cuers mua
1928 Si tres fort que je ne savoie
Parler a li në ou j'estoie,
Quar j'estoie si esbahis
Et plus c'une beste estahis;
1932 Et si sentoie une froidure
Entremellee d'une ardure

1901. *E* elle me f. (+ 1) – **1902.** *E* mesmes (– 1) – **1908.** *APmE* Briefment – **1912.** *E* couleur – **1917.** *E* nestrange – **1919.** *E* parler – **1923.** *Pm* cy; *A* dalez – **1925.** *Pm* que nest n. s. l. brance – **1926.** *E* quant *om.* (– 1) – **1927.** *Pm* mon cuer – **1930.** *E* tous esbahis – **1931.** *Pm* esbahis – **1933.** *E* entremeller (– 1)

m'identifierait, ce qu'elle dirait, quelle mine elle ferait. Et elle avait eu cette même idée, qu'elle tenait secrète dans son cœur comme elle l'a avoué depuis que je l'ai vue. Mais notre projet ne fut pas mis à exécution ; c'était la meilleure solution assurément.

Rapidement je vins en sa présence. Quand je vis son maintien, sa manière d'être, son bel accueil, son doux visage et ses yeux riants, son teint blanc et vermeil, son corps gracieux, merveilleusement allongé, droit, élancé, plaisant à l'œil, aimable et bien proportionné ; quand ensuite j'entendis sa douce parole, si naturelle, si mesurée de ton, me disant : « Mon doux ami, avancez-vous, parlez avec moi ! Soyez le très bienvenu ! Vous vous êtes longtemps abstenu de me rendre visite, de venir me voir : venez vous asseoir ici, près de moi ! » ; et quand elle saisit ma main de sa main bien plus blanche que neige sur le rameau, et qu'elle m'eut salué du nom d'ami, mon cœur changea si fort son rythme que je ne savais ni lui parler ni où je me trouvais, tellement j'étais interdit et plus figé qu'une bête ; et je sentais un froid mêlé de chaleur

Qui faisoit fremir et suer [151 a]
Mon corps et ma couleur muer.
1936 Mais la franche et la debonnaire
Vit et congnut [tout] mon affaire,
Et de moi couvrir se pena,
Et en un vergier me mena
1940 Qui estoit biaus, cointes et gens,
Et me mena loing de *s*es gens
Et me dist: « Doulz amis parfais,
Prenez, et par dis et par fais,
1944 Moi et le mien et quanque j'ai !
Je ne ressemble pas le jai
Qui n'a que plumes et paroles,
N'en moi n'a nulles paraboles.
1948 Tenés ma foi ! Je vous promet
Que tout mon cuer et m'onneur met
En vostre main : or les gardés,
Doulz amis ! Et me regardés ! »
1952 Lors mist sa main desseur son pis
Et dist : « Je ne vaurrai ja pis
De dire ce que dire vueil,
Et si veul adcomplir mon veuil :
1956 Vescy mon cuer ; se je pooie,
Par ma foy, je le metteroie
En vostre main pour l'emporter.
Or vous veuilliez dont conforter
1960 Et ne merencoliés mie,
Quar je sui vostre vraie amie
Et de faire vostre plaisir
En tous biens hai tresgrant desir.
1964 Et sachiés, amis, celle amour
Qui fait en nos .II. cuers demour
Venue est de Dieu proprement ;
Car vous savés certainement
1968 Qu'onques mais nous ne nous veïsmes,
Ne paroles ne nous deïsmes,

1937. *APm* tout m. a., *F* tout *om.* (– 1), *E* bien – **1941.** *APmE* ses, *F* ces – **1952.** *Pm* mon p. – **1953.** *Pm* nen u. – **1956.** *APmE* pouoie – **1960.** *E* merenliez (– 1) – **1963.** *E* tres *om.* (– 1)

qui faisait trembler et suer mon corps et pâlir mon teint. Mais la noble et généreuse dame vit et comprit parfaitement mon état : elle s'employa à me couvrir et me conduisit dans un beau verger coquet et luxueusement entretenu ; et elle me mena loin de ses gens, et me dit : « Doux et parfait ami, prenez possession, en bonne et due forme, de ma personne, de mon bien et de tout ce que je possède ! Je ne ressemble pas au geai qui n'a que belles plumes et belles paroles : chez moi il n'y a pas de paroles à double sens. Recevez mon serment ! Je vous garantis que je remets tout mon cœur et tout mon honneur en votre pouvoir : prenez-les sous votre bonne garde, doux ami ! Et regardez-moi ! » Elle mit alors sa main sur sa poitrine et dit : « Je ne m'avilirai certes pas en disant ce que je veux dire, et je suis bien décidée à accomplir mon propos : voici mon cœur ; si je pouvais, je le mettrais en votre main pour que vous l'emportiez ! Veuillez donc reprendre courage, et ne soyez pas mélancolique, car je suis votre vraie amie, et de faire ce qui vous plaît, en tout honneur, est mon très grand désir. Sachez-le, ami, cet amour qui s'établit à demeure en nos deux cœurs est l'œuvre directe et personnelle de Dieu, car, vous le savez fort bien, nous ne nous étions jamais vus ni n'avions échangé le moindre mot,

Et si sai bien que vous m'amés
Et si estes amis clamés !
1972 Et puis que Dieus la volut faire
El' ne puet qu'a bonne fin traire. »
Aprés ce, je li respondi
Si bas qu'a peine m'entendi,
1976 Quar la parole me trembloit
Et tous li corps, ce me sembloit :
« Tresbelle, vous estes ma dame
Et je sui vos amis, par m'ame. »
1980 Mais en ce disant la liqueur
Qui estoit par dedens mon cuer
Me degouta par mi les yeus
Dessus ma face en pluiseurs lieus ;
1984 Quar mes cuers estoit si estrains
Et de sa biauté si constrains
Que je plouroie tendrement. [151 b]
Et lors me dist moult doucement :
1988 « Mes doulz amis, mes fins cuers dous,
Dites moi, pour quoi plourés vous ?
Pour quoi faites vous tel semblant
Et avés le cuer si tremblant ?
1992 Amis, soiez asseürez
Que le mal que vous endurés
Pour moi hautement merirai
Et doucement vous garirai. »
1996 Je ne la pos remercier,
Mais sa main prins sans detrier
Et moult humblement la baisai,
Dont un petit me rapaisai ;
2000 Et quant un po fui rapaisiés
Et d'a li parler plus aisiés,
Je prins congié et me parti ;
Mais ce fu en si dur parti
2004 Que je cuidai au departir
Que li cuers me deüst partir.

1972. *PmE* dieu ; *E* uoulut – **1973.** *E* Il – **1974.** *Pm* luy – **1979.** *E* suis – **1983.** *APmE* plusieurs – **1996.** *A* puis, *Pm* peu – **1997.** *APmE* pris – **2001.** *A* aaisiez (+ 1) – **2002.** *APm* pris – **2005.** *Pm* le cuer

et pourtant je sais bien que vous m'aimez d'amour et de votre côté vous avez reçu le nom d'ami ! Et puisque c'est Dieu qui a voulu le susciter, notre amour ne peut avoir qu'une heureuse issue. »

Sur ce, je lui répondis si bas, qu'à peine elle m'entendit, car ma parole, et tout mon corps avec elle, je le sentais bien, tremblaient : « Très belle, vous êtes ma dame et je suis votre ami, je le jure par mon âme ! » Mais, tandis que je parlais, l'onde qui était au-dedans de mon cœur, passant par les yeux, se répandit goutte à goutte sur mon visage en plusieurs points ; car mon cœur était si resserré et si contracté par sa beauté que je pleurais tendrement. Alors elle me dit affectueusement : « Mon tendre ami, mon doux cœur parfait, dites-moi, pourquoi pleurez-vous ? pourquoi me montrez-vous une telle mine et votre cœur tremble-t-il si fort ? Ami, soyez assuré que je compenserai largement le mal que vous endurez à cause de moi et que doucement je vous guérirai. » Je ne pus lui dire merci, je pris seulement sa main sans hésiter et très humblement la baisai, ensuite de quoi je retrouvai un peu de calme ; quand j'eus été un moment en ce calme et fus plus à mon aise pour lui parler, je pris congé et me disposai à partir ; mais ce fut en un si pénible état qu'au moment de me mettre en route je crus que mon cœur allait éclater.

Si repris un po ma maniere,
Et m'en alai par l'uis derriere,
2008 Par quoi on ne s'aperceüst
Qu'en moi dueil ne tristesce eüst.

Mais de sa cointe vesteüre
Me tais ! dont je fais mespresure,
2012 Qu'abit onques ne vi si cointe
Ne dame en son habit si jointe ;
Pour ce un petit en parlerai
Ne ja le voir n'en celerai.
2016 D'asur fin ot un chaperon,
Qui fu semés tout environ
De vers et jolis papegaus,
Eslevés et tous parigaus ;
2020 Mais chascuns a son col fermee
Avoit une escherpe azuree,
Et toute droite la blanche ele ;
Et leur contenance estoit tele
2024 Que li uns devant li regarde
L'autre derrier qui fait la garde,
Ainsi comme dame doit estre
Sur garde a destre et a senestre :
2028 La doit elle bien regarder,
S'elle vuelt bien s'onneur garder.
Vestie ot une sourquanie
Toute pareille et bien taillie,
2032 Fourree d'une blanche hermine,
Bonne assés pour une roÿne.
Mais la douce, courtoise et franche
Vesti ot une cote blanche
2036 D'une escarlate riche et belle
Qui fu, ce croi, faite a Brus[s]elle ;

2006. *PmE* de m. – **2007.** *A* darriere – **2008.** *Pm* Pour ce quon ne s. – **2009.** *E* plour ne t. ; *Pm* d. ou t. – **2010.** *E* uesture (– 1) – **2016.** *Pm* Dazur – **2021.** *APmE* escharpe – **2025.** *A* darrier – **2030.** *Pm* Vestu, *E* Vestue ; *A* seurquanie, *Pm* surquanie, *E* sorquanie – **2032.** *Pm* blance ; *E* ermine – **2034.** *Pm* france – **2035.** *PmE* Vestu – **2037.** *APm* Bruisselle

Cependant je repris un peu contenance, et je sortis par la porte de derrière, de manière que personne ne s'aperçût de ma douleur et de ma tristesse.

Mais comment puis-je ne rien dire de l'élégance de sa toilette ! C'est une erreur, car jamais je n'avais vu un habillement aussi élégant ni dame aussi gracieuse en sa vêture. C'est pourquoi j'en parlerai un peu sans rien cacher de la vérité de ce que j'ai vu. Elle portait un chaperon d'azur fin, parsemé tout autour de gais perroquets verts, debout et tous de même taille. Il y a plus : chacun portait, fixée à son cou, une écharpe azurée, et tenait toutes droites ses ailes blanches. Leur disposition était telle que l'un regardait devant, l'autre derrière qui assurait l'arrière-garde comme une dame doit être sur ses gardes à droite et à gauche. (Elle doit bien veiller à cela, si elle veut conserver son honneur.) Elle était vêtue d'une souquenille tout à fait de la même couleur et bien coupée, fourrée d'une hermine blanche, qui eût été très bien assortie à une reine. En outre la douce, courtoise et noble dame portait une cotte blanche d'une belle et riche étoffe de laine, faite, je suppose, à Bruxelles ;

Et si tenoit une herminette [151 v° a]
Trop gracieuse et trop doucette
2040 A une chainnette d'or fin,
Et un anel d'or en la fin
A lettres d'esmail qui luisoient
Et qui « Gardés moi bien » disoient.
2044 Tu qui scés jugier des coulours
Et des amoureuses dolours,
Dois savoir la signifiance
Et de son habit l'ordenance :
2048 Plus n'en dirai a ceste fie,
Quar bien scez que ce signifie.
Mais elle ot de .XV. a .XX. ans,
Dont je la prise mieulz .XX. tans ;
2052 Plus ne di de la grant richesse
De son habit, de sa noblesse,
Quar bien dire ne le saroie,
Pour ce qu'espoir j'en mentiroie.

2056 Et s'aucuns voloit mesprisier
Ma douce dame ou mains prisier
Pour ce qu'elle ainsi m'appella
Ou se assez largement parla,
2060 C'est son bien, s'onneur et son los,
C'est ce dont je la pris et los :
C'est douceur, c'est humilité
Et franchise et douce pité,
2064 Quant uns amans est en ce point,
De remettre son cuer a point ;
Car, se dis mois devant li fusse,
Ja semblant fait ne li eüsse
2068 De grace ou s'amour requerir,
Quar ne li ausasse querir.
Ne nulz homs n'i peüst noter

2040. *E* Et ch. – **2041.** *Pm* .I. anelet (+ 1) – **2042.** *Pm* lisoient – **2045.** *E* doulceurs – **2046.** *A* signefiance, *Pm* senifiance – **2049.** *E* say que s. (– 1); *A* signefie, *Pm* senefie – **2050.** *A* a .XII. ans – **2052.** *Pm* sa g. r. – **2055.** *E* jespoir – **2056.** *Pm* mespriser – **2057.** *APmE* moins – **2062.** *E* doulceur et h. – **2069.** *APmE* osasse

et elle tenait en main une petite fourrure d'hermine très gracieuse et très agréablement douce, munie d'une chaînette d'or fin, avec un anneau d'or au bout, serti de lettres brillantes en émail qui disaient: «Prenez garde à moi!» Toi qui t'y connais en fait de couleurs et de chagrins d'amour, tu dois savoir la signification de l'arrangement de ses vêtements; je n'en dirai pas plus pour cette fois, puisque tu sais bien quel en est le sens. J'ajouterai seulement qu'elle avait de quinze à vingt ans, ce pourquoi je l'apprécie vingt fois plus. Je ne dis pas davantage de la grande richesse de son habillement et de la noblesse de celui-ci, car je ne saurais bien le dire, et, peut-être risquerais-je de dire des contrevérités.

Mais si quelqu'un pensait devoir mépriser ma douce dame, ou la moins priser parce qu'elle s'est ainsi adressée à moi ou de ce qu'elle a très longuement parlé, tout cela c'est sa vertu, son honneur, sa gloire, c'est ce dont je la prise et loue; c'est faire preuve de douceur, d'humilité, de noblesse et de douce pitié que de rendre du cœur à un amant ainsi désemparé; car eussé-je été dix mois devant elle, je n'aurais pas donné le moindre signe de vouloir requérir sa bonne grâce ou son amour: et en effet, je n'aurais pas osé le lui demander. Et nul n'aurait rien pu relever

Riens qui en feïst a oster,
2072 Qu'onques mais ne m'avoit veü ;
Si que, s'Amour m'a pourveü
Et ma douce dame jolie,
Ce n'est pas trop grant villenie ;
2076 N'en ce livre riens mettre n'ose
Qu'ainsi comme il est et sans glose,
Car contre son commandement
Feroie du faire autrement ;
2080 Car puis qu'il li plaist, il m'agree,
S'obeïray a sa pensee.

Mais quant je vin a mon hostel,
Assaut en ma vie n'os tel,
2084 Car Honte me vint assaillir,
Dont je cuidai bien sans faillir
Qu'elle me deüst estrangler :
Onques mais ourse ne sangler
2088 Ne beste, tant fust foursenee,
Ne vi venir si aïree,
Car quant elle vint contre mi, [151 v° b]
Par Dieu, tout le sang m'i fremi,
2092 Car moult haut dist : « Certes, amis,
De folye t'iés entremis,
Qui vuels la plus tresbelle amer
Qui dessa mer ne dela mer
2096 Soit congneüe ne trouvee :
Tu dois bien haÿr la journee
Que premierement la veÿs
Ne que delez li t'asseïs,
2100 Quar vraiement tu n'iés pas dignes
Par dis ne par fais ne par signes
Seulement de li deschaussier ;
Et si t'iés volu(s) avancier
2104 Tant que di*t* li as que tu l'aimes

2072. *E* mais *om.* (– 1) – **2073.** *E* mavoit p. (+ 1) – **2082.** *APmE* vins – **2083.** *E* a ma v. – **2088.** *APmE* forcenee – **2091.** *A* tous li sans, *Pm* tous ly sant, *E* tous li sancs ; *PmE* me f. – **2093.** *Pm* tes e., *E* ty es – **2103.** *A* volu, *PmE* voulu – **2104.** *APmE* dit, *F* dis

dans sa conduite qui demandât à être retranché. Elle ne m'avait jamais vu ; si bien que, si Amour et ma douce dame enjouée m'ont accordé leur faveur, il ne pouvait pas s'agir d'actions indignes. D'ailleurs dans ce livre je n'ose mettre que des choses telles qu'elles sont et sans addition de mon cru, car j'agirais contre les ordres de ma dame en procédant autrement : dès lors que cela lui plaît, cela m'agrée, et j'obéirai à son désir.

Cependant, quand j'arrivai à mon hôtel, j'eus à soutenir un assaut comme jamais dans mon existence, car Honte vint m'assaillir avec une violence telle que je crus bel et bien qu'elle allait sans faute m'étrangler : jamais je n'avais vu ourse ou sanglier ou bête sauvage, si forcenée fût-elle, venir à moi aussi courroucée. En effet, quand elle s'approcha de moi, par Dieu, tout mon sang se mit à frémir en moi, car à très haute voix elle dit : « Assurément, ami, tu t'es engagé dans une entreprise folle, toi qui veux aimer la dame la plus parfaitement belle que l'on puisse connaître ou rencontrer de ce côté-ci ou de l'autre côté de la mer. Tu as bien des raisons de haïr le jour où pour la première fois tu la vis et t'assis à côté d'elle, car en vérité ni ton ouvrage ni tes actions ni tes titres ne te rendent digne de seulement la déchausser ; et tu pousses l'audace jusqu'à lui dire que tu l'aimes,

Et aussi ta dame la claimes!
Par ma foi, c'est grant ribaudie,
Grant outrage et foursenerie
2108 De si faite chose entreprendre.
Qui t'eüst tantost mené pendre,
Il n'eüst perdu que la corde;
Qu'a ce toute raison s'acorde
2112 Que bien t'en deüsses garder,
Quant dignes n'iés dou regarder
Ne de penser qu'elle t'ama[s]t,
Comment qu'elle ami te clamast.
2116 Et comment ne te souvient il
Qu'elle dou tresmortel peril
Ou tu estoies te getta
Par les lettres qu'elle ditta,
2120 Et qu'elle t'a resuscité
Deulz fois par grant humilité,
Et te jetta hors d'orphanté,
Et t'a rendu joie et santé
2124 Et ton amoureus sentement
Qu'avoies perdu longuement,
Et si t'a fait cointe et gaillart?
Et tu estoies un paillart
2128 Et iés, quar cuer has nice et rude,
Plain de pechié d'ingratitude,
Et chetif, dolereus et las,
Quant [tu] remercié ne l'as
2132 Des grans honneurs et des biens fais
Qui par elle t'ont esté fais.
Se tu havoies la vaillance
De Hector le fort, et la science
2136 De Salemon, et la largesce
D'Alixandre, et la grant richesce

2107. *AE* forsenerie, *Pm* forcenerie – **2114.** *APmE* amast, *F* amat – **2117.** *Pm* dun – **2119.** *E* dicta – **2121.** *PmE* deux – **2124.** *PmE* amoureux – **2128.** *E* as cuer nice – **2129.** *A* dou, *E* du; *A* peche – **2130.** *PmE* chetis – **2131.** *APmE* Quant tu r., *F* tu *om.* (– 1) – **2133.** *E* Quelle ta par maintes fois faiz – **2135.** *APm* Dhector, *E* De H., *F* Se H.

et par-dessus le marché tu l'appelles ta dame ! En vérité, c'est faire preuve de grande débauche, de grande déraison et de folie que d'entreprendre pareille chose. Si on t'avait aussitôt mené pendre, on n'eût perdu que la corde ; car toutes les personnes raisonnables s'accordent pour dire que tu eusses dû bien t'en préserver, alors que tu n'es pas digne de la regarder ni de penser qu'elle t'aimerait, bien qu'elle te donnât le nom d'ami.

Et comment ne te souvient-il pas qu'elle te tira, par la lettre qu'elle t'écrivit, du très mortel péril où tu étais et qu'elle t'a ressuscité deux fois par des actes de grande humilité et mit fin à ta déréliction, et t'a rendu la joie et la santé et ta sensibilité amoureuse que tu avais longtemps perdue, et t'a restitué ton élégance et ta vigueur ? Tu n'étais qu'un paillard, et tu l'es encore, puisque tu as un cœur de sot et d'homme grossier, plein du péché d'ingratitude, misérable, malade, à bout de forces, pour ne l'avoir pas remerciée des grandes marques d'honneur et des bienfaits qui t'ont été accordés par elle. Si tu avais la vaillance d'Hector le fort, la science de Salomon, la largesse d'Alexandre, l'énorme richesse

De Noiron, et la grant biauté
D'Absalon, et la loiauté
2140 Du roy David qui fu loiaus,
Et la proesce dë Ayaus,
Et jonesce a ta volenté, [152 a]
Et de toute grace plenté,
2144 Ne porroies tu desservir,
Toute ta vie par servir,
Tant que tu peüsses souffire
A tel dame amer, a voir dire.
2148 Et en riens n'as recongneü
Les biens dont elle t'a peü :
Cuides tu qu'il ne l'en souvaingne
Et que pour coquart ne te taingne ?
2152 Certes si fait, et ne t'en doubte,
Que honneur et vaillance scet toute. »
Et quant je fui bien heraudés,
Si com joué eüsse aus dés
2156 M'onneur et toute ma chevance,
Et je eus bien oÿ ceste dance,
Qui au cuer pas ne me plaisoit,
Mais durement me desplaisoit,
2160 Envers li me volz escuser ;
Mais elle n'en fist que ruser,
N'onques oÿr ne me daingna,
Et plus de cent fois se saingna
2164 De la honte et dou grant meffait
Que j'avoie a ma dame fait.
Aprés Honte, Espoirs m'appella *Esperence*
Et dist : « Doulz amis, es tu la ?
2168 As tu esté bien laidengiés
Et de joie bien estrangiés
Pour la plus belle du paÿs,
Et pour ce qu'iés trop esbahis
2172 Toutes les fois que tu la vois

2142. *Pm* jeunesse – **2143.** *A* a plente – **2147.** *E* par u. d. – **2150.** *E* li en souuieigne (+ 1) – **2151.** *APm* cornart ; *PmE* tieigne – **2154.** *PmE* fu – **2157.** *E* oy toute c. (+ 2) – **2160.** *APmE* excuser – **2162.** *A* madeingna – **2169.** *Pm* estraingies

de Néron, la grande beauté d'Absalon, et la probité du roi David le loyal, la prouesse d'Ajax, la jeunesse à ton gré et abondance de toute grâce, tu ne pourrais pas, dusses-tu la servir ta vie durant, accumuler assez de mérite pour pouvoir légitimement prétendre à l'amour d'une telle dame, je ne te dis que vérité ! Et que tu n'as pas témoigné la moindre reconnaissance pour les bienfaits dont elle t'a repu, crois-tu qu'il ne lui en souvienne et qu'elle ne te tienne pour un sot vaniteux ? Assurément si, n'en doute pas, car en fait d'honneur et de mérite, elle n'ignore rien. »

Quand je fus bien honni comme si j'avais joué aux dés mes biens et toute ma fortune, et que j'eus bien entendu cette ritournelle, qui ne plaisait pas à mon cœur, mais bien au contraire lui causait un vif déplaisir, je voulus me justifier contre elle ; mais elle se borna à me repousser et pas un instant ne daigna m'écouter ; et plus de cent fois elle se signa pour l'humiliation infligée à ma dame et la grande faute que j'avais commise envers elle.

Après Honte, ce fut Espoir qui m'interpella et dit : « Doux ami, es-tu là ? As-tu été bien injurié et banni loin de toute joie à cause de la plus belle de la contrée, et parce que tu restes tout à fait interdit chaque fois que tu viens en sa présence

(Quar tu n'as maniere ne vois
Dont tu puisses a li parler);
Doulz amis, laisse tout aler
2176 Si fais parlers et ne t'en chaille.
Conforte toi vaille que vaille:
Ta dame est sage et parcevant,
Et si t'a bien dit cy devant
2180 Que tu dois estre tous seürs
Qu'elle t'aime, et c'est tes eürs
Qu'elle pour rien ne le diroit
S'il n'estoit et n'en mentiroit.
2184 Si que, doulz amis, ne t'esmaie
Se tu as l'amoureuse plaie,
Qu'elle congnoist bien ton martire
Et comment s'amour te martire:
2188 Elle te voit par mi le cuer,
Si ne dois penser a nul fuer
Qu'elle jamais laissier te doie,
Car tu es siens et elle est toie;
2192 Et se li as bien oÿ dire
Qu'elle vuelt estre ton doulz mire [152 b]
Et que jamais ne te laira,
Et certes ja n'en mentira.
2196 Cuides tu, se Dieus te doinst joie,
Que bonne dame se resjoie
Quant elle oit un bon advocas
Qui bien scet proposer son cas
2200 Et qui subti[l]ment li parole
Et bien scet polir sa parole
Et qui par droit li vuelt prouver
Qu'il doit en li merci trouver?
2204 Certes nenil, ains li anuie
Plus tost que ne fait longue pluie,

2176. *Pm* te ch. – **2178.** *APmE* perceuant – **2182.** *Pm* Car pour riens ne le te d., *AE* riens – **2187.** *E ajoute ce vers, d'abord oublié, dans les blancs laissés à la fin des deux vers suivants* – **2192.** *E* Et si – **2195.** *E* Et *om.* (– 1); *Pm* c. riens nen m. – **2200.** *E* bien subtivement li p. (+ 2), *A* soutilment, *Pm* soutillement parolle; *F* li *ajouté au-dessus de la ligne*

(et en effet tu n'as ni contenance ni voix pour pouvoir lui parler) ! Doux ami, laisse toujours courir de tels propos et ne t'en soucie pas : réconforte-toi, et que cela vaille ce que cela peut valoir ! Ta dame est sage et perspicace, et elle t'a bien dit, tout à l'heure, d'être tout à fait sûr qu'elle t'aime ; et c'est ta chance que rien ne le lui ferait dire si cela n'était, ni ne la ferait mentir : en sorte que, doux ami, ne te trouble pas si tu sens la blessure d'amour, car elle connaît bien ton martyre et elle sait la manière dont te torture ton amour pour elle. Elle te voit en plein milieu de ton cœur, et c'est pourquoi tu ne dois à aucun prix t'imaginer qu'elle envisage un jour de t'abandonner, car tu es à elle et elle est à toi. Tu lui as entendu dire qu'elle veut être ton doux médecin et que jamais elle ne te délaissera ; et assurément elle ne faillira pas à sa parole.

Par la joie [du paradis] que Dieu veuille donner, crois-tu qu'une honnête dame se réjouisse d'entendre un habile avocat, expert dans l'art d'exposer son affaire, de manier un langage subtil et de bien polir ses phrases, se proposer de lui prouver que c'est pour lui un droit d'obtenir ses faveurs ? Certes non, mais plus vite qu'une longue pluie ce discours l'importune,

*S*e ce n'est une flateresse
Ou une droite ruseresse;
2208 Car quant une dame de pris,
Qui a d'amer le cuer espris,
Voit tellez gens, petit les prise
Et tout leur affaire desprise.
2212 Mais onques si bien ne dittas
Com a briés mos tes maulz dit as,
Car malades fait mauvaise euvre
Qui a son mire ses maulz cuevre,
2216 Et tu li has ton mal ouvert
A un seul mot et descouvert;
Si ne te dois pas esmaier
Qu'elle te doie delaier
2220 Et que briément ne te conforte:
Or soies liés et te deporte!
J'ai grant despit de celle garce:
Pleust or a Dieu qu'elle fust arse!
2224 Elle est chetive, nice et fole,
Et vraiement elle m'afole
Qui les amans ainsi reprent.
De tout ce qu'Amour leur aprent,
2228 Elle ne scet nés c'une beste;
Onques ne fu a bonne feste,
Et, s'elle y est, en un congnet
Se boute adés, des gens longnet.
2232 Elle ha en li trop de dangier,
Et n'endure assés a mengier
Et s'ahonte quant on la voit.
Et encor plus: s'elle savoit
2236 Une tresbonne compaignie
Qui fust de joie acompaignie
Ou qu'Amours, ami*e* ou amis
Se fussent aucun bien promis,

2206. *APmE* Se, *F* Ce – **2213.** *E* briefs – **2220.** *PmE* briefment – **2221.** *APmE* soies – **2223.** *Pm* quel – **2226.** *A* Que, *E* Quant; *A* reprueue, *Pm* repreuue – **2227.** *APmE* amours; *A* apprueue, *Pm* apreuue – **2230.** *APmE* coignet – **2231.** *APm* loingnet, *E* loignet – **2235.** *E* encore (+ 1) – **2238.** *APmE* amie ou, *F* amis ou (s *exponctué, mais n'a pas été corrigé*) – **2239.** *A* aucuns biens

à moins qu'elle ne soit une enjôleuse ou une franche rusée ; car quand une dame de bon renom dont le cœur brûle d'amour voit de telles gens, elle les apprécie peu et méprise tout leur manège.

Toi, au contraire, tu ne t'es jamais si bien exprimé que lorsque en peu de mots tu as parlé de tes souffrances, car un malade agit mal en cachant ses maux à son médecin : en une seule phrase tu lui as fait voir ton mal à découvert ; tu ne dois donc pas te troubler à l'idée qu'elle doive te faire attendre et ne pas à bref délai te réconforter : sois donc heureux et prends ton plaisir !

J'ai grand mépris pour cette garce-là : plût à Dieu qu'elle fût brûlée vive ! Elle est misérable, sotte et folle, et en vérité elle me blesse à mort en blâmant comme elle fait les amants pour tout ce qu'Amour leur enseigne. Elle ne sait même pas ce que sait un animal ; jamais elle ne participa à une fête d'honnêtes gens, ou, si elle y est, elle reste constamment fourrée en un coin obscur, bien loin du monde. Elle est pleine d'une excessive délicatesse, ne supporte pas les repas où l'on mange beaucoup, elle rougit de pudeur quand on la regarde. Il y a plus. Si elle connaissait une très honnête assemblée qui aurait la joie pour compagne et où Amour, amie ou ami se seraient promis quelques bons moments,

2240 Certes elle l'empecheroit
Et le milleur en osteroit
S'elle pooit; qu'elle n'a cure
De chose qui ne soit obscure,
2244 N'elle ne veult pas qu'on la voie
En lit ou en chambre ou en voie: [152 v° a]
A son pooir toudis se muce.
Se desous les glaces de Pruce
2248 Estoit noiee et craventee,
Des amans seroit tost plouree;
Car honteus en jour de sa vie
Ne couars n'ara belle amie,
2252 Et Fortune aïde aus hardis
Et grieve les acouardis.
Si qu'amis doulz, conforte toi
Et ne cure de son chastoi,
2256 Que vraiement c'est grant folie
Qui s'en donne merancolie.
Ta dame te remandera,
Certaine en sui, et si fera
2260 Tant que de li te loeras
Et a s'amour ja n'i faurras:
Escondis tu ja ne seras!
Et aussi tu la serviras
2264 De tresbon cuer toute ta vie
Sens penser mal ne tricherie.
C'est le confort que je t'aporte. »

Mais j'oÿ hurter a la porte
2268 Tout ainsi com elle voloit
Finer ce dont elle parloit,
Et vi que c'iert mes secretaires;
S'en amenda moult mes affaires.
2272 Et quant il me vit, a moy vint,

2240. *A* empeecheroit (+ 1) – **2247.** *E* De – **2248.** *A* noie, *Pm* noye – **2254.** *E* confortes – **2255.** *E* naies c. (+ 1) – **2261.** *APm* ne f., *E* ny fauldras – **2262.** *APm* ja tu; *E* ny s. – **2268.** *E* aussi comme – **2270.** *E* Je vy que c'yert mon secretaire – **2271.** *E* mon affaire – **2272.** *F* il me vint: n *exponctué*

pour sûr, elle y mettrait obstacle et en ôterait la meilleure part, si elle pouvait; car elle ne s'intéresse qu'à ce qui peut se passer dans l'ombre, et ne veut pas qu'on la voie sur son lit, dans la chambre [des dames], ou sur les routes; autant qu'elle peut, elle se dissimule toujours. Si elle était anéantie noyée sous les eaux glacées de Prusse, les amants auraient vite fini de la pleurer; car ni le honteux ni le couard jamais n'auront belle amie, [s'il est vrai que] Fortune secourt les hardis et accable les lâches.

C'est pourquoi, doux ami, réconforte-toi et n'aie cure de la semonce de Honte, car, en vérité, c'est grande folie que de s'en rendre mélancolique.

Ta dame t'invitera encore à venir, j'en suis certaine, et elle agira en sorte que tu te loueras d'elle et ne manqueras pas de posséder son amour: et jamais tu ne seras éconduit! Et de ton côté tu la serviras de tout ton cœur ta vie durant, sans mauvaises pensées ni double jeu. Tel est le réconfort que je t'apporte».

Mais voici que, tandis qu'elle s'apprêtait à terminer son discours, j'entendis heurter à la porte et je vis que c'était mon secrétaire. Ma situation s'en trouva grandement améliorée. Dès qu'il me vit, il vint vers moi,

Car de moi moult bien li souvint,
Et dist: « Je vous dirai nouvelles
Qui vous seront bonnes et belles:
2276 Vo dame de par moi vous mande
Et m'a dit que je vous attande
Et que tout droit a li vous maine,
Quar il ha bien une semaine,
2280 Voire .I. mois qu'elle ne vous vid,
Ce li semble, et se le m'a dit.
Levés vous et venés a li ! »
Mais en l'eure os le vis palli,
2284 Car il me vint une freour,
Qui estoit fille de Paour,
Et de penser[s] plus de .X. paires,
A mon fait amoureus contraires.
2288 Toutevoie je me levai
Et mon vis et mes mains lavai,
Car j'estoie tous estourdis,
Tous pesans et tous alourdis.
2292 Si qu'ensemble nous en alames
Et de pluiseurs choses parlames,
Tant que je vins ou elle estoit.
Mais la tresbelle pas n'estoit,
2296 Ains se seoit toute seulette
Fors sans plus d'une pucelette [152 v° b]
Qui aloit cueillant des florettes,
Marguerites et violettes;
2300 Car elle estoit en son vergier,
Ou j'entray sanz faire dangier.
Treshumblement la saluai,
Mais au saluer tout muai;
2304 Lors elle me prinst par la main
Et dist: « Amis, par saint Germain,
Grief m'estoit que je vous veÿsse

2274. *Pm* dit – **2280.** *APmE* uit – **2281.** *Pm* et sy – **2286.** *APmE* pensers, *F* penser – **2287.** *E* amours (– 1) – **2288.** *Pm* Touteuoyes, *E* Toutesuoies – **2289.** *E* Et mes mains et mon uis lauay – **2291.** *Pm* pensans; *E* elourdiz – **2292.** *PmE* alasmes – **2293.** *A* pluseurs, *Pm* plusieurx, *E* plusieurs – **2297.** *E* sanz plus une

car il ne m'avait pas oublié, et il me dit : « Je vais vous annoncer des nouvelles qui vous seront bien agréables : votre dame vous fait dire par moi de venir la voir et elle m'a demandé de vous attendre et de vous mener tout droit auprès d'elle ; car il y a bien une semaine, voire un mois, lui semble-t-il, qu'elle ne vous a vu, a-t-elle ajouté. Levez-vous, et venez chez elle ! »

Mais dans l'instant j'eus le visage tout pâle, car il m'était venu un énervement, qui était fille de Peur, et plus de dix paires de pensées inquiètes, préjudiciables à ma démarche amoureuse. Néanmoins je me levai et me lavai la figure et les mains, car j'avais l'esprit tout égaré, la marche toute pénible, le corps tout alourdi. Nous finîmes par nous en aller ensemble, devisant de choses et d'autres jusqu'à mon arrivée à la résidence de la très belle. Cependant elle ne se tenait pas dans sa chambre, mais était assise gentiment toute seule, sans autre compagnie qu'une toute jeune fille qui était à cueillir de petites fleurs, marguerites et violettes ; elle se trouvait en effet en son verger, j'entrai sans rencontrer d'obstacle. Très humblement je la saluai ; mais tandis que je la saluai, je changeai totalement de couleur. Elle me prit alors par la main et dit : « Ami, par saint Germain, j'étais péniblement impatiente de vous voir

Et que aucune chose apreÿsse
2308 De vos choses et de vos fais
Qui sont a ma loenge fais. »
Et je forment la resgardoie,
Mais nulle chose ne disoie.
2312 Lors prist doucement a chanter
Et dist ainsi en son chanter :
« Amis amés de cuer d'amie,
Amés comme loyaulz amis ! »
2316 Je li respondi sans demeure
Ce rondel que je fis en l'eure :

Rondel

Douce dame, quant je vous voi, *L'amant*
Mes cuers ne scet que devenir,

2320 Ne je ne sai que faire doi,
Douce dame, quant je vous voi.

[C]ar honte et paour sont en moi,
Qui me font trembler et fremir :

2324 Douce dame, quant je vous voi,
Mes cuers ne scet que devenir.

[E]t la belle me respondi
Tantost, que plus n'i atendi :

Rondel

2328 Tresdoulz amis, quant je vous voi, *La dame*
Tout faites mon cuer resjoÿr ;

Nulle doleur(s) ne maint en moy,
Tresdoulz amis, quant je vous voi.

2307. *A* aprennisse – **2321.** *E* je ne uoy – **2322.** *F Le* C *de* Car *est absent* – **2326.** *F le E de* Et *est absent* – **2330.** *A* doleur, *Pm* douleur

et d'apprendre l'une ou l'autre de vos poésies et de vos œuvres notées composées à ma louange. » Et moi je la regardais très fort, mais sans dire un seul mot. Alors elle se mit à chanter doucement, et les paroles de ce qu'elle chantait étaient telles : « Ami aimé d'un cœur d'amie, aimé comme un loyal ami ! »

Je lui donnai sans tarder la réplique par ce rondeau que je fis dans l'instant :

Rondeau [de l'amant]

Douce dame, quand je vous vois,
Mon cœur ne sait que devenir

Ni je ne sais ce que dois faire,
Douce dame, quand je vous vois.

Car Honte et Peur sont entrées en moi,
Qui me font trembler et frémir.

Douce dame, quand je vous vois,
Mon cœur ne sait que devenir.

Et la belle me répondit aussitôt, sans que j'eusse davantage à attendre :

Rondeau [de la dame]

Très doux ami, quand je vous vois
Vous mettez tout mon cœur en joie :

Nulle douleur ne reste en moi,
Très doux ami, quand je vous vois.

2332 Në il n'est tristesce n'anoi
[N]e meschief qui me puist venir:

Tresdoulz amis, quant je vous voi,
Tout faites mon cuer resjoïr.

2336 Lors me pria que je preÿsse *L'amant*
Matere en mi, dont je feÿsse
Chose de bonne ramembrance;
Si fis ainsi en sa presance:

Balade

2340 Le bien de vous qui en biauté florist, *L'amant*
Dame, me fait amer de fine amour.
Vostre biauté, qui tousdis embelist, [153 a]
De doulz espoir me donne la savour,
2344 Vostre douçour adoucist ma dolour,
Vo(stre) maniere m'ensengne et me chastoie,
Et vos regars maintient mon cuer en joie.

Vos doulz parlers me soubstient et nourist
2348 En flun de joie et de toute douçour,
Vostre sage maintien si m'enrichist
Qu'i[l] me contraint a haÿr deshonnour,
Vos gentilz cuers me fait plus de tenrour
2352 Qu'en .C. mil ans desservir ne porroie,
Et vos regars maintient mon cuer en joie.

Ainsi vos biens a cent doubles merist
Sans desserte mon amoureus labour
2356 Et sans rouver; qu'en moi n'a fait ne dit,
Grace, povoir, sens, bonté ne valour
Pour recevoir de ces biens le menour;
Mais vos doulz ris maint m'en donne et envoie,
2360 Et vos regars maintient mon cuer en joie.

2332. *F* Le N *de* Ne *est absent* – **2337.** *E* matiere – **2340.** *APm* bonté f. – **2345.** *Pm* Vo m., *E* Vos m. – **2346.** *E* Vo; *Pm* me tient – **2350.** *AFPmE* Qui – **2352.** *Pm* mille – **2356.** *Pm* quamoy – **2358.** *APmE* ces b., *F* ses

Il n'est nulle tristesse ni nul chagrin
Ni nul malheur qui me puisse advenir :

Très doux ami, quand je vous vois,
Vous mettez tout mon cœur en joie.

Alors elle me pria de me prendre moi-même pour matière, et d'en composer un poème bon à se mettre en mémoire. Et j'écrivis ceci en sa présence :

Ballade [de l'amant]

1. Vos qualités qui s'épanouissent en fleurs de beauté,
Dame, me font aimer d'un pur amour.
Votre beauté, qui d'embellir ne cesse,
Me donne de savourer un doux espoir,
Votre douceur adoucit ma douleur,
Votre façon d'être me guide et m'instruit,
Et votre regard maintient mon cœur en joie.

2. Votre doux langage est mon soutien et ma nourriture
Tel un fleuve de joie et de toute douceur ;
Votre sage conduite m'est une si puissante leçon
Qu'elle me contraint à haïr le déshonneur ;
Votre noble cœur me dispense plus de tendresse
Qu'en cent mille ans je ne pourrais payer de retour,
Et votre regard maintient mon cœur en joie.

3. Ainsi vos qualités méritent au centuple
La peine que se donne mon amour sans être [récompensé
Et sans qu'il le demande ; car en moi il n'est ni [action ni parole,
Don, aptitude, intelligence, bien ni valeur
Dignes de recevoir la moindre de ces faveurs ;
Mais, ô surprise ! votre doux sourire m'en donne et [m'en envoie !
Et votre regard maintient mon cœur en joie.

Quant j'eus ma balade finee, *L'amant*
Ma douce dame desiree
Dist: « C'est bien fait, se Dieus me gart. »
2364 Adonc par son tresdoulz regart
Me commanda qu'elle l'eüst
Par quoi sa bouche la leüst,
Car, en cas qu'elle la liroit,
2368 Assez mieulz l'en entenderoit.
Et je le fis moult volentiers
Et de cuer; mais endeme[n]tiers
Que mes escrivains [l'escrisoit],
2372 [Ma douce dame] la lisoit,
Si qu'elle en sot une partie
Ains que de la fust departie.
La nous seÿsmes coste a coste;
2376 Mais j'avoie un trop cruel hoste
En Desir, qui ne se partoit
De mon cuer, ainçois le partoit;
Car je vëoie vis a vis
2380 Son gentil corps fait a devis,
Son doulz oeil, sa riant bouchette
Plus que cerise vermillette,
Si me sembloit qu'elle deïst:
2384 « Baisiés moy! » Dieus! qui ce feïst,
Il n'est paradis qui le vaille!
S'avoie en moi une bataille
D'ardant Desir et de Pensee
2388 Qui fu de Paour engendree
Et fu fille de Couardie;
La Honte ne s'oublia mie,
Ains y vint malgré Bon Espoir

2367. *E* ou cas – **2370.** *APm* endementiers, *E* entrementiers, *F* endemetiers (*la barre sur le 3*[e] *e a été omise*) – **2371.** *APmE* lescrisoit, *F saute une ligne en remplaçant* l'escrisoit *par* la lisoit *du vers suivant* – **2372.** *APmE* Ma douce dame la lisoit, *F* Ma douce dame *om.* – **2376.** *A* crueus – **2378.** *E* aincois se departoit (+ 1) – **2388.** *E* fu *om.* (– 1)

L'amant

Quand j'eus terminé ma ballade, ma douce dame objet de mon désir dit : « Cela, Dieu me protège, est bien fait ! » Alors de son très doux regard elle me demanda de la lui donner pour qu'elle la lût à mi-voix, car en la lisant ainsi elle s'en imprègnerait bien mieux. Je lui accordai sa demande très volontiers et de tout cœur ; mais, impatiente, elle la lisait à mesure que mon secrétaire la transcrivait, si bien que ma douce dame en sut par cœur une partie avant de quitter le lieu. Nous nous étions assis là côte à côte, avec cette différence que j'avais en Désir un hôte cruel, qui ne quittait pas mon cœur et le partageait en deux. En effet, je voyais, quand je la regardais de face, son noble corps fait à la perfection, ses doux yeux, sa riante petite bouche, plus gentiment vermeille qu'une cerise, et j'avais l'impression qu'elle disait : « Baisez-moi ! » Dieu ! Pour celui qui ferait cela, il n'est paradis qui pût rivaliser avec un tel plaisir. Mais j'avais en moi une bataille entre ardent Désir et Inquiétude, engendrée par Effroi et fille de Lâcheté ; Honte ne fut pas paresseuse et y vint contre le gré de Bonne Espérance,

2392 Qui s'estoit oubliés, espoir;
Si sentoie en moi une ardure
Entremellee de froidure [153 b]
Et pleinne de tele matiere
2396 Qu'elle art sans fu et sans fumiere.

Il avoit la un cerisier,
C'on doit moult loer et prisier,
Qu'il estoit rons comme une pomme,
2400 Et si avoit moult belle come,
Et estoit de si bel afaire
Com Nature le savoit faire.
Si que d'illueques nous levames
2404 Et dessoubz ombroier alasmes
Et sur l'erbe vert nous seÿmes.
La maintes paroles deÿmes
Que je ne veuil pas raconter,
2408 Quar trop long seroit a compter;
Mais sur mon giron s'enclina
La belle qui douceur fine a;
Et, quant elle y fu enclinee,
2412 Ma joie fu renouvelee:
Si ne sai pas s'elle y dormi,
Mais un po sommilla sur mi.
Mes secretaires qui fu la
2416 Se mist en estant et ala
Cueillir une verde fueillette
Et la mist dessus sa bouchette
Et me dist: « Baisiés ceste fueille! »
2420 Adonc Amour, veuille ou ne veuille,
Me fist en riant abaissier
Pour ceste fueillette baisier;
Mais je n'i osoie touchier,
2424 Comment que l'eüsse moult chier.

2393. *E* Et – **2394.** *E* Entremelle d'une f. – **2396.** *APmE* feu – **2397.** *Pm* cherisier – **2398.** *E* Com doit loer et moult p. – **2399.** *A* un p. (– 1) – **2403.** *APmE* leuasmes – **2404.** *A* alames – **2405.** *APmE* seismes – **2406.** *APmE* deismes – **2408.** *APmE* conter – **2410.** *E* fine doulceur (+ 1) – **2412.** *E* en fu – **2413.** *A* Sy, *E* Si, *F* Se – **2414.** *PmE* sommeilla – **2417.** *E* uerte – **2424.** *Pm* Combien

qui avait fait preuve d'indolence, peut-être; et ainsi je sentais en moi je ne sais quelle chaleur entremêlée de froidure, et bourrée d'une matière telle qu'elle brûle sans feu et sans fumée.

Il y avait là un cerisier digne des plus élogieuses appréciations, car il avait une couronne ronde comme une pomme, son feuillage était fort beau, sa forme était un chef-d'œuvre, comme Nature savait en faire.

Tant et si bien que nous nous levâmes de dessus notre siège et allâmes nous mettre à l'ombre sous l'arbre, nous asseyant sur l'herbe verte. Là nous échangeâmes maints propos que je ne veux pas rapporter : ce serait trop long à faire ; mais écoutez ceci : la belle, en sa parfaite douceur, se pencha sur mes genoux, et, quand elle s'y fut inclinée, ma joie redoubla. Je ne sais si elle dormit réellement, ce qui est sûr, c'est qu'elle s'était légèrement assoupie sur moi. Mon secrétaire, qui était présent, se leva et alla cueillir une petite feuille verte, qu'il plaça sur la petite bouche de ma dame et me dit : « Baisez cette feuille ! » Alors, Amour me fit baisser de gré ou de force, et en riant, la tête, pour baiser cette petite feuille ; mais je n'osais pas y toucher, quelque plaisir que j'eusse eu à le faire.

Lors Desirs le me commandoit,
Qu'a nulle riens plus ne tendoit,
Et disoit que je me hastaisse
2428 Et que la fueillette baisasse.
Mais cilz tira la fueille a li,
Dont j'eus le viaire pali,
Car un petit fu paoureus ;
2432 Par force du mal amoureus
Non pourquant a sa douce bouche
Fis lors une amoureuse touche,
Quar je y touchai un petiot. [153 v° a]
2436 Certes, onques plus fait n'i ot,
Mais un petit me repenti
Pour ce que, quant elle senti
Mon outrage et mon hardement,
2440 Elle me dist moult doucement :
« Amis, moult estes outrageus !
Ne savés vous nulz autres jeus ? »
Mais la belle prist a sourrire
2444 De sa tresbelle bouche au dire,
Et ce me fist ymaginer
Et certainnement esperer
Que ce pas ne li desplaisoit.
2448 Pour ce qu'elle ainsi se taisoit.
Toutevoies je m'avisai
Et t*an*t la chieri et prisai
Que je li dis : « Ma chiere dame,
2452 S'il y a chose ou il ait blame
Ne se je vous ai riens meffait,
Pour Dieu, corrigiés le meffait,
Et de fin cuer le vous amende.
2456 Ma bele, or recevés l'amende,
Car Fine Amour le me fist faire
Par conseil de mon secretaire
Et grans Desirs m'i contraingnoit,

2427. *APm* hastasse, *E* hatasse – **2435.** *APm* Quant, *E* Car ; *Pm* touche (= -é) – **2449.** *AE* Toutesuoies, *Pm* Toutes uoyes – **2450.** *APmE* Et tant, *F* Et tout ; *E* chery – **2454.** *E* uueilliez supplier le m. (+ 2) – **2455.** *E* Et *om.* (– 1) ; *A* commande

Alors Désir se décida à me le commander, car il ne visait à rien davantage, et il me disait de me hâter et de baiser effectivement la petite feuille. Mais, surprise ! mon secrétaire tira à lui la feuille ! J'en eus le visage tout blême, car je fus pris de peur un court instant. Sous la contrainte du mal d'amour il y eut néanmoins alors de ma part avec sa douce bouche un contact amoureux ; et, de fait, je la touchai, un tout petit peu seulement, et je puis vous assurer qu'il n'y eut rien fait de plus. Cependant j'eus un petit moment de repentir du fait que, lorsqu'elle sentit ma témérité et ma hardiesse, elle me dit, il est vrai très doucement : « Ami, vous êtes bien téméraire ! Ne connaissez-vous pas d'autres jeux ? » Mais, tandis qu'elle parlait, la belle se mit à sourire de sa très belle bouche, et cela m'engagea à imaginer et à me faire supposer comme une certitude que mon geste ne lui déplaisait pas, puisqu'elle n'en disait pas davantage. Je fis cependant réflexion en moi-même et la trouvai si aimable et si digne d'estime que je lui dis : « Ma dame bien aimée, s'il y a quoi que ce soit de blâmable et que je vous aie fait quelque chose qui soit mal, pour Dieu, sanctionnez le méfait et d'un cœur sincère je vous en fais réparation. Ma belle, recevez donc mes excuses : c'est Fine-Amour qui m'a fait agir sur le conseil de mon secrétaire et sous la contrainte de Grand-Désir,

2460 Qu'a ce en riens ne se faingnoit,
Quar de fait le me commanda
Ne par autre ne le manda:
Et certes tant le desiroie
2464 Que je astenir ne m'en pooie.»
Si qu'einsi m'escusai sans fable;
Et elle l'ot si agreable
Qu'onques puis nul mot ne m'en dist
2468 En fait, en penser ou en dit
Par quoy en rien je perceüsse
Qu'en sa bonne grace ne fusse.

La demourai .VIII. jours entiers
2472 Que mes chemins et mes sentiers,
Mes pensees et tuit mi tour,
Tuit mi desir, tuit mi retour,
Tout mi pas et tout mi ressort,
2476 Tuit mi delit et tui[t] mi sort,
Et mon ymagination
Et ma consideration,
Mes alees et mon estude,
2480 Comment qu'elle soit nice et rude,
Estoient tuit a li vëoir.
Et j'en faisoie mon pooir,
Si que pluiseurs fois la vëoie
2484 Et aussi souvent y failloie.
Mais elle m'avoit en couvent
Qu'elle me verroit si souvent
Com bonnement elle porroit [153 v° b]
2488 Et non pas quant elle vorroit.
Mais tant com fu la mes sejours,
Je la vëoie tous les jours
En ce vergier cointe et joli
2492 Ou elle estoit et moi o li.

2460. *Pm* a riens; *E* ne me f. – **2462.** *E* ne le me m. (+ 1) – **2464.** *APm* je *om.* (Que = Quë); *E* abstenir – **2465.** *Pm* mexcuse (= -é) – **2467.** *PmE* dit – **2468.** *A* dist – **2469.** *E* ne p. – **2472.** *E* ne mes s.; *A* senties (= -és) – **2476.** *APmE* tuit, *F* tui – **2482.** *PmE* pouoir – **2483.** *A* pluseurs, *PmE* plusieurs

qui n'eut pas la moindre hésitation à m'y pousser, et, de fait, il m'en donna l'ordre sans passer, pour me le faire savoir, par aucun intermédiaire ; et, en vérité, je le désirais tant moi-même que je ne pouvais m'en abstenir. » C'est ainsi que je fis amende honorable en toute vérité, et elle l'agréa si bien que jamais depuis elle ne m'en souffla le moindre mot qui eût pu me faire comprendre d'une manière ou d'une autre – geste, mauvaise humeur, ou allusion – que j'avais perdu sa bonne grâce.

Je demeurai là huit jours pleins, durant lesquels mes chemins et mes sentiers, mes pensées et tous mes allers, tous mes désirs et tous mes retours, tous mes pas et tous mes recours, tous mes délices et tous mes bonheurs, et mon imagination, et ma réflexion, mes démarches et mon application, quelque sotte et grossière qu'elle soit, avaient sans exception pour objet de la voir. Je les exploitais de mon mieux, si bien que d'assez nombreuses fois je la voyais mais tout autant de fois y échouais. Il est vrai qu'elle était convenue avec moi qu'elle me verrait aussi souvent non pas qu'elle voudrait, mais qu'honnêtement elle pourrait. Cela étant précisé, tant que je séjournais là, je la voyais tous les jours, en ce verger bien soigné et agréable où elle se tenait et moi avec elle.

Si que la plaisance amoureuse
M'estoit tousdis plus gracieuse;
Car je venoie au matinet
2496 En un doulz plaisant jardinet
Et la l'atendoie en lisant
Mon livre et mes heures disant;
Et quant vers moy estoit venue
2500 Elle paioit sa bienvenue
De rondel ou de chansonnette,
Ou d'autre chose nouvellette;
Car si tresdoucement chantoit
2504 Que ses doulz chanter[s] m'enchantoit.
Et quant son doulz chanter m'enchante,
Je n'en puis mais se pour li chante,
Et pour ce fis ceste chanson
2508 Lyement, sans faire tanson,
Qu'est cy aprés; si feray chant
Pour la tresbelle pour qui chant.
Un jour delez li me seoie
2512 Et moult parfondement musoie,
Et la tresbelle s'en persut.
Oiez comme elle me dessut:
Arrier se traist tout belement
2516 Et s'en ala isnellement
Faire un moult joli chappellet
Qui me sembla trop doucellet,
Car il estoit de noix muguettes
2520 De roses et de violettes;
Et quant elle l'ot trait a chief,
Mettre le vint dessus mon chief;
Et si me fist une ceinture,
2524 La plus belle qu'onques Nature
Feïst puis qu'elle fu(st) creee
Ne depuis qu'Eve fu fourmee:
Ce fu de *s*es deulz bracelés

2494. *Pm* Estoit – **2503.** *E* Et si – **2504.** *APmE* chanters, *F* chanter – **2510.** *E* que le ch. – **2514.** *APmE* decut – **2515.** *APm* trait – **2523.** *Pm* cheinture – **2524.** *E* creature (+ 1) – **2525.** *APm* fu c. – **2527.** *APmE* ses .II. b., *F* ces

Si bien que le plaisir d'amour m'était dispensé tous les jours plus généreusement : je venais au petit matin en un petit jardin doux et plaisant, et je l'attendais là en lisant le recueil de mes œuvres et disant mes heures ; et quand elle était venue près de moi, elle m'offrait en guise de bienvenue un rondeau ou une petite chanson, ou quelque autre petite pièce toute nouvelle ; car elle chantait si doucement que la douceur de son chant faisait mes délices ; or lorsque son doux chant m'enchante, je ne puis m'empêcher de chanter pour elle ; et c'est pourquoi je fis dans la joie et sans me faire prier le poème qui se trouve ci-après, et je composerai la mélodie pour la Très-Belle à qui est destiné mon chant.

Un jour j'étais assis près d'elle profondément absorbé dans mes rêveries, et la Très-Belle s'en aperçut. Écoutez quel tour elle me joua. Elle se retira à pas de velours derrière moi, et en toute hâte elle fit une bien plaisante petite couronne de fleurs, qui se révéla très agréablement odorante car elle était faite de fleurs de noix muscades, de roses et de violettes ; quand elle eut achevé de l'arranger, elle vint la poser sur ma tête. Après quoi elle me fit une ceinture, la plus belle que Nature ait jamais faite depuis qu'elle a été créée et qu'Ève fut formée : c'était de ses deux jolis bras

2528 Lons et traitis, plus blans que lés,
Et par mi mon col les posa ;
Et un petit se reposa
Et me dist : « Mes amis tresdoulz,
2532 Dites moi, a quoi pensez vous ? »
Je respondi : « Ma douce amour,
J'ai fait pour vous une clamour,
Laquele(s) volentiers arés,
2536 Et, s'il vous plaist, vous l*a* sarés. »
Lors dou ditter moult me pria,
Et je li dis. Ainsi y a :

Balade [154 a]

Le plus grant bien qui me viengne d'amer *L'amant*
2540 Et qui plus fait alligier mon martire,
C'est de mes maulz complaindre et dolouser
Et de mon cuer, qui pour les siens souspire.
Autrement ne sai mercy
2544 Rouver a vous, que j'aim trop miex que mi ;
Mais bien poés vëoir a mon samblant
Qu'assez reuve qui se va complaingnant.

Car je n'ai pas hardement de rouver,
2548 Pour ce que po sui dignes, a voir dire,
Dou desservir ; et si doi moult doubter
Et moi garder que ne m'oie escondire,
Car s'il advenoit ainssi,
2552 Vous occirriés vostre loial ami,
Tresdouce dame ; et vous savés bien tant
Qu'assez reuve qui se va complaignant.

Si m'en aten a vous, dame sans per,
2556 Qui tant valés, et savez que souffire
Ne porroit tous li mondes pour loer
Assez vos biens n'a vo biauté descrire ;

2535. *A* La quele, *PmE* Laquelle, *F* Laqueles – **2536.** *APm* la s., *FE* le s. – **2539.** *A* ueingne – **2542.** *E* de *om.* (– 1) ; *Pm* soupire – **2547.** *A* dou r., *PmE* du – **2558.** *PmE* ne uo

longs et minces, plus blancs que lait, dont elle ceignit mon cou tout autour. Elle resta un court moment immobile, puis elle me dit : « Mon très doux ami, dites-moi, à quoi rêvez-vous ? » Je répondis : « Mon doux amour, j'ai fait à votre intention une complainte, que je vous donnerai volontiers, et que, si vous voulez bien, vous apprendrez. » Alors elle me pria instamment de la lui dire, et je la lui récitai. En voici le texte :

Ballade [de l'amant]

1. Le plus grand bienfait que l'amour me procure
Et qui allège le plus mon martyre,
C'est de me complaindre et lamenter de mes [souffrances
Et de mon cœur, qui soupire pour celles qu'il [endure.
Autrement je ne sais vous demander
Une faveur, à vous que j'aime bien plus que moi ;
Qu'à cela ne tienne, vous pouvez voir à mon visage
Que c'est assez demander que de se complaindre.

2. En effet, je n'ai pas la hardiesse de la solliciter,
Parce que je suis trop peu digne, à dire vrai,
De la mériter ; aussi dois-je redouter grandement
Et rester sur mes gardes pour ne pas m'entendre [éconduire,
Car si cela se produisait,
Vous tueriez votre loyal ami,
Dame très douce ; vous savez bien cela :
C'est bien assez demander que de se complaindre.

3. Si bien que je m'en rapporte à vous, dame [incomparable,
Qui avez tant de prix, et savez que toute la terre
Ne pourrait suffire pour louer
Assez vos mérites ni pour décrire votre beauté ;

Et se vos cuers n'a oÿ
2560 Moi complaindre des maulz dont je langui,
Veuille me oÿr, riens plus ne vous demant,
Qu'assez reuve qui se va complaingnant.

Voirs est que je me complaingnoie *L'amant*
2564 Devant li souvent et plaingnoie,
Dont doucement me reprenoit
Toutes les fois qu'il m'avenoit,
Et disoit: « Vous vous estes plains,
2568 Doulz amis: dont viennent cilz plains?
Par ma foi, je vous gariroie
Tout maintenant, se *l*e savoie.
Vous ne me devez riens celer
2572 Et je vous doi tout reveler,
Ainsois vous veul tout descouvrir,
Quar je ne vous veuil riens couvrir.
Et quant je vous voi a mal aise,
2576 Amis, je ne porroie estre aise,
Car vostre dolour est la moie.
Certes tous li cuers me larmoie
Quant je vous voi si fort complaindre:
2580 Amis, ne vous veuillez plus plaindre
Et me dites vo maladie,
Et, se je puis, elle iert garie.
Vous m'appellés vostre maistresse
2584 Et vo souverainne deesse,
Et rien ne me volés rouver!
Veuilliez savoir par esprouver
L'amour qui en mon cuer demeure,
2588 Et vous verrés et sans demeure [154 b]
Que dessus toute creature
Vous aim d'amour leal et pure. »
Quant je l'oÿ si plainement
2592 Parler et si ouvertement,
Sa douceur fist mon cuer si tendre

2561. *Pm* Veuillez, *E* Vueilliez – **2567.** *E* uoirs uous e. – **2570.** *APm* le s., *FE* je s. – **2578.** *A* li *om.* (– 1), *Pm* mes c.

Et si votre cœur n'a pas entendu
Ma complainte sur les maux dont je suis malade,
Qu'il veuille m'écouter disant, je ne vous demande
[pas davantage,
Que c'est assez demander que de se complaindre.

Il est bien vrai que souvent je me plaignais *L'amant* et gémissais devant elle, et elle m'en reprenait doucement chaque fois que cela m'arrivait, et elle disait : « Vous avez gémi, doux ami ; d'où viennent ces gémissements ? je vous le jure, je vous guérirais tout aussitôt, si je le savais. Vous ne devez rien me cacher, comme moi-même je dois tout vous révéler ; et je veux en effet tout vous laisser voir : non, je ne veux rien vous dissimuler. Or, quand je vous vois malheureux, ami, je ne pourrais être heureuse, car votre douleur est aussi la mienne. En vérité, tout mon cœur fond en larmes quand je vous vois si fort vous plaindre : ami, ne veuillez gémir davantage, et dites-moi votre maladie, et, si je puis, elle sera guérie. Vous m'appelez votre reine et votre souveraine déesse, et vous ne voulez rien me demander ! Veuillez connaître, en le mettant à l'épreuve, l'amour qui habite en mon cœur ; et vous verrez, et sans tarder, que je vous aime par-dessus toute créature d'amour loyal et exclusif. » Quand je l'entendis parler si clairement et si franchement, sa douceur attendrit à ce point mon cœur

Que ne me pos onques deffendre
Qu'il ne me faillist larmoier
2596 Et l'iaue du cuer avoier
A l'ueil, dont je la regardoie
Piteusement. Mais toute voie
Je fui ainsi une grant piece;
2600 Si respondi a chief de piece
Et jattai un moult grant souspir:
« Douce dame, se je souspir,
Vous n'en devés avoir merveille,
2604 Quar vraiement je m'esmerveille
Comment amans est si hardis
Qu'il ause par fais ou par dis
A sa dame riens demander,
2608 Voire s'il le puet amender;
Car demander est villonnie
Et loenge est courtoisie.
Ne je ne suis mie tailliez
2612 Que vous me donnés ne bailliés
Le mendre des biens amoureus;
S'ai plus chier estre dolereus
Et mon temps estre sans joÿr
2616 Que rouver et refus oïr:
Ce n'est pas bon de trop enquerre
Ne de grant paix li mettre en guerre.
Pour ce me tais et me tairai
2620 Et Franchise ouvrer en lairai
Et Bonne Amour, qui scet comment
Mes cuers est tous en so[n] comment;
Car li bien(s) d'amours sont parti
2624 Non pas par moi, non pas par ti,
Ains sont departi par Franchise,
Ainsi comme Amour le devise.

2595. *PmE* lermoyer – **2596.** *Pm* leaue – **2599.** *PmE* fu – **2601.** *APm* gettay, *E* jectay – **2604.** *APmE* me merueille – **2606.** *APmE* ose; *APm* et p. – **2609.** *Pm* uillennie, *E* uillenie – **2614.** *Pm* Saim (= S'aim) – **2616.** *F* refuser (-er *exponctué*) – **2617.** *E* de *om.* (– 1) – **2622.** *APm* son c., *FE* uo c. – **2623.** *APmE* bien – **2624.** *APm* pour m.; pour t.

que je ne pus m'empêcher de pleurer en laissant l'eau monter du cœur jusqu'aux yeux. En suite de quoi je la regardais pitoyablement, et je restai dans cette attitude un grand moment, au bout duquel je répondis en poussant un très long soupir : « Douce dame, si je soupire, vous ne devez pas en être surprise, car, en vérité, je suis étonné comment un amant pousse la hardiesse jusqu'à oser requérir quelque chose à sa dame par gestes ou par paroles, en particulier s'il peut atteindre son but de meilleure façon, car demander est action de vilain alors que la manière courtoise consiste à louer. D'autre part, je ne suis pas apte à bénéficier de votre part de la moindre des faveurs de l'amour ; aussi aimé-je mieux souffrir et ma vie durant rester sans joie que de formuler une demande et d'entendre ensuite un refus. Il n'est pas sage de beaucoup demander ni, quand on vit en grande paix, de susciter la guerre ; c'est pourquoi je me tais et me tairai, et laisserai œuvrer en l'affaire Générosité et Bonne Amour, laquelle sait à quel point mon cœur est tout entier sous ses ordres ; car les faveurs d'amour sont partagées non par moi, non par toi mais sont réparties par Générosité selon ce qu'Amour en décide.

Et vraiement plus chier aroie
2628 Un bien, se dignes en estoie,
Qui me fust donnés franchement,
De cuer et amoureusement,
Que toute joie ne feroie
2632 D'amour se je la demandoie.
Et vous estes subtil et saige,
Si veés bien a mon visage
Mon fait, mon estat et ma guise,
2636 Et qu'en moi n'a point de faintise :
Si n'est mestier que je vous die
Mon meschief ne ma maladie,
Car moult bien par cuer le savez
2640 Et aussi par escript l'avez. [154 v° a]
Et se vous m'amés tenrement
Si com vous dites, vraiement
Vos fais aus dis seront o*n*nis
2644 (Ou autrement je sui honnis),
Ne ne lairés pas de legier
Que ne me doiés allegier.
Et se je a vous merci rouvoie,
2648 Il puet estre que je y faudroie,
Et certes je seroie mors ;
S'aim mieulz endurer les remors
Dont couvertement tous m'essil,
2652 Que moi mettre en si grant essil,
Quar quant grace et pité vaudront
Et vo douceur, mi mal faurront.
Si me vault miex ainsi atendre
2656 Que rompre mon arson au tendre.
Vous me dites que vous m'amés
Et vo doulz ami me clamés :
C'est le mieulz qui de vous me vaingne,
2660 Et c'est la guise d'Alemaigne
Qu'on garist la gent par paroles,

2630. *Pm* De bon cuer am. – **2633.** *Pm* subtille – **2636.** *E* franchise – **2641.** *APm* tendrement – **2643.** *APm* onnis, *F* omnis – **2648.** *A* faurroie – **2653.** *A* uuront, *Pm* uourront, *E* uauldront – **2654.** *E* fauldront – **2656.** *AE* arcon, *Pm* archon – **2661.** *PmE* garit ; *E* les gens

Et en vérité j'apprécierais davantage une faveur – pour peu que j'en sois digne – qui me serait donnée par générosité, du fond du cœur, et par amour, que je ne le ferais de toute joie d'amour que je solliciterais. Or vous avez le regard pénétrant et l'esprit plein de jugement, et vous voyez bien, d'après mon visage, quelle est ma façon d'agir, l'état de mon cœur, ma manière d'être, et qu'en moi il n'y a nulle duplicité ; si bien qu'il n'y a nul besoin que je vous dise mon malheur ni ma maladie. En effet, vous le savez fort bien par le témoignage de votre cœur, et vous l'avez aussi dans un texte que j'ai écrit ; et si vous m'aimez avec tendresse, selon ce que vous dites, vraiment vos actes se joindront à vos paroles (ou, autrement, je suis honteusement moqué) et vous ne négligerez pas d'un cœur léger le devoir de me soulager. Si je vous demandais une faveur, il se pourrait au contraire que j'échoue, et, pour sûr, j'en serais gravement atteint. C'est pourquoi j'aime mieux supporter les tourments qui dans le silence me torturent plutôt que de m'exposer à un tel danger de mort, car, quand votre bonne grâce, votre pitié et votre douceur prévaudront, mes maux cesseront. Si bien qu'il me vaut mieux patienter de cette manière que de rompre mon petit arc à force de le tendre.

Vous me dites que vous m'aimez et vous m'appelez votre doux ami : c'est le meilleur don qui me vienne de vous, et c'est un dicton d'Allemagne que l'on guérit les gens par la parole :

On l'aprent par tout es escoles.
Et je reçoi en pacience
2664 Quanqu'il vient de vo conscience.
Il ha en vo riche tresor
C. mille biens et plus encor
Qui ne porroient estre mendre
2668 Pour chose que on en sceüst prendre,
Ne tant donner en sceüssiés
Qu'adés plus riche ne fuissiés.
C'est la planté de tout le monde,
2672 C'est la manne et la mer parfonde
Ou on ne treuve fons ne rive;
Cilz est bien folz qui en estrive,
Qu'on ne la puet amenuisier
2676 Ne pour oster ne pour puisier:
Qui plus en prent plus en y vient.
Ainsi de vo tresor avient
Qu'il accroist toudis en richesse
2680 Quant on en fait plus grant largesse.
Et se vous en estes avere,
Tresbelle, foi que doi saint Pere,
Bien vous en porrés repentir,
2684 Car je vous di, et sans mentir:
Toutes choses ont leur saison.
Je n'i met nulle autre raison,
Car vous n'estes pas au raprendre,
2688 Si que bien me poez entendre.
Mais une chose trop m'arguë,
Qu'entre gent, partout et en rue,
Quant vous dites: « Venés a mi »,
2692 Vous m'appellez vo doulz ami [154 v° b]
Et volés bien que chascuns sache
Que vous m'amés; dont je me cache,
Quant ensement parler vous voi,
2696 Que de vo voie me desvoi:

2662. *APmE* aux e. – **2670.** *Pm* fussies, *E* fussiez – **2673.** *E* t. ne fons (+ 1) – **2677.** *E* y prent; *Pm* y en uient – **2679.** *Pm* acroit, *E* croist (– 1) – **2682.** *E* que je doy (+ 1) – **2684.** *Pm* Car bien u. d. – **2685.** *Pm* choses *om.* (– 2) – **2686.** *E* Se; *Pm* mes n. – **2695.** *Pm* u. oy

on l'enseigne partout dans les écoles. Pour moi je reçois avec soumission tout ce qui vient de votre for intérieur. Il y a en votre riche trésor cent mille bienfaits – et davantage encore – qui ne sauraient diminuer quoi qu'on pût en prendre, ni vous ne pourriez en donner telle quantité sans que vous en fussiez toujours plus riche. C'est la source d'abondance pour le monde entier, c'est la manne, c'est la mer en abîme où l'on ne trouve ni fond ni rivage : celui-là est bien insensé qui le conteste, car on ne peut la diminuer ni en y prélevant ni en y puisant : plus on en prend, plus il en vient. Ainsi en advient-il de votre trésor : il croît toujours en richesse quand plus largement on le dépense. Mais si vous en êtes avare, Très-Belle, par la foi que je dois à saint Pierre, vous aurez mille raisons de vous en repentir, car je vous le dis sans me tromper : toutes choses ont leur saison. Je n'ajoute rien d'autre à mon discours, car, pas plus que moi, vous n'êtes une apprentie, si bien qu'il vous est facile de me comprendre.

Il y a cependant une chose qui me tourmente beaucoup, à savoir que partout, au milieu des gens, et jusque dans la rue, quand vous dites : "Venez auprès de moi", vous m'interpellez en m'appelant "votre doux ami" : vous voulez donc de propos délibéré que chacun apprenne que vous m'aimez ! moi, dans ces conditions je me cache, quand je vous vois parler de la sorte, et je me détourne de votre chemin :

Uns biens d'amours couvertement
Donnés vault .C. ouvertement.
Je veuil cy finer mon sarmon,
2700 Que trop longuement vous sarmon;
Et s'ai bien prouvé par mon plaint
Qu'assez reuve qui se complaint. »
Ainsi parlames longuement,
2704 Et elle respondi briément:

« Amis, j'oi bien vostre complainte *La dame*
Et vostre dolereuse plainte,
Et que n'avés pas hardement
2708 De requerir couardement
La chose que plus desirés,
Dont parfondement souspirés;
Et que vous sentés la morsure
2712 D'ardant Desir, qui est moult sure,
Qui vo cuer a mors de mors tel
Qu'onques amans n'ot si mortel;
Et que ne soie avere ou chiche
2716 De mon tresor puissant et riche,
Que par donner ne par promettre
Ne puet amenrir ne remettre;
Et de ce que devant la gent
2720 Vous appelle « mon ami gent »;
Par quoi vo conclusion preuve
Que qui se complaint assez reuve.
Si que, amis, je responderai
2724 Et tel response vous ferai:
Que volez vous que je vous die ?
Onques couars n'ot belle amie,
Ne ce n'est pas par mon deffaut,
2728 Amis, qu'en vous joie deffaut.
Que volés vous que je vo face ?

2698. *E* Vault cent donnez – **2699.** *Pm* ce f.; *E* fenir; *APmE* sermon – **2700.** *APmE* sermon – **2701.** *E* bien *om.* (– 1) – **2710.** *E* Moult – **2712.** *E* m. dure – **2717.** *E* Qui – **2726.** *APm* Ja c. nara – **2728.** *Pm vers entier om.*; *E* Quen uous joie et sante deffault

une faveur d'amour donnée en secret en vaut cent données à découvert.

Je veux à présent terminer mon sermon qui se prolonge à l'excès. Aussi bien ma plainte a-t-elle prouvé par des arguments sérieux qu'"assez demande qui se complaint". »

C'est ainsi que nous discutâmes longuement. Elle répliqua brièvement :

La dame

« Ami, j'entends bien le sens de votre complainte et de votre cri de douleur, à savoir que, tel un couard, vous n'avez pas la hardiesse de demander la chose que vous désirez le plus, d'où procèdent vos profonds soupirs ; que vous ressentez la morsure très amère d'ardent Désir, qui a mordu votre cœur d'une morsure comme jamais amant n'en a ressenti une pareille ; que je ne sois ni avare ni chiche de mon trésor richissime, puisque ni par ses dons ni par ses promesses il ne peut ni diminuer ni fondre ; et vous vous plaignez de ce que devant les gens je vous appelle "mon bel ami" ; en vertu de quoi votre conclusion établit la preuve que "qui se complaint demande assez".

Tant et si bien, ami, qu'en guise de réponse je vous répliquerai ceci : Que voulez-vous que je vous dise d'autre que "jamais couard n'eut belle amie" ? Et ce n'est pas ma faute, ami, si vous êtes privé de joie. Que voulez-vous que je fasse ?

Je vous regarde face a face,
Je vous chante, je vous solace,
2732 Ami(s) vous claim en toute place ;
Je vous aim sur tout, c'est la somme,
N'en monde n'a si vaillant homme
Ou je volsisse avoir changié,
2736 Amis, pour vous donner congié !
De mon tresor que tant prisiés
Qui ne porroit estre puisiés,
Amis, je le vous abandoing :
2740 Prenés le tout, je le vous doing ! »

[E]t je li respondi tanto[s]t : *L'amant*
« Qui tout me donne, tout me to*s*t. » [155 a]

« Et de ce qu'ami vous appele *La dame*
2744 Devant la gent, c'est a cautele,
Que je puisse a vous mieulz parler
Et vers vous venir et aler.
C'est le meilleur, bien le savez :
2748 Pour cë en ce cas tort avez.
Amis, se vous en avés honte,
Ou dittes que je vous ahonte,
D'or en avant je m'en tairai
2752 Et l'amer de tous poins lairai !
– Nonpourquant je veul bien c'on voie
Nos amours par rue et par voie,
Car puis qu'il n'i ha que tout bien,
2756 Il me plaist et se le veul bien ! »

2732. *APmE* Amy, *F* Amis – **2733.** *E vers entier om., remplacé par un autre vers placé après le v. 2734* : Et fust lemperiere de romme – **2734.** *E* Nau – **2735.** *Pm* Pour qui u. – **2741.** *APmE* Et, *F* E *om.* ; *APmE* tantost – **2742.** *A* tost, *F* tolt – **2748.** *APm* en cas t. en a. – **2749.** *E* Amis en ce uous en auez h. (+ 1) – **2751.** *APm* tenray, *E* trairay – **2756.** *Pm* se *om.* (– 1), *E* si

Je vous regarde face à face ; je chante pour vous, je vous distrais ; je vous appelle ami en tout lieu ; je vous aime au-dessus de tout pour résumer et il n'y a au monde aucun homme d'une valeur telle que je voulusse l'échanger contre vous, ami, de manière à vous donner votre congé ! Quant à mon trésor, que vous estimez si haut en disant qu'il ne saurait être épuisé, ami, je vous l'abandonne, prenez-le tout entier, je vous en fais don ! »

L'amant

Je lui répliquai sur-le-champ : « Qui me donne tout, m'enlève tout. »

La dame

« Quant à ce que je vous appelle ami devant les gens, c'est par ruse, de manière que je puisse mieux parler avec vous et aller et venir vers vous : c'est le meilleur parti, vous le savez bien ; c'est pourquoi, sur ce point, vous avez tort. Ami, si vous rougissez de cette appellation ou dites que je vous déshonore, dorénavant je m'en abstiendrai et cesserai complètement de vous aimer ! – Et pourtant non ! je veux qu'on voie nos amours dans la rue et sur les chemins, car, puisque tout y est parfaitement honnête, cela m'agrée et telle est ma ferme volonté ! »

Et adont je deving homs teulz *L'amant*
Qu'onques mais ne fui si honteus,
Qu'a li ne savoie respondre
2760 Et me voloie aler repondre.
Mais la belle, qui commande ha
Sur moi, tantost me commanda
Que je fusse liés et joieus;
2764 Et en l'eure toute joie eus,
Car la belle me reparti
D'un bien qui en .II. se parti,
Dont j'emportai une partie
2768 Et de l'autre fu repartie.
Congié pris, et puis j'avalai
Tous les degrés et m'en alai
Gais et jolis et envoisiés
2772 Et de mes maulz tous apaisiés,
Car la belle me rapaisa
Que mis en moi toute paix ha.
Si m'en alai bouter en cage
2776 Pour faire mon pellerinage;
Mais nonpourquant le partement
De nous m'anoioit durement,
Car tous mes cuers li demouroit,
2780 Qui la servoit et aouroit;
Et j'aouroie son ymage
Et li paioie mon servage
A toutes les heures du jour,
2784 Car c'estoit mon grigneur labour.
Si fis ce rondel en chemin
Et li tramis en parchemin;
Mais elle y fist tele response
2788 Que mon ouvrage efface et ponce.

2757. *APmE* deuins – **2760.** *Pm* Eins – **2761.** *Pm* qui *om.* (– 1), *mais la version que ce ms donne du vers suivant montre qu'il a scandé*: commandë a – **2762.** *Pm* et tost me – **2774.** *AE* Qui; *A* toutes – **2784.** *A* Ca (*om. de* r *final*), *Pm* La estoit – **2788.** *E* Qui

L'amant

Je devins alors confus comme jamais je ne l'avais été, car je ne savais que lui répliquer et je voulais aller me cacher. Mais la belle qui a autorité sur moi m'ordonna dans l'instant même d'être gai et enjoué ; et sur-le-champ j'eus une joie entière car la belle me gratifia d'une faveur, qui se divisa en deux parts, dont j'emportai l'une, tandis que l'autre, c'est elle qui en fut gratifiée. Je pris congé ; après quoi je descendis un à un les degrés de l'escalier et m'éloignai gai, joyeux, de bonne humeur, tous mes maux étant apaisés, car la belle avait calmé mes douleurs en établissant en moi une paix entière. Et je m'en allai me mettre en cage pour accomplir ma neuvaine. Ce néanmoins, notre séparation me pesait lourdement car mon cœur tout entier demeurait auprès d'elle, la servant et lui rendant mon culte. Mais je vénérais son portrait et je m'acquittais de mes obligations de servage à toutes les heures du jour : c'était ma principale tâche. J'avais composé en chemin ce rondeau, que je lui fis porter écrit sur parchemin ; elle, de son côté, composa une réplique telle qu'elle efface, comme en la ponçant, mon œuvre.

Rondel

Sans cuer, dolens, de vous departirai *L'amant*
Et sans avoir joie jusque au retour ; [155 b]

Puis que mon cuer du vostre a partir hai,
2792 Sans cuer, dolens, de vous departirai.

Mais je ne sai de quele part irai
Pour ce que plains de dolour et de plour,

Sans cuer, dolens, de vous departirai
2796 Et sans avoir joie jusque au retour.

Rondel

Sans cuer de moi pas ne vous partirés, *La dame*
Ainsois arés le cuer de vostre amie,

Quant en vous iert par tout ou vous serés,
2800 Sans cuer de moi pas ne vous partirés.

Certaine sui que bien le garderés
Et li vostres me fera compagnie ;

Sans cuer de moi pas ne vous partirés,
2804 Ainsois arés le cuer de vostre amie.

La fait .IX. jours ma demeure hai ; *L'amant*
Et ainsi com je y demourai,
Ma dame ne s'oublia mie,
2808 Ains mist sus une chevauchie
De dames et de damoiselles
Cointes, gentes, juenes et belles
Pour moi vëoir et viseter
2812 Et de mancolie jetter.

2789. *A* San – **2793.** *E* quel (– 1) – **2798** ***et*** **2804.** *E* Et sanz auoir le c. – **2811.** *PmE* visiter – **2812.** *Pm* merencolie (+ 1) ; *E* gitter

Rondeau [de l'amant]

Sans cœur, triste, de vous je partirai
Et sans avoir joie jusqu'à mon retour ;

Puisque je dois séparer mon cœur du vôtre,
Sans cœur, triste, de vous je partirai.

Mais je ne sais de quel côté j'irai
Parce que plein de douleur et de larmes,

Sans cœur, triste, de vous je partirai
Et sans avoir joie jusqu'à mon retour.

Rondeau [de la dame]

Vous ne partirez pas de moi sans cœur
Car vous aurez le cœur de votre amie,

Puisqu'il sera en vous partout où vous serez,
Vous ne partirez pas de moi sans cœur.

Je suis certaine que vous le garderez bien
Et le vôtre me tiendra compagnie ;

Vous ne partirez pas de moi sans cœur,
Car vous aurez le cœur de votre amie.

L'amant

Je demeurai là neuf jours ; et tandis que j'y séjournai, ma dame ne resta pas inactive : elle organisa une chevauchée de dames et de demoiselles élégantes, nobles, jeunes et belles, afin de venir me voir comme on rend visite à un malade et me libérer de ma mélancolie.

Mais onques mais ne vi, pour voir,
En ma vie si fort plouvoir;
Si vinrent tout droit a l'eglise,
2816 Qui n'estoit pas de pierre glise,
Ainçois estoit de pierre dure,
A grans pilers, a grant vauture.
Lors vint mon secretaire a moy
2820 Et dist: « Sire, par saint Eloy,
Ves la vo dame, ce m'est vis,
A ce gent corps, a ce cler vis. »
Et je ne me fis pas prier
2824 D'aler vers li sans detrier,
Si vis tantost que c'estoit celle
Qui je mis a non Toute Belle.
Mais illec petit sejourna, [155 v° a]
2828 Car en l'eure s'en retourna
Pour l'amour de ses compagnettes,
Qui estoient sur espinettes
Pour doubtance de leurs maris,
2832 Qui ont tousdis les cuers marris
Quant elles sont en compagnie
Ou on maine joieuse vie,
(Voire s'il le peulent savoir!
2836 Mais elles ont trop po savoir,
Se ne se scevent consillier
Pour leurs mar*iz* entortillier!
Or ne parlons plus de ceste euvre:
2840 Chascuns et chascune bien euvre).
La belle, gracieuse et douce,
Qui mes maus amoureus adouce,
Oÿ la messe toute entiere,
2844 Et je l'escoutai par derriere.

2813. *E* mais *om.* (– 1) – **2815.** *E* en lesglise – **2818.** *A* grant p.; *E* pilliers; *AE* uolture, *Pm* uouture – **2820.** *Pm* dit; *E* dist foy que je uous doy (– 1) – **2821.** *A* Vez la, *PmE* Vela; *E* ce mest aduis (+ 1) – **2826.** *AE* Que; *APm* nom – **2827.** *E* petit *om.* (– 2) – **2833.** *A* elle – **2835.** *Pm* silz, *E* cilz; *Pm* pueouent (+ 1) – **2837.** *AE* Si; *E* ne sc. (– 1) – **2838.** *APmE* maris, *F* maulz (– 1) – **2839.** *Pm* oeuure – **2840.** *E* bien en euure (+ 1); *Pm* oeuure

Mais jamais encore, en vérité, je n'avais vu pleuvoir si fort ; aussi vinrent-elles tout droit à l'église : celle-ci n'était pas de terre glaise, mais de pierre dure, avec de grands piliers, une large voûte. Alors vint à moi mon secrétaire, disant : « Sire, par saint Éloi, voilà votre dame, si je ne me trompe, à en juger par le gracieux corps et le clair visage que nous lui connaissons. » Je ne me fis pas prier pour aller vers elle sans tarder, et je vis tout de suite que c'était la dame à qui j'avais donné le nom de Toute-Belle. Elle ne resta cependant là qu'un court espace de temps car rapidement elle s'en retourna par amitié pour ses jeunes compagnes, qui étaient sur les épines par crainte de leurs maris, lesquels ont toujours le cœur chagrin quand elles se trouvent en compagnie de gens qui mènent joyeuse vie. (À vrai dire quand ils réussissent à le savoir, mais en fait elles sont très ignorantes et ne savent pas comment s'y prendre pour entortiller leurs maris ; mais laissons là cette affaire ! chacun et chacune emploie bien son temps.) La belle, gracieuse et douce, soucieuse d'adoucir mon mal d'amour, entendit la messe tout entière, et moi-même je l'écoutai derrière elle.

Mais trop richement me cheÿ,
Que, quant on dist « Agnus Dei »,
Foi que je doi a saint Crapais,
2848 Doucement me donna la pais
Entre deulz pilers du moustier ;
Et j'en avoie bien mestier,
Car mes cuers amoureus estoit
2852 Troublés quant si tost se partoit.
En souspirant la convoiai,
Et, quant bien fait mon convoi ai,
Dedens ma chambre m'en revins
2856 Penre pain, sel et chars et vins
Entre moi et mon secretaire,
Qui avoit le mal saint Aquaire.
Quant elle se partoit ainsi
2860 En tel haste et en tel soussi,
Je bus petit et mains menjai ;
Et a la table adés sonjai
Comment ma dame estoit venue
2864 Pour faire si courte venue
Qu'assez mieulz vaulsist sa demeure
Que venir et raler en l'eure.

Je reprins ma devotion,
2868 Mais plus estoit m'entention
A penser a ma vroelette,
C'est a dire a ma damelette,
Qu'elle n'estoit n'a saint n'a sainte.
2872 Si avoie pensee mainte
Qu'amans n'est onques assevis
N'assasiés a son devis,
Et s'avient po souvent, sans faille,
2876 Que aucune chose ne li faille.
S'avoit en mon cuer grant rumour
Que feroie de ceste amour
Ou ainsi me sui embatus. [155 v° b]

2845. *Pm* ricement – **2849.** *PmE* pilliers – **2856.** *E* prenre ; *E* sel chars (– 1) – **2861.** *E* pou petit (+ 1) – **2863.** *Pm* Comme – **2869.** *A* urauelette, *Pm* urauellete, *E* uiolette – **2877.** *E* muour – **2879.** *E* Or a.

Or il m'échut une bonne fortune magnifique, à savoir que, lorsqu'on eut dit « Agnus Dei », je le jure par saint Crapais, elle me donna doucement le baiser de paix entre deux piliers du sanctuaire ; et j'en avais bien besoin, car mon cœur amoureux était troublé à la pensée qu'elle partait si vite. Je la convoyai en poussant des soupirs ; quand j'eus fait ma conduite comme il convenait je m'en revins dans ma chambre pour prendre pain, sel, viandes et vins en compagnie de mon secrétaire, qui avait le mal de saint Acaire. Du fait qu'elle partait avec une telle hâte et en me laissant avec un tel souci, je ne bus que peu et mangeai encore moins ; à table même, je ne cessai de rester rêveur en me demandant comment ma dame était venue pour une visite tellement courte qu'il eût beaucoup mieux valu qu'elle restât chez elle que de venir et de s'en retourner tout aussitôt.

Je repris mes dévotions ; mais j'étais plus attentif à penser à ma « vroelette », c'est-à-dire à ma jeune dame, qu'à saint et à sainte, et je fis souvent réflexion qu'un amant n'est jamais assouvi ni rassasié à son gré, et qu'on peut être sûr qu'il arrive rarement que quelque chose ne lui manque ; et il y avait dans mon cœur une grande perplexité sur ce que je ferais de cet amour où je me suis ainsi précipité.

2880 Pour ce estoie tous abatus
Que la voy a trop grant dangier,
Et *c*e faisoit joie estrangier
De moi, si que je ne savoie
2884 Comment meintenir me devoie.
Si appellai mon secretaire
Et li fis ceste lettre faire,
Et se li ai par li tramis
2888 Ce rondel, qu'en la lettre a mis :

Rondel

Toute Belle, vous m'avez visité *L'amant*
Tresdoucement, dont .C. fois vous mercy ;

De tresbon cuer et par vraie amisté,
2892 Toute Belle, vous m'avés visité.

[E]t avec cë eü avés pité
Pour conforter mon cuer taint et nercy ;

Toute Belle, vous m'avés visité
2896 Tresdoucement, dont .C. fois vous mercy.

[Lettre XI des mss]

(a) Mon tresdoulz cuer, je vous prie pour *L'amant* Dieu que vous me veuilliez tenir pour excusé se je n'ai envoié vers vous puis que vous partistes de moi ; car Dieu scet que ce n'est pas par deffaut[1] d'amour ne de[2] bonne volenté, mais, par m'ame, je ne l'ai peu amender pour certaine chose que mi[3] et mon secretaire vous dirons. Et especialment il ne me

---

2882. *APm* ce f., *F* se f., *E* li f. – **2891.** *APmE* amité – **2893.** *APmE* Et ; *F, à l'initiale, lettre* E *om.*

---

1. *Pm* deffault. – **2.** *A* ne de *répété non exponctué.* – **3.** *Pm* mais ce a esté p. certaines causes que moy.

Et j'étais tout abattu de ce que je rencontrais de grandes difficultés pour la voir, et cela éloignait de moi la joie, en sorte que je ne savais comment je devais me comporter. J'appelai alors mon secrétaire et lui fis écrire la lettre qui suit, et j'ai aussi transmis à ma dame par lui ce rondeau qu'il a inclus dans la lettre :

Rondeau [de l'amant]

Toute-Belle, vous m'avez rendu visite
Très gentiment, ce dont cent fois je vous remercie ;

En toute bienveillance et sincère amitié,
Toute-Belle, vous m'avez rendu visite.

Et en outre vous avez montré de la pitié
Pour réconforter mon cœur sombre et affligé ;

Toute-Belle, vous m'avez rendu visite
Très gentiment, ce dont cent fois je vous remercie.

Lettre 11, de l'amant [11 des mss ; XI de PP]

Mon très doux cœur,

Je vous prie, pour l'amour de Dieu, de vouloir bien m'excuser de ne pas vous avoir envoyé de message depuis que vous êtes partie de là où je séjournais : Dieu sait que ce n'est pas par défaut d'amour ni de bonne volonté, mais, par mon âme, je n'ai pu faire mieux, pour une raison bien précise que moi et mon secrétaire vous dirons. Et en particulier, il ne me semble mie bon que j'envoie si souvent par devers vous pour les paraboles[1] et pour ce qu'on ne se puet trop garder : quanque j'en dis[2] et fais, je ne le fais que pour le meilleur et pour honneur, comment que je vous desire plus a veoir que toutes les creatures du monde. **(b)** Et mon tresdoulz cuer, vous ne devez mie penser que, ce que j'en fais, le faice pour vous eslongnier ; car des meschiés et de toutes les paines qui en l'amoureuse vie sont, sans estre escondis, c'est li plus grans que demourer loing de ce que on aimme ; quar quant on ne puet veoyr, oÿr, ne sentir ce que on aimme plus et desire que toutes les choses que Nature porroit ne saroit faire et si ne puet on souvent envoier vers li, c'est merveilles que li cuers ne part, ne comment uns cuers amoureus puet souffrir ne endurer tele doleur ; et par especial quant Desirs l'alume et esprent et le contrai*nt*[3] a desirer ce qu'il ne puet veoir ne avoir ; mais Douce Plaisance, Douce Esperance, Douce Pensee et Tresdoulz Souvenirs le nourrist et soubstient[4]. Et, par m'ame, mon tresdoulz cuer, se ce n'estoit vostre douce ymage[5], qui me fait plus de biens que toutes les choses qui sont en ce monde[6], riens conforter [156 a] jamais ne resjoÿr[7] ne me porroit, fors seulement morir ; car Desirs me maine trop dure vie, ne je ne sui en lieu n'en place qu'il ne me soit tous jours a l'ueil et au cuer ; si que se je vous voloie laissier ou oublier, dont Dieus me gart, par m'ame, il ne me lairoit. **(c)** Si devés estre asseuree de moy, de mon cuer et de m'amour[8], et, par ycelli Dieu qui me fist, il ne porroit advenir que je vous oublyasse, ne que je porroie monter aus nues sans eschiele. Et je m'en fie en vostre bonté, si met m'ame, mon cuer, ma vie et quanque j'ai en vostre ordenance ; et, mon doulz cuer, la souverainnetté se taist et unité parole, pour

---

1. *APmE* paroles. – **2.** *Pm* et ce que j'en dis. – **3.** *AE* et le contraint, *F* contraire. – **4.** *AE* soustient ; *Pm* Et mon tresdoulz cuer... soubstient *om.* – **5.** *Pm* doulx ymage. – **6.** *Pm* qui me fait... en ce monde *om.* – **7.** *Pm* riens ne me porroit reconforter ne esjouir. – **8.** *Pm* fors seulement... de m'amour *om.*

semble pas bon que j'envoie si souvent par-devers vous, à cause des racontars des gens, contre lesquels on ne peut trop se mettre en garde : tout ce que je dis et fais à ce sujet, je ne le fais que parce que c'est le meilleur parti et par égard à l'honneur, quoique je désire vous voir plus que toutes les créatures au monde.

Mon très doux cœur, vous ne devez pas penser que ma conduite soit inspirée par la volonté de vous tenir éloignée, car parmi toutes les contrariétés et toutes les peines qui se rencontrent dans la vie amoureuse, la plus grande, sauf d'être éconduit, est de demeurer loin de la personne aimée : quand on ne peut voir, entendre et toucher celle qu'on aime et désire plus que tout ce que Nature aurait la possibilité et serait capable de créer, et que l'on ne peut que rarement envoyer vers elle, c'est un miracle que le cœur ne se fende et comment il soit possible qu'un cœur amoureux puisse supporter et endurer une telle douleur ; et spécialement quand Désir l'enflamme et l'embrase et le contraint à désirer celle qu'il ne peut ni voir ni avoir près de soi ; heureusement Doux Plaisir, Douce Espérance, Douce Pensée et Très Doux Souvenir le nourrissent et le soutiennent. Mais, mon très doux cœur, je le jure par mon âme, s'il n'y avait votre très doux portrait, qui me fait plus de bien que toutes les choses qui sont en ce monde, rien ne saurait jamais me réconforter ni m'apporter la joie, en dehors de la mort ; car Désir me mène une vie très dure, et je ne suis jamais nulle part sans qu'il me soit présent aux yeux et au cœur ; si bien que si je voulais vous abandonner ou vous oublier – ce dont Dieu me garde ! – en vérité il ne me le permettrait pas !

Vous devez donc être rassurée quant à moi, à mon cœur et à mon amour, et, par le grand Dieu qui me créa, il ne pourrait pas plus se produire que je vous oubliasse que je ne pourrais monter aux nues sans échelle. Là-dessus je me fie à votre bonté, et je mets mon âme, mon cœur, ma vie et tout ce que je possède sous vos ordres. Mon doux cœur, Souveraineté n'a plus la parole, la parole est à Égalité, puisque ce que vous dittes que vostre fait est li miens, et li miens est li vostres[1]. **(d)** A Dieu, ma tresdouce amour, qui vous doinst joie, paix et paradis, et volenté de moi amer ainsi comme je vous pense a servir.

Vostre tresloial ami.

Si n'atendi pas longuement, *L'amant*
Ains me respondi proprement
De tel metrë et de tel rime
2900 Com li rondiaus que j'ai fait rime.

Rondel

Tresdoulz amis, j'ay bonne volenté *La dame*
De vous donner joie et paix et mercy;

Et d'acroistre vo bien et vo santé,
2904 Tresdoulz amis, j'ai bonne volenté;

Car dedens vous ai mon fin cuer enté,
Pour ce que voi qu'il me vuelt a mercy.

Tresdoulz amis, j'ay bonne volenté
2908 De vous donner, joie et paix et mercy.

Quant mes secretaires revint, *L'amant*
Salus m'aporta plus de vint,
Voire, par Dieu, plus [de] cent mille;
2912 Et je savoie moult bien qu'il le
Me disoit veritablement,
Que faire n'osast autrement.

---

1. *Pm* Et je m'en fie... li vostres *om.*

2899. *E* De tel maniere; *A* tele r., *Pm* telle r. – **2900.** *E* en rime (+ 1) – **2905.** *E* cuer fin – **2906.** *E* amer sy – **2908.** *E* joie paix (et *om.*) – **2911.** *APmE* plus de c. m., *F* de *om.* (– 1) – **2914.** *E* Et faire

vous dites que votre fortune est à moi, et moi que la mienne est à vous.

Je vous recommande, mon très doux amour, à Dieu, qui veuille vous donner joie, paix et paradis, et la volonté de m'aimer tout comme je veille à vous servir.

Votre très loyal ami.

Elle n'attendit pas longtemps, et me répondit exactement sur le même rythme et les mêmes rimes que le rondeau que j'avais composé.

Rondeau [de la dame]

Très doux ami, j'ai la ferme volonté
De vous donner joie et paix et faveur ;

Et d'accroître votre bonheur et votre santé,
Très doux ami, j'ai la ferme volonté ;

Car j'ai enté en vous mon cœur très pur,
Parce que je vois qu'il me veut à lui soumise.

Très doux ami, j'ai la ferme volonté
De vous donner joie et paix et faveur.

Quand mon secrétaire revint, il m'apporta plus de vingt salutations, voire, par Dieu, plus de cent mille ; et je savais fort bien qu'il me disait cela en toute vérité, car il n'aurait osé faire autrement.

L'amant

Et m'aporta ce rondelet
2916 Qu'elle avoit fait tout nouvellet,
Et l'avoit en sa lettre enclos,
Je le vi bien quant la desclos.

[Lettre XII des mss]

(a) Mon [dous] cuer et mon tresdoulz ami, *La dame* je vous pri tant doucement que[1] je puis qu'il ne vous veuille desplaire se je ne vous ay escript; car en verité je n'ai pas espace[2] de vous escrire si souvent comme je volroie. Et de ce que vous m'avez escript qu'il ne me veuille desplaire se je n'ai eu nouvelles de vous, sachiés que je ne cuide pas [156 b] que vous peussiés faire chose qui me peust desplaire, car je sai et croi certainement que tout quanque vous faites, vous le faites en bonne amour et en bonne foy[3]. **(b)** Mon doulz cuer, j'ai bien veu que vostre neuvaine sera ce prochain di*e*manche[4] assevie. Et cellui jour il couvient[5] partir ma suer et moy pour aler a .IIII. lieues loing[6], et sui certaine qu'il sera avant le lundi[7] au soir ou le mardi[8] au matin que nous retournions[9]. Si vous pri que vous vous veuilliés esbatre avec[10] les compagnons qui vous desir[r]*o*nt[11] a veoir et vous feron*t*[12] grant chiere jusques nous soiens[13] retournees, et penre le temps ainsi comme il venra; quar je pense que le temps[14] me anuiera bien autant comme il fera a vous[15], et eschievasse[16] volentiers ceste alee, se je osasse ne peusse[17] bonnement. Mais j'ai esperance que un de nos jours que nous arons a ma retournee, si en vaurra bien .IIII. de ceulz que nous a*r*ons[18] perdus, a la paine et bonne

---

1. *Pm* tant d. comme. – **2.** *Pm* p. eu espace. – **3.** *Pm* Et de ce que... bonne foy *om.* – **4.** *A* diemenche, *F* digmanche, *E* dimenche, *Pm* dimence. – **5.** *E* il nous c. – **6.** *A* long. – **7.** *E* auant lundi. – **8.** *E* ou mardi. – **9.** *A* retourniens. – **10.** *A* aueques. – **11.** *FE* desirent, *A* desiront. – **12.** *AF* ferons, *E* feront. – **13.** *E* soions. – **14.** *A* tems. – **15.** *A* fera uous, *Pm* et sui certaine... comme il fera a vous *om.* – **16.** *A* eschuasse, *E* eschuuasse. – **17.** *E* je peusse ne osasse. – **18.** *AFPm* auons.

Il m'apporta aussi ce petit rondeau qu'elle avait composé tout récemment et inclus dans sa lettre ; je le vis bien quand je l'ouvris.

Lettre 12, de la dame [12 des mss ; XII de PP]

Mon doux cœur et mon très doux ami,

Je vous prie aussi doucement que je puis de bien vouloir ne pas trouver désagréable que je ne vous aie pas écrit ; car, en vérité, je n'ai pas le temps de vous écrire aussi souvent que je le voudrais. Quant à ce que vous m'avez écrit de ne pas vouloir juger désagréable de n'avoir pas eu de vos nouvelles, sachez que je ne pense pas que vous pussiez faire quelque chose qui pût m'être désagréable, car je sais et suis convaincu comme d'une certitude que tout ce que vous faites, vous le faites dans des sentiments d'honnête amour et de bonne foi.

Mon très doux cœur, j'ai bien constaté que votre neuvaine sera achevée dimanche prochain. Or ce jour-là ma sœur et moi devons nous rendre à quatre lieues d'ici ; mais je suis sûre que nous serons de retour avant lundi soir ou mardi matin. Aussi je vous prie de vouloir bien vous donner du bon temps avec les gens de mon entourage, qui désirent vous voir et vous feront très bon accueil en attendant notre retour, et de prendre le temps comme il viendra ; en fait, je suis persuadée que le temps me sera tout aussi désagréable qu'à vous, et je renoncerais volontiers à ce voyage si j'osais et le pouvais décemment. Mais j'ai le ferme espoir qu'une de nos journées que nous passerons à mon retour en vaudra bien, grâce à la peine et au bon empressement que j'y mettrai, quatre de celles que nous aurons perdues.

diligence que je y metterai[1]. **(c)** Si vous pri, mon doulz cuer, que vous vous vueilliés conforter et tenir vostre cuer en joie, et penser que tui[t] mi desir[2] et toutes mes pensees sont pareilles as vostres[3] quant a vostre fait. Et, mon doulz ami, ne veuillés penser ne ymaginer que je vous puisse laissier ne oublier, car, se Dieus[4] me doint joie de vous que j'aimme plus que tout le monde, quant je vous lairai vous verrés toutes les rivieres du monde retourne[r][5] amont ; et ne porroit advenir que je vous oubliasse pour chose qui peust avenir, nés que je[6] porroie faire .I. nouviau monde de nient[7]. Si que, mes doulz amis, je vous pri que vous ostés de vostre cuer toute melancolie[8], car je ne porroie avoir bien ne joie tant que je vous sceusse a meschief. **(d)** Je pri Dieu qu'il vous doinst honnour et joie de tout ce que vostre cuers aimme.

Vostre loial amie.

Sa lettre bien considerai — *L'amant*
2920 Et lors contre moi esperai
Pluiseurs choses a moi contraires,
Et aussi fist mes secretaires ;
Qu'elle en aloit hors de son estre
2924 Le droit jour quë y devoie estre,
Et la belle bien le savoit :
Nonpourquant partir se devoit !
Si devins melancolieus,
2928 Tristes, pensis et anuieus ;
Et recommençai sans delai
Mon veu que je point ne delai,
Mais je fis de triste matiere,
2932 Toute contraire a la premiere :

---

1. *E* metray, *Pm* mettray. – **2.** *AE* tuit m. d., *F* tui m. d. – **3.** *A* aus u., *E* aux u. – **4.** *E* dieu. – **5.** *AE* retourner, *F* retourne. – **6.** *A* je *om.* – **7.** *Pm* Si vous pri... de nient *om.* – **8.** *Pm* merencolie, *Pm* (*après* merencolie) et tenés uostre cuer en joie *aj.*

2924. *A* je y (y *ajouté en correction au-dessus de* je), *Pm* gy, *E* je y – **2927.** *PmE* merencolieux

C'est pourquoi je vous prie, mon doux cœur, de vouloir bien vous réconforter et garder votre cœur en joie, et de considérer que tous mes désirs et toutes mes pensées sont pareilles aux vôtres quant à vos faits et gestes. Et, mon doux ami, ne veuillez ni penser ni imaginer que je puisse vous abandonner et oublier, car, par la joie que je souhaite que Dieu me donne par vous, que j'aime plus que le monde entier, quand je vous abandonnerai, vous verrez toutes les rivières de la terre refluer en amont ; et il ne pourrait pas plus se produire que je vous oubliasse, pour quoi qu'il pût arriver, que je pourrais créer de rien un monde nouveau. Si bien que, mon doux ami, je vous prie de chasser de votre cœur toute mélancolie, car je ne pourrais avoir ni bonheur ni joie tant que je vous saurais malheureux.

Je prie Dieu de vous donner honneur et joie pour tout ce que votre cœur aime.

Votre loyale amie.

J'examinai avec attention sa lettre, et je devinai alors, contre mon attente, plusieurs contrariétés désagréables pour moi (et mon secrétaire eut le même pressentiment) ; car elle quittait son domicile le jour exact où je devais m'y trouver, et la belle le savait bien, et cela ne l'empêchait pas de se disposer à partir ! Aussi devins-je mélancolique, triste, pensif, chagrin. Et je repris sans tarder l'accomplissement de mon vœu ; mais, s'il est vrai que je ne les différais point, la matière des pièces que je composais, tout à l'opposé de celle des pièces précédentes, était triste.

Rondel

[156 v° a]

Long sont mi jour et longues sont mes nuis, *L'amant*
Et quanque voi me desplaist et ennoie

Quant ce ne voi que trop me fait d'anuis
2936 Long sont mi jour et longues sont mes nuis,

C'estes vous, Belle ! Amours, et tu me nuis,
Quant en larmes mes dolens cuers se noie !

Long sont mi jour et longues sont mes nuis,
2940 Et quanque voi me desplaist et ennoie.

Rondel

Amis, bien voi que tu pers tous deduis *La dame*
Pour ce qu'il faut que face ceste voie ;

Dolente sui quant si po te deduis :
2944 Amis, bien voi que tu pers tous deduis.

Mais au retour, se Dieu plai[s]t et je puis,
Je te donrai paix et solas et joie ;

Amis, bien voi que tu pers tous deduis
2948 Pour ce qu'il faut que face ceste voie.

Rondel

Belle, quant vous m'arés mort, *L'amant*
Perdu arés vostre ami ;

Moult arai piteuse mort,
2952 Belle, quant vous m'arés mort.

2938. *Pm* lermes mon dolent cuer – **2941 *et* 2944.** *E* pars ; *APm* tes d. – **2942 *et* 2948.** *E* tu faces (+ 1) – **2945.** *APm* diex ; *APmE* plaist, *F* plait – **2946.** *E* paix solas et j. (– 1) – **2947.** *E* pars ; *A* tous

Rondeau [de l'amant]

Longs sont mes jours et longues sont mes nuits,
Et tout ce que je vois me déplaît et me chagrine,

Quand je ne vois celle qui me cause trop de peines,
Longs sont mes jours et longues sont mes nuits.

C'est de vous que je parle, Belle ! Amour, toi aussi tu [me nuis,
Quand mon cœur affligé se noie dans les larmes !

Longs sont mes jours et longues sont mes nuits,
Et tout ce que je vois me déplaît et me chagrine.

Rondeau [de la dame]

Ami, je vois bien que tu perds tous tes plaisirs,
Parce qu'il faut que je fasse ce voyage ;

Je suis affligée de ce que si peu tu t'accordes de [divertissement ;
Ami, je vois bien que tu perds tous tes plaisirs.

Mais au retour, s'il plaît à Dieu et que je puisse,
Je te donnerai paix et soulagement et joie ;

Ami, je vois bien que tu perds tous tes plaisirs
Parce qu'il faut que je fasse ce voyage.

Rondeau [de l'amant]

Belle, quand vous m'aurez tué
Vous aurez perdu votre ami ;

J'aurai une mort bien pitoyable,
Belle, quand vous m'aurez tué.

Se vos cuers n'en ha remort,
Hé! las! bien puis dire: «Ai mi!»

Belle, quant vous m'arés mort,
2956 Perdu arés vostre ami.

Rondel

Amis, se Dieus me confort, *La dame*
Vous avés le cuer de mi,

Qui sur tous vous aime fort,
2960 Amis, se Dieus me confort.

Or laissiés tout desconfort,
Car vous l'avés sans demi,

Amis, se Dieus me confort,
2964 Vous avés le cuer de mi.

Rondel

Puis que languir sera ma destin*ee*, *L'amant*
Mes cuers ne puet si doucement languir
Com par vous, Belle, ou sont tuit mi desir;

2968 Ce m'iert honneur et bonne renommee,
Puis que languir sera ma destinee.

Et se je muir ainsi, tres belle nee,
Pour vostre amour, je serai vrai martir,
2972 Et ce sera mon milleur sans mentir;

Puis que languir sera ma destinee,
Mes cuers ne puet si doucement languir
Com par vous, Belle, ou sont tuit mi desir.

2958. *F* et *A* arés, *corrigé en* aués *par adjonction d'un jambage, E* arez – **2965.** *E* langueur; *F* destinenee (-ne- *non exponctué; aux autres rimes, F a toujours la forme correcte* destinee) – **2967** ***et*** **2975.** *APm* pour u. – **2969** ***et*** **2973.** *E* langueur – **2975.** *E vers om.*

Si votre cœur n'en est pas déchiré,
Hé! malheureux que je suis! je suis bien fondé à dire:
[« Hélas pour moi »!
Belle, quand vous m'aurez tué
Vous aurez perdu votre ami.

Rondeau [de la dame]

Ami, par le réconfort que Dieu puisse m'accorder,
Vous possédez mon cœur,

Qui vous aime fort et plus que tout autre homme,
Ami, par le réconfort que Dieu puisse m'accorder.

Laissez donc tout abattement,
Car vous avez mon cœur sans partage,

Ami, par le réconfort que Dieu puisse m'accorder,
Vous possédez mon cœur.

Rondeau [de l'amant]

Dès lors que languir sera ma destinée,
Mon cœur ne peut languir pour personne aussi
[doucement
Qu'il le fait pour vous, Belle, en qui reposent tous mes
[désirs:

Ce sera mon honneur et ma glorieuse renommée,
Dès lors que languir sera ma destinée.

Et si je meurs ainsi, très belle enfant,
Par amour pour vous, je serai un vrai martyr,
Et ce sera mon meilleur sort en vérité;

Dès lors que languir sera ma destinée,
Mon cœur ne peut languir pour personne aussi
[doucement
Qu'il le fait pour vous, Belle, en qui reposent tous mes
[désirs.

[156 v° b]

2976 Si que ces rondelés ai mis *L'amant*
En ceste lettre et li tramis.

[Lettre XIII des mss]

(a) Mon doulz cuer et ma tresdouce amour, *L'amant* j'ai bien veu ce que vous m'avés escript. Si vous plaise savoir que, *se*[1] vous ne fuissiés en ce pays, je n'i fuisse point venus jusques a un grant temps pour riens qui advenist, et ad present[2] je n'ai riens a faire en ce pays fors vous veoir[3]. Hé! las! et vous vous en volés partir[4] quant je y doi venir, qui m'est trop dure chose; et aussi Monseigneur m'a mandé par ses lettres que, ma neuvaine[5] faicte[6], je voise par devers lui. **(b)** Mon doulz cuer, si m'est et sera trop dure chose de vostre [alee[7]], car .I. jour de vostre demeure me sera uns ans[8]; et[9] se vous poez bonnement demourer et[10] a vostre honnour, riens ne me porroit tant plaire, car, mon doulz cuer, vous savez comment il me couvient briément partir; et si ne vous puis mie souvent veoir a ma volenté; et se vos doulz cuers s'acorde a vos douces paroles, vous vous penriés bien prés de demourer; et aussi s'il vous souvenoit bien de vostre borgne vallet. **(c)** Je vous pri doucement que[11] vous me veilliés[12] rescrire vostre bonne volenté ainsois que vous partés; et toutevoie je veuil tout[13] ce que vous volés. Et a Dieu, mon doulz cuer et ma tresdouce amour.

Vostre tresloial[14] ami.

2976. *Pm* rondelles

---

1. *AEPm* se, *F* ce. – **2.** *AE* a p. – **3.** *Pm* f. pour u. u. – **4.** *Pm* uous uoles p. – **5.** *AF* IXne. – **6.** *A* faite. – **7.** *AE* alee, *F om.* – **8.** *Pm* qui m'est... uns ans *om.* – **9.** *Pm* sy uous pry que s. u. p., *ajouté après* et. – **10.** *Pm* et *om.* – **11.** *Pm* riens... doucement que *om.*, *remplacé par* que ainsy soit. Et me u.... – **12.** *A* ueuilliez. – **13.** *Pm* tout *om.* – **14.** *Pm* tres *om.*

Je mis alors ces petits rondeaux dans la lettre que voici, que je lui fis porter. *L'amant*

Lettre 13, de l'amant [13 des mss; XIII de PP]

Mon doux cœur et mon très doux amour,

J'ai bien vu ce que vous m'avez écrit. Veuillez savoir que si vous n'étiez pas en cette contrée, je n'y serais point venu avant longtemps pour quelque motif que ce fût; et pour le moment je n'y ai rien à faire en dehors de vous rencontrer. Hé! malheureux que je suis! Vous voulez juste partir de chez vous au moment où je dois y venir, et cela m'est bien pénible; à quoi s'ajoute que Monseigneur m'a demandé, par lettre personnelle, que j'aille chez lui une fois ma neuvaine achevée.

Mon doux cœur, c'est et ce sera pour moi une chose bien pénible que votre déplacement, car un seul jour de votre retard sera pour moi comme une année entière; aussi, si vous pouvez décemment rester, et sauf votre honneur, rien ne pourrait me faire autant de plaisir, car, mon doux cœur, vous savez dans quelles conditions il me faut repartir à bref délai, et aussi que je ne puis vous voir aussi souvent que je le souhaiterais; et si votre doux cœur s'accorde avec vos douces paroles, vous prendriez la bonne décision de rester; et de même si vous pensiez à votre borgne chevalier servant. Je vous prie doucement de vouloir bien avant de partir m'écrire par retour du courrier quelles sont vos exactes intentions.

Mais sachez toutefois que je veux tout ce que vous voulez vous-même; je vous recommande à Dieu, vous, mon doux cœur et mon très doux amour,

Votre très loyal ami.

Je li envoiai cest escript *L'amant*
Et elle tantost me rescript
2980 En la maniere et en la fourme
Que cest[e] lettre m'en enfourme,
Et ce rondelet m'envoia
Que dedens sa lettre ploia,
2984 Et respont a celli desseure
Qu'en present fis et en po d'eure.

Rondel

Vostre langueur sera par moi sanee, *La dame*
Tresdoulz amis que j'aim sans repentir,
2988 Se moi laissiez et Amour couvenir,

Je le vous jur, comme amie et amee,
Vostre langueur sera par moi sanee.

Si me devez tenir pour excusee,
2992 Car il me faut malgré mien obeÿr;
Mais je tenrai couvent au revenir:

Vostre langueur sera par moi sanee,
Tresdoulz amis que j'aim sans repentir,
2996 Se moi laissiés et Amour couvenir.

[Lettre XIV des mss]

(a) Mon doulz[1] cuer et mon doulz ami, je ai *La dame* [157 a] receu vos lettres, en queles vous me faites savoir vostre bon estat, dou quel[2] j'ai moult grant joie plus que de chose qui me puist advenir. **(b)** Et se vous saviez bien la bonne volenté que j'ai de

---

2978. *Pm* enuoie (= -ié) – **2981.** *APmE* ceste, *F* cest (– 1); *E* lettre *om.* (– 2) – **2989.** *E* jure (+ 1); *à la rime F avait d'abord écrit* esmee; *sans l'effacer complètement, il a ensuite remplacé* es- *par* a-; *APmE* amee – **2991.** *E* pour *om.* (– 1) – **2996.** *E om. ce vers*

---

1. *A* dous. – **2.** *EPm* es q., *F* dont q., *gratté et remplacé par* dou.

Je lui envoyai ces textes ; et elle aussitôt me répondit de la manière et avec le contenu dont témoigne la lettre que voici, en y ajoutant ce rondelet qu'elle plia pour le mettre dans sa lettre, et qui répond au rondeau ci-dessus reproduit, que j'avais fait séance tenante et en bien peu de temps. *L'amant*

Rondeau [de la dame]

Votre langueur sera par moi guérie,
Très doux ami que j'aime sans repentir ;
Si vous laissez en disposer moi et Amour,

Je vous le jure, comme amie et aimée,
Votre langueur sera par moi guérie.

Et vous devez m'excuser,
Car il me faut malgré moi obéir ;
Mais je tiendrai ma promesse au retour :

Votre langueur sera par moi guérie,
Très doux ami que j'aime sans repentir,
Si vous laissez en disposer moi et Amour.

Lettre 14, de la dame [14 des mss ; XIV de PP]

Mon doux cœur et mon doux ami,

J'ai reçu votre lettre, où vous m'informez de votre bonne santé, dont je me réjouis plus que de quoi que ce soit qui puisse m'advenir. Mais si vous saviez la parfaite volonté que j'ai de faire chose qui vous plaise, vous ne m'escririés[1] plus[2] que je y mecisse[3] paine a la faire ; que, par ma foi, j'ai si grant pensee et si bonne volenté, que je ne cuide mie que nulle creature l*a* puist[4] avoir plus grant. Et soiés certains que a mon retour je y metterai et cuer et corps et une partie de mon honneur (la quele je m'atens que vous la garderés bien) a faire de quanque je sarai qui vous porra donner joie et confort. **(c)** Et se vous dittes[5] que vous ressoingniés le partement, je ne cuide mie que vous le ressoingniés plus de moy[6], car j'en ai tant de pensees que, en l'eure qu'il m'en souvient, je ne puis bien avoir ; et souhaide bien souvent que je peusse estre vostre chappellain[7] ou vostre clerc, pour tous jours estre en vostre compagnie. **(d)** A Dieu, mon tresdoulz cuer, qui vous doinst santé et paix et joie de quanque vous desirés.

Vostre leal[8] amie.

L'amant

Ainsi ma dame s'en ala
Et la journee je vins la
Dont elle s'estoit departie.
3000 S'os des griés pensers ma partie,
Car j'atendi .II. jours ou trois,
Melancolieus et destrois,
Pour ce que riens ne me plaisoit,
3004 Ainçois trestout me desplaisoit.
Et de ce pas ne me merveil,
Car son doulz vis blanc et vermeil

1. *F* ne ne m'es. – **2.** *E* pas plus. – **3.** *AE* meisse. – **4.** *A* la p., *F* le p. – **5.** *Pm* vostre bon estat... vous dittes *om., mais repris en partie après* en votre compagnie : Et soies certains que j'ay si bonne voulente de faire chose qui uous plaise que a mon retour je y mettray cuer et corps et une partie de mon honneur, laquelle je m'atens que uous la garderes bien. – **6.** *Pm* Et en bonne foy je croy que vous ne le ressoigniez pas plus que moy. – **7.** *E* je fusse uostre ch. – **8.** *Pm* loyalle, *E* leale.

2999 *E* partie (– 1) – **3000.** *E* Si (+ 1) ; *E* de g. ; *E* pensees (+ 1) – **3002.** *PmE* Merencolieux

faire ce qui peut vous plaire, vous ne m'écririez plus de mettre ma peine à la transformer en pratique ; car, je le jure, j'ai de si nobles pensées et une si parfaite volonté, que je ne crois pas que quelqu'un puisse l'avoir plus parfaite. Et soyez certain qu'à mon retour j'y emploierai cœur et corps, et une part de mon honneur (dont je compte que vous le préserverez comme il convient !) à prendre telle initiative en tout ce que je saurai qui pourra vous donner joie et réconfort. Mais si vous dites que vous redoutez votre départ, je ne crois pas que vous le redoutiez plus que moi-même, car je m'en fais tant d'idées noires que, lorsque j'y pense, je ne puis être à mon aise ; et je souhaite bien souvent de pouvoir être votre chapelain ou votre clerc, pour être en permanence en votre compagnie.

Mon très doux cœur, je vous recommande à Dieu, qui veuille vous donner santé et paix et joie pour tout ce que vous désirez.

Votre loyale amie.

L'amant

Ma dame s'en alla dans cette disposition d'esprit, et ce jour même je vins là d'où elle était partie. Et j'eus mon lot de pénibles pensers, car j'attendis deux jours ou trois, mélancolique et inquiet, car rien ne me plaisait et tout me rebutait. Mais cela ne m'étonne pas, car seul son doux visage blanc et rose

M'avoit la seulement mené;
3008 Car je n'avoie a homme né
Riens a faire n'a marchander,
Fors sans plus pour moi eschauder
Au feu qui esprent maint musart
3012 Et qui plus en est prés plus art.
Ne pensés pas que je vous die
Que j'en rien tiengne a musardie
Se j'aim ma douce dame gente,
3016 Car ce ne fu onques m'entente,
N'onques mais si grant bien ne fis
Ne tele honneur, j'en sui tous fis,
Com de li amer entreprendre,
3020 Si que nulz ne m'en doit reprendre.

Finablement elle revint;
Mais j'oi des pensers plus de vint
Par quel voie ne par quel tour
3024 Je verroie son cointe atour,
Car vers li envoier n'osoie;
Et aussi je ne congnoissoie [157 b]
En son hostel homme ne fame
3028 Qui sceüst l'amoureuse flame
Dont mes cuers est bruÿs et tains
Et mors, s'il n'est par elle estains,
Car riens ne le porroit estaindre
3032 Fors elle qui trop le fait taindre.
Si me mis a une fenestre
Veant a destre et a senestre
Et prins forment a colier
3036 S'elle me vorroit envoier
Celeement aucun message
Ou clerc ou fame ou prestre ou page.
Si fui longuement en ce point

3009. *A* marcheander (+ 1) – **3012** *E* pris – **3014.** *E* Que en r. (– 1) – **3017-8.** *Pm* Nonques maiz telle honneur ne fis Ne sy grant bien – **3018.** *E* Ne telle honneur comme je fis – **3022.** *APm* jeus d. p.; *E* pensees (+ 1) – **3023.** *E* quel joie – **3034.** *Pm* Voiant – **3037.** *E* par aucun (+ 1)

m'avait amené là. En effet, je n'avais rien à faire ni à discuter avec personne, à la seule exception de mon projet de me réchauffer au feu qui enflamme maints badauds et qui brûle d'autant plus qu'on s'en trouve plus près. Mais ne pensez pas que je veuille vous dire que je prends le moins du monde pour une badauderie l'amour que j'ai pour ma gracieuse dame, car telle ne fut jamais mon intention, au contraire je n'ai jamais entrepris une action aussi honnête et aussi honorable, j'en ai la certitude, que de me mettre à l'aimer, si bien que nul n'a le droit de m'en reprendre.

Finalement elle revint ; cependant je réfléchis plus de vingt fois sur les voies et moyens de la voir dans l'élégance de ses atours, car je n'osais envoyer chez elle ; à quoi s'ajoutait que je ne connaissais en sa maison ni homme ni femme qui fût au courant de la flamme amoureuse qui par ses morsures brûle et assombrit mon cœur s'il n'est éteint par ma dame ; car nulle créature ne saurait l'éteindre sinon elle, qui fait si fort pâlir mon cœur.

Je m'installai donc à une fenêtre ayant vue à droite et à gauche et je me mis à tourner la tête en tous sens pour voir si elle n'aurait pas l'idée de m'envoyer en cachette quelque messager, clerc, femme, prêtre ou page. Je fus ainsi longtemps en cette position

3040 Que de message ne vi point;
Lors appellai mon secretaire
Et li dis: «Je ne me puis taire:
Je croi que je soie en oubli
3044 De la belle c'onques n'oubli.
Pren dou papier, je veuil escrire.»
Et il le fist sans contredire,
Si qu'en souspirant, court et brief
3048 Je li fis escrire ce brief.
Mes secretaires li porta
Et assés tost me raporta
Que la tresbelle m'atendoit
3052 Et qu'elle par li me mandoit
Que plus illec ne demourasse
Et d'aler vers li me hastasse,
Car elle estoit toute seulette
3056 Fors sans plus une pucellette,
Et que moult volentiers veü
Avoit mes lettres et leü,
Et dist qu'elle prist a sourrire
3060 De cuer et doucement a lire.

[Lettre XV des mss]

(a) Mon tresdoulz cuer et ma tresdouce *L'amant* amour, j'envoie par devers vous, comme cilz qui ha si grant[1] desir de vous veoir que cuers ne le porroit penser ne bouche dire.

Et vous pourrés[2] savoir que je vous[3] ai attendu .III. jours en tel estat comme Dieus scet et en tel martire[4]; **(b)** si vous suppli humblement et pour Dieu que vous veuilliés penser[5] comment je vous puisse veoir; ou moi mort! Et quant a la bonne volenté que

---

3053. *E* illeucques (+ 1) – **3057.** *AE* ueu – **3060.** *E* au lire

---

1. *AE* a s. g. – **2.** *Pm* j'envoie… pourrés *om.* – **3.** *Pm* Plaise vous sauoir que je u. – **4.** *Pm* en tel estat et martire comme diex scet. – **5.** *Pm* suppli pour dieu et tant humblement comme je puis que u. u. p.

sans point voir de messager; j'appelai alors mon secrétaire et lui dis: «Je ne puis garder le silence: je crois bien que je suis oublié par ma belle, que jamais je n'oublie; prends du papier, je veux lui écrire!» Il obéit sans me contredire, si bien qu'en soupirant je lui fis écrire la courte lettre qu'on lira plus loin. Mon secrétaire la lui porta, et très vite il me rapporta que la très belle m'attendait et qu'elle me faisait dire par lui de ne pas m'attarder là où j'habitais, mais de me hâter d'aller chez elle, car elle se trouvait toute seule, à l'exception d'une toute jeune fille; elle ajoutait qu'elle avait vu et lu avec plaisir ma lettre, et il ajouta qu'elle s'était mise à sourire d'un cœur sincère en la lisant à voix basse.

Lettre 15, de l'amant [15 des mss; XV de PP]

Mon très doux cœur et mon très doux amour,

J'envoie mon messager chez vous, en homme qui a un si grand désir de vous voir que cœur ne pourrait le concevoir ni bouche le dire. Vous pourrez de la sorte apprendre que je vous ai attendue trois jours dans Dieu sait quel état de martyre! Aussi vous supplié-je humblement et pour l'amour de Dieu de vouloir bien réfléchir sur le moyen pour moi de vous voir, sinon c'est ma mort!

Quant à la ferme volonté que

vous avés de faire chose qui me doie plaire et donner confort, je ne vous en sai ne puis mercier aussi comme je le vorroie[1] faire, car je n'en sui mie dignes. **(c)** Et quant a vostre honneur, que j'aim plus .C. fois que ma vie, ja Dieus ne me doinst tant vivre que par moi ne par mon fait elle soit en peril en tout ou en partie; car, par Dieu, je l'aim et amerai et garderai tant comme je [157 v° a] vivrai ne je n'arai pensee du contraire; et, par la foi que je vous doi que j'aimme .C. fois mieus que moi n'autrui, j'ameroie mieulz mort premiere et seconde que faire ne dire chose dont elle fu[st][2] empiree ne amenrie[3]. **(d)** Mon tresdoulz cuer, je sui[4] a hostel[5] ou je fui[6] l'autre fois[7]. Mais, pour Dieu, mon tresdoulz cuer[8], veuillés penser comment je me partirai de vous; et qu'il n'i ait que vous et moi, se vous poez bonnement; car, par m'ame, le partir de vous[9] me sera si dur que j'ai tresgrant doubte que je ne le puisse endurer; si que, s'il y avoit estranges gens, chascuns se porroit percevoir de ma maniere, et je ne le vold[r]oie[10] pour riens qui peust avenir. **(e)** Hé! las! mon doulz cuer, vous m'escrisiés que pour moi veoir souvent vous volriés estre en petit estat aveuc[11] moi; mais, par Dieu, il n'est si petite chose au monde[12] que je ne volsisse[13] faire entour vous tous les jours de ma vie pour vous veoir et oÿr a mon gré. A Dieu, mon doulz cuer, qui *me* doint joie[14] de vous et de vostre honneur et de quanque vostres cuers aimme.

Vostre vrai et loial ami.

Lors alai vers ma dame chiere *L'amant*
A cuer riant, a lie chiere;

---

1. *E* voulroie. – **2.** *A* fust, *E* feust, *F* fu. – **3.** *Pm* Et quant a... amenrie *om.* – **4.** *E* suis. – **5.** *PmE* lostel. – **6.** *Pm* fu, *E* fus. – **7.** *E* lautre jour. – **8.** *Pm* pour Dieu... cuer *om.* – **9.** *Pm* car, par ma foy le p. de u. – **10.** *F* uoldoie (2e o *ajouté au-dessus de la ligne entre* d *et* i). – **11.** *APm* auec. – **12.** *Pm* en ce m. – **13.** *A* uosisse. – **14.** *APm* me d. j., *FE* uous d. j.

3062. *E* liee

vous avez de m'accorder telle faveur qui puisse me plaire et me réconforter, je ne sais ni ne suis pas capable de vous en remercier autant que je voudrais, car je n'en suis pas digne.

Pour ce qui est de votre honneur, que j'aime cent fois plus que ma vie, puisse Dieu ne pas me laisser vivre assez pour qu'il soit totalement ou partiellement mis en danger par moi ou par mon intervention ; et, par la foi que je vous dois, à vous que j'aime cent fois plus que moi ni personne d'autre, j'aimerais mieux mourir et aller en enfer que de faire ou dire quoi que ce soit qui le dégraderait ou le diminuerait.

Mon très doux cœur, je suis au même hôtel que la dernière fois. Mais pour l'amour de Dieu, mon très doux cœur, veuillez réfléchir sur la manière dont je partirai de chez vous, et notamment qu'il n'y ait que vous et moi, si vous pouvez le faire sans ennuis pour vous ; car, par mon âme, mon départ de chez vous me sera si pénible, que je crains très fort de ne pouvoir le supporter ; si bien que, étant donné que la présence de personnes autres que nous deux permettrait à chacun d'apercevoir mon état, je ne voudrais à aucun prix une telle présence.

Hélas ! mon doux cœur, vous m'écrivez que pour me voir souvent vous voudriez remplir auprès de moi quelque humble fonction ; mais moi aussi, par Dieu, il n'y a si humble activité que je ne voulusse exercer dans votre entourage immédiat tous les jours de ma vie pour vous voir et entendre à mon gré.

Mon doux cœur, je vous recommande à Dieu, qui veuille m'accorder la joie qui s'attache à votre personne, à votre honneur et à tout ce que votre cœur aime.

Votre véritable et loyal ami.

L'amant

J'allai donc chez ma dame bien-aimée au cœur riant, au gai visage ;

Et par Dieu paoureusement
3064 Y alai et couardement :
Ne savoie pour quoi c'estoit
Fors qu'Amours le m'amonnestoit.
Si fis ce rondel en alant
3068 Pour s'amour et tout en parlant :

Trembler, fremir et muer me couvient, *L'amant*
Si que ne sai souvent que devenir,

Toutes les fois que de vous me souvient
3072 Trembler, fremir et muer me couvient.

Douce dame, je ne sai dont ce vient,
Mais par ma foi nes d'un seul souvenir

Trembler, fremir et muer me couvient,
3076 Si que ne sai souvent que devenir.

Quant je fui venus devant elle, [157 v° b]
Tantost me prist la bonne et belle
Et m'asseï delez sa coste
3080 Et mon secretaire d'encoste,
Qui de moi partir se voloit,
Dont li cuers forment me doloit,
Car il avoit un gros affaire
3084 Qu'il li couvenoit a chief traire.
Quant elle vit qu'il me laissa,
Un petit vers li s'abaissa
Et li dist moult doucettement :
3088 « S'il pooit estre bonnement,
Doulz amis, se Dieus me sequeure,
Moult me plairoit vostre demeure,
Car il ha tel, bien pres de mi,
3092 Qui en dira souvent : « Ai mi ! »
Il respondi : « Faire l'estuet,

3064. *E* couardemement (*avec* -me- *exponctué*) – **3077.** *PmE* fu venu – **3079.** *Pm* cotte – **3082.** *Pm* le c. – **3087.** *E* doulcement (– 1) – **3088.** *Pm vers om.* – **3092.** *A* Eymi, *Pm* Aymy, *E* Aimy

mais, par Dieu, si j'y allais, c'est pris de peur et de lâcheté : je ne savais d'autre origine à cet état qu'Amour qui m'y engagea. Je fis alors ce rondeau-ci pour l'amour d'elle, tout en cheminant et en parlant à mon secrétaire.

Rondeau [de l'amant]

Il me faut trembler, frémir et changer de couleur,
Si bien que souvent je ne sais que devenir ;

Toutes les fois que je pense à vous
Il me faut trembler, frémir et changer de couleur.

Douce dame, je ne sais d'où cela vient.
Il est sûr seulement que même pour un seul penser

Il me faut trembler, frémir et changer de couleur,
Si bien que souvent je ne sais que devenir.

Quand je fus venu devant elle aussitôt la bonne et belle me prit par la main et nous fit asseoir, moi tout contre elle, et de l'autre côté mon secrétaire ; lequel voulait s'absenter – ce dont mon cœur fut fort chagrin – parce qu'il avait une grosse affaire qu'il lui fallait mener à son terme. Quand elle vit qu'il s'apprêtait à me quitter, elle se pencha légèrement vers lui qui s'était mis à genoux et lui dit à petite voix très douce : « Si cela pouvait se faire sans vous contrarier, doux ami, par l'aide de Dieu, il me serait très agréable que vous restiez, car tout près de moi il y a un homme qui dira souvent en votre absence : "Hélas pour moi !" » Il répondit : « Il me faut absolument partir,

L'amant

Car autrement estre ne puet.
Mais tost revenrai, se Dieu plaist,
3096 Car la ne ferai pas long plait. »

Il s'en ala, je demourai
Et les tresdoulz biens savourai
De son oeil, de son doulz viaire,
3100 Qui doit a tous dessus tous plaire
En garissant les dolereus
Qui sont pleins de maulz amoureus :
Donné me furent a plenté,
3104 Et de si bonne volenté,
Si bien, si bel, si largement
Et si tresamoureusement
Que mieulz souhaidier ne deüsse ;
3108 Et certainement, se je fusse
Le plus parfais de tout le monde
Et se tout l'or qui y habonde
Fust miens en deniers tous contans,
3112 Devoie je estre bien contens ;
Et s'aucun dit que je me vente,
Je n'en donne le vent qui vente,
Car les biens que je savouroie
3116 Venoient dou tresor de joie
En qui tout li bien sont compris,
S'en di ce que j'en ai compris :
Son bel acueil enhardissoit
3120 Mon cuer qui pour li gemissoit,
Sa douceur fine adoucissoit
Mes tresdoulz maulz et garissoit,
Son oeil sur moi resplendissoit
3124 Et doucement me nourrissoit,
Sa grant biauté m'embelissoit
Et trop forment m'abellissoit,
Son doulz parler m'assagissoit
3128 Par le bien que de li issoit,

3098. *E* assauouray (+ 1) – **3102.** *Pm* des m. – **3107.** *Pm* souhaider – **3109.** *AE* Li, *Pm* Ly – **3111.** *A* contas – **3118.** *Pm* apris, *E* empris – **3128.** *APmE* qui

et rien ne peut y être changé. Mais je reviendrai vite, s'il plaît à Dieu, car je n'aurai pas là-bas de longues discussions. »

Il s'en alla ; moi je demeurai et je savourai les très doux bienfaits de ses yeux et de son doux visage, chose qui doit plaire à tous au-dessus de tous autres biens, parce qu'ils guérissent les affligés qui sont pleins de maux d'amour. Ces bienfaits me furent accordés en abondance et de si bon gré, si honnêtement, si gracieusement, si généreusement, et si très-amoureusement que je n'eusse pas eu le droit de souhaiter mieux ; et assurément, même si j'étais l'homme le plus comblé de toute la terre et si tout l'or qui s'y entasse fût à moi en deniers tous comptants, je devais être tout à fait satisfait de ces bienfaits qu'elle m'accordait ; et si quelqu'un prétend que je me vante, cela vaut pour moi moins que le vent qui souffle ! car les biens que je savourais venaient du trésor de joie en qui tous les biens sont contenus, et je dis ce que j'y ai discerné : son bon accueil enhardissait mon cœur qui gémissait à cause d'elle ; sa parfaite douceur calmait mes maux devenus très légers, puis les guérissait ; ses yeux resplendissaient sur moi et doucement me nourrissaient ; sa grande beauté m'embellissait, et très fort augmentait mon plaisir ; son doux parler me rendait plus sage en raison du bien qui émanait de lui ;

Sa bonté me beneïssoit, [158 a]
Son noble cuer m'anoblissoit,
Sa franchise m'affranchissoit,
3132 S'umilité m'asservissoit,
Sa largesse m'assevissoit,
Sa leesce m'esjoïssoit,
Sa cointise m'acointissoit
3136 Et son gent corps m'agencissoit,
Son maintieng d'amours florissoit;
Sa maniere m'enrichissoit,
Ne riens nulle n'amenrissoit
3140 Son tresor pour bien qui *s*'y[s]oit:
Si qu'on n'e[n] doit pas faire esp*e*rgne,
Qu'il n'a si estrange en Auvergne,
S'il fust lés ma dame presens,
3144 Que eü n'eüst de ses presens
Et enrichist de sa largesse;
Si que je di que c'est richesse
Qui monteplie et adés croist,
3148 Ne pour donner pas ne descroist.

Doit on bien dont tel dame amer
Qui puet garir les maulz d'amer
Et fait cesser toute dolour
3152 Sans penser vice ne folour!
Et cilz qui mal y penseroit
Traïtres et maulvais seroit,
Qu'au monde n'a tel(e) mesprison
3156 Ne si mortele traÿson
Com d'estre privés anemis.
Or dira: «Je sui vos amis»,
Et par ce la volra traÿr.
3160 Hé Dieus! qu'on doit telz gens haÿr
Qui pensent tele deshonnour

3137. *Pm* maintien – **3139.** *A* Nen – **3140.** *FPm* qui cy (*A* ci) soit, *E* qui sen ississoit (+ 2) – **3141.** *APmE* nen, *F* ne d.; *APmE* espergne, *F* espargne – **3144.** *A* heu – **3145.** *APmE* enrichis – **3147.** *Pm* m. ades et croit – **3155.** *APmE* tel, *F* tele – **3158.** *APm* diray – **3159.** *Pm* uorray

sa valeur me comblait de valeur, son noble cœur m'ennoblissait ; sa liberté me libérait, son humilité me faisait son serviteur ; ses largesses m'assouvissaient, sa joie m'éjouissait ; sa grâce me rendait gracieux, et son charmant corps me rendait charmant ; son maintien florissait de fleurs d'amour, sa manière d'être m'enrichissait, sans qu'en rien diminuât son trésor, quel que fût le bien qui s'y prélevait, si bien qu'il n'y a pas lieu d'en user avec économie, car il n'y a si étranger auvergnat qui, s'il était présent à côté de ma dame, n'eût reçu de ses dons et ne fût enrichi de ses largesses. C'est pourquoi je dis que c'est une richesse qui se multiplie et sans cesse croît, et qui, quand elle donne, ne s'amoindrit pas.

Que de raisons dès lors d'aimer une telle dame, qui sait guérir les maux en les purifiant de leur amertume et fait cesser toute douleur sans penser vice ou folie ! Et celui qui mal y penserait serait un traître et un lâche ; car au monde il n'y a chose aussi méprisable ni trahison qui autant mérite la mort comme d'être un ennemi dissimulé. À tel moment il dira : « Je suis votre ami », et par ces mêmes paroles il voudra trahir sa dame. Hé Dieu ! Qu'on a de raisons de haïr de telles gens qui méditent une conduite aussi déshonnête

En signe de paix et d'onnour!
On devroit telz gens a chevaus
3164 Traïner par mons et par vaus.
A tou*t* le mains je me tairoie
Et tel semblant li mousterroie
Qu'elle congnisteroit sans doubte
3168 Mon cuer et ma volenté toute;
Mais li traïtres desloiaus
Font entendant qu'il sont loiaus
Et qu'il aiment d'amour tresfine,
3172 Et heent de mortel haÿne!
Une dame, tant soit vaillant,
A dire voir n'a plus vaillant
Que s'onneur, et s'elle la pert,
3176 Chascuns dira tout en apert:
« Ves la celle qui se fourfist »;
Or regardés dont quel pourfit
On puet avoir de telz gent sivr(r)e!
3180 Ou monde n'a serpent ne wivre
Dont on n'eüst grigneur mestier [158 b]
Que de gens de si vil mestier,
N'en monde n'a si grant signeur
3184 C'on prise rien s'il n'a honneur.
Pleüst a Dieu qui a droit juge
Que je fuisse de tel gent juge
Qui pensent teles villenies:
3188 Mais il perderoient les vies
Et morroient de mort honteuse,
Dure, diverse et angoisseuse,
Et perdroient corps et avoir
3192 Sans jamais bien ne joie avoir.

Comment ha uns homs hardement
De penser si tresfaussement

3163. *Pm* tieulx – **3165.** *APmE* tout, *F* tous; *E* moins – **3166.** *APmE* moustreroie – **3167.** *E* Que congnoistroit (– 2), *APm* congnoisteroit – **3168.** *APm* pensee t. – **3178.** *A* profit, *Pm* proffit, *E* pourffit – **3179.** *F* siurre, *A* sieurre, *PmE* suiure – **3180.** *E* ne guyure – **3183.** *E* Nou – **3184.** *A* honnour – **3186.** *APmE* fusse

sous couvert de paix et d'honneur ! De telles gens, on devrait avec des chevaux les traîner par monts et par vaux.

Quant à moi, sans rien faire d'autre, je me tairais et je montrerais tel visage à ma dame qu'elle connaîtrait sans hésiter mon cœur et toutes mes intentions. Tout au contraire les traîtres sans loyauté font croire qu'ils sont loyaux et qu'ils aiment de très parfait amour, alors qu'ils haïssent d'une haine mortelle ! Une dame, si haut soit son rang, à dire vrai n'a rien qui ait plus de prix que son honneur, et si elle le perd, chacun dira tout ouvertement : « Voici celle qui a fauté ! »

Considérez donc quel avantage on peut tirer de suivre de telles gens ! Au monde il n'y a serpent ni vipère qui ne seraient plus utiles que des gens de si vile conduite.

Mais pas davantage il n'y a au monde un si grand seigneur qu'on ne méprise s'il n'a pas d'honneur. S'il plaisait à Dieu, le juste juge, que j'eusse à juger de telles gens qui conçoivent de telles vilenies, à leur surprise ils perdraient leur vie et mourraient de mort honteuse, pénible, chacun suivant son cas, et pleine d'angoisse ; et ils perdraient corps et biens sans jamais plus recouvrer ni bonheur ni joie.

Comment un homme peut-il avoir la hardiesse de s'imaginer aussi hypocritement

Que un feroit et l'autre diroit
3196 Et sa dame ainsi traÿroit
En ombre de paix et de bien !
C'est traÿson, ce sai je bien.
Li uns Jhesucrist li jur[r]a
3200 Qu'il l'amera tant com durra,
Et li autres li fiancera
Que sans retollir siens sera,
Et c'est tout pour li decevoir,
3204 Qu'elle ne saura percevoir
Sa traÿson, sa mauvaisté
Et sa mortel inimisté.
Hé Dieus, quel foy ! hé Dieus, quel homme !
3208 On le devroit geter en Somme
Ou dessoubz le pont a Soissons
Pour faire viande aus poissons.
Que demande on ces famelettes ?
3212 Elle[s] sont si tresdoucellettes,
Si plaisans et si amoureuses,
Si amyables, si piteuses,
Que riens ne scevent refuser :
3216 Si ne les doit on pas ruser,
Decevoir, honnir ne trichier,
Ains les doit on avoir si chier
Com on doit avoir sa main destre.
3220 Endroit de moi, je veuil te[l]z estre
Qu'elles seront de moi chieries
Sans penser maulz ne tricheries,
Et tous mes jours les servirai
3224 Et leur loenge adés dirai
Et ferai chose qui leur plaise
A mon pooir, cui qu'il desplaise,
Sans salaire et sans guerredon ;
3228 Ne ja je n'*e*[n] quier querre don

3199. *APmE* jurra, *F* jura – **3200.** *E* Qui (= Qu'i) laimera – **3201.** *E* la f. – **3202.** *E* Qui (= Qu'i) – **3205.** *Pm* mauuaistie, *E* maluaistie – **3206.** *Pm* inimitie, *E* inimistie – **3210.** *E* aux p. – **3212.** *APmE* Elles, *F* elle – **3219.** *A* Quon en d., *Pm* Quon len d. ; *E* en doit – **3222.** *E* mal – **3224.** *Pm* adroit d. – **3226.** *A* desplise – **3228.** *APm* ja nen q. requerre, *F* ne q.

qu'il ferait une chose et dirait le contraire et trahirait ainsi sa dame sous le couvert d'une existence paisible et vertueuse ! C'est trahison, j'en suis bien certain. L'un lui jurera par Jésus-Christ qu'il l'aimera tant qu'il vivra, tel autre lui promettra d'être sien sans retour ; et tout cela de manière qu'elle soit induite en erreur, car elle ne saura s'apercevoir de sa trahison, de sa lâcheté et de sa mortelle inimitié. Hé Dieu ! quelle fidélité ! hé Dieu, quel vassal ! On devrait le jeter dans la Somme ou sous le pont à Soissons, afin de le donner à manger aux poissons. Que de choses on demande à ces jeunes femmes ! Elles sont si gentiment douces, si plaisantes et si sensibles à l'amour, si aimables et si compatissantes, qu'elles ne savent rien refuser. Aussi ne doit-on pas les berner, tromper, honnir, ni avec elles tricher ; au contraire on doit les chérir comme sa propre main droite. Pour ma part, je veux être tel qu'elles seront chéries de moi sans penser ni à mal faire ni à tricher. Et tous les jours de ma vie je les servirai et je dirai sans cesse leur louange et je ferai leur plaisir selon mon pouvoir, dussé-je déplaire à quelques-uns, sans attendre salaire ni récompense, ni jamais chercher à les requérir de quelque faveur,

En l'onneur de la gracieuse
Que j'aim de pensee amoureuse.

Taire me veuil d'or en avant
3232 De ce qu'ay parlé cy devant,
Car bien sai que tele matiere [158 v° a]
Li mauvais ne l'ont mie chiere
Pour ce qu'il veulent leur malice
3236 Celer, s'il puelent, et leur vice.
Or vous dirai ce qu'il m'avint
Et a quel chief ceste amour vint,
Quar ma douce dame le vuet:
3240 Quant il li plaist, faire l'estuet.

Je fui la .III. jours et .III. nuis,
Les jours liés, les nuis plains d'anuis,
Que Desirs par nuit me toloit
3244 Le dormir (Amours le voloit!),
Si me tournoie et retournoie
En mon lit, ou pas ne dormoie.
Mais Pité de jours garissoit
3248 Ce qu'Amours de nui*s* honnissoit,
A l'aÿde et au bon confort
De ma dame, que Dieus confort;
Car des biens de quoi je vous conte
3252 Estoie peüs, malgré Honte,
Tous les jours une fois ou deulz;
Car je n'estoie pas honteus
Dou prendre ne du recevoir,
3256 Et je faisoie mon devoir
Quant Largesse les presentoit
Et Bonne Amour s'i assentoit;
Et ma douce dame jolie
3260 Estoit du donner toute lie,
Car tout estoit a sa loenge,
N'en ce monde n'a si estrange

3236. *PmE* puent – **3237.** *Pm* ce qui – **3240.** *Pm* Puis quil luy p. – **3243.** *E* desiriers (+ 1) – **3247.** *E* pitie – **3248.** *A* nuis, *F*, *PmE* nuit

et cela en l'honneur de la gracieuse que j'aime d'amour du fond du cœur.

Je veux désormais me taire au sujet de ce que j'ai dit ci-devant, car je sais bien que les mauvais n'aiment pas une telle matière, parce qu'ils veulent cacher – s'ils peuvent – leur malice et leur vice.

À présent je vous dirai ce qui m'advint et à quoi aboutit ce mien amour, car ma douce dame le demande : puisque tel est son bon plaisir, c'est un devoir de le faire.

Je fus là trois jours et trois nuits ; les jours je fus heureux, les nuits, plein de chagrins, car Désir, le long de la nuit, me ravissait le dormir (Amour le voulait !) ; et ainsi je me tournais et retournais en mon lit, sans y trouver le sommeil. Heureusement, ce qu'Amour durant la nuit mettait à mal, Pitié durant le jour le guérissait avec l'aide et l'honnête réconfort de ma dame, que Dieu veuille combler d'aise ! Car des bienfaits dont je vous entretiens j'étais repu, malgré Honte, tous les jours une fois ou deux. En effet je ne rougissais pas de prendre et de recevoir, et je faisais ce que je devais quand Largesse offrait ces biens et qu'Honnête-Amour y donnait son assentiment. Or ma douce dame gracieuse était tout heureuse de donner, car tout cela se faisait à son éloge, n'y ayant au monde nul être inconnu d'elle

S'il la veïst, qu'il n'en heüst
3264 Et qu'elle ne l'en repeüst.
Et quant je de fin cuer l'amoie,
Sur tout *se* je me delitoie,
Nulz homs n'en doit avoir merveille,
3268 Car seconde n'a ne pareille,
Ne quanqu'on puet de bon nommer,
Dire, ymaginer ne so*mm*er.

Mais il n'est chose qui ne fine
3272 Ne qui ne viengne a son termine:
Il me couvint de li partir.
La fui je certes droit martir,
La commensai je a larmoier
3276 Et ma leesce a desvoier,
La tristece en mon cuer trouvai,
La certainement esprouvai
Qu'il n'est si dure departie
3280 Comme c'est d'ami et d'amie.
La pris de la belle congié
Aussi com j'eüsse songié,
Car certes pas bien ne savoie
3284 Que je faisoie ne disoie.
Elle dist: « A Dieu, doulz amis! [158 v° b]
Je tenrai ce que j'ai promis,
Car bonne et leal vous serai
3288 Et de fin cuer vous amerai.
Revenés tost, je vous en pri:
Et n'oubliés pas mon depri,
Car c'iert mal fait, se vous tenés
3292 Que vous par cy ne revenés. »
Je li dis: « Par cy revenrai
Et loial couvent vous tenrai. »
De la me parti tout en l'eure
3296 A cuer qui fort souspire et pleure;
Mais ainçois que je me partisse

3263. *APm* Sil y uenist – **3266.** *F* ce, *A* ce, *PmE* se – **3270.** *APm* sommer, *FE* sonner – **3273.** *A* de li, *Pm* delle, *E* de lui – **3280.** *Pm* Comment est – **3287.** *Pm* loial, *E* loyal

à qui, s'il l'avait vue, elle n'eût donné sa part de son don, et qu'elle n'en eût repu. Quant à moi, puisque je l'aimais d'un cœur parfait, si plus que tout autre homme je me délectais de ce que j'en recevais, nul ne doit s'en étonner, car il n'y a pas de seconde créature qui fût sa pareille pour toutes les qualités qu'on peut nommer, énoncer, imaginer, ni totaliser en elle.

Malheureusement il n'y a rien qui ne s'achève, qui n'arrive à son terme : il me fallut partir de là. Je fus alors, je l'assure, littéralement un martyr ; là je commençai à fondre en larmes et à perdre ma joie ; là je trouvai la tristesse en mon cœur ; là assurément j'eus la preuve qu'il n'est pas d'aussi pénible séparation que celle d'ami et d'amie. Je pris alors congé de la belle comme si je rêvais, car, en vérité, je ne savais pas bien ce que je faisais ni ce que je disais. Elle dit : « Je vous recommande à Dieu, doux ami ! Je tiendrai ce que j'ai promis, car je serai honnête et loyale envers vous, et vous aimerai d'un cœur parfait. Revenez bientôt, je vous en supplie ; et n'oubliez pas mon adjuration, car ce sera une mauvaise action si vous vous abstenez de passer par ici à votre retour. » Je lui répondis : « Je passerai par ici à mon retour, et je vous tiendrai loyale parole. » Je partis de là dans l'instant même, mon cœur soupirant fort et pleurant ; mais non sans que, avant de partir et de me décider

Ne qu'a cheval monter volsisse,
Ceste lettre li envoiai,
3300 Qu'escris *de* ma main et ploiai.

[Lettre XVI des mss]

L'amant

(a) Mon tresdoulz cuer et ma treschiere amour, j'ai grant doubtance[1] que vous ne tenez mains de mi[2] de ce que, quant je sui en vostre presence, je n'ai sans, maniere ne advis, et sui comme uns homs perdus ; et, par la foy que je doi a vous que j'aim .C. mille fois mieulz que mi, toutes les fois que je vous voi, je n'ai vertu qu'i ne m'oublie, car il me couvient suer sans chaleur et trembler sans froideur. **(b)** Et quant je ne vous puis veoir, et il me souvient – et souvenra[3] – de la tresdouce et sade nourriture[4] dont vos nobles cuers m'a franchement et doucement repeu, et par pluiseurs fois, et sans demander, Desirs si me point et assault par telle maniere qu'il couvient que j'aie le cuer si estraint que la liqueur en descent parmi mes yeulx. **(c)** Et par m'ame, s'Esperance n'estoit, qui me conforte – et confortera – sur toutes choses, je n'ai pas corps pour telz cops endurer[5] ne soubstenir ; et aussi vostre douce ymage me conforte et me confortera[6] sur toutes choses ; et ce que je pense c'onques si gentilz[7] corps ne si nobles cuers ne fu qu'il n'i[8] eust Franchise et Pitié[9]. **(d)** Et, mon tresdoulz cuer, je me part de vous et ne sai quant je vous porrai veoir ; ne je n'ai pas bien personne pour envoier devers vous ainsi come je soloie, et si ne laisse personne qui me doie ne puist recommender ne ramentevoir a vous. Si que, se vraie Amour et vostre bonté ne m'i ramentoivent[10], je sui

---

3300. *APmE* de ma m., *F* en ma m.

---

1. *E* doubte. – **2.** *E* de moy. – **3.** *E* et il m'a souuenu et souuenra. – **4.** *E* nourreture. – **5.** *E* pour endurer tels cops. – **6.** *E* confortera souuent. – **7.** *A* gentil. – **8.** *A* qui ni. – **9.** *Pm* j'ai grant d.... Pitié *om.* – **10.** *Pm* Sy est ainsi uraiement que se uostre bonte et uostre douceur ne my r., *E* my ramenoient.

à monter à cheval, je lui eusse envoyé la lettre que voici, que j'écrivis de ma main et pliai moi-même.

Lettre 16, de l'amant [16 des mss; XVI de PP]

Mon très doux cœur et mon très cher amour,

J'ai grand-peur que vous ne m'estimiez moins du fait que, lorsque je suis en votre présence, je n'ai ni esprit, ni maintien, ni jugement, et suis comme un homme perdu; et, par la foi que je vous dois, à vous que j'aime cent mille fois mieux que moi, toutes les fois que je vous vois, je n'ai pas la force de ne pas m'y oublier, car il me faut suer sans avoir chaud et trembler sans avoir froid.

Et quand je ne puis vous voir, et que je pense – et penserai – à la très douce et très suave nourriture dont votre noble cœur m'a spontanément et doucement repu, et plusieurs fois, et sans que je le demande, Désir alors me pique et m'assaille de telle manière que je ne puis ne pas avoir le cœur si serré que les larmes en jaillissent et tombent en passant par mes yeux.

Et, par mon âme, n'était Espérance qui me réconforte et me réconfortera plus que toute autre chose, je n'ai pas l'énergie d'endurer ni de soutenir de tels coups. Et il y a en outre votre doux portrait qui me réconforte et me réconfortera par-dessus toutes choses; et ceci, que je pense que jamais il n'y eut créature aussi bien née ni cœur aussi noble sans que s'y trouvassent Générosité et Pitié.

À présent, mon très doux cœur, je vous quitte et je ne sais quand je pourrai vous voir; et je n'ai pas facilement quelqu'un pour envoyer chez vous comme j'en avais l'habitude; et je ne laisse personne derrière moi qui doive ou puisse parler auprès de vous en ma faveur ni me rappeler à votre souvenir. En sorte que, si vrai Amour et votre bon cœur ne vous font penser à moi, je suis

perdus et mors, car nulz si grans meschiés ne me porroit advenir comme se je fuisse de vous entroubliés ; si que il m'en couvient du tout laissier couvenir vous et Loial Amour et vostre bonté, et vivre en esperance en attendant la bonne journee que je puisse vers vous retourner, et ce sera quant je porrai, et non [159 a] mie quant je volrai[1]. **(e)** Mon tresdoulz cuer et ma tresdouce amour, je prie Dieu[2] qu'il vous doinst paix, joie et santé, et grace que nous nous puissons[3] briément a joie rev[e]oir[4].

Vostre tresloial ami.

L'amant

Je me parti le lendemain,
Mais je me levai si tresmain
Com je vi le jour adjourner ;
3304 Qu'aprés congié le sejourner
Ne m'estoit pas moult honnourable
N'a ma plaisance profitable,
Pour ce que ne peüsse vir
3308 Ma douce dame, n'assevir
Mes yeus de li bien regarder.
Pour ce m'en alay sans tarder
En une moult belle contree,
3312 Douce et bonne et bien attempree
Et ou n'estoie pas haÿs ;
Car li droit sires du paÿs
Me fist grant honneur et grant feste
3316 Et toute compagnie honneste
Voloit – et on la me tenoit
Trop plus qu'a moy n'appartenoit –
De chevaliers, de damoisiaus.
3320 D'aler aus chiens et aus oisiaus
Ne couvenoit il pas parler :

---

1. *A* uorray, *E* uoldray. – **2.** *E* prie a dieu. – **3.** *E* puissions. – **4.** *AE* reueoir, *F* reuoir, *Pm* ueoir.

3307. *E* puisse veir – **3312.** *Pm* Belle douce et b. atrempee – **3314.** *Pm* drois – **3321.** *A* pas pas (+ 1)

perdu, mort, car nul aussi grand malheur ne pourrait m'arriver que d'être même temporairement oublié; c'est pourquoi il me faut absolument vous laisser décider, vous, loyal Amour et votre bonté, et vivre en espérance en attendant la journée propice où je pourrai retourner chez vous; et ce sera quand je pourrai, et non pas quand je voudrai!

Mon très doux cœur et mon très doux amour, je prie Dieu de vous accorder paix, joie et santé, et la grâce que nous puissions bientôt nous revoir dans la joie.

Votre très loyal ami.

L'amant

Je partis le lendemain. Contrairement à mes habitudes, je me levai de grand matin, aussitôt que je vis poindre le jour; car après avoir pris congé, prolonger mon séjour ne m'était pas permis par l'honneur, ni non plus ne me procurait aucun plaisir, puisque je n'aurais pas pu voir ma douce dame et satisfaire mes yeux avides de la regarder. C'est pourquoi je m'en allai, sans perdre de temps, en une très belle contrée, douce et agréable, au relief bien modéré, et où je n'étais pas haï; car le seigneur légitime du pays me reçut en grand honneur et me fit grande fête, et me voulait mêlé à toute compagnie de personnes de haut rang – et on me distinguait là bien plus qu'il ne revenait à ma condition –, de chevaliers, de damoiseaux. Point n'est besoin d'insister sur les chasses avec chiens et faucons:

Tous les jours y pooie aler
Aveuc mon signeur souverain
3324 Que j'aim sur tous, par saint Verain,
Car moult de biaus dons me donna
Et le sien moult m'abandonna.
Mais se j'eüsse l'abondance
3328 De tous les biens qui sont en France,
Voire, par Dieu, de Lombardie,
Et de Puille et de Rommenie,
Ne fuisse je pas assevis
3332 Ne saoulés a mon devis,
Quant veoir ne pooie celle
Qui est de tous les biens ancelle.
La demourai prés de quinzaine,
3336 Mais au mains chascune semaine
J'envoioie vers Toute Belle
Pour savoir aucune nouvelle
De son estat, de sa santé
3340 Et de sa bonne volenté ;
Car souvent de li me doubtoie
Et souvent m'en asseüroie,
Ainsi com mes entendemens
3344 Faisoit *s*es divers jugemens.
Si que, pour moi ramentevoir
Et aussi pour mieulz percevoir
S'elle m'estoit ferme et seüre, [159 b]
3348 Li envoia[y] ceste escripture ;
Car j'avoie du mal assez
Et tant, qu'estoie tous lassez
Dou porter et dou soubstenir ;
3352 Si ne me pooie tenir
Que devers elle n'envoiasse
Et mon estat ne li moustrasse.

3323. *APm* auec ; *E* seigneur – **3324.** *E* tout – **3325.** *E* Et – **3334.** *E* les *om.* (– 1) – **3335.** *Pm* d'une q. (+ 1) – **3337.** *E* jenuoiay (– 1) – **3344.** *APmE* ses, *F* ces – **3348.** *AE* enuoiay, *F* enuoia, *Pm* enuoyay

tous les jours je pouvais y aller avec mon seigneur souverain que j'aime par-dessus tous les hommes, par saint Véran. En effet il me donna beaucoup de beaux présents et me fit don de quantité de son bien. Et pourtant! Si j'avais eu la libre disposition de toutes les richesse qui sont en France, voire, par Dieu, celles de Lombardie et de la Pouille et de la Romagne, je n'eusse pu être assouvi ni comblé à ma guise, puisque je ne pouvais voir celle qui est la servante de toutes les vertus.

Je demeurai là près d'une quinzaine, mais non sans qu'une fois au moins tous les huit jours j'envoyasse un courrier auprès de Toute-Belle pour connaître quelque nouvelle de son moral, de sa santé et de la fermeté de sa volonté; car souvent j'avais des doutes à son sujet et souvent je cherchais à me rassurer sur elle, selon les jugements variables que formait mon entendement. Si bien que, pour renouveler mes impressions, et aussi pour voir plus clairement si elle était constante envers moi et sûre, je lui envoyai le texte suivant (car je souffrais beaucoup, et tellement, que j'étais tout lassé de supporter et de soutenir mon mal; et je ne pouvais me retenir d'envoyer auprès d'elle un messager et de lui manifester mon état d'âme):

[Lettre XVII des mss]

(a) Mon tresdoulz cuer et ma tresdouce *L'amant* amour, j'envoie par devers vous pour savoir vostre bon estat, le quel je desire plus a savoir que nulle riens[1] nee ne que de creature qui vive[2]. **(b)** Et du mien, s'il vous en plaist[3] a savoir, j'estoie en estat[4] que homs amoureus doist estre[5]. Et aussi, come vous me commandastes au partir et je le vous promis, je ne partiroie pour riens de ce pays sans vous veoir. Mais mon doulz cuer, quant ce sera ? Je ne vous porrai veoir s'il ne vient de vous et se vous ne querés lieu et temps, espace et loisir de mi veoir ; car de vous vient m'amoureuse doleur et pour ce faut que mes confors en viengne. Et pour Dieu, mon tresdoulz cuer, veilliez faire que uns jours[6] vaille quatre quant je serai vers vous, car je n'i porrai mie demourer tant come je volroie, Dieus le scet. Et se[7] me sera le partir si dur que, par m'ame, je ne sai comment je le porray porter ne endurer, ne comment je m'en conforterai, et c'est une chose que je ressoingne trop. Se vous prie[8] pour Dieu que, tant comme je serai prés de vous, vous mettés paine de m'i conforter pour le temps advenir, car, par Dieu, il n'est biens ne joie ne confors qui me peust[9] venir s'il ne venoit[10] de vous ; n'onques mais dame ne fu tant amee ne si loialment desiree come je vous aim[11] et desir sans partir ne muer. En ceste pel mourrai. **(c)** Ma tresdouce amour, je vous verrai briément, se Dieu plaist, et serai en l'ostel ou je fui les autres fois. Si me recommende a vostre grace, car vous savés que je ne vous puis bonnement veoir ne parler a vous s'il ne vient de vous ; et, mon doulz cuer[12], je n'ai mie[13] si bien personne pour envoier a vous come j'avoie puis ne vous vi je.

---

1. *Pm* que nulle chose. – **2.** *Pm* ne que… vive *om.* – **3.** *APm* en p. *om.* – **4.** *Pm* je suy e. e. – **5.** *Pm* (estre) et diex scet quel il est quant je uous puis veoir, *aj.* – **6.** *E* un jour. – **7.** *E* Et si. – **8.** *E* Or u. p. – **9.** *A* peussent. – **10.** *A* uenoient. – **11.** *E* aime. – **12.** *Pm* Et aussi… m. d. cuer *om.* – **13.** *Pm* et sy nay m.

Lettre 17, de l'amant [17 des mss; XVII de PP]

Mon très doux cœur et mon très doux amour,

J'envoie ce messager chez vous pour avoir des nouvelles de votre bonne santé, laquelle je désire connaître plus que rien au monde ni à propos de qui que ce soit parmi les personnes vivantes. Quant à ma propre santé, si cela vous intéresse de la connaître, je suis dans l'état normal d'un amoureux.

À quoi j'ajoute, comme vous me le recommandâtes à mon départ et comme je vous l'ai promis, que je ne partirais pour rien au monde de cette contrée sans aller vous voir. Cependant, mon doux cœur, à quel moment précis sera-ce ? Je ne pourrai vous voir si l'initiative ne vient de vous, et si vous ne recherchez lieu et temps, endroit propice et moments disponibles pour me rencontrer ; car c'est de vous que vient mon amoureuse douleur, et c'est pourquoi il faut que ce soit de vous que vienne mon réconfort.

Et pour l'amour de Dieu, mon très doux cœur, veuillez faire en sorte que, quand je serai chez vous, un seul jour en vaille quatre, car Dieu sait que je ne pourrai y rester autant que je voudrais. En outre, le départ me sera si pénible que, par mon âme, je ne sais comment je pourrai le supporter dans la patience, ni comment je m'en remettrai, et c'est une chose que je redoute beaucoup. Aussi, pour l'amour de Dieu, je vous prie que, tandis que je serai auprès de vous, vous vous mettiez en peine de me donner des forces pour l'avenir, car, par Dieu, il n'est bonheur, joie, force qui puisse m'échoir si ce n'est de vous ; et jamais dame ne fut autant aimée, ni si sincèrement désirée que je vous aime et désire, sans partage ni changement. Et je mourrai en cette disposition.

Mon très doux amour, je vous verrai bientôt, s'il plaît à Dieu, et je serai à l'hôtel où je fus les autres fois. Et je me confie à votre bonne grâce, car vous savez que je ne puis honnêtement vous voir et vous parler si ce n'est par votre initiative ; et, mon doux cœur, je n'ai point aussi facilement quelqu'un pour vous envoyer un message, que j'en avais depuis que je ne vous ai plus vue.

Si vous pri, pour Dieu, que a ceste fois vous me moustrés l'amour que vous dites que vous avez a mi[1], par coi je me porte gais, chantans et envoisiez, jolis, et tresfins loyaulz amis[2]. Mais, pour Dieu, ne faites chose pour ma plaisance dont on puist parler, car, par ycelli Dieu qui me fist, j'ameroie mieulz morir ou que jamais je ne vous veysse, dont Dieus me gart, car s'il advenoit, je seroie bien mors.

(d) Et mon tresdoulz cuer, je demourrai .III. jours ou quatre la ou vous [159 v° a] estes, si me porrés des biens faire assés, s'il vous plaist ; et pleust a Dieu que jamais ne m'en partisse tant comme vous y serés ! Et mon doulz cuer, uns biens d'amours donnés et receus amoureusement et secretement vault .C., et un jour bien emploiés vault .I. an, et est remedes de confort contre la Mort, contre Desir et contre Fortune. Je n'en di plus ; mais vous savez bien que *assés reuve qui se va complaignant*. **(e)** Je ne vous envoie rien de rondelet, car il ha tant de gent a ceste court et de noise, et tant m'i ennoie que je y puis peu faire de nouvel[3] : toutevoies je fais adés en vostre livre ce que je puis[4]. **(f)** Mon doulz cuer, rescrisiez moi vostre bon estat et votre bonne volenté[5] par ce message. Je prie Dieu qu'il vous doinst paix et honneur, santé[6] et joie de quanque vostre cuer aime.

Vostre tresloial ami.

L'amant

Quant elle ot veü mon escript,
3356 La Tresbelle ainsi me rescript
Par mon message et sans attendre ;
Or veuilliés bien sa lettre entendre :

---

1. *Pm* a mor. – **2.** *Pm* par coi… loyaulz amis *om.* ; cest quil uous plaise trouuer maniere que je uous puisse ueoir souuent, *ajouté à la place.* – **3.** *Pm* car s'il a…. de nouvel *om.* – **4.** *Pm* Toutesuoies je fais ades en uostre liure ce que je puis (= *l. de F, placé dans Pm après* message). – **5.** *Pm* estat et uoulente. – **6.** *Pm* et honneur, santé *om.*

Aussi vous prié-je, pour l'amour de Dieu, qu'à cette rencontre vous me témoigniez l'amour que vous affirmez que vous avez pour moi, en sorte que je me comporte en ami gai, chantant et enjoué, léger et parfaitement loyal.

Cependant, pour l'amour de Dieu, ne faites rien pour mon plaisir dont on puisse jaser, car, par Dieu qui me créa, j'aimerais mieux mourir ; ou ne plus jamais vous voir – ce dont Dieu me préserve, car si cela se produisait, j'en serais bel et bien mort.

Mon très doux cœur, je demeurerai trois jours ou quatre là où vous êtes : ainsi vous pourrez me faire du bien en abondance, si tel est votre bon plaisir. Et plût à Dieu que je ne partisse de chez vous tant que vous y serez vous-même ; mais, mon doux cœur, un bienfait d'amour donné et reçu amoureusement et en secret en vaut cent, et un jour bien employé vaut un an : c'est un remède puissant contre la mort, contre Désir et contre Fortune. Je n'en dis pas davantage, et cela n'a rien d'étonnant ; mais vous savez bien que *c'est bien assez demander que de se complaindre*.

Je ne vous envoie rien en fait de rondelets : il y a tant de monde et de bruit en cette cour, et cela m'est si pénible, que je ne puis plus produire grand-chose de nouveau ; du moins ne cessé-je d'écrire ce que je puis en vue de votre livre.

Mon doux cœur, écrivez-moi par le présent messager comment va votre santé et où en sont vos bonnes résolutions.

Je prie Dieu qu'il vous accorde paix et honneur, santé et joie pour tout ce que votre cœur aime.

Votre très loyal ami.

L'amant

Quand elle eut vu mon écrit, la Très-Belle me répondit sans attendre en ces termes, par mon messager (veuillez lire sa lettre bien attentivement) :

[Lettre XVIII des mss]

(a) Mon cuer, m'amour et quanque je desir, *La dame*
j'ai bien veu ce que vous m'avés escript; si
ferai de tresbon cuer, songneusement et diligemment
le contenu de vos lettres, car, par ycelli Dieu qui me
fist, il ne m'est mie advis que je peusse mesprendre
ne que il me peust mal venir de faire chose qui vous
pleust, ne de chose que vous me loïssiés ou consillissiés; et ne vous doubtés en rien que, se tous li mondes
me looit ou consilloit une chose et le contraire vous
plaisoit, vostre douce volenté[1] seroit assevie et laisseroie la volenté de tous les autres. Si devés estre bien
asseur de moi et de mon amour, car je vous sai si bon
et si loyal en tous cas, et aussi que vous amés tant
moi, mon bien, ma paix et mon honneur, que vous ne
me volriés ne sariés ne daigneriés consillier chose
qui ne fust a mon honneur plus que creature qui vive.
Si sui bien tenue a faire tous vos bons plaisir[s][2], et si
les ferai a mon pooir; et vous amerai sur toute creature humainne tresloialment tous les jours de ma vie
et plus encores, se plus vivre pooie.

(b) Et mon tresdoulz amis de mon cuer, vous dittes
que vous ressoingniés le partir de moi et que ce vous
sera moult dure chose; mais soiez certains que je
croi que il me sera plus dur que a vous, car en l'ame
de moi c'est la chose du monde que[3] je ressoingne le
plus et a coi je pense le plus aprés [159 v° b] vous.
Mais, se Dieu plaist, vous et moy y pourverrons par
tele maniere que nulz ne s'en percevera. Et mon
doulz cuer, nous nous en devons conforter, car c'est
chose qu'il couvient faire, n'onques ne fu autrement;
si devons penre le temps ainsi comme Dieus le nous
envoie[4].

---

1. *Pm* et ne doubtes que se uous me loies une chose et tout ly mondes me conseilloit le contraire, uostre d. u. – **2.** *A* f. v. b. plaisirs, *F* tous v. b. plaisir. – **3.** *A* monde de quoy, *FE* que. – **4.** *Pm* Si devés estre… le nous envoie *om.*

Lettre 18, de la dame [18 des mss; XVIII de PP]

Mon cœur, mon amour, et tout ce que je désire,

J'ai bien vu ce que vous m'avez écrit; oui, j'accomplirai de très bon cœur, et avec sollicitude et application, ce que contient votre lettre; car, par ce Dieu qui me créa, il ne me semble pas que je puisse mal agir ni qu'il me puisse porter malheur de faire une chose qui vous aurait plu, que vous me recommanderiez, que vous me conseilleriez; et n'ayez le moindre doute que, si tout le monde me recommandait et conseillait une chose et que le contraire vous plût, c'est votre douce volonté qui serait accomplie, et je négligerais la volonté de tous les autres. C'est pourquoi vous devez être bien rassuré à mon sujet et quant à mon amour, car je vous sais si honnête et si loyal en toutes circonstances, et qu'en outre vous aimez à ce point ma personne, mon bonheur, ma paix et mon honneur, que, plus sûrement qu'aucune autre personne au monde, vous ne sauriez ou ne daigneriez conseiller une chose qui fût à mon déshonneur. Aussi suis-je bien obligée d'accomplir tous vos bons plaisirs, et je les accomplirai de tout mon pouvoir; et je vous aimerai au-dessus de toute créature humaine, très loyalement, tous les jours de ma vie et encore au-delà, si ma vie avait la chance de se prolonger au-delà.

Mon très doux ami de mon cœur, vous dites que vous redoutez de me quitter, et que cela vous sera un moment très pénible; mais je suis persuadée, soyez-en certain, que cela me sera plus pénible qu'à vous, car en mon âme et conscience, c'est la chose au monde que je redoute le plus et qui me préoccupe le plus après votre personne. Cependant, s'il plaît à Dieu, vous et moi prendrons nos dispositions, de telle manière que nul ne s'en aperçoive. Et, mon doux cœur, nous y devons prendre notre courage à deux mains: c'est une attitude qu'il nous faut adopter, et il n'en fut jamais autrement; et nous devons prendre le temps comme Dieu nous l'envoie.

A Dieu, mon tresdoulz cuer[1], qui vous doint joie de quanque vostre cuer aimme et desire.

Vostre tresloial[2] amie.

Je reçus ceste lettre cy *L'amant*
3360 Droit en la ville de Crecy;
La fu le duc de Normandie,
Mon droit signeur, quoi que nuls die,
Car fais fui de sa nourreture
3364 Et sui sa droite creature.
Et quant [je] les os pourveü
Et .III. fois ou .IIII. leü,
Je ne peüsse souhaidier
3368 Rien qui tant me peüst aidier
A ma maladie amoureuse,
Car ma dame m'estoit piteuse
Et me promettoit franchement
3372 Joie, paix et alligement
Par vraie et juste experience.
Si que je n'avoie grevence
Ne riens nulle qui me fust dure,
3376 Ains vivoie en plaisance pure
Pour ce que par amours l'amoie;
Et en ce plaisir je pensoie
A sa grant biauté souveraine
3380 Qui est trop plus belle qu'Elaine,
Et encor plus a sa bonté
Dont je vous ai assez compté.

Si faisoie conclusion,
3384 Selond ma simple opinion
Qu'on doit prisier les choses belles
Seulement plus pour le bien d'elles

---

1. *APm* m. dous c. – **2.** *Pm* tresloyalle.

3362. *E* Son d. – **3364.** *E* tresdoulce (+ 1) – **3365.** *F* je *om.* (– 1) – **3380.** *E* Quest (– 1) – **3384.** *PmE* Selon – **3386.** *E* plus *om.* (– 1)

Mon très doux cœur, je vous recommande à Dieu, qui veuille vous donner la joie pour tout ce que votre cœur aime et désire.

Votre très loyale amie.

L'amant

Je reçus cette lettre juste en la ville de Crécy ; là se trouvait alors le duc de Normandie, mon légitime seigneur, on ne saurait le contester, car je suis entré dans sa maison, et je suis sa légitime créature.

Quand j'eus d'une seule traite lu, puis relu trois ou quatre fois la lettre, je n'eusse pu rien souhaiter qui fût autant capable de venir au secours de mon mal d'amour ; car ma dame m'était pitoyable et me promettait en toute sincérité joie, paix et soulagement par le moyen d'une expérience authentique et bien appropriée ; si bien que je n'éprouvais nul chagrin ni quoi que ce soit qui me fût pénible. Je vivais au milieu d'un plaisir sans mélange, du fait que je l'aimais d'amour ; et tandis que je goûtais ce plaisir, j'avais certes dans l'esprit sa grande et souveraine beauté qui dépasse de loin celle d'Hélène, mais plus encore ses qualités dont je vous ai longuement entretenu.

Je conclus de là, selon mon naïf jugement, que pour apprécier les belles œuvres il suffit d'un seul principe, à savoir que ce soit plus en vertu du bien qui se rencontre en elles

Qu'on ne fait pour nulle autre chose
3388 Qui soit dehors ou ens enclose.

En monde n'a si bel destrier,
Soiés sus, le piét en l'estrier,
Et le ferés des esperons,
3392 – Au mains nous ainsi l'esperons –
Que, s'il ha mauvaise maniere
(Que s'il veult reculer arriere
Ou s'il se couche ou s'il se cabre,
3396 Ainsi com cilz qui fait la cabre,
Ou s'il fiert et regibe ou mort,
N'avant n'iroit .I. pas pour mort)
Qu'on ne die : « Il est trop mauvais,
3400 Donnés le aus mesiaus de Biauvais. »

Në il n'est chevaliers tant biaus [160 a]
Ne qui tant face de cembiaus,
Tant soit jolis ou biaus ou cointes
3404 Et de toutes dames acointes,
Que, s'il s'en fuit d'une bataille
Ou il est telz qu'adés s'en aille,
Qu'on le doie amer ne prisier,
3408 Ains le doit chascuns desprisier ;
Et s'il est aucuns qui le prise,
En li prisant il se desprise ;
Car on se doit de telz gens taire
3412 S'on ne vuelt leurs deffaus retraire,
Car c'est leur mestier, c'est leur ordre,
Si ne se doivent pas amordre
A eulz absenter ne fuÿr,
3416 N'en ce nulz ne les doit suÿr.

En monde n'a si belle dame
Que, s'elle se jette en diffame
Tant qu'en perde sa renommee

3389. *E* Ou – **3402.** *E* face tant de semblaus – **3403.** *E* et b. et c. – **3409.** *A* quil le – **3417.** *E* Ou

que pour n'importe quel autre avantage extérieur ou intérieur.

Au monde il n'y a si beau destrier, si vous vous asseyez sur son dos, le pied à l'étrier, et le frappez des éperons – c'est le minimum sur quoi nous devons pouvoir compter –, sans que, s'il se comporte mal (si [par exemple] il veut reculer, ou se couche, ou se cabre – à la manière d'un homme qui fait la chèvre –, ou s'il frappe ou rue ou mord, et refuse d'avancer d'un seul pas, dût-il y laisser la vie), sans que, dis-je, quelqu'un s'écrie : « Il est très mauvais, donnez-le aux lépreux de Beauvais. »

Pas davantage il n'est chevalier si beau et qui fasse tant de tournois, ou soit si enjoué, si aimable, si élégant, et compagnon agréé de toutes dames, si beau, dis-je, que, s'il s'enfuit du champ de bataille ou du moins se montre toujours prêt à le quitter, on doive l'aimer ou l'estimer alors qu'au contraire chacun doit le mépriser ; et s'il est quelqu'un qui l'apprécie, en l'appréciant, il se déprécie ; car si on ne veut rapporter leurs défaillances, on doit du moins garder le silence sur des gens de cette sorte ; tel est en effet leur ministère, tel est le code de leur ordre : ils ne doivent pas se laisser prendre à la tentation de s'absenter du combat ou de s'enfuir ; et nul ne doit les imiter en cela.

Il n'y a au monde si belle dame sans que, si elle se jette dans le déshonneur jusqu'à en perdre sa renommée,

3420 Par son deffaut, que mains amee
N'en soit et souvent mains prisie,
Et que on ne la hee et maudie
L'eure et le jour qu'elle fu nee,
3424 Quant elle s'est ainsi portee;
Et que Honneur tousdis ne la fuie
Plus que chas ne fait yaue ou pluie,
Au mains tant comme elle sera
3428 En l'estat que Honneur deffera,
Comment que ne la puist deffaire,
Que Honneur ne puet estre a mal faire.

Pour ce di veritablement
3432 Que li sages communement
Aiment les gens pour leur bonté
Assez plus que pour leur biauté,
Car grant biauté est une grace
3436 Des menres que Nature face.

Dont se je l'aim et Belle et Bonne
(Et chascuns bons ce nom li donne),
On ne me doit mie reprendre
3440 Se de fin cuer l'aim sans mesprendre,
Car j'en acquier et los et pris
Se je l'aim, serf et loe et pris.
Mais se j'amoie une chetive,
3444 On me devroit dessus la rive
Jetter en une yaue parfonde,
Ou esserveler d'une fonde;
Et se chetive la savoie,
3448 Par ma foi ja ne l'ameroie.
Si doi bien estre sus ma garde
Et fort penser que si me garde
Qu'envers li ne pense ne face
3452 Chose qui son honneur efface;
Car en cas que je le feroie, [160 b]

3435. *E* grant *om.* (– 1) – **3439-40.** *Pm inverse l'ordre des deux vers* – **3439.** *APm* men d. – **3453.** *E* Et ou c.

sans que, dis-je, elle soit moins aimée en raison de ses défaillances, et par beaucoup de gens moins prisée ; voire que tel ne la haïsse et, du fait qu'elle s'est ainsi comportée, ne maudisse l'heure et le jour où elle fut née ; qu'Honneur même ne cesse de la fuir plus qu'un chat ne fuit l'eau ou la pluie, du moins tant qu'elle sera en cet état où elle cherchera à anéantir Honneur – encore qu'il lui soit impossible d'y réussir – car Honneur ne peut être là où l'on fait le mal.

Aussi dis-je en toute vérité que les sages communément aiment bien plus les gens pour leurs qualités que pour leur beauté, car la grande beauté est une des moindres parmi les faveurs que Nature accorde.

C'est pourquoi, si j'aime ma dame qui est à la fois belle et bonne (et tous les hommes de bien l'appellent ainsi), on n'a aucune raison de me reprendre de l'aimer d'un cœur pur et sans commettre aucune faute car elle me procure et louange et bonne réputation du fait que je l'aime, sers, loue et prise. Si au contraire j'aimais une misérable on devrait me jeter par-dessus le rivage en une eau profonde, ou m'enfoncer le crâne avec un coup de fronde. Mais, croyez-moi, si je la savais une misérable, je ne l'aimerais pas. C'est pourquoi il faut que je prenne bien garde et veille de toute mon énergie à ne rien faire à son égard par quoi son honneur soit réduit à néant. En effet, au cas où je le ferais,

Envers Amours me mefferoie
Et tout le bien que j'ai de li
3456 Seroit mort et enseveli,
N'Amours jamais ne demourroit
En moi, dont mes las cuers morroit;
Qu'envers li si loiaus serai
3460 Que jamais autre n'amerai.
Or die qui vuelt le seurplus,
Que orendroit n'en veul dire plus.
Moult desiroie le retour
3464 Vers ma dame au plaisant atour,
Si ne faisoie qu'espier,
Penser, muser et colier
Comment par gré me departisse,
3468 Par coi tost ma dame veÿsse.
En la fin j'alai congié prendre,
Mais Monsigneur me fist attendre
Contre mon gré .III. jours ou quatre
3472 Pour solacier et pour esbatre.
Et puis par son gré me parti,
Et de ses biens me reparti
Ainsi com cy devant dit l'ai.
3476 Et lors me parti sans delai
Et m'en alai la droite adresse
Devers m'amour et ma deesse,
Car mes cuers tant la desiroit
3480 Que pour li souvent souspiroit.
Si vins en sa douce presance,
Navrés d'une amoureuse lance;
Mais la belle, qui tousdis rit,
3484 Moult doucement mes maulz garit,
Pour li vëoir et remirer
Et pour moi bien en li mirer.
Je me tais de mon acointance
3488 Et de ma simple contenance,
Car j'estoie adés a mes unes;

3468. *E* Par quoy ma dame tost u. – **3471.** *E* Oultre – **3473.** *Pm* de son g.

c'est envers Amour que je me conduirais mal, et tous les bienfaits que je tiens de lui seraient morts et enterrés et jamais plus il n'élirait domicile chez moi, ce qui causerait la mort de mon cœur malheureux. C'est pourquoi je lui serai si fidèle qu'à l'avenir je n'aimerai aucune autre.

À présent, ajoute qui veut ce qui reste à dire sur le sujet, car moi, pour le moment, je ne veux pas en dire davantage.

Je désirais beaucoup retourner auprès de ma dame aux plaisants atours ; et je ne faisais qu'épier l'occasion, réfléchir, passer mon temps à regarder de tous côtés comment je pourrais être autorisé à partir pour voir à bref délai ma dame. Je finis par aller demander mon congé ; mais Monseigneur me fit attendre contre mon gré trois ou quatre jours, à cause des divertissements et des ébats prévus. Après quoi, avec son agrément, je partis, et il me distribua de ses biens, ainsi que je l'ai dit ci-dessus.

Je quittai alors les lieux sans délai, et m'en allai par le chemin le plus direct vers celle qui est mon amour et ma déesse, car mon cœur la désirait si fort qu'il poussait maints soupirs à cause d'elle. C'est dans cet état que, blessé d'un coup de lance amoureuse, je vins en sa douce présence, mais la belle, toujours souriante, très doucement guérit mes souffrances, rien qu'en me permettant de la voir, de la regarder avec attention, de me mirer dans le miroir de ses yeux. Je ne parle pas de ma rencontre avec elle et de ma sotte contenance, car j'étais toujours le même ;

Mais se je venisse de Tunes,
La gracieuse, que Dieus gart,
3492 De bel acueil, de doulz regart
Ne me partist plus largement.
Aprés m'appella sagement,
Et se vous di tout a un cop
3496 Qu'elle n'en fist ne po ne trop,
Car si sagement s'i porta
Que de tous bons l*o*s emporta.
Adonc a li petit parlai,
3500 Qu'aveuc les autres m'en alai
Quant il fu temps de departir;
Mais bas me dist: « Celle par[t] tir,
Doulz amis, que vëoir vous puisse;
3504 Faites qu'en ce vergier vous truisse
Aprés souper pour nous deduire, [160 v° a]
Quant li solaus laira le luire. »
Et je ne m'i oubliai pas,
3508 Ainçois y vins plus que le pas.
Mais elle y estoit ja venue,
S'ot grant joie de ma venue,
Et lors me dist en sourriant:
3512 « Se vous estiés le roy Priant!
Se vous faites vous bien attendre! »
Et je respondi sans attendre,
A mains jointes et a genoulz:
3516 « Douce dame, faites que nous
Demenons amoureuse vie,
Et qui scet bon mot, si le die:
Ves me cy, je le vous amende. »
3520 Et la belle reçut l'amende.
La parlames de nos amours,
Des griés, des paines, des clamours
Que Desirs fait aus vrais amans
3524 Et aus dames qui sont amans;
Comment il vient, lance sur fautre,

3496. *E* ne f. – **3498.** *APm* bon los, *F* bons les – **3499.** *Pm* luy; *E* lui – **3500.** *PmE* auec – **3502.** *APmE* part tir, *F* par – **3507.** *Pm* oublie (= -ié) – **3513.** *Pm* Sy, *E* Si

pour mon bonheur, si j'étais venu de Tunis, la gracieuse – que Dieu protège ! – ne m'aurait plus généreusement gratifié en guise de bel accueil, de doux regards. Elle m'adressa ensuite la parole en toute sagesse : pour vous le dire d'un seul mot, elle n'en fit ni trop ni trop peu, car elle s'y comporta en personne si avisée que de tous les gens de bien elle fut louée. Je ne lui parlai alors qu'un court instant, car je me retirai avec les autres quand ce fut le moment de nous séparer ; mais à voix basse elle me dit : « Je me retire là-bas, doux ami, afin que je puisse vous voir ; faites en sorte que je vous trouve en ce verger après souper pour les plaisirs du tête-à-tête, quand le soleil cessera de luire. »

Or je ne négligeai pas cette invitation, et je m'y rendis à grands pas. Mais, surprise ! elle y était déjà arrivée, et elle manifesta une grande joie de ma venue ; elle me dit alors en souriant : « Comme si vous étiez le roi Priam ! Vous vous faites bien attendre ! » Et je répondis tout aussitôt, les mains jointes et me mettant à genoux : « Douce dame, faites que nous passions ces moments en amoureux ; et qui sait dire un mot de circonstance, qu'il le dise : Me voici : je vous fais amende honorable ! » Et la belle accepta mon amende.

Là nous nous entretînmes de nos amours, des souffrances, des peines, des plaintes que Désir suscite chez les vrais amants et chez les dames, leurs amantes ; comment il vient, lance sur fautre,

Assembler a l'un et a l'autre;
Comme il les assaut et detaille
3528 De sa lance dont li fers taille;
Comment il les navre et defent,
S'Esperance ne les deffent.
Mais moult souvent le pris emporte
3532 Desirs, quant Esperance forte
N'est contre li pour bien combatre:
Lors couvient sa baniere abatre
Et Douce Esperance estre en fuite
3536 Pour ce que scet trop po de luite.
La est li amans entre piés;
Car, autressi com uns trepiés
De quoi on fait moult grant essart
3540 Est tous les jours en feu et s'art,
Et quant il advient qu'on l'en oste
On le gette en un coing d'encoste,
Mais quant li fus en est estains,
3544 Il est noirs et bruÿs et tains,
Ainsi est il des amoureus,
Qui sont plains de maulz savoureus:
Quant leur deffensë est petite,
3548 Desirs les assaut et despite
Et les fait a martire offrir,
Si n'ont confort fors de souffrir.

Quant nous eüsmes devisé
3552 De nos amours, je m'avisé
Que li feroie une requeste
Qui me sembloit assez honneste,
Si li dix: « Belle, bonne et sage,
3556 Vous devés un pellerinage,
Ce m'a on dit, a saint Denis. [160 v° b]
Bien seroit or mes maulz fenis
Se le vous plaisoit a paier,
3560 Mais que (je) fuisse vostre escuier:

3534. *Pm* barde (– 1) – **3540.** *E* Et; ou f. – **3542.** *Pm* cop – **3543.** *PmE* feux – **3546.** *A* plein des – **3559.** *Pm* Sil le – **3560.** *APmE* que fusse, *E* que je f. (+ 1)

les charger tous les deux ; comment il les assaille et les déchire de sa lance, dont le fer coupe ; comment il leur fait des blessures profondes en les pourfendant si Espérance ne prend leur défense. Hélas ! bien souvent c'est Désir qui remporte le prix, quand Espérance manque de force pour bien se battre contre lui. Dès lors Douce Espérance doit rebattre sa bannière et prendre la fuite, car elle est trop peu entraînée au corps à corps ; mais alors l'amant est comme pris entre les pieds [de son cheval] : et il en est de lui comme d'un trépied de cuisine, avec lequel on fait très grande consommation de bois coupé en sorte qu'il est allumé et brûle tous les jours ; quand arrive le moment de l'enlever de sa place, on le jette de côté en un coin ; mais la flamme étant éteinte, il apparaît noir, brûlé, changé de couleur ; ainsi en est-il des amoureux comblés de maux qu'ils savourent : quand leur défense est faible, Désir les assaille avec mépris et les offre en sacrifice au martyre ; et ils n'ont d'autre réconfort que de souffrir.

Quand nous eûmes fini de deviser de nos amours, j'eus l'idée de lui faire une requête qui me paraissait tout à fait honnête, et je lui dis : « Belle, bonne et sage ! vous devez un pèlerinage, m'a-t-on dit, à Saint-Denis. S'il vous plaisait de vous en acquitter, mon mal serait pour lors bien terminé, – si du moins j'étais votre écuyer :

Une heure vault une s*e*maine
Et un bon jour, quant Dieus l'amaine,
Vault bien .III. mois, n'en doubtés mie !
3564 Si que, ma belle douce amie,
Je vous pri que vous le paiés
Et que ce pas ne delaiés. »
Et elle respondi en l'eure :
3568 « Doulz amis, se Dieus me sequeure,
De ce faire pas ne recroi ;
Et vous savés assés, ce croi,
Que je ne sui pas mienne dame.
3572 Mais nous irons a sainte Jame
Ou a saint Denis, se je puis,
Moi et ma suer et vous ; et puis
Nous venrons yci sejourner
3576 Quant Dieus nous laira retourner. »
Moult doucement l'en merciai
Et d'elles haster li priai ;
Si qu'elle tint un parlement
3580 Li et sa suer secretement
Et manderent une voisine
Qu'els appellerent leur cousine.

Le jour aprés nous en alames,
3584 Son pellerinage paiames.
Mais la belle, par saint Liefroi,
Vault chevauchier mon palefroi,
Dont si fort l'aim et amerai
3588 Que jamais ne le venderai.
Ce fu droit le jour que l'en dit
La beneÿçon du Lendit.
Mais onques si joliement
3592 Ne si tresenvoisiement
Ne vi aler hommes ne fames
Comme faisoient ces .III. dames ;
Et d'autre part je m'esforçoie
3596 D'estre liez ce que je pooie.

3561. *A* semaine, *F* samaine, *PmE* sepmaine – **3583.** *PmE* alasmes – **3584.** *PmE* paiasmes – **3586.** *A* volt, *PmE* voult, *F* vault

une seule heure vaut une semaine, et un seul jour, quand c'est Dieu qui le procure, vaut bien trois mois, n'en doutez pas ! Si bien que, ma belle et douce amie, je vous prie de vous acquitter de votre vœu et de ne pas le remettre à plus tard ! » Et elle répondit dans l'instant même : « Doux ami, par l'aide de Dieu, je n'hésite pas à faire cela ; mais vous savez fort bien si je ne me trompe, que je ne suis pas maîtresse de mes actes ! Nous irons à Sainte-Gemme ou à Saint-Denis, si je peux, moi, ma sœur et vous ; après quoi nous viendrons séjourner ici quand Dieu nous permettra de nous en retourner. » Je la remerciai de tout cœur et j'insistai auprès d'elle pour qu'elles se hâtassent ; tant et si bien qu'elle eut un entretien secret avec sa sœur ; elles firent venir en outre une voisine, à qui elles s'adressèrent en l'appelant leur cousine.

Nous partîmes le lendemain, commençant ainsi à nous acquitter du pèlerinage de la jeune fille. Mais, surprise ! la belle, par saint Liefroy, voulut monter sur mon palefroi, que pour cette raison j'aime et aimerai si fort que jamais je ne le vendrai.

Ce fut exactement le jour que l'on appelle la Bénédiction du Lendit. Chose rare, jamais je n'avais vu marche aussi enjouée, aussi parfaitement amusante, d'hommes et de femmes comme celle que faisaient ces trois dames, avec moi, qui, de mon côté, m'efforçais d'être aussi gai que je pouvais.

Mais chascune avoit un chappel
(Florettes d'or, ainsi l'appel)
De roses doubles et vermeilles,
3600 Qui bien lor seoit a merveilles.
Mais pour ce qu'il en fust memoire,
Ainsi alames par la foire,
Ou moult de choses marchandames,
3604 Mais onques riens n'i achetames,
Car certainement nos pensees
Estoient ailleurs ordenees :
C'estoit a son pellerinage,
3608 Qu'elle voloit d'umble courage
Paier et tresdevotement ; [161 a]
Et je pour s'amour vraiement
Et pour sa contemplation
3612 Y avoie devotion.
Si le paiames sans targier ;
Et puis nous venimes mengier
A une ville qu'on appelle
3616 Par tout a Paris La Chappelle.
Mais il y avoit si grant nombre
De gent, qu'il n'i avoit pas d'ombre
Ou on peüst bien herbergier
3620 Le corps et le chien d'un bergier.
Nonpourquant nous fumes si aise
Que, foi que je doi saint Nichaise,
Il a passé plus de .VII. ans
3624 Que ne fui si bien de(s). VII. ta*ns*.
Aprés mengier l'oste paiames
Et puis d'illuecques nous levames.
Mais onques si bonne journee
3628 Ne fu pour amant adjournee,
Car ma dame dist : « J'ai sommeil
Si grant que toute m'en merveil,
Et trop volentiers dormiroie

3598. *A* Flourete, *Pm* Fleurete – **3600.** *APmE* leur s. – **3614.** *PmE* uenismes – **3617.** *Pm* y *om.* (– 1) – **3618.** *APm* pas ombre – **3619.** *E* hebergier – **3621.** *A* aaise (+ 1) – **3624.** *PmE* fu ; *APm* de ; *APmE* tans, *F* tamps

Ajoutez à cela que chacune portait une couronne («fleurettes d'or», tel est le nom que je leur donnais) de roses doubles d'un rouge vif, qui leur seyait merveilleusement bien; et, pour qu'on n'oublie pas, le cas échéant, ce détail, c'est ainsi que nous traversâmes la foire, où nous discutâmes les prix de beaucoup de marchandises, sans cependant rien acheter; car nos préoccupations, certainement, étaient tournées ailleurs, à savoir le pèlerinage, objet du vœu de la jeune fille, qui voulait s'en acquitter d'un cœur humble et avec une très sincère dévotion; et moi-même, pour l'amour d'elle, en vérité (et afin de pouvoir la contempler!), j'y montrais un zèle dévot. C'est ainsi que, sans attendre, nous nous acquittâmes du vœu. Après quoi nous nous rendîmes pour manger dans une ville que tout le monde à Paris appelle La Chapelle. Chose inattendue, il y avait un si grand nombre de gens qu'il n'y avait pas d'endroit ombragé où on pût convenablement abriter un berger et son chien. Ce nonobstant nous fûmes si bien traités que, foi que je dois à saint Nicaise, depuis plus de sept ans je n'avais pas été en aussi bonne forme, en réalité je l'étais sept fois plus. Après le repas nous payâmes l'hôte, et puis nous nous levâmes de table.

Mais jamais aucune journée ne s'était révélée aussi propice pour un amant, car ma dame me dit: «J'ai un si grand sommeil que j'en suis tout étonnée; et je dormirais très volontiers

3632 S'une chambre et un lit avoie. »
Il avoit la un sergent d'armes,
Qui avoit beu jusques aus larmes
D'un trop bon vin de saint Poursain :
3636 Chascun le tesmoingne pour sain,
Mais il le faisoit chanceller
Si qu'il ne s'en pooit celer.
Li sergens di[s]t : « Par saint Guillain,
3640 Il ha prés de cy un villain
Qui demeure au bout de la ville :
Il ne penroit ne crois ne pile
Et s'a une belle chambrette
3644 A. II. li*s*, qui est assés nette,
Ou bien serés et a couvert,
Et s'i ara de l'erbe vert.
Venés ent, je vous y menrai
3648 Et le chemin vous apenrai. »
Ma dame li dist : « Je l'acort. »
Si fumes tuit en cest acort.
Devant ala et nous aprés
3652 Qui le siviens assés de prés.
Quant elles furent la venues,
Du chaut du soleil esmeües,
Deulz lis trouverent tout a point.
3656 Lors sa sereur n'attendi point,
Ains se coucha en un des lis
Acouve(r)té de fleurs de lis.
Ma dame en l'autre se coucha
3660 Et .II. fois ou .III. me hucha,
Aussi faisoit sa compaignette [161 b]
Qui avoit a non Guillemette :
« Venés couchier entre nous deulz,
3664 Et ne faites pas le honteus :
Vesci tout a point vostre place. »
Je respondi : « Ja Dieu ne place

3632. *E* ou un l. – **3634.** *A* jusque, *FPmE* jusques – **3639.** *APmE* dist, *F* dit – **3640.** *Pm* dicy – **3644.** *APmE* lis, *F* lit – **3645.** *A* sererez (+ 1) – **3652.** *A* sieuens, *Pm* sieueinz, *E* suiuains – **3656.** *E* suer (– 1) – **3658.** *APm* Acouuete, *FE* acouverte ; *A* de fleurs de fleur de lis (+ 1)

si j'avais une chambre et un lit. » Or il y avait là un gardien armé qui avait bu aux larmes d'un très bon vin de Saint-Pourçain, dont tout un chacun atteste l'excellence pour la santé, mais qui faisait si bien tituber le gardien qu'il ne pouvait pas dissimuler ses effets. Le gardien dit : « Par saint Ghislain, il y a près d'ici un bourgeois qui dans sa demeure au bout de la ville possède une belle petite chambre à deux lits et très propre : sans qu'il demande la moindre rémunération, vous y serez bien et à l'abri, et vous trouverez de l'herbe verte sur le sol. Venez, je vous y mènerai en vous montrant le chemin. » Ma dame dit : « Je suis d'accord. » Et nous donnâmes tous notre assentiment. Il alla devant, et nous derrière, le suivant de très près. Quand les dames furent venues là, incommodées par la chaleur du soleil, elles trouvèrent deux lits tout prêts. Alors la sœur de ma dame, sans plus attendre, se coucha dans un des lits, qui était muni d'une couette à fleurs de lis. Ma dame elle-même se coucha dans l'autre, et ainsi fit aussi sa jeune compagne qui avait pour nom Guillemette ; et deux ou trois fois la dame m'interpella d'une voix forte : « Venez vous coucher entre nous deux et ne faites pas le honteux ; voici toute préparée votre place. » Je répondis : « Jamais à Dieu ne plaise

Que je y vois(s)e ; la hors serai,
3668 Et la je vous attenderai
Et vous esveillerai a nonne
Si tost com je orrai qu'on la sonne. »
Adonc ma dame jura fort
3672 Que je iroie, et, quant vint au fort,
De li m'aprochai en rusant
Et tousdis en moy escusant
Que ce a moi pas n'appartenoit.
3676 Mais par la main si me tenoit
Qu'elles m'i tirerent a force,
Et lors je criai : « On m'efforce ! »
Mais Dieus scet que de la gesir
3680 C'estoit mon plus tresgrant desir,
N'autres pastés ne desiroie,
D'autre avaine ne hanissoie.
Li sergens qui l'uis nous ouvri
3684 De .II. mantellés nous couvri
Et la fenestre cloÿ toute
Et puis l'uis, si qu'on n'i vit goute.
Et la ma dame s'endormi,
3688 Tousdis l'un de ses bras sur mi.
La fui longuement delés elle
Plus simplement c'unne pucelle,
Car je n'osoie mot sonner,
3692 Li touchier në araisonner
Pour ce qu'elle estoit endormie.
La vi je d'Amour la maistrie,
Car j'estoie comme une souche
3696 Delez ma dame en ceste couche,
Ne ne m'osoie remuer
Nient plus c'om me volsist tuer.
Et toute voie a la parfin
3700 Ma dame qui j'aim de cuer fin,
Qui la dormi et sommilla,
Moult doucettement s'esvilla

3667. *APmE* uoise – **3673.** *Pm* Delle – **3697.** *E* Je – **3698.** *E* son me – **3699.** *E* a la fin (– 1) – **3700.** *APmE* que – **3702.** *E* doulcement (– 1)

que j'y aille ; je resterai là dehors, et je vous attendrai ; et je vous réveillerai à none sitôt que je l'entendrai sonner. » Alors ma dame jura d'une voix ferme que j'irais ; au bout du compte, je m'approchai d'elle tout en rechignant et en ne cessant de dire pour me disculper que cela n'était pas convenable pour moi. Cependant elle me tenait si fort de ses mains qu'elles finirent par me tirer par force vers elle. Et moi de m'écrier : « On me fait violence ! » Mais en réalité Dieu sait que m'étendre là était mon plus vif désir, et que d'autres pâtures je ne désirais pas, ni ne hennissais pour une autre avoine ! Le gardien qui nous avait ouvert la porte nous couvrit de deux petits manteaux et ferma complètement la fenêtre et la porte ensuite, si bien qu'on n'y vit plus goutte. La dame s'endormit, un de ses bras sur moi où il resta posé. Je fus là longtemps à côté d'elle, plus innocemment qu'une jeune vierge, car je n'osais articuler un mot, ni la toucher ni lui adresser la parole en raison de son sommeil. Je vis à cette occasion la puissance d'Amour : j'étais en effet comme une souche près de ma dame dans ce lit, et je n'osais pas plus bouger que si on avait voulu me tuer ; sur ces entrefaites, au bout du compte, ma dame que j'aime d'un cœur désintéressé, qui s'était assoupie et avait dormi là, très, très doucement se réveilla

Et moult bassettement toussi
3704 Et dist : « Amis, estes vous cy ?
Acolés moi seürement. »
Et je le fis couardement :
Mais moult le me dist a bas ton.
3708 Pour ce l'acolai a taston,
Car nulle goute n'i veoie ;
Mais certainement bien savoie
Que ce n'estoit pas sa compaigne !
3712 S'estoie com cilz qui se baigne
En flun de paradis terrestre, [161 v° a]
Car de tout le bien qui peut estre
Par honneur estoie assevis
3716 Et saoulé[s] a mon devis
Sans plus pour la grant habundance
Que j'avoie de souffisance ;
Car tout ce qu'elle me disoit
3720 Trop hautement me souffisoit,
Et tout le bien que je sentoie
A goust de merci savouroie
Sans penser mal ne tricherie,
3724 Car trop estoit de moi cherie.
Pour ce veil un po parler ci
Quele chose c'est de merci.

L'un aimme, crient et sert sa dame
3728 Sans penser ne desirer blame,
Sans plus pour venir a vaillance,
Et se met souvent en balance
De tost valoir ou tost morir
3732 Sans demander autre merir ;
Et va cerchant les guerres dures
Et les lontainnes aventures,
S'a souvent fain et po d'argent
3736 Et moult souvent passe par gent
Qui trop plus tost li osteroient
Le sien que(n) rien ne li donroient,

3713. *E* Ou – **3716.** *A* saoulez, *PmE* saoules, *F* saoule (= -é) – **3720.** *Pm* suffisoit – **3727.** *PmE* craint – **3738.** *AE* que, *Pm* que ilz ne luy d.

et toussa tout, tout bas, puis dit: « Ami, êtes-vous ici? Embrassez-moi [sur le cou], en prenant vos précautions »; et je l'embrassai timidement (ne l'oubliez pas: elle me l'avait demandé à voix basse); et je tâtonnai pour l'embrasser, parce que je n'y voyais pas goutte; cependant je savais de science certaine que ce n'était pas sa compagne! et j'étais comme un homme qui se baigne en un des fleuves du paradis terrestre, car de tous les bienfaits qui peuvent s'obtenir dans l'honneur, j'étais comblé et rassasié à souhait, sans rien de plus, parce que en fait de contentement j'étais très abondamment pourvu; car tout ce qu'elle me disait me contentait très fort, et tout le bonheur que j'éprouvais, je le savourais en y sentant comme un goût de faveur (*merci*) sans penser à mal ni chercher à tricher, tant ma dame était chérie de moi. C'est la raison pourquoi je veux un peu expliquer ici ce que c'est que *merci*.

L'un aime, craint et sert sa dame sans pensée ni désir blâmables, sans autre ambition que d'acquérir de la valeur; et il court souvent la chance ou le risque ou de rapidement parvenir à la gloire, ou de très vite rencontrer la mort, sans demander d'autre récompense. Et il s'en va parcourant le monde à la recherche des guerres rudes et des aventures lointaines, et il a souvent faim et peu d'argent; et très souvent il traverse des populations qui bien plutôt lui raviraient son bien qu'ils ne lui donneraient du leur;

Et que souvent tout perderoit
3740 Puis qu'il ne se deffenderoit.
Li autres ne veult que jouster,
Mais encor y veuil adjouster
Danser, chanter et caroler.
3744 L'autre baisier et acoler
Veult sa dame et plus ne li quiert,
Et bien li souffist quant ce acquiert.
Li autres delés li seroit
3748 Cent ans que ja n'i penseroit
N'il ne li auseroit requerre,
Pour tout le bien qui est sur terre,
Non, par Dieu, faire .I. seul semblant,
3752 Ainçois ara le cuer tramblant
Si comme j'ai quant je la voi,
Car il n'a pas d'Amours l'avoi
Quë aucun semblant l'en feïst
3756 Ou que jamais il li deïst;
Et ce li souffist que la voie
Et que delés li s'esbanoie.
Et quant a chascun d'eulz souffist
3760 Sans desirer autre profit,
Je di que vraie souffisance
D'Amours est mercy, sans doubtance.

Ainsi fui doucement peüs
3764 Des tresdoulz biens qui sont deüs
A ceulz qui aiment loyalment [161 v° b]
Par souffisance seulement,
Car *se ce* ne fust souffisance
3768 Moult petite estoit la pitance;
Mais bien n'i ha qui soit petit
Puis qu'on le prent par appetit
Et qu'on le donne liement,
3772 De bon cuer et joliement.

3749. *APmE* oseroit – **3754.** *E* lenuoy – **3758.** *A* dales – **3760.** *A* desseruir, *Pm* demander – **3764.** *E* deüs *om.* (– 2) – **3767.** *APmE* se ce, *F* ce se

et souvent il perdrait tout en ne se défendant pas.

Tel autre prétend ne vouloir que jouter, mais en fait je dois préciser qu'il veut aussi danser, chanter et entrer dans la carole.

Tel autre veut baiser sa dame sur la bouche et lui passer le bras autour du cou, et il ne lui réclame pas davantage, et cela lui suffit tout à fait dès lors qu'il l'obtient.

Tel autre serait près d'elle cent ans sans jamais penser à cela et il n'oserait le lui demander, fût-ce en échange de toutes les richesses à la surface de la terre ; encore moins, par Dieu, oserait-il faire un seul geste : il aura le cœur tremblant ainsi que je l'ai quand je vois ma dame, car il n'a pas l'aveu d'Amour pour témoigner à sa dame son attachement par quelque geste ou par quelque propos : il se contente de la voir et de trouver son plaisir à être à côté d'elle.

Et quand chacun de ces amants se contente de ces faveurs sans désirer d'autre bénéfice, je dis que la merci consiste, à n'en pas douter, à se contenter, mais sincèrement, de ce que donne Amour.

C'est ainsi que je fus doucement repu des très doux bienfaits qui sont accordés à ceux qui aiment loyalement, en me bornant à la seule merci de contentement, car si la merci n'était pas contentement, la pitance eût été petite ; mais c'est un fait : il n'y a pas de bien qui soit petit dès lors qu'il est pris avec appétit et accordé dans la joie, d'un cœur sincère et aimable.

Quant temps fu, d'ilec nous levasmes
Et pluiseurs compagnons trouvames
Qui en chantant nous esveillierent,
3776 Qu'onques le jour ne sommillierent.
Puis alames jouer aus boules
Pour vin, pour chappons et pour poulles,
Pour poulés et pour lapperiaus
3780 Et pour fromages sauteriaus,
A dire est frommages de Brye.
Si que toute la compagnie
Par accord soupasmes ensemble
3784 En un vergier, qui bien ressemble
De douceur le biau paradis
Que Eve et Adam eurent jadis,
Car tant estoit vert et flory
3788 Que qui seroit ou pilori
Dou vëoir se resjoieroit
Et sa honte en oublieroit.
La soupasmes bien et a trait,
3792 Et la ma douce dame a trait,
De son doulz attrait attraiant
Et de son tresdoulz oueil traiant,
Maint trait a moi, pour moi attraire
3796 Qui estoie siens sans retraire,
(Si que cilz p*ert* toute sa paine
Qui d'avoir ce qu'il ha se painne,
Car elle scet bien qu'elle m'a
3800 Dés que son ami me clama).
La fumes servis de doulz lais,
D'entremés et de virelais
Qu'on claimme chansons baladees,
3804 Bien oÿes, bien escoutees,
Et de tout le fait de musique
Tresbien et tresproprement, si que
On ne savoit au quel entendre.

3776. *A vers om.* – **3780.** *Pm* fourmages ; *A* sautereaus, *E* soteriaulx – **3781.** *Pm* fourmage – **3786.** *A* Adant – **3789.** *A* sen esjoiroit, *Pm* sen esjouiroit, *E* se resjoiroit – **3793.** *APm vers om.* – **3797.** *APmE* pert, *F* par t. s. p.

Quand ce fut l'heure, nous nous levâmes de là, et nous rencontrâmes plusieurs compagnons de pèlerinage qui achevèrent de nous réveiller par leurs chants, eux-mêmes n'ayant point fait de sieste durant la journée. Puis nous allâmes jouer aux boules, où l'on pouvait gagner du vin, des poules, des chapons, des poulets et des lapereaux, ainsi que des fromages de « sauterelles », c'est-à-dire des fromages de Brie. Pour finir, d'un commun accord de toute la compagnie, nous soupâmes ensemble en un verger, qui bien semblait, quant à la douceur, être une réplique du beau paradis qu'Ève et Adam avaient possédé au temps jadis ; il était en effet si plein d'herbe verte et de fleurs, que, fût-on au pilori, on se réjouirait de sa seule vue et on en oublierait sa honte.

Nous soupâmes ce soir-là de bonnes choses et tranquillement. Là aussi, mon aimable dame, dans la douceur de son gracieux visage et avec l'arc de ses très doux yeux, lança vers moi maintes flèches afin de m'attirer, moi qui déjà étais sien sans réserve. (Mais, comme on dit, on gaspille toute sa peine si on se met en frais pour avoir ce qu'on a ; car elle sait bien que je lui appartiens depuis qu'elle m'appela son ami.)

C'est là aussi que nous fûmes servis d'agréables lais, d'intermèdes et de virelais, appelés chansons balladées, agréablement entendues, parce que bien écoutées, et de tout l'excellent accompagnement instrumental, très approprié, si bien qu'on ne savait à quoi accorder sa principale attention.

3808 La pooit on assés aprendre,
Car chascuns faisoit son effort
De chanter bien et bel et fort.
La jusques prés du jour veillames;
3812 Et puis les dames convoiames,
Chascune dedens sa maison,
A torches, et ce fu raison:
Amours pas la ne m'essaia,
3816 Ainsois largement me paia,
Si com bien faire le savoit, [162 a]
Le bon jour qu'elle me devoit;
Et a celle, que j'en mercy,
3820 Embla Souffisance mercy
Sans plus, par penser doucement
A honnourable esbatement.

La demourai .VII. jours en route
3824 A grant deduit, moi et ma route.
Et delés ma dame disnai
Ou petit prins pain et vin ai,
Quen li veoir me delitoie
3828 Et de ce la me saouloie;
Car nous estiens priveement,
Si qu'il n'i avoit seulement
Fors la belle, moi et sa suer,
3832 Qui ne la laissast a nul fuer.
Mais ma dame, qui commande ha
Sur moi, me dist et commanda
Que aucune chose li deÿsse
3836 Ou que de nouvel la feÿsse.
Si fis ce cy nouvellement
A son tresdoulz commandement:

Balade

Gent corps, faitis, cointe, appert et joli, *L'amant*
3840 Juene, gentil, paré de noble atour,

3813-4. *E ordre des deux vers inversé* – **3829.** *PmE* estions

Là on pouvait apprendre beaucoup de choses, car chacun faisait tout son possible pour chanter juste, et que ce fût beau et expressif. Là nous veillâmes presque jusqu'au point du jour ; après quoi nous convoyâmes les dames, chacune jusque dans son logis, avec des torches, et ce ne fut que justice : Amour ne m'avait alors pas mis à l'épreuve, car il m'avait payé avec largesse, ainsi qu'il savait bien le faire, la bonne journée qu'il me devait ; et à ma dame, que j'en remercie, Contentement avait dérobé une faveur, sans plus, en m'incitant doucement à n'avoir dans l'esprit que des ébats où l'honneur était sauf.

Je demeurai là sept jours de suite, menant une vie très plaisante avec mes compagnons. Je dînai chaque jour assis à côté de ma dame, ne prenant que peu de pain et de vin, parce que je me délectais de la regarder, et de cela je me gorgeais à satiété, car nous étions entre nous dans l'intimité, n'y ayant seulement que la belle, moi et sa sœur, qui pour rien au monde ne l'eût quittée.

Mais alors ma dame, qui autorité a sur moi, s'adressa à moi et me demanda de lui réciter quelque pièce ou d'en composer une nouvelle ; et je composai ceci, qui était nouveau, selon ses très doux ordres :

Ballade [de l'amant]

1. Aimable personne, bien faite, élégante, au visage
[ouvert et enjoué,
Jeune, noble, parée de vêtements distingués,

Simple, plaisant, de bonté enrichi
Et de biauté nee en fine douç*o*ur!
Mon cuer ha si conquis par sa douç*o*ur
3844 Le doulz regart de vo viaire cler
Qu'autre de vous jamais ne quier amer.

S'ai droit, que j'ai si noblement choisi
Que, se je fusse au chois d'amer la flour
3848 De ce monde, *se eü*sse je failli
En mieulz choisir qu'en vous, dame d'onnour.
S'en remercy vous et loyal Amour
Qui tient mon cuer en si plaisant penser
3852 Qu'autre de vous jamais ne quier amer.

Tresdouce dame, et puis qu'il est ainsi
Que je vous aim sans penser deshonnour
Et qu'en tous lieus avés le cuer de mi
3856 Que mercy prie humblement nuit et jour,
Je vous suppli, par voix plaine de plour,
Que vous veilliés savoir par esprouver
Qu'autre de vous jamais ne quier amer.

3860 Et elle fist ce rondelet, *L'amant*
Qui ne me semble mie let,
Car il n'i ha rien que reprendre;
Mais elle le fist sans attendre,
3864 Et si volt que je l'emportasse
Ainsois que de la m'en alasse:

Rondel

[162 b]

Autre de vous jamais ne quier amer, *La dame*
Tresdoulz amis, qui j'ai donné m'amour,

3868 Car a mon gré je ne puis miex trouver:
Autre de vous jamais ne quier amer.

3842. *APm* doucour, *F* douceur, *E* uigour – **3846.** *E* car jay – **3847.** *APmE* a ch. – **3848.** *APmE* seusse, *F* sceusse – **3856.** *AE* Qui – **3857.** *A* depri, *E* depry – **3865-6.** *A* Lamant

Simple, plaisante, riche de vertus
Et d'une beauté native avec une parfaite douceur !
Le doux regard de votre visage clair
A si bien conquis mon cœur par sa tendresse
Qu'une autre que vous je ne cherche à l'avenir à [aimer.

2. Et c'est justice, car j'ai fait un si noble choix
Que si j'avais à choisir d'aimer la fleur
De ce monde, j'eusse échoué
À faire un meilleur choix que de vous, dame pleine [d'honneur.
Et de cela je vous remercie, vous et loyal Amour,
Qui tient mon cœur en une si plaisante pensée
Qu'une autre que vous je ne cherche à l'avenir à [aimer.

3. Très douce dame, et puisqu'il est ainsi
Que je vous aime sans pensée à l'honneur contraire
Et qu'en tous lieux vous possédez mon cœur
Qui humblement implore votre faveur nuit et jour,
Je vous supplie d'une voix pleine de pleurs
De vouloir bien me mettre à l'épreuve pour savoir
Qu'une autre que vous je ne cherche à l'avenir à [aimer.

Elle, de son côté, composa ce petit rondeau, *L'amant* qui ne me semble pas vilain, car il n'y a rien à y reprendre ; et pourtant elle l'avait fait sans attendre, et elle voulut me le voir emporter avant que je ne m'en allasse de là.

Rondeau [de la dame]

Un autre que vous je ne cherche à l'avenir à aimer,
Très doux ami, à qui j'ai donné mon amour,

Car pour m'agréer je ne puis mieux trouver :
Un autre que vous je ne cherche à l'avenir à aimer.

Et si sai bien, sans le plus esprouver,
Que vostre cuer fait en moi son demour :

3872 Autre de vous jamais ne quier amer,
Tresdoulz amis, qui j'ai donné m'amour.

Finablement l*i* termes vint *L'amant*
Que de li partir me couvint ;
3876 Si prins congié moult humblement,
Acompaigniés petitement
De Scens, de Maniere et d'Avis.
Mais elle vit bien a mon vis
3880 Qu'en l'esperit bleciés estoie
Quant ainsi ma coulour muoie ;
Car j'estoie descoulourés,
Tristes, dolans et esplourés
3884 Pour ce que j'estoie certains
Que de li seroie lontains
Longuement contre mon voloir ;
Et ce me faisoit trop doloir.
3888 Mais la tresbelle et bonne et sage,
Au gentil corps, au franc courage,
Me prinst doucement par la main
Et dist : « Vous revenrés demain
3892 Qu'au matinet me leverai,
Et a Dieu vous commanderai
Et non pas cy devant la gent. »
Je respondi com son sergent :
3896 « Ma dame, a Dieu, puis qu'il vous plait. »
Je m'en alai sans autre plait.
Mais je fis son commandement,
Car je y vins si songneusement
3900 Que la belle encor se gisoit.
Et l'esveillai, ce me disoit,

3874. *AE* li, *F* le – **3889.** *E* et f. c. – **3891.** *F un deuxième* uous *exponctué*

Et je sais bien, sans le mettre plus longtemps à [l'épreuve,
Que votre cœur fait en moi son séjour!

Un autre que vous je ne cherche à l'avenir à aimer,
Très doux ami, à qui j'ai donné mon amour.

Finalement le moment vint où il me fallut la quitter; je pris congé très humblement, accompagné d'une petite quantité de Raison, de Manière et de Sagesse. Malgré cela, elle vit bien à mon visage que j'avais l'esprit blessé, à ce point mon teint avait changé; car j'avais perdu ma couleur, j'étais triste, chagrin et éploré parce que j'étais certain que je serais longtemps loin d'elle contre ma volonté; et c'est cela qui causait ma douleur. Par bonheur, la très belle, la bonne, la sage, au noble corps, au cœur généreux, me prit doucement par la main et dit: «Vous reviendrez demain, quand au petit matin je me lèverai et qu'alors je vous dirai adieu, et non pas ici devant les gens.» Je répondis comme son serviteur: «Ma dame, à la grâce de Dieu, puisque tel est votre bon plaisir.» Je m'en allai sans autre discours. *L'amant*

Je n'oubliai pas d'obéir à ses ordres, car je vins chez elle avec une exactitude si scrupuleuse que la belle était encore couchée, et je l'avais, me disait-elle, réveillée

A l'ouvrir d'une fenestrelle
Qu'a senestre estoit delés elle.
3904 Si tirai un po la courtine
De cendal a couleur sanguine.
Mais elle n'estoit pas seulette,
Que o li estoit la pucellette
3908 Qui el vergier vert et fueilli
Les fleurs dou chapelet cueilli.
Moult coiettement la huchai
Et petit de li m'approchai,
3912 En sa grant biauté regardant,
S'onneur et son estat gardant,
Qu'autrement faire ne l'osoie
Pour son courrous que je doubtoie. [162 vº a]
3916 Mais la belle ne dormoit mie,
Ainsois par sa grant courtoisie
Par devers moi se retourna;
N'elle prins nul autre atour n'a
3920 Fors que les euvres de Nature,
Tant belle que onques creature
Ne pot estre a li comparee,
Tant en fu richement paree.
3924 Lors par mon droit nom m'appella
Et dist: « Amis, estes vous la? »
Je dis: « Oÿl, ma douce amour;
Mais j'ai grant doubte et grant cremour
3928 Pour vostre pais que aucuns ne vaingne. »
Et elle dist que riens ne craingne,
« Car nulz ne vient s'on ne l'appelle »;
Ainsi m'asseüra la belle.
3932 Quant je vi sa coulour *verm*eille
Et sa biauté qui n'a pareille,
Son doulz vis, sa riant bouchette
Douce, plaisant et vermillette,
3936 Et sa gorge polie et tendre,
Je m'agenoullai sans attendre

3904. *E* tray – **3910.** *E* coiement (– 1) – **3911.** *E* Et un p. (+ 1) – **3930.** *A* ni u. – **3932.** *AE* uermeille, *F* merueille – **3937.** *A* magelongnay

en ouvrant une petite fenêtre qui se trouvait à côté d'elle sur sa gauche. Je tirai un peu la tenture du lit faite de soie de couleur sanguine. Mais elle n'était pas toute seule, car avec elle se trouvait la jeune pucelle qui au verger vert et feuillu avait cueilli les fleurs pour la couronne. À voix très basse j'appelai la belle et m'approchai un peu de ma dame, le regard fixé sur sa grande beauté, tout en ménageant son honneur et son état de femme, car je n'osais envers elle me conduire autrement, à cause de son courroux que je redoutais. Cependant la belle ne dormait pas, mais par un effet de sa grande courtoisie elle se retourna vers moi, et elle n'avait pris nul autre atour que les œuvres de Nature, et elle était si belle que jamais créature ne put lui être comparée, tant elle en avait été somptueusement parée. Alors elle m'appela par mon nom exact et dit : « Ami, êtes-vous là ? » Et je répondis : « Oui, mon doux amour ; mais pour votre paix j'ai grande peur et grande crainte que quelqu'un ne vienne. » Et elle me dit de ne rien craindre, « car nul ne vient si on ne l'appelle ». Par ces mots la belle me rassura. Quand je vis son teint vermeil et sa beauté sans pareille, son doux visage, sa petite bouche riante, douce, plaisante et quelque peu vermeille, et sa gorge lisse et délicate, je m'agenouillai sans plus attendre

Et encommençai ma priere
A Venus par ceste maniere :

3940 « Venus, je t'ai tousdis servi
Depuis que ton ymage vi
Et dés lors que parler oï
De ta puissance ;
3944 Et pour ce humblement te depri
Que veuilliez oïr mon depri
Et que tendez sans nul detri
A m'aligence ;
3948 Car je voy ci en ma presance
La biauté, la douce semblance
Qui mon cuer ha navré sans lance
Et l'a ravi ;
3952 Et pooir n'ai que je m'avance
De li touchier, car j'ai doubtance
De son courrous ; ce point et lance
Le cuer de mi.

3956 Tu ies ma dame et ma deesse, [162 v° b]
Tu ies celle qui mon cuer blesse
Et le garis par ta noblesse
Si doucement
3960 Qu'il n'i ha dolour ne destresse
Fors deduit, plaisance et leesse :
De ce ies souverainne maistresse
Certainement.
3964 Tu joins .II. cuers si proprement
Qu'il n'ont que un seul entendement,
Un bien, un mal, un sentement,
Une tristesce ;
3968 Or me donne dont hardement

3938. *E* commencay (– 1) – **3939.** *E ajoute* et plainte – **3940.** *A* tousjours – **3945.** *AE* uueilles – **3946.** *A* tendes, *E* tandes – **3949.** *A* sanlance – **3953.** *E* lui courcier – **3960.** *A* tristesse ; *E* destresse – **3966.** *A* sententement (*le deuxième* n *est plus gras que les autres lettres, comme si le copiste avait repris de l'encre, et avait eu ainsi un instant de distraction*)

et commençai en ces termes une mienne prière à Vénus :

1. « Vénus, je t'ai toujours servie
Depuis que j'ai vu ton image,
Et dès l'heure où j'entendis parler
De ta puissance ;
Et c'est pourquoi humblement je t'implore
De bien vouloir entendre ma prière
Et chercher sans nul répit
À soulager ma peine ;
Car je vois ici sous mes yeux
La beauté, la douce figure
Qui a blessé mon cœur sans lance
Et l'a ravi ;
Or je ne puis me hasarder
De la toucher, car je crains
Son courroux ; et cela meurtrit et transperce
Mon cœur.

2. Tu es ma dame et ma déesse,
Tu es celle qui blesse mon cœur
Et le guérit par ta générosité
Si doucement
Qu'il n'y subsiste ni douleur ni détresse,
Rien que joie, plaisir et liesse :
De ce changement tu es la souveraine maîtresse,
C'est chose certaine.
Tu joins deux cœurs si étroitement
Qu'ils n'ont qu'une seule intelligence,
Un seul bonheur, un seul malheur, une seule [sensibilité,
Une seule tristesse ;
À présent donne-moi donc la hardiesse

Qu'a ce tresdoulz viaire gent
Prengne paix au departement,
S'arai richesse.

3972 Et en cas que ne le feras,
Tu m'as fait, si me defferas
Et a la mort me metteras,
C'est sans mentir:
3976 Mes cuers est desconfis et mas.
Et tu sces moult bien que tu m'as,
Si dois estre mes advocas
Et soubstenir
3980 Ma paix, ma joie et mon desir,
Et si dois ma santé querir
Et moi bonnement enhardir
Voire en ce cas.
3984 Mais se tu me veulz deguerpir
Et a ce grant besoing fallir,
A Dieu! tout je veuil cy morir
Sans nul respas. »

3988 Quant je os ma priere finee, *L'amant*
Venus ne s'est pas oubliee,
N'elle aussi pas ne s'oublia,
Car moult bien souvenu li a
3992 De mon fait et de la requeste.
Si fu tost la deesse preste,
Car tout en l'eure est descendue,
Couverte d'une obscure nue,
3996 Plainne de manne et de fin bausme [163 a]
Qui la chambre encense et enbausme.
Et la fist miracles ouvertes
Si clerement et si appertes
4000 Que de joie fui raemplis;
Et mes desirs fu acomplis

3986. *E* y cy (+ 1) – **3988.** *A* jeus m. p. – **3992.** *E* ma r. – **3996.** *A* baume, *E* blasme

De prendre à ce très doux et gracieux visage
Un baiser de paix à mon départ
  Et je serai comblé.

3. Or, au cas où tu ne le feras pas,
Toi qui m'as rétabli, tu me désétabliras
Et me mettras à mort,
  Cela ne se conteste pas :
Mon cœur sera vaincu et mat.
Or tu sais parfaitement que je suis ton vassal
Et ainsi tu dois être mon défenseur
  Et le soutien
De ma paix, de ma joie et de mon désir,
Et tu dois rechercher ma santé,
Et me donner une honnête hardiesse,
  Oui, vraiment, en cette circonstance.
Mais si par malheur tu veux m'abandonner
Et me manquer en ce moment de grand besoin,
Je te recommande à Dieu ! Je veux absolument ici [mourir
  Sans nulle envie de guérir. »

Quand j'eus terminé ma prière, Vénus ne resta pas inactive ni non plus ne fut inattentive ma dame, car elle a fort bien gardé en mémoire mon geste et ma requête. Ainsi la déesse fut vite prête, car dans l'instant même elle est descendue, couverte par une nuée obscure remplie d'arôme et de fin baume qui encensa et parfuma la chambre. Et alors elle fit des choses franchement miraculeuses de manière si claire et si évidente que je fus rempli de joie, et mon désir fut satisfait par les choses miraculeuses qu'elle faisait ;

– Si bien que plus ne demandoie
Ne riens plus je ne desiroie,
4004 Car a la deesse plaisoit –
Par miracles qu'elle faisoit.
Et quant cilz miracles fu fais,
Je li dix : « Deesse, tu fais
4008 Miracles si appertement
Qu'on le puet vëoir clerement,
Dont je te rend grace et loenge
Sans flaterie et sans losenge. »

4012 Toute voie tant vous en di :
Quant la deesse descendi,
Li cuers me fremy et trembla ;
Et de ma dame il me sembla
4016 Que un petitet fu esmeüe
Et troublee de sa venue,
Car son doulz vis en embelist,
Qui moult durement m'abelist ;
4020 Et ce n'est pas moult grant merveille
D'un miracle s'on s'en merveille,
Si que ainsi de la nue obscure
Eüsmes ciel et couverture,
4024 Et tous deulz en fumes couvert
Si qu'il n'i ot rien descouvert,
Et ce durement me seoit
Que adonc riens goute n'i veoit.
4028 Et si dura longuettement,
Tant que je os fait presentement,
Ains que Venus s'en fust alee,
Ceste chanson qu'est baladee :

Chanson baladee

4032 Onques si bonne journee *L'amant*
Ne fu adjournee

4013. *Pm* deschendy – **4029.** *APm* jeus f. – **4031-2.** *E* uirelay balade

si bien que je n'en demandais pas davantage ni ne désirais rien obtenir de plus, car tel était le bon plaisir de la déesse. Et quand ce miracle fut fait, je lui dis : « Déesse, tu fais des choses miraculeuses avec une telle évidence qu'on peut les voir en toute clarté ; et de cela je te rends grâce et louange sans te flatter et sans hypocrisie. »

Quoi qu'il en soit, je ne vous en dis que ceci : quand la déesse descendit, mon cœur frémit et trembla ; quant à ma dame aussi, il m'apparut qu'un petit peu elle fut émue et troublée par sa venue, car son doux visage en embellit, ce qui me plut très fort ; (mais ce n'est pas une chose bien étonnante qu'en présence d'un miracle on soit en admiration) finalement, de la sorte, grâce à la nuée obscure nous eûmes ciel de lit et couverture, et tous deux en fûmes couverts, si bien que rien ne pouvait se voir à découvert, et il me convenait parfaitement que nul alors n'y voyait goutte. Or cela dura assez longuement, le temps que j'eus composé, séance tenante, avant que Vénus s'en fût allée, cette chanson balladée :

Chanson balladée [de l'amant]

[Refrain]
Jamais si bonne journée
N'avait été commencée

Com quant je me [de]parti
De ma dame desiree,
4036 A qui j'ai donnee
M'amour et le cuer de mi.

Car la manne descendi
Et Douceur aussi,
4040 Par quoi m'ame saoulee
Fu(s)t dou fruit de doulz ottry
Que Pité cueilli
En sa face coulouree.
4044 La fu bien l'onnour gardee
Et la renommee
De son cointe corps joli, [163 b]
Qu'onques villeine pensee
4048 Ne fu engendree
Ne nee entre moi et li.

Onques si bonne journee, etc.

Souffisance m'enrichi
Et Plaisance, si
4052 Qu'onques creature nee
N'ot le cuer si assevi
N'a mains de soussi,
Ne joie si affinee;
4056 Car la deesse honneree,
Qui fait l'assamblee
D'amours d'amie et d'ami,
Coppa le chief de s'espee,
4060 Qui est bien tempree,
A Dangier, mon anemi.

Onques si bonne journee, etc.

Ma dame l'enseveli
Et Amours, par si

4034. *A* departi, *PmE* departy, *F* parti (– 1) – **4041.** *Pm* fu, *E* fut – **4042.** *PmE* pitie – **4054.** *APm* Ne m. – **4056.** *A* honnouree – **4060.** *PmE* trempee

Comme celle où je quittai
Ma dame désirée
  À qui j'ai donné
Mon amour et mon cœur.

1. Car la manne descendit
    Et aussi Douceur,
  Par quoi mon âme fut
  Rassasiée du fruit de doux octroi
    Que Pitié cueillit
  Sur sa face colorée.
  Alors l'honneur fut bien préservé,
    Ainsi que la renommée
  De son corps svelte et gracieux,
  Car pas un instant une vilaine pensée
    Ne fut conçue
  Ni ne naquit entre moi et elle.

  Jamais si bonne journée...

2. Contentement me combla
    Et Plaisir, si bien
  Que jamais créature humaine
  N'eut le cœur autant assouvi
    Et avec moins de souci,
  Ni n'éprouva joie aussi pure ;
  Car la déesse honorée,
    Qui réalise l'union
  D'amour d'une amie et d'un ami,
  Coupa de son épée
    À l'acier bien trempé
  La tête de Retenue, son ennemie.

  Jamais si bonne journée...

3. Ma dame l'ensevelit,
    Avec l'aide d'Amour, dans des conditions telles

4064 Que s'ame fu tost plouree,
N'onques Honneur ne souffri,
Dont je l'en mercy,
Que messe li fu[st] chantee:
4068 Sa charogne traïnnee
Fu sans demouree
En un lieu dont on dit: fy!
S'en fu ma joie doublee
4072 Quant Honneur l'entree
Ot dou tresor de mercy.

Onques si bonne journee, etc.

Aprés Venus s'esvanui *L'amant*
Et en sa nue s'enfouy.
4076 Je demourai tous esbahis
Et aussi com tous estahis;
Et ma dame estoit esbahie
Et un petitet estahie.
4080 Adonc doucement l'aparlai
Et par ceste guise parlai:
« Douce suer et douce compaigne,
Je ne cuit que jamais avaingne
4084 A. II. amans n'a creature
Nulle si plaisant aventure,
Si douce, n'a tant d'onnesté
Comme ceste cy a esté.
4088 Avez vous bien apperceü
La deesse que j'ai veü?
Sa grant biauté, sa contenance,
Son scens, s*on* pooir, sa vaillance?
4092 Comment elle nous aombra
De sa nue, qui douce ombre ha?
Comment elle nous a servi, [163 v° a]
Et si ne l'ai pas desservi?

4064. *A* fust – **4067.** *AF* fu, *PmE* fust – **4073.** *A avait d'abord écrit* Et, *qu'il a ensuite corrigé en* Ot – **4075.** *Pm* enfuy – **4078-9.** *E om.* – **4080.** *A* laparla – **4091.** *APmE* son p., *F* sa pooir

Qu'on eut vite fini de pleurer son âme,
Ni jamais Honneur ne souffrit
  – Et je l'en remercie –
Qu'un requiem pour elle fût chanté :
Sa charogne fut traînée
  Sans attendre
En un lieu dont on dit : « Pouah ! » ;
Et ma joie fut doublée
  Quand Honneur put
Pénétrer au trésor des faveurs.

Jamais si bonne journée...

Après cela Vénus s'évanouit, s'enfuyant enveloppée dans sa nuée. Pour moi, je demeurai tout ébahi et comme tout hébété ; et ma dame aussi était ébahie et quelque peu hébétée. Alors doucement je m'adressai à elle et lui parlai en ces termes : « Douce sœur et douce compagne, je n'imagine pas que jamais plus n'advienne à deux amants ni à quelque personne que ce soit une aventure aussi plaisante, aussi douce, aussi honnête qu'a été celle-ci. Avez-vous bien aperçu la déesse que j'ai vue ? Sa grande beauté, son maintien, son esprit, son pouvoir, sa noblesse ? Comment elle nous couvrit de l'obscurité de sa nuée dont l'ombre est douce ? Comment elle nous a servis sans que je l'aie mérité ?

4096 Car nel porroie desservir
Jusques a mil ans pour servir
Ne pour li craindre n'onnourer,
Loer n'obeÿr ne aourer. »
4100 Elle me dist : « Tresdoulz amis,
En nos cuers la deesse a mis
Amours qui tousdis croistera
Ne jamais ne s'en partira.
4104 Bien ai veü sa descendue
Et son alee et sa venue.
Or amés fort et loialment,
Car je vous promet bonnement
4108 Que mon cuer avés si ravi
Que le bien amer vous renvi
Ne jamais en jour de ma vie
Je n'arai d'autre amer envie. »
4112 Je dis : « Belle, Dieus le vous mire ! –
Trop plus vous aim que ne sai dire,
Et jamais ne vous fausserai,
Mais vrais et loiaus vous serai. »
4116 Adonc la belle m'acola
Et mis son bras a mon col a,
Et je de .II. bras l'acolai
Et mis son autre a mon col ai.
4120 Si attaingni une clavette
D'or et de main de maistre faite,
Et dist : « Ceste clef porterés,
Amis, et bien la garderés,
4124 Car c'est la clef de mon tresor :
Je vous en fais seigneur dés or
Et desseur tous en serés maistre.
Et si l'aim plus que mon oeil destre,
4128 Car c'est m'onneur, c'est ma richesse,
C'est ce dont puis faire largesse,
Par vos dis ne ne puet descroistre,

4096-7. *E* Jusques a mil ans pour se croy Que jol desservir ne pourray ; *ce dernier vers, d'abord omis, est écrit en marge des deux vers suivants, dont il est séparé par des barres verticales* – **4099.** *APm* ne amer (– 1) – **4102.** *E* croistra (– 1) – **4122.** *E* me p. (+ 1)

Car je ne pourrais le mériter, dussé-je pendant mille ans la servir, la respecter, l'honorer, la louer, lui obéir, l'adorer. » Elle me répondit : « Très doux ami, la déesse a mis en nos cœurs un amour qui ne cessera de croître et n'en partira jamais plus. J'ai bien vu sa descente, et son départ comme sa venue. À présent, que votre amour soit fort et loyal, car je vous garantis sur l'honneur que vous avez à ce point ravi mon cœur que j'augmente pour vous ma mise de bon amour et que jamais, en aucun jour de ma vie, je n'aurai envie d'en aimer un autre. » Et je dis : « Belle, Dieu vous en récompense ! Je vous aime bien plus que je ne sais dire, et jamais je ne vous trahirai, bien au contraire, je serai envers vous sincère et loyal ! » Alors ma belle m'embrassa en mettant son bras autour de mon cou ; et moi-même je l'embrassai de mes deux bras et mis son autre bras autour de mon cou. Puis elle saisit une petite clef, en or, ouvragée par un maître orfèvre, et dit : « Vous porterez cette clef, ami, et la garderez bien, car c'est la clef de mon trésor : je vous fais de celui-ci seigneur désormais et vous en serez le maître au-dessus de tous autres ; et je l'aime plus que mon œil droit, car c'est mon honneur, c'est ma richesse, c'est ce dont je puis faire largesse ; et par vos poésies il ne peut décroître,

Ainçois ne fait tousdis que acroistre. »
4132 La clef pris et li affermai
Dou bien garder, quar moult l'amai ;
Puis pris un anel en mon doi
Et li donnai, faire le doi.
4136 Lors en souspirant congié pris
De ma douce dame de pris,
Car pour le sol*e*il qui venoit
De la partir me couvenoit.
4140 Si m'en alai les saus menus,
Tant qu'en mon hostel *f*ui venus.

Et se j'ai dit ou trop ou pau,
Pas ne mespren, car, par saint Pau,
4144 Ma dame vueult qu'ainsi le face
Soubz pene de perdre sa grace.
Et bien vuelt que chascuns le sache, [163 v° b]
Puis qu'il n'i ha vice ne tache ;
4148 Et se le contraire y heüst,
Elle bien taire s'en sceüst
Et au celer bien li aidaisse,
Car par ma foi bien le celaisse.
4152 Je vous ai ceste chose ditte,
Mais ne m'en chaut se c'est reditte.

Je montai sur ma haguenee
Et chevauchai la matinee
4156 Ne de chevauchier ne finai
Tant que je vins ou je disnai.
Mais le disner ne pos attendre,
Ains me couvint en l'eure prendre
4160 Mon escript*oi*re pour escrire
Les lettres que cy orrés lire ;
Et si fu dedens enfermee

4138. *APmE* soleil, *F* solail – **4141.** *APmE* fui, *F* sui (*ou plutôt un* f *initial de mot sans barre horizontale*) – **4145.** *APm* sus – **4150.** *AE* aidasse – **4151.** *AE* celasse – **4156.** *F a corrigé un* o (cho-) *en* e – **4158.** *APm* diner ; *E* entendre – **4160.** *APm* escriptoire, *FE* escripture

il ne fait que s'accroître sans cesse. » Je pris la clef et rassurai ma dame quant à la bonne garde, car je me mis à beaucoup l'aimer. Après quoi je pris une petite bague à mon doigt et la lui donnai, c'était mon devoir. Alors en soupirant je pris congé de ma douce dame de haut prix, car il me fallait partir de là à cause du soleil qui se levait. Et je m'en allai à pas rapides jusqu'à mon arrivée à mon hôtel.

Si j'en ai dit beaucoup ou peu, ce n'est pas ma faute, car, par saint Paul, ma dame veut qu'ainsi je procède, sous peine de perdre sa bonne grâce. Or elle veut bel et bien que chacun sache la vérité, dès lors qu'il n'y a ni vice ni tache; mais si c'est le contraire qui eût eu lieu, elle aurait bien eu la possibilité de ne pas en parler et moi-même je l'aurais bien aidée à le dissimuler, car, je le jure, je l'aurais habilement caché.

Je vous ai dit cela sans me soucier si c'est une redite !

Je montai sur ma haquenée et chevauchai toute la matinée et ne m'arrêtai pas de chevaucher jusqu'à mon arrivée à l'endroit où je dînai. Cependant je fus incapable d'attendre qu'on servît le dîner, car il me fallut sur l'heure prendre mon écritoire pour écrire la lettre que vous allez entendre lire ci-après, et où se trouva incluse

La chanson ci devant nommee;
4164 Et li tramis sans detrier,
Qu'a moi grevoit le detrier.

[Lettre XIX des mss]

(a) Mon tresdoulz cuer et ma tresdouce amour! *L'amant*

J'envoie par devers vous pour savoir vostre bon estat, le quel veuille Nostres Sires[1] tousjours faire si bon comme je le[2] desire de tout mon cuer et comme vous meismes[3] le volriés; et, par m'ame, je ne puis[4] attendre d'envoier a vous[5]. Et dou mien, plaise vous savoir que je fusse en tresbon point se je vous pe*u*sse[6] veoir tousdis. Mais quant je sui – et serai[7] – long de vous, et il me souvient de la tresdouce pasture et sade[8] nourreture[9] dont vous m'avés si doucement[10] nourri et repeu, se j'ai – et arai – po de joie et de leesce, nulz ne s'en doit mervillier. Toutevoies je me conforte en ce que onques encores ne fu, qui encores ne soit, se Dieu plaist.

(b) Et mon tresdoulz cuer, je *f*ui[11] nices et rudes au departir de vous; si le me veuilliés pardonner quant je ne vous sceus[12] mercier, pour ce que en l'ame de mi j'estoie si pris et[13] si souspris que je ne savoie qu'il m'estoit advenu pour le grant miracle que la deesse fist en nostre presence; et toutes les fois que je y pense, je en sui tous esbahis. Et aussi de vostre grant humilité, car se je estoie li plus biaus, li plus sages et li plus parfais du monde, si m'a Dieu et vous bien pourveu; ne je ne sui mie dignes de desservir le plus petit des biens que vous m'avés fait. Et je prie a Dieu qu'il me doint avant la mort que en

---

1. *A* nostres sires vueille, *E* nostre seigneur. – **2.** *E* le *om.* – **3.** *E* mesmes. – **4.** *A* je ne ne p., *deuxième* ne *barré.* – **5.** *Pm* et, par m'ame... envoier a vous *om.* – **6.** *A* peusse, *F* peosse. – **7.** *Pm* et serai *om.* – **8.** *Pm* sade *om.* – **9.** *Pm* nourreture et pasture. – **10.** *Pm* si doucement *om.* – **11.** *PmE* fu, *AF* sui n. – **12.** *Pm* quer je ne u. sos. – **13.** *Pm* si pris et *om.*

la chanson balladée citée plus haut ; et je lui fis parvenir le tout sans délai, car il m'était pénible de tarder.

Lettre 19, de l'amant [19 des mss ; XIX de PP]

Mon très doux cœur et mon très doux amour !

J'envoie ce messager auprès de vous pour avoir des nouvelles de votre bonne santé, que Notre Seigneur veuille toujours assurer aussi excellente que je le désire de tout mon cœur et comme vous-même le voudriez ; et, par mon âme, je ne puis attendre mon retour pour vous envoyer ce message. Quant à mon état à moi, qu'il vous plaise d'apprendre que je me porterais très bien si je pouvais toujours vous voir. Mais hélas, quand je suis – et serai – loin de vous et que je pense au très doux aliment, à la savoureuse nourriture dont vous m'avez si aimablement nourri et repu, si j'ai – et aurai – peu de joie et d'allégresse, nul ne doit s'en étonner. En attendant, je me réconforte à la pensée que jusqu'ici rien n'est jamais arrivé qui ne puisse arriver encore, si cela plaît à Dieu.

Oui, mon très doux cœur, j'ai été un niais et un malappris au moment de me séparer de vous ; veuillez me le pardonner si je ne sus vous dire mes remerciements, car au fond de mon âme j'étais si ému et si pris au dépourvu que je ne savais ce qui m'était advenu de par ce grand miracle que la déesse fit en notre présence ; et chaque fois que j'y réfléchis, j'en suis tout étonné.

Et je le suis aussi de votre grande humilité ; car c'est comme si j'étais l'homme le plus beau, le plus sage et le plus parfait du monde, que vous m'avez, Dieu et vous, comblé, alors que je ne suis pas digne de mériter le plus petit des bienfaits que vous m'avez dispensés.

C'est pourquoi je supplie Dieu de m'accorder que nul jour jusqu'à ma mort

jour de ma vie je face ne die chose qui vous doie desplaire.

(c) Si vous pri pour Dieu, mon doulz cuer, qu'il vous souvaingne[1] de moi, car, par m'ame, je ne vous vorroie ne[2] porroie [164 a] oublier, et, se je voloie, Desirs ne me lairoit ; car, par Dieu, onques je ne vous desirai tant[3] a veoir des .C. pars come je fais – et ferai ; et il y ha bien cause ; et ce sera quant Dieu plaira, et je porrai, et non pas quant je volrai, Dieus le scet.

(d) A Dieu, mon tresdoulz cuer, qui vous doint joie et honneur et santé.

Vostre tresloial ami.

Mais elle ne fu periceuse *L'amant*
De rescrire ne mal songneuse,
4168 Ains me rescript par le message
Ce qu'est escript en ceste page
Et ce rondel qu'elle avoit fait
Au miracle cy devant fait.

[Lettre XX des mss]

(a) Mon tresdoulz cuer et mon vrai ami ! *La dame*

Je ai receu vos lettres et ce que vous m'avez envoié, de quoi je vous mercy[1] tant et de cuer comme je puis plus ; et par especial de la bonne diligence que vous avés eue de[2] moi faire savoir vostre bon estat, car c'estoit le plus grant desir que je eusse, aprés celli que j'ai de vous rev[e]oir[3], que de savoir que vous

---

1. *Pm* souuiengne. – **2.** *Pm* vorroie ne *om.* – **3.** *Pm* je ne uous desiray onques tant.

4166. *F* f. pas p. (pas *exponctué*), *APm* pas prisseuse, *E* pas pereceuse (+ 1) – **4167.** *E* m. sauoureuse (+ 1) – **4171.** *A* deuat f.

1. *E* mercie, *Pm* dont j. u. m. – **2.** *Pm* que u. a. prinse de. – **3.** *A* reueoir, *FE* reuoir.

je ne fasse ni ne dise quoi que ce soit qui doive vous déplaire.

Je vous prie aussi, pour l'amour de Dieu, mon doux cœur, de penser à moi, car, par mon âme, je ne voudrais, quant à moi, ni ne pourrais ne pas penser à vous ; et, si je voulais, Désir ne me le permettrait pas, et, je le jure par Dieu, il ne m'est jamais arrivé de désirer vous voir pour la centième partie de mon désir actuel – et de celui que j'aurai dans l'avenir, et la raison en est bien profonde ; et de vous voir se réalisera quand il plaira à Dieu et que moi-même je pourrai – et non pas quand je voudrai, Dieu le sait.

Je vous recommande à Dieu, mon très doux cœur, qui veuille vous accorder joie et honneur et santé !

Votre très loyal ami.

L'amant

Mais elle non plus ne fut pas paresseuse ni négligente pour écrire à son tour ; et elle me répondit par le messager ce qui est écrit sur cette page, avec ce rondeau qu'elle avait composé à propos du miracle plus haut relaté.

Lettre 20, de la dame [20 des mss ; XX de PP]

Mon très doux cœur et mon ami véritable !

J'ai reçu votre lettre et le poème que vous m'avez envoyé ; de quoi je vous remercie autant et le plus sincèrement que je puis ; et spécialement de la parfaite diligence que vous avez eue de me faire savoir votre bonne santé ; car c'était mon plus grand désir, après celui que j'ai de vous revoir, que de savoir que vous fuissiés en bon point[1]. Et ay eu plus de bien et de joie au jour et a l'eure que je receu vos lettres que je n'avoie eu puis que vous partistes ; et pour un desir que je avoie de vous veoir avant que je vous eusse veu, je en ai ad present .C. mil ; et a bon droit, car je n'avoie mie encores congneu le bien, l'onneur et la douceur que j'ai depuis trouvé en vous[2].

(b) Si vous jur en l'ame de moy qu'il n'est eure, en quelque estat que je soie, que il ne me soit avis que je vous v[e]oie devant moi et que il ne me souviengne de vostre maniere et de tous vos dis et vos fais[3], et par especial de la journee de la beneysson du Lendit et de l'eure que vous partistes de moy et je vous baillai ma clavette d'or (si la veuilliés bien garder, car c'est de[4] mon tresor plus grant[5]) ; si n'os onques mais .II. si bons jours a mon gré[6]. Si ne cuide mie qu'il peust advenir chose par quoi je vous peusse oublier, car il n'est riens de quoy il me souviengne tant, nés Dieu prier.

(c) On me dist, quant vous partistes, que on vous avoit veu partir et que vous me mandiés que vous n'aviés veu nullui[7] et aviés dit que ce avoit esté pour ce que vous ne m'aviés point veu[8]. Et j'entendi bien tantost que c'estoit a dire, car je le savoie bien[9] ; car tout[10] en tel estat que vous me laissastes, sans prendre nulle autre chose, je alai aprés vous et vous regardai jusques vous fustes hors[11]. Et en verité il ne fu puis jours que, a celle droite heure par especial, qu'il ne me souvenist de vous[12].

(d) Je vous envoie [164 b] un rondel, qui fu fais le jour et l'eure que le virelay fu fais[13] que vous m'avez envoié, et a l'eure que li miracles fu fais.

(e) A Dieu, mon doulz cuer, qui me doint tel joie

---

1. *Pm* aprés celli... point *om.* – **2.** *Pm* et pour un desir... trouvé en vous *om.* – **3.** *Pm* de uos dis et fais. – **4.** *APmE* de *om.* – **5.** *Pm* c'est mon plus grant tresor. – **6.** *Pm* si n'os onques... mon gré *om.* – **7.** *A* neluy. – **8.** *Pm* veue. – **9.** *Pm* car je le savoie bien *om.* – **10.** *Pm* tout *om.* – **11.** *Pm* r. tant que uous fussies dehors. – **12.** *Pm* Et en verité... souvenist de vous *om.* – **13.** *Pm* f. fait.

vous portiez bien. Et j'ai éprouvé plus de bonheur et de joie au jour et à l'heure où je reçus votre lettre que je n'en avais éprouvé depuis votre départ; et pour un seul désir que j'avais de vous voir avant que je vous eusse vu, j'en ai à présent cent mille; et c'est à bon droit, car je n'avais pas connu jusque-là le bien, l'honneur et la douceur que j'ai depuis trouvés en vous.

Et je vous jure en mon âme et conscience qu'il n'est heure, en quelque situation où je me trouve, où je n'aie l'impression de vous voir en face de moi, et je ne pense à votre manière d'être, et à toutes vos paroles et à vos actes, et plus spécialement dans la journée de la Bénédiction du Lendit et à l'heure où vous me quittâtes et où je vous remis ma petite clef d'or (veuillez bien la garder, car c'est la clef de mon plus grand trésor!); et je n'eus jamais deux jours aussi heureux à mon gré. Aussi je n'imagine pas qu'il puisse arriver quoi que ce soit qui justifierait que je puisse vous oublier, car il n'est chose à quoi je pense autant, y compris à prier Dieu!

Quelqu'un m'a dit, après que vous m'eûtes quittée, qu'on vous avait vu partir et que vous me faisiez dire que vous n'aviez vu personne, et que vous aviez précisé que ce message était motivé par le fait que vous ne m'aviez pas vue. Et je compris bien tout de suite ce que cela voulait dire, car je connaissais bien la vérité; car tout à fait dans l'état où vous m'aviez quittée, sans prendre aucun autre effet, je vous suivis du regard et ne vous perdis pas de vue jusqu'au moment où vous fûtes dehors. Et en vérité il n'y eut depuis un seul jour sans que, spécialement à cette heure exacte, je pensasse à vous.

Je vous envoie un rondeau, composé le jour et à l'heure où fut composé le virelai que vous m'avez adressé, et c'était au moment où la déesse fit le miracle.

Je vous recommande, mon doux cœur, à Dieu, qui veuille me donner à votre sujet une joie de vous comme mon cuer desire, et de moi a vous aussi[1].

Vostre loial[2] amie.

Rondel

4172 Merveille fu quant mon cuer ne parti *La dame*
Quant de moi vi mon doulz ami(s) partir,

Car tel doulour onques mais ne senti:
Merveille fu quant mon cuer ne parti.

4176 Tant com je po de regart le sievi,
Mais en po d'eure ne le pos plus veÿr:

Merveille fu quant mon cuer ne parti
Quant de moi vi mon doulz ami partir.

4180 Quant j'oÿ sa rescription, *L'amant*
Se l'ymage Pymalion,
Polixena la Troÿaine,
Deyamirë et belle Helaine,
4184 La belle roÿne d'Irlande
Me priaissent en ceste lande
Que je par amours les amasse,
Certes toutes les refusasse,
4188 Car j'estoie en si tresbon hait
Que ce n'estoit que droit souhait.
Si m'en alai jolis et gais
Et passai les gués et les gais
4192 De l'Archeprestre et des Bretons
(Qui ne prisoie .II. boutons)

1. *E* aussi *om.* – 2. *Pm* loyalle.

4172. *APmE* merueilles – **4173.** *APmE* ami, *F* amis – **4176.** *E* suiuy – **4177.** *A* ueoir, *PmE* ueir – **4180.** *E* j'ay oy (+ 1) – **4182.** *AE* troyenne, *Pm* troienne – **4193.** *APmE* Que

telle que mon cœur la désire, et à vous aussi à mon sujet.

Votre loyale amie.

Rondeau [de la dame]

Ce fut miracle que mon cœur n'éclatât
Quand je vis s'éloigner de moi mon doux ami,

Car jamais je n'avais éprouvé une telle douleur:
Ce fut miracle que mon cœur n'éclatât.

Tant que je pus je le suivis du regard;
Mais au bout de peu de temps je ne pus plus le voir:
Ce fut miracle que mon cœur n'éclatât
Quand je vis mon doux ami s'éloigner de moi.

L'amant

Quand j'eus reçu sa réponse, si l'image faite par Pygmalion, Polyxène la Troyenne, Déjanire et la belle Hélène, la belle reine irlandaise m'avaient prié en cette lande de les aimer d'amour, assurément je les eusse toutes repoussées; car j'étais de si excellente humeur que ce n'était qu'un désir bien naturel. Et je m'en allai le cœur léger et enjoué, et je passai les gués des rivières et les postes de guet de l'Archiprêtre et de ses Bretons (que je prisais si peu que rien),

Tant que je vins en une plaine
De tous biens et de bon air plaine;
4196 Et la une dame encontrai,
Qui de Touron jusqu'a Courtrai,
Non, de Paris jusqu'a Tarente,
N'avoit si belle ne si gente;
4200 Et si estoit acompagnie
De belle et bonne compagnie.
Et quant la belle m'aprocha
De pres, par mon nom me hucha
4204 Et jetta sa main a ma bride, [164 vº a]
Dont j'os grant paour et grant hide,
Car elle dist: «Vous estes pris
Et vous menrai en mon pourpris.»
4208 Les autres venoient de ren.
Si respondi lors: «Je me ren;
Qui estes vous qui me prenés?
– Venés aveuques moi, venés,
4212 Dist elle, vous le sarés bien;
Mais ad present n'en sarés rien.»
Si m'en mena tout en parlant,
Et je li disoie, en alant,
4216 Devant tous et en audience:
«Vous m'avez pris sans deffience!»
Si me dist: «Ne vous y fiés:
Qui meffait il est deffiés;
4220 Et vous m'avez griément meffait,
S'en corrigerai le meffait.»
Aprés, aussi com par courrous,
Me dist «tu», et laissa le «vous»:
4224 «Ne t'ai je pas reconforté,
Et joie de loing aporté,
Et donné deduit et leesce,
Et fait joie de ta tristesce?
4228 Et ai esté tes champions
En toutes tribulations?

4197. *APm* Tornu – **4205.** *APm* j'eus, *E* j'euz – **4207.** *Pm* merray – **4212.** *Pm* Dit; saurés – **4213.** *APmE* a p. – **4222.** *Pm* courroux

tant et si bien que je vins en une plaine riche de toutes bonnes choses et de bon air. Et là je rencontrai une dame qui de Tours jusqu'à Courtrai, que dis-je ? de Paris jusqu'à Tarente, n'avait pas sa pareille pour la beauté et la grâce ; et elle était escortée d'une belle et noble compagnie. Or, quand la belle dame se fut approchée tout près de moi, elle m'appela par mon nom, et jeta sa main sur ma bride ; geste qui me fit ressentir une grande peur et un grand effroi, car elle dit : « Vous êtes mon prisonnier et je vous mènerai en mon manoir. » Les autres venaient à la suite. Je répondis alors : « Je me rends ; qui êtes-vous, qui me capturez ? – Venez avec moi, venez, dit-elle, vous le saurez exactement ; mais pour le moment vous n'en saurez rien. » Et elle m'emmena tout en parlant, et moi je lui disais, tout en faisant route, devant tous et à haute voix : « Vous m'avez pris sans défi ! » Et elle me dit : « N'y comptez pas : qui agit mal est tout défié ! Or vous avez eu des torts graves envers moi, et je vous punirai de cette coupable conduite. » Après quoi, comme sous l'empire de la colère, elle me dit « tu » et laissa le « vous » : « Ne t'ai-je pas réconforté, apporté depuis longtemps la joie, donné le plaisir d'amour jusqu'à l'exultation, transformé ta tristesse en joie, et n'ai-je pas été ton champion en toutes tes tribulations ?

Quant Honte te vint assaillir,
Tes cuers estoit au defaillir,
4232 Ne ploiai je pour toi mon gage?
N'onques n'i ot nul autre ostage
Fors moi, qui en fis la bataille
A mon espee qui bien taille,
4236 Et la rendi plus desconfite
Que ce qu'elle fust en soubite.
Toutes fois que Desirs t'assaut,
Je me met ou premier assaut,
4240 Ne pas ne sui la derreniere,
Ains porte par tout la baniere
Ne Desirs n'a tant de puissance
Qu'il te puisse faire grevance.
4244 A tous besoins me treuves preste
Sans appeller et sans requeste,
Dont je di que la bonté double.
Et tu ne me prises un double,
4248 Ne tu n'as encor de moi dit
Rien d'especial en ton dit
Ne rendu graces ne loenge,
Tu le sces bien! Di le voir: men je?»
4252 Je li dis: «Par sainte Ysabel,
Ma dame, vous parlés moult bel,
Et puet estre que dites voir.
Mais je volroie bien savoir
4256 Vostre nom, si m'escuseroie [164 v° b]
Par devers vous, se je pooie.»
Elle dist: «J'ai nom Esperance.
Vois ci Mesure et Attemprance,
4260 Bon Avis et Confort d'Ami,
Qui sont tousdis avecques mi
Et qui t'ont fait maint biau servi*s*e,
Non par devoir, mais par franchise.»
4264 Je li fis lors la reverence

4248. *E* encores (+ 1) – **4250.** *APm* grace – **4251.** *PmE* mens – **4252.** *E* saint – **4256.** *APm* mexcuseroie – **4259.** *Pm* Voy cy, *E* Voicy – **4262.** *F* seruice (*mais* c *est écrit de telle façon qu'on peut l'interpréter comme un* f *un peu trop court*), *APmE* seruise

Quand Honte vint te livrer assaut et que ton cœur était sur le point de défaillir, n'ai-je point plié mon gage en ta faveur ? Et il n'y eut point là d'autre caution que moi, qui livrai le combat contre elle avec mon épée bien tranchante, et je l'eus plus vite battue que si elle était frappée d'un coup d'apoplexie. Chaque fois que Désir t'assaille, loin d'être la dernière, je suis la première à me lancer à l'assaut, et je porte partout la bannière, et Désir n'est pas assez puissant pour pouvoir te mettre à mal. Pour tous les cas urgents tu me trouves prête sans m'appeler, sans me solliciter, et je prétends que cela en double la valeur. Or, tu ne m'estimes pas même un denier, tu n'as jusqu'ici rien écrit spécialement sur moi en ton dit, sous la forme soit de remerciement, soit de louange, tu le sais bien ! Dis la vérité : est-ce que je mens ? » Je lui répondis : « Par sainte Élisabeth, madame, vous parlez fort bien et il se peut que vous disiez vrai. Cependant j'aimerais bien connaître votre nom, et je vous ferais mes excuses et réparerais, si je pouvais. » Elle dit : « J'ai nom Espérance ; vois ici Mesure et Tempérance, Bon Avis et Confort d'Ami, qui sont toujours avec moi et qui t'ont rendu maints beaux services, non par obligation, mais par générosité. » Je lui fis alors la révérence

Et les autres en sa presence
Moult humblement ; et m'acusai,
Qu'onques de rien ne m'escusai,
4268 Pour ce qu'Esperance avoit droit
Et je le tort en tout endroit ;
Et si la merciai moult fort
De sa grace et de son confort
4272 Qui m'avoit nourri et refait,
Et des biens qu'elle m'avoit fait.
Lors Bon Avis prinst la parole,
Qui bien et sagement parole,
4276 Attempreement, par mesure,
Et dist : « Dame, se mespresure
Vous a fait, il le vous amende,
Car en meffait ne gist qu'amende :
4280 Prenés la, je le vous conseil ! »
« Et ce me semble bon conseil »,
Ainsi(s) dist chascuns et chascune ;
Si que j'eus la bonne fortune
4284 Que Esperance dist : « Je l'ottroi.
Venés avant entre vous troi
Delés Avis. Qui tauxera
Quele amende il nous en fera ? »
4288 Confort d'Ami dist doucement :
« Ma dame, je lo vraiement
Que vous le mettés a renson
Et qu'il en paie une chanson :
4292 Rondel, balade ou virelai. »
Et elle dist : « Je veuil un lai,
Appellé *Le Lai d'Esperance*,
Et par ce (l)li ferai quittance,
4296 Si se partira franchement,
Sans plus avoir d'empe[s]chement. »
Lors dix je : « Dame, a ce traitié
Que vous avés fait et traitié
4300 Moult volentiers je me consens ;

4265. *Pm* aux a. – **4275.** *E* et *om.* (– 1) – **4276.** *E* Attempreme nt (– 1) – **4282.** *A* Einsi, *Pm* Einsy, *E* Ainsi – **4290.** *E* raencon (+ 1)

– ainsi qu'aux autres personnes présentes auprès d'elle – en toute humilité ; et je plaidai coupable, sans le moins du monde chercher à me disculper, car Espérance était dans son droit et moi dans mon tort sur tous les points ; et je la remerciai très fort de sa faveur et de son réconfort qui m'avait nourri et rendu mes forces, et de tous les bienfaits qu'elle m'avait dispensés. Alors prit la parole Bon Avis, qui s'exprime bien et avec sagesse, modération et mesure, disant : « Dame, s'il a commis une faute envers vous, qu'il vous en fasse réparation, car une faute réclame implicitement ni plus ni moins que réparation : acceptez-la, je vous le conseille ! » « Cela me semble, à moi aussi, de bon conseil », opinèrent chacun et chacune ; si bien que j'eus la bonne fortune qu'Espérance dit : « Je suis d'accord. Avancez tous les trois ensemble aux côtés d'Avis. Qui fixera la réparation qu'il nous fera de son méfait ? » Confort d'Ami dit doucement : « Ma dame, je suggère en vérité que vous lui imposiez une rançon, et qu'il s'en acquitte par un poème avec chant : rondeau, ballade ou virelai. » Mais elle dit : « C'est un lai que je veux, qui s'appellera *Le Lai d'Espérance*, moyennant quoi je le déclarerai quitte, et il partira libre, sans rencontrer d'autre empêchement. »

Je dis alors : « Dame, à ce règlement du litige que vous avez imaginé et formulé je donne très volontiers mon accord.

Mais je n'ai mie si bon sens
Com pour faire si bon ouvra[i]ge!
Mais tant bonne et sage vous sai je
4304 Que, s'aucune chose y deffaut,
Vous suppleerés mon deffaut.»
Si requis terme competant;
Je l'os, si m'en parti atant.

4308 Mais je fui depuis sus ma garde [165 a]
Et dis a mon vallet: «Regarde
Environ toi songneusement,
Car on va mal seürement,
4312 Tu le vois bien, en ceste marche.
Je te pri, hastons nous, et marche
Et fier cheval des esperons
Par quoi plus tost nous en alons.
4316 Je le te di pour le milleur:
En ce pays sont tuit pilleur,
Qui prennent les gens et detiennent
Et robent (ne sai dont il viennent)
4320 Et s'en tuent, quar en leur ombre
Chascuns pour mal faire s'aombre.
Di je chascuns? Je ment sans faille,
Quar il n'est regle qui ne faille,
4324 Mais pluiseurs aveuc eulz se mettent
Qui de leurs euvres s'entremettent.
S'avoie .IIII. contre sept
Tant que je vins a mon recept,
4328 Quar de cheminer me hastai,
Et la fait moult bonne haste ai.
Et quant je vins en ma chambrette,
Qui estoit belle et gente et nette,
4332 Petit doubtai la pillerie
De ces pilleurs que Dieus maudie,
Qua[r] la fui fermes et seürs,

4305. *AE* supplierez, *Pm* supplierés – **4321.** *APm* a m., *E* de m. – **4324.** *APm* auec, *E* auecques (+ 1) – **4325.** *Pm* oeuures – **4329.** *E* Et en mon hostel me boutay – **4331.** *APmE les deux* et *om.* – **4334.** *APmE* Car, *F* Qua

J'objecterai seulement que je ne possède pas un esprit aussi capable que celui qu'il faut pour un ouvrage de cette qualité ! Néanmoins je vous sais si bienveillante et si avisée que si quelque chose y manque vous suppléerez à ma défaillance. » Je requis alors un délai approprié ; je l'obtins, et je m'éloignai du lieu.

Mais ensuite je redoublai d'attention, et je dis à mon jeune serviteur : « Regarde bien soigneusement autour de toi, car on chemine sur une route peu sûre, tu le vois bien, en cette marche ; je te prie, hâtons-nous, et avance en piquant des éperons le cheval, de manière que nous allions plus vite. Je te dis cela parce que c'est notre avantage : en cette contrée ils sont tous pilleurs, capturant les gens, les retenant, les volant (je ne sais d'où ils sortent), et ils en tuent, car chacun pour mal faire se cache dans l'ombre des Compagnies. Dis-je chacun ? Je me trompe fort, sans aucun doute, car il n'est pas de règle sans exception ; il est certain cependant que plus d'un se met avec eux pour se mêler à leurs travaux. » J'avais quatre chances contre sept jusqu'à mon arrivée au refuge de mon domicile ; et en effet je m'étais hâté de cheminer, et je fis ma route réellement à bonne allure. Et quand je vins dans ma petite chambre, qui était belle, avenante et bien propre, je redoutai peu le pillage de ces fameux pilleurs, que Dieu maudisse ! Car je fus là bien protégé et en sûreté,

Sans plus doubter leurs mesheürs.
4336 Et a moi acquiter pensai,
Si qu'einsi mon lai commensai.
Quant il fu fais, je le tramis,
Si com je l'avoie promis ;
4340 Et tout ainsi comme dit ai
Vers Esperance m'acquittai.

Lay, et y a chant

I

Longuement me sui tenus *L'amant*
De faire lais,
4344 Car d'amours estoie nus.
Mais des or mais
Ferai chans et virelais :
Je y sui tenus,
4348 Qu'en amours me sui rendus
A tous jours mais.

Se un petit ai esté *m*us,
Je n'en puis mais,
4352 Car pris fui et retenus
Et au cuer trais,
Tout en un lieu, de .II. trais
D'uns yeus fendus,
4356 Vairs, poingnans, ses et agus,
Rians et gais.

II

Car ma dame, que Dieus gart, [165 b]
Pour un doulz riant regart,
4360 D'ardant Desir fist un dart
Et un d'Esperance ;
Mais mort m'eüst sans doubtance

Titre. *E* Le lay desperance – **4350.** *APm* mus, *FE* nus – **4352.** *AE* sui – **4356.** *A* poignas (*barre sur l'a omise*)

sans davantage craindre leurs méfaits. Et je m'inquiétai de m'acquitter de ma dette, et c'est ainsi que je commençai mon lai. Quand il fut terminé, je le fis porter comme je l'avais promis ; et, comme je viens de le dire, je m'acquittai envers Espérance.

Lai, avec chant [de l'amant]

I

Longuement je m'étais abstenu
 De composer des lais,
Car j'étais sans amour.
 Mais tout est changé : désormais
Je composerai chansons et virelais ;
 J'y suis tenu,
Parce que je suis entré en religion d'amour
 Pour toujours.

Si un court moment je me suis tu,
 Je ne le puis plus désormais,
Car j'ai été fait prisonnier et retenu,
 Atteint au cœur,
Juste au même endroit, par deux traits
 Lancés par une paire d'yeux bien fendus,
Étincelants, perçants, secs et aigus,
 Riants et gais.

II

Car ma dame, que Dieu veuille garder !
En vue d'un doux regard riant
Fit un dard de brûlant Désir
 Et un autre d'Espérance ;
Mais Désir m'eût sans nul doute

Desirs et sans deffiance,
4364 S'Espoirs, ou j'ai ma fiance,
Ne fust de ma part.

Quar quant je senti l'espart
Dou regart qui mon cuer art,
4368 Ne perdi a tiers n'a quart
Sens et contenance,
Mais tout, maniere et poissance ;
Lors me fist prenre Plaisance
4372 En ma jolie souffrance
Espoirs par son art.

III

Mais ce durement m'esmaie
Que ne sai
4376 Se ceste amoureuse plaie
Que au cuer ai
Vient d'Amours ou de cuer vrai ;
Car Doulz Regars maint cuer plaie,
4380 Que ailleurs dame ami ha gai ;
S'en morrai
S'ainsi *m*'est ; mais d'amour vraie
L'amerai.

4384 De voloir que m'en retraie
Ja n'arai
Pour dolour que mes cuers traie,
Ains serai
4388 Vrai, et de cuer servirai
Ma dame plaisant et gaie ;
Et quant mes jours finerai,
Sans delai
4392 Mon cuer que s'amour deplaie
Li lairai.

4368. *E* pardy na t. – **4370.** *A met un point de milieu entre* tout *et* maniere – **4375.** *E* je ne s. (+ 1) – **4382.** *APmE* mest, *F* nest – **4384.** *E* Ne – **4385.** *APm* Je – **4386.** *E* douleur

Tué et sans défi,
Si Espoir, en qui j'ai mis ma confiance,
N'avait été de mon parti.

Car quand je sentis l'éclair
Du regard qui brûlait mon cœur,
Ce n'est pas seulement du tiers ou du quart que je
Esprit et contenance, [perdis
Mais tout entières manière et maîtrise de moi-même;
Alors me procura Plaisir,
Au milieu de mon aimable souffrance,
Espoir par son art.

III

Cependant ceci me trouble très fort:
Je ne sais
Si cette blessure d'amour
Que j'ai au cœur
Vient d'Amour ou du moins d'un cœur sincère;
Car Doux Regard blesse maints cœurs
Alors que la dame a ailleurs un ami réjoui;
Et j'en mourrai
S'il en est ainsi pour moi; mais quoi qu'il en soit,
Je l'aimerai. [d'amour vrai

Volonté de me retirer loin d'elle
Je n'aurai jamais,
Quelque douleur que mon cœur endure,
Mais je serai
Sincère, et du fond du cœur je servirai
Ma dame plaisante et gaie;
Et quand je finirai mes jours
Sans délai
Mon cœur que mon amour pour elle a couvert de plaies
Lui lèguerai.

IV

Ne savoie,
Quant fui pris,
4396 Se j'estoie
Mors ou *v*is;
N'entendoie
Jeu ne ris,
4400 Ains sembloie
Homs ravis,
Ne queroie
Paradis
4404 N'autre joie
N'autre pris;
Ne sentoie
Riens, tandis
4408 Que vëoie
Son cler vis
Qui m'a de s'amour espris. [165 v° a]

Toute voie
4412 Je repris
En la coie
Mon avis,
A qui pr(i)oye
4416 Com subgis
Qu'elle m'oie;
Car envis
Gariroie,
4420 S'escondis
Me trouvoie.
A tousdis
Faut que soie
4424 Ses amis:
Or soit moie,
Ne devis
Plus, si seroie assevis.

4397. *APmE* uis, *F* pris – **4415.** *E* cui; *APmE* proie – **4416.** *A* sougis, *Pm* subgiz, *E* soubgis – **4419.** *E* gueriroie – **4427.** *E* assouuis

IV

Je ne savais,
Quand je fus pris,
Si j'étais
Mort ou vif;
Ni je ne m'intéressais
À jeu ni à ris:
J'avais l'apparence
D'un homme hors de soi,
Et je ne cherchais
Ni délices paradisiaques,
Ni autre joie,
Ni autre faveur;
Je ne ressentais
Rien, tandis
Que je voyais
Son visage clair
Qui m'avait de son amour enflammé.

Sur ces entrefaites
Je repris,
Le calme revenu,
Mon Esprit,
Que je suppliai
En humble sujet
Que ma dame veuille m'ouïr;
Car à contrecœur
Je guérirais,
Si je me trouvais
Éconduit.
C'est pour toujours
Qu'il faut que je sois
Son ami:
Qu'elle soit mienne
Je ne désire pas
Davantage, car ainsi je serais assouvi

V

4428 Ne sai se je dor ou veil
Quant son riant oeil,
Son gent corps qui n'a pareil
Et son doulz accueil
4432 Voi et son cointe appareil
Simple, sans orgueil
Et son vis blanc et vermeil
Plus que fueille en brueil,
4436 A qui d'amer me conseil
Dont maint plaisant mal recueil.

Son chief d'or samble au soleil,
Et s'a bel entrueil;
4440 Pour ce avoir autre conseil
Ja ne quier ne v[u]eil,
Ainsois du tout m'appareil
A faire son v[u]eil
4444 Et a li servir m'esveil,
Qu'en li tel bien cueil
Dont je me saing et merveil,
Car tous vices en despueil.

VI

4448 Ne fait il bon tel dame amer
Et desirer
Et honnourer,
Ou homs trouver
4452 Ne puet amer
Fors douceur fine a (s)savourer?
Tresnoble destinee
A cilz qui s'i puet assener
4456 Sans dessevrer;

4428. *PmE* dors – **4435.** *E* fleur – **4441.** *APmE* uueil – **4443.** *E* tout s. v. (+ 1) – **4445.** *E* Quar en li tout bien recueil (+ 2) – **4446.** *APm* seingne – **4449-4605.** *Pm feuillets manquant au ms* – **4450.** *A va à la ligne pour* e honnourer *contrairement à F et à E* – **4453.** *AE* a *et* sauourer *sont nettement séparés*

V

Je ne sais si je dors ou veille
Quand je vois son œil riant,
Son gracieux corps qui n'a son pareil,
Et son doux accueil
Et sa mise élégante,
Simple, sans orgueil,
Et son visage d'un blanc et rouge vif
Plus que feuille au bois ;
C'est avec elle que je m'entretiens secrètement sur [l'amour
Qui me donne maint mal plaisant.

Sa tête d'or ressemble au soleil,
Et elle a un bel entr'œil ;
C'est pourquoi je ne demande
Ni ne veux un autre choix,
Mais je m'apprête
À faire entièrement sa volonté
Et quand je me lève, c'est pour la servir ;
Car en elle je puise un tel bienfait
Que je me signe d'agréable surprise
Car grâce à elle je me dépouille de tous vices.

VI

Ne fait-on pas bien d'aimer une telle dame,
En la désirant,
En l'honorant,
Où nul ne peut
Trouver amertume,
Mais rien que pure douceur à savourer ?
Très noble destinée
À celui qui peut s'approcher d'elle
Pour ne plus s'en séparer ;

Qu'elle n'a per,
Ains est nomper,
Et sans doubter
4460 On ne puet milleur regarder
Ne si tresbelle nee.

Dont doi je bien s'onneur garder
Et sans cesser [165 v° b]
4464 Ymaginer
A li porter
Foi sans fausser
Et la tout mon sens appliquer
4468 Sans villaine pensee.
Mais mieulz volroie estre oultre mer
Sans retourner
Qu'entroublier
4472 Son doulz vis cler
Ne que penser
Chose qui peüst empirer
Sa bonne renommee.

VII

4476 Certes j'ai si grant deport
Quant je voi son noble port
Et quant sans villain rapport
J'oi que chascuns son effort
4480 Fai de li prisier tresfort
Dessus toute creature,
Que je n'ai pensee obscure,
Tristece, mal ne pointure
4484 Ne chose qui me soit dure,
Ains ai une envoiseüre
Si tresdouce et si trespure
Qu'elle vault merci au fort.

4464. *A va à la ligne pour* ymaginer *contrairement à F et à E* – **4466.** *E* Los – **4480.** *E* la p. – **4485.** *E* enuoisure (– 1)

Car elle n'a pas sa pareille,
Elle est incomparable
Et sans nul doute
Il n'y a pas de meilleure dame qu'on puisse regarder
Ni créature belle à ce point.

C'est pourquoi je dois bien garder son honneur
Et sans cesse
Avoir en vue
De lui témoigner
Fidélité sans hypocrisie,
Et appliquer à cela tout mon esprit
Sans pensée vilaine.
Mais qu'on ne s'étonne pas si j'aimerais mieux être
Sans retour [outre-mer
Qu'oublier si peu que ce soit
Son doux visage clair
Ni que projeter
Une chose qui pût porter atteinte
À sa bonne renommée.

VII

À coup sûr je suis si heureux
Quand je vois sa noble allure,
Et que, sans que s'y mêlent de vilains commentaires,
J'entends chacun apporter son écot
Pour la priser très haut
Au-dessus de toute créature,
Que je ne sens pensée sombre,
Tristesse, douleur, ni blessure de fer,
Ni quoi que ce soit qui me soit pénible :
Au contraire j'ai une bonne humeur
Si particulièrement douce et si parfaitement pure
Qu'elle équivaut largement à une merci.

4488 [Q]u'en li vëoir me deport,
En li servir me confort,
En li amer pren confort;
Et l'Espoir, qui me fait fort
4492 Contre Desir qui me mort,
Mais riens ne pris sa morsure.
Et s'on dit qu'elle m'est dure
Ou qu'elle n'a de moi cure,
4496 Ne m'en chaut, qu'en sa figure
Preng si douce nourreture
Que ne doubt rien que j'endure
Mal d'amour ne desconfort.

VIII

4500 Et quant je puis vivre ainsi
Si lyement et sans souci,
  Trop grant folour
Seroit de rouver s'amour
4504   Ou sa mercy,
Car je n'ai pas desservi
  S*i* grant honnour
Et si n'en sui par nul tour
4508   Dignes aussi.

Tost m'aroit dit: « Va de cy! »
Hé! las! se ce avoie oÿ,
  De sa douçour
4512 Bien seroit la joie plour
  Du cuer de mi,
Car il partiroit par mi;
  Pour ce demour
4516 En souffrance et en cremour
  Subjés a li. [166 a]

4488. *F n'a pas dessiné l'initiale* – **4493.** *E* doubt s. m. – **4494.** *E* sure – **4506.** *AE* Si, *F* Sa – **4516.** *E* souffisance (+ 1)

Car de la voir me remplit d'allégresse,
De la servir m'encourage,
En l'aimant je trouve réconfort
Et il y a l'Espoir, qui me rend fort
Contre Désir quand il me mord,
Mais dont la morsure ne m'inspire que mépris.
Et si quelqu'un me dit que ma dame m'est désagréable
Ou qu'elle ne se soucie pas de mon sort,
Pas ne m'en chaut, car à regarder son visage
Je prends une si douce nourriture
Que je n'éprouve la moindre crainte à l'idée d'endurer
Mal d'amour ni chagrin.

VIII

Et puisque je puis vivre ainsi
Avec autant de joie et sans souci,
  Ce serait très grande folie
Que de lui demander son amour
  Ou sa faveur,
Car je n'ai pas mérité
  Un si grand honneur
Ne m'en étant pas rendu digne par quelque
  Exploit particulier.

Elle aurait vite fait de me dire : « Va-t'en d'ici ! »
Hé ! Malheureux ! Si j'avais entendu cela,
  La joie qui procède
De sa douceur se changerait bel et bien en pleurs [venus du fond
  De mon cœur,
Car il se briserait par le milieu ;
  C'est pourquoi je demeure,
Dans la souffrance et dans la crainte,
  Soumis à elle.

IX

La sont mis tuit mi plaisir,
La m'otroi,
4520 La porter foi
Veil bonnement;
La veil amoureusement
Vivre et morir;
4524 La me tir,
La mi desir
Sont, la m'emploi;
La maint tous li cuers de moi
4528 Entierement,
Doucement
Et humblement
Pour li servir.

4532 D'amer ne me puis tenir
Quant je voi
Le maintieng coy
De son corps gent,
4536 A qui je sui ligement
Sans retollir,
Sans partir,
Sans repentir.
4540 Faire le doi,
Car .C. mille biens reçoi
Contre un tourment:
Autrement
4544 Certainement
N'ai a souffrir.

X

Si n'est vie
Si jolie
4548 Com de desirer amie

4518. *E* tout m. – **4539.** *F et E omettent d'aller à la ligne pour* sans repentir

IX

C'est là que se trouvent tous mes plaisirs,
C'est à cela que je consens,
C'est à cela que jurer fidélité
Je veux en tout bien ;
C'est là que je veux amoureusement
Vivre et mourir ;
C'est là que je vais,
Là sont mes désirs ;
Là je déploie mon activité,
C'est là qu'habite tout mon cœur,
Totalement,
Doucement
Et humblement
À son service.

Je ne puis me retenir d'aimer
Quand je vois
Le calme maintien
De sa noble personne,
À qui j'appartiens comme son homme lige,
Sans esprit de retour,
Sans partage,
Sans repentir.
Ce faire m'est une obligation,
Car je reçois cent mille bienfaits
Pour une seule torture :
Autrement
Certainement
Je n'ai pas à souffrir.

X

Et il n'est vie
Aussi aimable
Que de désirer une amie

En Espoir,
Qui chastie
Et maistrie
4552 Desir si qu'il n'ait maistrie
Ne pooir

Qu'il detrie
Vie lie,
4556 Quant Espoirs ne l'amolie.
Pour ce avoir,
Quoi qu'on die,
Sans partie
4560 Veil d'Espoir la compagnie
Main et soir.

XI

Quar je fusse, long temps ha, mors,
S'il ne fust, a martire,
4564 Par l'ueil, qui trahi en mon corps
De Desir une vire,
Qui ja n'en sera traite hors,
Se m'amour ne l'en tire
4568 Ou Bons Espoirs, qui m'a dés lors
Visité com doulz mire
Et conforté mes desconfors
Doucement : Dieus li mire ! [166 b]

4572 C'est mes chastiaus, c'est mes ressors,
C'est ce qui estaint m'ire,
C'est li avoirs, c'est li tresors
Dont on ne puet mesdire,
4576 C'est de ma vie li drois pors,
C'est ma joie ; à droit dire,
Tous li argens et tous li ors
De France et de l'Empire
4580 Ne vault pas l'un de ses confors
Ou Desespoirs s'aïre.

4573. *E* mon i. (+ 1) – **4578.** *E* Tout ; tout l. – **4580.** *E* pas .I. de mes c.

En compagnie d'Espoir,
Lequel fait ses remontrances
Et impose sa volonté à
Désir, en sorte qu'il n'ait autorité
Ni pouvoir

D'empêcher
La vie heureuse
Quand Espoir n'en adoucit la violence.
Pour tel résultat, je veux,
Envers et contre tous,
Avoir sans partage
La compagnie d'Espoir
Matin et soir.

XI

Car je serais il y a longtemps mort
De martyre, s'il n'eût existé,
En raison de cet œil qui tira en mon corps
Une flèche de Désir,
Qui jamais n'en sera extraite
Si ma bien-aimée ne l'en tire
Ou Bon Espoir, qui m'a dès ce moment-là
Visité comme un doux médecin
Et réconforté mon chagrin
Avec douceur : Dieu veuille le lui revaloir !

Il est ma forteresse, il est mon recours ;
Il est ce qui éteint le feu de ma douleur ;
Il est la richesse, il est le trésor
Dont on ne peut dire du mal ;
Il est le vrai port où s'abrite ma vie,
Il est ma joie ; à parler juste,
Tout l'argent et tout l'or
De France et de l'Empire
Ne vaut pas un de ses réconforts
Lorsque Désespoir s'acharne.

XII

Et quant ad ce sui venus
Qu'amis sui vrais
4584 Et d'Espoir bien pourveüs,
Un joli fais
Gracieus et plain de paix
M'est accreüs,
4588 Qui ne sera mis ensus
De mi jamais;

Car se *j*'avoie assez plus
Que je ne fais
4592 Et s'eüsse plus que nulz
Pris en tous fais,
Si sui je nourris, refais
Et pourveüs
4596 Largement et bien peüs
De ses biens fais.

Quant je os f*ait* le dit et le chant *L'amant*
De ce joli lai, que je chant
4600 Moult souvent en la remembrance
De ma dame et douce Esperance,
Je le fis escrire et noter;
Si bien qu'on n'i peüst noter
4604 Fors tant, sans plus, qu'en Bon Espoir
Vivre et servir ma dame espoir.
Quant il fu fais, je le ploiai
Et en ces lettres l'envoiai
4608 A ma dame par un varlet,
Qui pour autre chose n'alet,
Et li escris comment j'estoie
Pris d'Esperance enmi ma voie. [166 vº a]

4582. *A* suis – **4590.** *A* se iauoie, *F* se sauoie, *E* ce sauoie – **4592.** *E* seussiez – **4598.** *A* ieus fait, *E* ie os fait, *F* finé (+ 1) – **4603.** *E* puet n.

XII

Et puisque je suis parvenu à ceci
Que je suis ami véritable de ma dame
Et bien pourvu par Espoir,
Une charge aimable,
Agréable et toute paisible
S'est ajoutée à mes obligations,
Et jamais désormais elle ne sera par moi
Mise à l'écart.

Car en supposant que j'eusse un bien plus riche
Que je n'en possède, [patrimoine
Et en admettant que j'eusse plus que nul autre
Acquis des avantages en toutes sortes d'activités
Il reste que je suis pris en subsistance, rétabli,
Et largement
Pourvu et bien repu
Grâce aux bienfaits d'Espoir.

L'amant

Quand j'eus achevé les paroles et le chant de ce plaisant lai que je chante très souvent en souvenir de ma douce dame et d'Espérance, je le fis transcrire avec les notes ; le tout finalement revenait à ce qu'on n'y pût comprendre que ceci, et rien de plus, que j'espère vivre et servir ma dame en union avec Bon Espoir.

Quand cette transcription fut terminée, je la pliai et l'envoyai dans la lettre que voici à ma dame par un jeune homme qui n'allait chez elle qu'avec cette seule mission ; j'y avais écrit comment j'avais été fait prisonnier par Espérance au beau milieu de mon chemin.

[Lettre XXI des mss]

(a) Mon tresdoulz cuer, ma treschiere suer *L'amant*
et ma tresdouce amour!

Onques je n'eus[1] si grant desir de savoir et oÿr[2] bonnes nouvelles de vous et de vostre estat[3], et aussi[4] que vous les oÿssiés[5] de mi, comme j'ai eu en chemin et ay encores. Et, ma tresdouce amour, vous savés bien comment tous li pays est pleins et chargiés de gens d'armes et d'ennemis et pilleurs sur les bonnes gens. Si vous plaise a savoir, ma douce amour, que onques ne fui en si grant peril comme j'ai esté, se ce ne fust li souvenirs et li doulz pensers que j'ai eu et ai a vous, car yceulz me donnent et ont donné si grant vertu que, mercy a Dieu[6] et a vous, je sui eschapés des mauvais.

(b) Mais toutesfois je n'ai sceu ne peu[7] si bien eschiver[8] ne guenchir[9] le[s] perilleus pas[10] que je n'aie eu moult grant paour; car quant je os passé auques les plus perilleus pas[11] et cuidoie estre et chevauchier plus seurement, je vins[12] en une moult belle plaine, et pensoie a la grant biauté et a la parfaite bonté et honnourable[13] courtoisie qui en vous sunt, et aussi aus grans biens que vous m'avés fais, des quelz je ne sui pas dignes, ne ne les porroie ne ne saroie remunerer ne desservir. Je ne me donnai de garde en regardant sur costé, et vi chevauchier une moult grant compagnie de moult nobles gens, qui vinrent tout droit vers mi; si que, se je os paour, nulz ne s'en doit mervillier, quar, et devant tou*s*[14], vint une dame qui me dist: « Vous estes prins! » Et quant je m'aperceu[15] que c'estoit une si noble dame, et aussi qu'il me souvint plus ardemment de vous pour ce que elle estoit dame moult noble, je respondi moult humblement:

---

1. *A* n'os. – **2.** *Pm* ouir. – **3.** *Pm* bon estat. – **4.** *Pm* auxi. – **5.** *A* v. l'o. – **6.** *E* jen rens mercy a d. – **7.** *E* nay peu ne sceu. – **8.** *A* b. eschuer, *E* excuser. – **9.** *A* guerpir, *E* ganchir. – **10.** *AE* les p. p., *FE* le p. p. – **11.** *E* car... pas *om.* – **12.** *E* et uins. – **13.** *A* et a l'onnourable. – **14.** *AE* tous, *F* tout. – **15.** *AE* m'aperçus.

Lettre 21, de l'amant [21 des mss; XXI de PP]

Mon très doux cœur, ma très douce sœur et mon très doux amour!

Jamais je n'eus si grand désir d'apprendre et d'entendre de bonnes nouvelles de vous et de votre santé; de même aussi que vous en appreniez à mon sujet, quant à mes aventures en chemin et quant à ma vie actuelle.

Or, mon très doux amour, vous savez bien à quel point toute la contrée est infestée d'hommes en armes, d'ennemis et de pilleurs au détriment des honnêtes gens. Qu'il vous plaise donc d'apprendre, mon doux amour, que jamais je ne fus en un aussi grand péril comme celui où j'ai été, n'étaient le souvenir et le doux penser que j'ai eus à votre sujet, et ai toujours, car ils me donnent et m'ont donné une si grande force que, grâce à Dieu et à vous, je suis hors des prises des méchants.

Mais, cela étant dit, je n'ai su ni pu parfaitement esquiver ni éviter les passages périlleux sans avoir éprouvé une bien grande peur; en effet, après avoir tant soit peu passé les chemins les plus dangereux, et alors que je m'imaginais me trouver en situation de chevaucher avec plus de sûreté, j'étais venu en une très belle plaine, et j'avais l'esprit absorbé par la grande beauté, le parfait mérite, la courtoisie si noble qui sont en vous, avec en outre les grands bienfaits que je vous dois et dont je ne suis pas digne et que je ne pourrais ni ne saurais payer en retour ni rendre un jour. Je ne me tenais pas sur mes gardes, les yeux tournés vers le paysage de part et d'autre, lorsque tout à coup je vis avancer à cheval une imposante compagnie de gens de grande noblesse, qui vinrent tout droit vers moi; tant et si bien que, si j'eus peur, nul ne doit s'en étonner, car, s'avançant devant eux tous, vint une dame qui me dit: «Vous êtes mon prisonnier!» Or, quand je constatai que c'était une si noble dame, et qu'en outre je pensais le plus ardemment à vous du fait qu'elle était une dame très distinguée, je répondis très humblement:

« Dame, je me rens ! », et li demandai qui elle estoit qui m'avoit pris ; et elle respondi que bien le saroie, et que elle m'avoit fait moult de services et de bontés, des queles onques ne li avoie fait remuneration ; mais avant que ja mais [me] partisse[1] de li, elle saroit bien comment ce seroit. Et finablement me dist qu'elle avoit a non[2] Esperance, et adonc fui moult confortés. Et lors vint chevauchant Mesure et Attemprance[3] aveuc l'autre compagnie qui moult noble estoit, et li dirent : « Dame, plaise vous a ordener de li telement qu'il puist estre acordés a vous. » Et lors tint moult grant et long conseil, et aveuc sa gent[4] ; et fu ordené, et par grace[5], que, pource qu'elle m'avoit toute ma vie donné et procuré moult d'onneurs et de biens, que en restitution et remuneration d'iceulz, et aussi pour amende taxee[6] par li et par ses gens de ce que en ce livre ne avoie riens fait d'especial chose qui feist a conter pour li, je feisse un lai appellé *Lai* [166 v° b] *d'Esperance*. Le quel lai, mon tresdoulz cuer et ma tresdouce amour, je vous envoie enclos en ces presentes[7].

(c) Et vous pri, tant amoureusement et de cuer[8] comme je puis plus[9], qu'il vous plaise a le savoir, quar il vient de vous ne n'ay mestier d'Esperance si non pour vous[10]. Et, ma tresdouce amour, puis qu'il est fais pour vous, il est raison[11] que vous le sachiez premier[12] que li autre.

(d) A Dieu, mon tresdoulz cuer, qui vous doinst[13] tel bien, tele honneur[14] et tele joie comme je volroie pour moy meisme[15].

Vostre tresleal ami[16].

---

1. *AE* me partisse, *F* me *om.* – **2.** *E* a *om.* – **3.** *E* attrempance. – **4.** *E* conseil auec sa gent. – **5.** *E* p. sa grace. – **6.** *A* tauxee. – **7.** *Pm om., résumé en 2 lignes* : laquelle pource que en ce liure navoie rien fait despecial pour luy ma mis en telle raenchon que je faisse .I. lay appelé lay desperance. – **8.** *Pm* et de cuer *om.* – **9.** *Pm* plus *om.* – **10.** *Pm* se n'est p. u. – **11.** *Pm* il est bien raisons. – **12.** *Pm* sachies premiers. – **13.** *Pm* doint. – **14.** *APm* tel h., *E* telle. – **15.** *A* meismes, *E* mesmes, *Pm* mesmez. – **16.** *Pm* tres loyal amy.

«Dame, je me rends!» Et je lui demandai qui elle était, elle qui m'avait fait prisonnier; et elle répondit que je ne manquerais pas de le savoir, ajoutant qu'elle m'avait rendu bien des services et comblé de bontés sans que je les paie de retour; mais avant que je me séparasse d'elle, elle ne manquerait pas de savoir comment se règlerait la question. Et finalement elle me dit qu'elle avait pour nom Espérance; en conséquence de quoi je repris courage.

Alors s'avancèrent sur leurs montures Mesure et Tempérance, avec le reste de la très noble compagnie, et ils dirent à la dame: «Dame, qu'il vous plaise de prendre à son égard telle disposition qui lui permette d'être réconcilié avec vous!» Et alors elle se livra en elle-même à une très profonde et très longue délibération, et aussi avec sa suite; et il fut décidé, et par faveur, que, parce qu'elle m'avait toute ma vie durant gratifié de beaucoup d'honneurs et dispensé de nombreux bienfaits, à titre de réparation et de paiement pour ces dons, et en outre pour servir d'amende fixée par elle et ses gens en raison de ce que dans ce livre je n'avais composé en son honneur aucune pièce spéciale, qui méritât qu'on en fît mention, je devais composer un lai qui aurait pour nom *Lai d'Espérance*. Lequel lai, mon très doux cœur et mon très doux amour, je vous envoie inclus dans la présente lettre.

Et je vous prie, le plus amoureusement et le plus sincèrement que je puis, qu'il vous plaise de l'apprendre, car il procède de vous et je n'ai besoin d'Espérance que pour vous. D'ailleurs, mon très doux amour, puisqu'il est composé pour vous, il est logique que vous le sachiez avant les autres gens.

Je vous recommande, mon très doux cœur, à Dieu, qui veuille vous accorder tel bienfait, tel honneur et telle joie comme je les voudrais pour moi-même.

Votre très loyal ami.

4612 Lors ma douce dame jolie, *L'amant*
Qui de ma leesce estoit lie
Et de ce qu'estoie eschapés
Dou lieu ou j'estoie attrapés,
4616 Ne fist pas mon message attendre,
Ains le delivra sans attendre,
Ainsi com vëoir le porrés
Quant ces lettres lire volrés :

[Lettre XXII des mss]

Mon tresdoulz cuer et mon tresdoulz et mon tresloial[1] ami !

(a) J'ai bien veu par vos amoureuses lettres comment et queles aventures vous avés heu[2] ou chemin, et que vous estes en bon point et en santé[3], de quoi j'ai plus grant joie que de chose de ce monde. **(b)** Et, mon tresdoulz cuer, plaise vous savoir que onques lettres ne vinrent[4] si bien[5] a point come les vostres derrenieres[6], car vraiement, depuis que vous m'escrisistes[7] l'autre fois, je ne fui[8] sans pensement, soussi et paour que vous n'euissiés aucun empechement[9]. Mais quant je vi vos lettres, onques n'os joie qui si m'alast au cuer ; car a paine me pos je soubstenir de joie quant je les tins[10] ; car tous li cuers m'esvanuy, de quoi moult de teles dames avoit aveuques mi qui se mervillierent que j'avoie[11]. Et toutesfois li cuers me revint, et m'en alai en ma chambre, disant que je m'aloie reposer un po, et chascuns s'en ala et me laissierent[12], car il cuidoient que je fuisse moult[13]

1. *E* tresdouls loyal. – 2. *E* eues. – 3. *Pm* et en santé *om.* – 4. *E* uindrent. – 5. *Pm* bien *om.* – 6. *Pm* come les vostres derrenieres *om.* – 7. *E* mescristes, *Pm* mescripsistes. – 8. *Pm* fu. – 9. *A* empeechement, *Pm* empeschement. – 10. *Pm* car a paine... tins *om.* – 11. *Pm* mesvanuy dont aucunes dames qui estoient auesques my se meruillerent moult de ce que j'auoie. – 12. *Pm* et chascuns... me laissierent *om.* – 13. *Pm* moult *om.*

Alors, ma douce dame enjouée, qui était *L'amant*
heureuse de mon bonheur et de ce que j'étais réchappé du lieu où j'avais été pris au piège, ne fit pas attendre mon messager, mais le libéra sans tarder, ainsi que vous pourrez le voir quand il vous plaira de lire la lettre que voici :

Lettre 22, de la dame [22 des mss ; XXII de PP]

Mon très doux cœur, et mon très doux et mon très loyal ami !

J'ai bien vu par votre amoureuse lettre les circonstances et la nature des aventures que vous avez eues en chemin, et que vous avez bon moral et êtes en bonne santé ; de quoi je me réjouis plus que de quoi que ce soit en ce monde.

Or, mon très doux cœur, veuillez apprendre que jamais lettre n'arriva aussi opportunément que votre dernière lettre, car, en vérité, depuis que vous m'aviez écrit la fois précédente, je n'ai cessé d'être préoccupée et soucieuse, et d'avoir peur que vous n'eussiez quelque difficulté. Mais heureusement, quand je vis votre lettre, jamais je n'avais éprouvé une joie qui m'allât à ce point au fond du cœur ; et en effet, c'est avec peine que je pus me soutenir de joie lorsque je la tins en main, car tout mon cœur défaillit, de quoi beaucoup de ces dames qui étaient avec moi s'étonnèrent, se demandant ce que j'avais. Mais entre-temps le cœur me revint, et je me retirai dans ma chambre, disant que j'allais me reposer un peu ; et chacun se retira et ils me laissèrent, car ils s'imaginaient que j'étais malade, et si estoie je. Et fermai ma chambre[1], et leu[2] vos douces lettres[3], et entendi bien tout le fait; et sceus la verité de nos .II. cuers, qui jamais ne porront desjoindre, car je voi bien et entend que l'un porroit po vivre sans l'autre. Si eu[s] en lisant moult de biens, et moult de maulz, mais je les soubstien bien et me sont moult doulz.

(c) Si sachiés bien, mon doulz cuer, que j'ai pris et veu[4] le lai qui estoit enclox[5] en vostre douce lettre, et vous promet que je le s*a*r*ai*[6] au plus tost que je porrai, et ne chanterai autre chose jusques a tant que je sache[7] le dit et le chant, car c'est chose de dit et [167 a] de chant qui onques plus me plaist. **(d)** Mon tresdoulz amis, Nostres Sires vous doinst bonne santé, paix et tele joie[8] comme vostres cuers et li miens le desirent[9].

Vostre leal[10] amie.

L'amant

4620 Mais je vous ai autre fois dit,
Si com il appert par mon dit,
Que cilz qui sent l'amoureus point
N'est mie tousdis en un point,
4624 Ainçois reçoit mainte pointure,
Une heure douce, l'autre sure.
Et Desirs, qui a mis a mort
Maint amant, desiroit ma mort
4628 Et en tous lieus me couroit seure,
En tous estas et a toute heure;
Si ne le pooie endurer,
Quar il ne me laissoit durer
4632 En eglise n'a champ n'en ville.
Si me sembloit chose trop vile

---

1. *E* disant... ma chambre *om.* – **2.** *APm* lus. – **3.** *E* lettres *om.* – **4.** *Pm* entendi... et veu *om.* – **5.** *A* enclos. – **6.** *APm* saray. – **7.** *FE* sa(i)che. – **8.** *E* bonne vie, paix, santé et tele j., *Pm* telle j. – **9.** *E* vostre cuer et le mien l. d. – **10.** *E* loyale.

4622. *E* sont en lamoureux p. (+ 1) – **4623.** *E* tousiours – **4625.** *Pm* Lune amoureuse; *E* doulce et lautre seure

très malade ; et je l'étais en effet. Je verrouillai ma chambre, et je lus votre douce lettre, et je compris bien toute la situation ; et je connus la vérité sur nos deux cœurs, qui désormais ne pourront plus se disjoindre, car je vois bien et comprends que nous pourrions difficilement vivre l'un sans l'autre. Ainsi j'éprouvai, au cours de ma lecture, beaucoup de bons moments, mais aussi beaucoup de mauvais, mais que j'ai la chance de bien supporter et qui me sont (finalement) fort doux.

Et sachez bien, mon doux cœur, que j'ai pris et vu le lai qui était inclus dans votre lettre, et je vous promets que je le saurai par cœur le plus vite que je pourrai ; et je ne chanterai aucune autre œuvre jusqu'à ce que j'en sache le texte et la mélodie, car c'est une œuvre dont à la fois les paroles et le chant, si jamais une œuvre me plût, me plaisent énormément.

Mon très doux ami, que Notre Seigneur vous accorde bonne santé, paix et une joie telle que votre cœur et le mien le désirent.

Votre loyale amie.

L'amant

Mais, rappelez-vous, je vous ai dit précédemment, ainsi que cela se voit dans mon texte,
que celui qui ressent la blessure de la flèche d'amour n'est pas toujours dans la même disposition de cœur : il reçoit maintes blessures, qui est tantôt douce, tantôt aigre. D'autre part, Désir, qui a mis à mort maints amants, voulait ma mort et m'attaquait en tout lieu, en toute situation et à toute heure ; et je ne pouvais le supporter, car il ne me laissait tranquille ni à l'église ni à la campagne ni en ville. Et cela me paraissait une existence lamentable

De vivre en tele pestilance,
Ne Doulz Penser në Esperance
4636 Ne pooient avoir victoire
Encontre li, c'est chose voire,
Ainsois nous .III. desconfissoit,
Dont souvent mes cuers gemissoit.
4640 Quant je vi la desconfiture,
Je fis tantost ceste escripture
Et si l'envoiai a ma dame,
Car je n'avoie confort d'ame
4644 Ne nulz ne savoit la dolour
Qui faisoit pallir ma coulour,
Si qu'a plourer me confortoie :
C'estoit tout le bien que j'avoie.

[Lettre XXIII des mss]

4648 Mon cuer, ma suer, ma douce amour *L'amant*
Oi de ton ami la clamour.

Mon cuer, ma suer, ma douce amour,
Voi comment je pour toi demour.

4652 Mon cuer, ma suer, ma douce amour,
Fai tant que o toi soit mon demour.

Mon cuer, ma suer, ma douce amour,
Oi du grant Desir la rumour
4656 Qui fait en mon cuer son demour.

Mon cuer, ma suer, ma douce amour,
Fai qu'avec toi faice sejour.

Mon cuer, ma suer, ma douce amour,
4660 Fai que j'aie encor un bon jour.

Mon cuer, ma suer, ma douce amour, [167 b]
Oi de loing comment pour toi plour.

4636. *E* pouoient – **4638.** *E* n. y d. – **4647.** *E* tous li biens

que de vivre en une telle atmosphère pestilentielle, où ni Doux Penser ni Espérance ne pouvaient vraiment pas remporter la victoire sur lui, qui nous vainquait tous les trois ; et souvent mon cœur en gémissait. Quand je constatai notre déroute, je fis sans tarder ce texte, que j'envoyai à ma dame, car je n'avais le réconfort de personne, et nul ne savait quelle douleur faisait pâlir mon teint ; si bien que je me réconfortais par les larmes, c'était tout le bonheur que j'avais.

Lettre 23, de l'amant [23 des mss ; XXIII de PP]

Mon cœur, ma sœur, mon doux amour,
Écoute la plainte de ton ami.

Mon cœur, ma sœur, mon doux amour,
Vois en quel état à cause de toi je vis.

Mon cœur, ma sœur, mon doux amour,
Fais en sorte qu'avec toi soit ma demeure.

Mon cœur, ma sœur, mon doux amour,
Écoute la rumeur guerrière du grand Désir
Qui fait en mon cœur sa demeure.

Mon cœur, ma sœur, mon doux amour,
Fais que j'habite en ta compagnie.

Mon cœur, ma sœur, mon doux amour,
Fais que j'aie une fois encore une bonne journée.

Mon cœur, ma sœur, mon doux amour,
Écoute de loin comment pour toi je pleure.

Mon cuer, ma suer, ma douce amour,
4664 Voi comment pour toi je m'esplour.

Mon cuer, ma suer, ma douce amour,
Tari le ruissel de mon plour.

Mon cuer, ma suer, ma douce amour,
4668 Estain de Desir la chalour,
Amenuise sa grant rigour
Qui estaint toute ma vigour.

Mon cuer, ma suer, ma douce amour,
4672 Aies pité de mon labour.

Mon cuer, ma suer, ma douce amour,
Met en ton tresdoulz cuer tenrour.

Mon cuer, ma suer, ma douce amour,
4676 Voi ma pene, voi mon labour.

Mon cuer, ma suer, ma douce amour,
Voi comment pour t'amour labour.

Mon cuer, ma suer, ma douce amour,
4680 Voi ma tresamere tristour.

Mon cuer, ma suer, ma douce amour,
Voi mes meschiés, voi ma dolour.

Mon cuer, ma suer, ma douce amour,
4684 Considere ma grant freour.

Mon cuer, ma suer, ma douce amour,
Voi que de mort sui en paour.

Mon cuer, ma suer, ma douce amour,
4688 Regarde comment je m'atour.

4664-5. *E om.* – **4679.** *A* suer *barré entre* ma *et* douce – **4682.** *E* mon meschief – **4686-7.** *E om.* – **4686.** *APm* moy s.

Mon cœur, ma sœur, mon doux amour,
Vois comment pour toi je m'épuise de larmes.

Mon cœur, ma sœur, mon doux amour,
Taris le ruisseau de mes pleurs.

Mon cœur, ma sœur, mon doux amour,
Éteins la chaleur de Désir,
Amenuise sa grande dureté
Qui éteint le feu de ma force de vie.

Mon cœur, ma sœur, mon doux amour,
Aie pitié de mon tourment.

Mon cœur, ma sœur, mon doux amour,
Mets de la tendresse en ton cœur très doux.

Mon cœur, ma sœur, mon doux amour,
Vois ma peine, vois ma torture.

Mon cœur, ma sœur, mon doux amour,
Vois comment par amour pour toi je souffre.

Mon cœur, ma sœur, mon doux amour,
Vois ma tristesse très amère.

Mon cœur, ma sœur, mon doux amour,
Vois mes malheurs, vois ma douleur.

Mon cœur, ma sœur, mon doux amour,
Regarde bien ma grande frayeur.

Mon cœur, ma sœur, mon doux amour,
Vois la peur que j'ai de mourir.

Mon cœur, ma sœur, mon doux amour,
Regarde comment je me pare.

Mon cuer, ma suer, ma douce amour,
Voi comment je pleur en destour
Pour ton cointe corps fait a tour.

4692 Mon cuer, ma suer, ma douce amour,
Voi qu'en toi sunt toudis mi tour.

Mon cuer, ma suer, ma douce amour,
Voi comment pour toi descoulour.

4696 Mon cuer, ma suer, ma douce amour,
Euvre le flun de ta douçour
S'arouse ma pale coulour.

A Dieu, mon tresdoulz cuer, qui vous doinst joie, paix et le bien que vostres cuers desire.

Vostre tresloial ami.

Lors ma dame comme dolante *L'amant*
4700 De rescrire ne fu pas lante,
Car certainement bien appert
Par sa lettre tout en appert.

[Lettre XXIV des mss]

(a) Mon tresdoulz cuer et mon tresdoulz *La dame* amy[1] !

Vous m'avez envoié vos lettres, qui m'ont plus[2] donné[3] a faire et a estudier que lettres que vous m'envoyssiés onques mais. Sachiés que je me merveille moult pour quoy vous faites [167 v ° a] telz[4] plains ne telz clamours, ne pour quoy vous menés si dure vie;

4691. *E* faitiz a t. (+ 1) – **4693-4.** *E om.* – **4697.** *A* Oueure, *Pm* Oeuure

---

1. *E* cuer et ma tresdoulce amour. – **2.** *E* qui moult plus. – **3.** *E* donné *om.* – **4.** *Pm* tieulx.

Mon cœur, ma sœur, mon doux amour,
Vois comment je pleure en cachette
À cause de ton corps élancé fait au tour.

Mon cœur, ma sœur, mon doux amour,
Vois que toujours en toi est le secret de mes actions
[d'éclat.

Mon cœur, ma sœur, mon doux amour,
Vois comment à cause de toi je perds mes couleurs.

Mon cœur, ma sœur, mon doux amour,
Ouvre le fleuve de ta douceur.
Et rosit ma pâle couleur.

Je vous recommande, mon très doux cœur, à Dieu, qui veuille vous accorder joie, paix et les bienfaits que votre cœur désire.

Votre très loyal ami.

Alors ma dame ne tarda pas à répondre en personne affligée, comme cela se manifeste avec une évidente certitude par sa lettre : *L'amant*

Lettre 24, de la dame [24 des mss ; XXIV de PP]

Mon très doux cœur et mon très doux ami !

Vous m'avez envoyé votre lettre, qui m'a plus affectée et donné plus de travail et de soucis qu'aucune autre lettre que vous m'ayez jamais envoyée. Sachez que je m'étonne fort des raisons qui vous incitent à vous abandonner à des plaintes aussi vives et pourquoi vous menez une existence aussi dure ;

car il m'es[t][1] avis que vous n'avés pas trouvé en mi pour quoy vous le devés[2] faire, ne n'est pas m'entention que vous l'i trouvés jamais – combien que je sui certaine que li cuers vous fait moult mal de ce que vous estes si loing de moi, et je le sai bien par moy meïsme[3], car en verité je ne vous porroie escrire le grant meschief que je en hai[4]; mais je me reconforte en ce que, se Dieu plaist, je vous reverray briefment[5].

(b) Et je vous pri tant come je puis et commande de tel pooir come je ai sur vous que vous veuilliés[6] oster vostre cuer[7] de tout plour et de tout anoi, se vous volés que le mien soit aise[8], et penre[9] bon reconfort en vous; car je vous jur et promet par ma foi que je ne vous fis onques tant de bien ne de douçours de .C. mille *tans*[10] come j'ai grant[11] desir de vous[12] en faire, ne toute ma vie vous ne me trouverés lasse de faire chose qui vous doie plaire. Si m'est avis que vous ne me[13] devés point faire de dueil, ains devés estre en joie et en leesce; et je vous pri que vous y soiez, se vous m'amés de riens[14].

(c) Et pour ce je vous envoie ceste balade, que j'ai puisie[15] en la fontainne de larmes ou mes cuers se baingne quant je vous voi a tel meschief; car, par Dieu, je ne porroie ne volroie[16] bien ne joie avoir, puis que je vous saroie en doleur et en tristece.

Et pour ce ai fait ceste balade,
De cuer plourant en corps malade.

Vostre leal amie.

---

1. *A* y mest, *F* il mes. – **2.** *E* doiez f. – **3.** *E* mesmes. – **4.** *E* j'ay eu. – **5.** *Pm* et je le sai… briefment *om.* – **6.** *Pm* uous uous ueillies. – **7.** *Pm* vostre cuer *om.* – **8.** *APm* aaise. – **9.** *E* prenre. – **10.** *APm* mille tans, *FE* temps. – **11.** *E* grant *om.* – **12.** *Pm* vous *om.* – **13.** *Pm* me *om.* – **14.** *E* de riens *om.* – **15.** *E* puisiee. – **16.** *A* uoudroie, *E* voldroie, *Pm* ne volroie *om.*

car il me semble que vous n'avez pas trouvé en moi de raisons qui vous y poussent, et il n'est pas dans mes intentions que vous y en trouviez jamais ; encore que je sois certaine que si le cœur vous fait tant souffrir, c'est parce que vous séjournez si loin de moi ; or je connais bien cela par moi-même, car, en vérité, il me serait impossible de décrire la grande contrariété que j'en éprouve ; et pourtant ! je me réconforte à la pensée que, s'il plaît à Dieu, je vous reverrai à bref délai.

C'est pourquoi je vous prie aussi instamment que je puis et je vous demande au nom de tout le pouvoir que je possède sur vous, de vouloir bien libérer votre cœur de tout pleur et de tout chagrin, si vous voulez que le mien soit heureux. Et prenez bon courage au fond de vous-même, car je vous jure et promets sous la foi du serment que je ne vous ai pas encore accordé le cent millième des faveurs et des douceurs que j'ai le grand désir de vous accorder ; et toute ma vie vous ne me trouverez lasse de faire ce qui a quelque chance de vous plaire. C'est pourquoi il me semble que vous n'avez pas de raison d'éprouver et de me manifester de la douleur, mais que c'est la grande joie qui doit être votre état normal ; et je vous supplie qu'il en soit ainsi, si vous m'aimez tant soit peu.

Au sujet et en vue de cela, je vous envoie la présente ballade, que j'ai puisée à la fontaine de larmes où mon cœur est baigné quand je vous vois si malheureux ; car, j'en atteste Dieu, je ne pourrais ni ne voudrais avoir ni bonheur ni joie dès lors que je vous saurais affligé et triste.

Voilà pourquoi j'ai composé cette ballade-ci,
Venue d'un cœur pleurant en un corps malade.

Votre loyale amie.

Balade

Il n'est dolour, desconfort ne tristece, *La dame*
4704 Anuis, grieté ne pensee dolente,
Fierté, durté, pointure në asprece
N'autre meschief d'amour que je ne sente;
Et tant plaing, souspir et plour
4708 Que mes las cuers est tous noiés en plour.
Mais tous les jours me va de mal en pis,
Et tout pour vous, biaus doulz loiaus amis.

Quar quant je voi que n'ai voie n'adresce
4712 A tost vëoir vostre maniere gente
Et vo douceur qui de loing mon cuer blesce,
Que tousdis m'est par pensee presente,
Je n'ai confort ne retour
4716 Fors a plourer et a haïr le jour
Que je vif tant: c'est mes plus gran*s* delis,
Et tout pour vous, biaus doulz loyaus amis.

Mais se je sui loing de vous sans leesce,
4720 Ne pensés ja que d'amer me repente,
Car Loiauté me doctrine et adresce
A vous amer en tresloial entente,
Si que Cuer, Penser, Amour, [167 v° b]
4724 Voloir, Pensee et Desir sans retour
Ai eslongié de tous et arrier mis,
Et tout pour vous, biaus doulz loyaus amis.

Quant je vi qu'elle se plaingnoit *L'amant*
4728 Pour m'amour, et qu'elle baignoit
Son cuer en larmes amoureuses,
Et que ses pensees joieuses
Estoient toutes converties
4732 En droites grieuges orties,

4704. *PmE* griefté – **4716.** *E* F. a hair et a plourer le – **4717.** *APmE* grans, *F* grant – **4719.** *A* lesse (– 1) – **4732.** *A* ouerties

Ballade [de la dame]

1. Il n'est douleur, chagrin ni tristesse,
Désagrément, souffrance ni affliction,
Dédain, dureté, blessure ni âpreté,
Ni aucun autre mal d'amour que je ne ressente;
Et je me plains, soupire et pleure tant
Que mon cœur lassé est tout inondé de larmes.
Bien plus: tous les jours cela va pour moi de mal [en pis,
Et le tout pour vous, beau doux ami loyal.

2. Car quand je vois que je n'ai ni voie ni moyen
Pour aller rapidement voir votre noble manière
Et votre douceur qui blesse mon cœur de loin,
Car elle m'est toujours présente par la pensée,
Je n'ai d'autre réconfort ni d'autre recours
Que les larmes et la haine du jour
Qui prolonge d'autant ma vie: tel est mon seul [agrément,
Et le tout pour vous, beau doux ami loyal.

3. Mais écoutez bien: si, loin de vous, je vis sans [grande joie,
Ne pensez point que je me repente d'aimer,
Car Loyauté me donne pour doctrine et directive
De vous aimer d'une volonté très sincère;
En sorte que Cœur, Souci, Amour,
Vouloir, Pensée et Désir ai éloignés de tous
Sans retour et mis en retrait,
Et le tout pour vous, beau doux ami loyal.

L'amant

Quand je vis qu'elle se plaignait en raison de son amour pour moi, et qu'elle baignait son cœur dans les larmes de l'amour; que ses pensées de joie étaient toutes converties en vraies orties sauvages;

Et que c'estoit tout par ma coulpe
Que vers li me grieve et encoulpe
Seulement pour mon escripture
4736 Qui pour sa paix estoit trop dure,
Moult durement me repenti
Quant, pour ce qu'avoie senti
D'ardant Desir l'amoureus point,
4740 Li avoie escript en tel point.
Que aussi bien le sentoit la belle
Au cuer par dessus la mamelle,
Qui moult de meschief li faisoit;
4744 Mais toutevoie s'en taisoit:
Elle souffroit en paciance
Pour ce qu'elle avoit esperance
Qu'onques ne fu qu'encor ne soit;
4748 Car cilz qui telz dolours ressoit
Ne se doit pas desesperer
Pour Desir, ains doit esperer
Que, comment que joie demeure,
4752 Encore venra la bonne heure
Que [de] la tresdouce rousee
De Mercy sera arrousee
Sa tresgrant ardeur et estainte,
4756 Qui ha mainte couleur destainte.
Si me commensai a saingnier;
Ne bon ne m'estoit a saingier,
Car j'estoie trop esmeüs,
4760 Yvres d'amours et embeüs.
La pluiseurs fois sa lettre lui
Tous seulz, qu'il n'i havoit nullui
Fors moy sans plus et son ymage,
4764 A cui j'amendai mon outraige,
Mon mesfait et ma grant folie,
Pour ma douce dame jolie;
Si que, sans faire long detri,
4768 Ceste lettre cy li escri

4733. *Pm* couppe + **4734.** *Pm* encouppe – **4743.** *APmE* Que – **4746.** *E* ce *om.* (– 1) – **4748.** *APm* tel doleur, *E* telz douleurs – **4753.** *F* de *om.* (– 1) – **4764.** *Pm* A qui

et que c'était totalement par ma faute, qui me charge et accuse envers elle rien que pour mon texte qui pour sa paix était trop cruel, je me repentis très profondément de ce que, pour avoir ressenti la blessure d'amour du brûlant Désir, je lui avais écrit en un tel état; car la belle la ressentait bien elle aussi au cœur, au-dessus de la mamelle, et cela lui causait mainte souffrance, et pourtant, quoi qu'il pût arriver, elle s'en taisait: elle souffrait en patience, parce qu'elle avait l'espoir que se vérifierait pour elle le dicton que jamais une chose n'était arrivée qui ne pût arriver encore; car celui qui est en proie à de telles douleurs n'a pas lieu de se désespérer à cause de Désir, mais doit espérer que, bien que la joie tarde à venir, arrivera une nouvelle fois l'agréable heure où par la très douce rosée de Merci sera arrosée et éteinte sa très grande brûlure, qui avait changé la couleur de maints visages. Alors je me mis à me signer, mais il ne me servait à rien de me signer, car j'étais très ému, ivre d'amour et soûl. Alors je lus sa lettre plusieurs fois, tout seul, car il n'y avait personne en dehors de moi et de son portrait, à qui je fis amende honorable de ma démesure, de mon crime, de ma grande folie envers ma douce dame enjouée. Et finalement, sans plus long délai, je lui écrivis la lettre ci-après,

Moult humblement, en accusant
Desir et en moi escusant.

[Lettre XXV des mss]

L'amant

(a) Mon tresdoulz cuer, ma chiere suer[1] et ma tresdouce amour!

Je vous mercye tant [168 a] humblement comme je puis, et non mie tant come je doi, de vos douces et gracieuses escriptures[2], qui m'ont tant conforté qu'il n'est tristece ne doleur[3] qui me puist[4] venir; si ferai ce que vous me commandés a mon pooir. Et se je vous ai un po rudettement[5] escript, ce [a] fait[6] Desir, que j'ai plus creu que je ne deusse; si le me veuilliés pardonner, [s'il vous plaist. **(b)** Des nouveles de par deça,[7]] s'il vous plaist savoir, pluiseurs grans signeurs[8] scevent[9] les amours de vous et de mi, et ont envoié par devers moy un chapellain qui est moult mes amis, et m'ont mandé que par li je[10] leur envoie de vos choses et les responses que je vous ay fait, especialment *Celle qui onques ne vous vid*; si ai obeÿ a leur commandement, car je leur ai envoié pluiseurs de vos choses et des mieues. Et ont volu savoir se il est verité que je aie vostre ymage; et je l'ai moustree[11] a leur message, bien et richement paree et mise haut au chevés de mon lit, si que chascuns[12] se merveille que ce puet estre. Et sachiez qu'il scevent comment vous m'avez resuscité et rendu joie et santé sans ce que vous m'eussiés onques veu. Si tiennent si grant bien de vous, de vostre douceur et de vostre humilité comme de dame dont il oyssent onques parler; si leur ai escript a vostre loenge[13] le bien et la douceur qui y est, et ce qu'il m'en semble.

---

1. *E* treschiere s. – **2.** *Pm* amiables e. – **3.** *E* ne doulceur. – **4.** *PmE* peust. – **5.** *Pm* rudement. – **6.** *APmE* ce a f., *F* ce fait. – **7.** *AE* p., s'il uous plaist. Des nouueles de par deça, *F om.* – **8.** *A* gens seigneurs, *F* grans s. (cf. lettre XXVI, *AF*: grans s.). – **9.** *E* les plus grans seigneurs si sceuent. – **10.** *E* mandé par lui que je. – **11.** *A* moustré. – **12.** *E* chascun. – **13.** *E* pour u. l.

très humblement, accusant Désir et présentant mes excuses.

Lettre 25, de l'amant [25 des mss; XXV de PP]

Mon très doux cœur, ma chère sœur et mon très doux amour!

Je vous remercie aussi humblement que je puis, mais non autant que je devrais, de vos doux et aimables écrits, qui m'ont tant réconforté qu'il n'est tristesse ni douleur qui me puisse atteindre; aussi bien ferai-je, autant que je puis, ce que vous me recommandez. Si je vous ai écrit un petit peu rudement, ç'a été l'œuvre de Désir, que j'ai cru plus que je n'aurais dû; veuillez me le pardonner, si du moins tel est votre bon plaisir.

Quant aux nouvelles de mon côté, si vous désirez en connaître, plusieurs grands seigneurs savent nos amours, et ont envoyé chez moi un chapelain qui est de mes grands amis, pour me faire dire que par son intermédiaire je leur envoie de vos poésies, avec les réponses que je vous ai faites, spécialement *Celle qui jamais ne vous vit*; et j'ai obéi à leur demande, car je leur ai adressé plusieurs de vos poésies et des miennes. Ils ont voulu savoir aussi s'il est vrai que je possédais votre image-portrait; je l'ai montrée à leur messager bien parée, et richement, et placée au-dessus du chevet de mon lit, si bien que chacun [de mes visiteurs ordinaires] se demande avec étonnement quelle dame cela peut être. Apprenez en outre qu'ils savent comment vous m'avez ressuscité et rendu la joie et la santé sans m'avoir jamais vu. D'ailleurs ils pensent autant de bien de vous, de votre douceur et de votre humilité qu'ils en ont pensé de quelque dame que ce soit dont ils ont un jour entendu parler; moi-même je leur ai dit dans une lettre à votre louange le bien et la douceur qui est en vous, et quelle était ma conviction profonde.

(c) Mon doulz cuer, et puis que il est ainsi que ou royaume et en l'empire que nos amours sont sceues et revelees, et especialment des meilleurs, bien seroit ores de male heure nez cilz qui fausseroit de nous .II., car jamais n'aroit honneur. Et par m'ame, ma tresdouce suer, j'ai si grant fiance en vostre noble cuer et en vostre tresfine douceur, que je sai certainement qu'il n'i porroit avoir que loyauté ; si en sui tous seurs[1], et je m'en aten[2] a vous de tous poins. Et, quant a moy, il ne me semble mie que nes la mort peust mon cuer oster ne departir de vous ; si en devés bien estre en vostre paix. **(d)** Et certes, ma tresdouce suer, j'ai si grant joie et si grant plaisance en vostre bon renon et en vostre loenge, qui ainsi s'espant par tout et espandera[3], se Dieus me donne vie, qu'il n'est doleur ne tristece qui me peust venir. Et m'est avis que tout le bien et la joie que je voi que li autre ont, soit doleur et tribulation contre la joie et le bien que j'ai ; et il y ha bien cause, car se j'estoie li plus parfais en toute chose[4] qui onques fust, si truis je en vous assez de biens et de douceurs.

(e) Et, mon doulz cuer, quant au noble et au riche tresor dont j'ai la clef, par Dieu je l'irai desfermer le plus tost que je porrai[5]. Et seront au desfermer Foi et Loiauté[6], Droiture et Mesure ; et se Desirs voloit faire le maistre, on ne li souffer[r]oit[7] mie, puis que vous et moi et Loiaulté et [168 b] Bonne Esperance sommes aliés contre li : et, par ma foi, il est a moitié desconfis, ne[8] je ne prise mais riens chose qu'il me puist faire.

(f) Pour les douces et amiables lettres que vous m'avés escriptes[9], j'ai fait un rondel que je vous envoie, et arés[10] le chant par le premier que j'envoierai vers vous. Et y est vostre nom, ainsi comme vous le verrés par ceste cedule enclause[11] en ces presentes.

---

1. *A* tus s. – **2.** *E* attens. – **3.** *E* espendra. – **4.** *A* toutes choses. – **5.** *E* le plus tost que je porrai *om.* – **6.** *AE* foi loiauté, *F* f. et l. – **7.** *E* luy s., *A* soufferroit, *F* soufferoit. – **8.** *E* ne (je ne p.) *om.* – **9.** *Pm* s'il vous plaist... m'avés escriptes *om.* – **10.** *Pm* aures. – **11.** *AE* enclose.

Mon doux cœur, puisque les choses en sont là qu'au royaume de France et dans l'Empire nos amours sont dévoilées et connues en particulier des meilleurs, il serait bien maudit celui de nous deux qui trahirait ; il aurait à jamais perdu l'honneur. Oui, par mon âme, ma très douce sœur, j'ai une si grande confiance en votre noble cœur et en votre très parfaite douceur que je sais de science certaine qu'il ne pourrait y avoir que loyauté : oui, j'en suis tout assuré, et je compte absolument sur vous sur ce point. Pour moi, de mon côté, il ne me semble pas que même la mort pût séparer ni détacher mon cœur de vous ; c'est pourquoi sur ce point vous avez de bonnes raisons d'avoir la paix en votre for intérieur. Et pour sûr, ma très douce sœur, j'éprouve une si grande joie et un si grand plaisir à vous savoir en si bon renom et l'objet de si vifs éloges, qui ainsi se répandent et se répandront partout à l'avenir, aussi vrai que Dieu me donne vie, qu'il n'est douleur ni tristesse qui pût m'atteindre. Bien plus, il me semble que tous les bonheurs et toute la joie que je vois chez les autres sont douleur et tribulation en comparaison de la joie et du bonheur que j'ai ; et il y a bien des raisons à cela, car si j'étais le plus pourvu de tous les biens qui jamais furent, je trouve en vous encore beaucoup de biens et de douceurs en plus.

Mon doux cœur, quant au noble et riche trésor dont j'ai la clef, j'en atteste Dieu, j'irai l'ouvrir le plus tôt que je pourrai. Et assisteront à l'ouverture Fidélité et Loyauté, Droiture et Mesure ; et si Désir voulait jouer au maître, on ne le lui permettrait pas, puisque vous et moi, Loyauté et Bonne Espérance sommes alliés contre lui : ainsi, je le jure, il est à moitié vaincu, et je n'attache plus aucune importance à ce qu'il pourrait me faire.

En réponse à la douce et aimable lettre que vous m'avez écrite, j'ai composé un rondeau que je vous envoie, et vous aurez le chant par le prochain messager que j'enverrai chez vous ; et il s'y trouve votre nom, comme vous le verrez par cette cédule incluse dans la présente lettre.

(g) Et mon doulz cuer, s'il vous souvient de moi, par Dieu, vous n'estes pas deceue, car je laisse tout autre souvenir et toutes autres pensees pour vous. Et de ce que vous dittes que vous vous fiez tant en moi que je ne porroie faire chose qui vous peust desplaire, Dieus le vous mire, car, par m'ame, je m'en garderai bien, se Dieu[1] plaist. **(h)** Mon tresdoulz cuer, par m'ame, onques[2] je n'oy dire de vous que bien et loyauté, si ai toute doubte et toute souspesson bouté hors de mon cuer, et tien que vostre belle et douce bouche ne daigneroit mentir. Si tenés fermement que je vif en joie et en revel plus que amans qui soit en pays ou je demeure.

(i) Et me sui remis a faire vostre livre, en quel vous serés loee et honnouree de mon petit pooir, et toutes autres dames pour l'amour de vous. Et ma tresdouce amour, les oreilles vous deveroient[3] bien fort et souvent mangier, car je ne sui en compagnie que on ne parole tous jours de vous, et en tel bien que tous cilz[4] qui vous ont veu vous comperent[5] a l'escharboucle qui esclarcist les obscures nuis, au saphir qui garit de tous maulz, et a l'esmeraude qui fait tous cuers resjoir ; et, brief, chascuns vous tient comme[6] la fleur des dames. Et par ycelli Dieu qui me fist, j'en ai tele joie que je ne le vous porroie dire n'escrire ; et tout ce saurés vous bien par autre que par moi. Si ne donroie mie mes souhais, mes souvenirs et mes douces pensees pour l'avoir d'un tresbien riche[7] royaume, car quant je pense bien a vostre pure, fine et esmeree douceur, qui est dedens mon cuer enfermee comme tresor en coffre et enclavee comme pierre en or, il m'est souvent advis que je soie aveuc vous aussi doucement que je fui onques.

(j) Et mon doulz cuer, se je ne vous envoie de mes choses si souvent comme je soloie, je vous suppli[8] humblement qu'il ne vous desplaise mie, car se je

---

1. *A* dieux. – **2.** *AE* onques en ma vie. – **3.** *E* deuroient. – **4.** *AE* tuit cil. – **5.** *E* comparent. – **6.** *E* comme *om.* – **7.** *A* d'un tresbien bon r., *E* d'un tresriche r. – **8.** *Pm* suplie.

Oui, mon très doux cœur, si vous pensez à moi, je le jure par Dieu, vous ne vous trompez pas, car je laisse pour vous toute autre pensée et tous autres projets.

Quant à ce que vous dites que vous croyez avec une totale confiance en moi que je ne pourrais entreprendre quoi que ce soit qui risquât de vous déplaire, Dieu vous le rende, car, je le jure par mon âme, je m'en préserverai bien, si Dieu le veut bien.

Mon très doux cœur, je le jure par mon âme, jamais je n'entendis parler de vous qu'en bien et pour vanter votre loyauté, en sorte que j'ai chassé de mon cœur toute crainte et tout soupçon, et je suis persuadé que votre belle et bonne bouche ne s'abaisserait pas à dire des contrevérités. Soyez donc fermement persuadée que je vis dans une joie plus absolue qu'aucun amant qui vit en la contrée où j'habite.

D'autre part, je me suis remis à travailler à votre livre, où vous serez louée et honorée selon mon modeste pouvoir, vous, et, pour l'amour de vous, toutes les autres dames.

Mon très doux amour, les oreilles devraient bien fort et bien souvent vous démanger, car je ne suis pas en société sans que toujours on parle de vous, et en tel bien que tous ceux qui vous ont vue vous comparent à l'escarboucle qui éclaire les nuits obscures, au saphir qui guérit toutes les maladies, à l'émeraude qui cause la joie de tous les cœurs ; bref, chacun vous tient pour la fleur des dames. Et, par ce grand Dieu qui me créa, j'en éprouve une joie telle que je serais incapable de vous le dire ni écrire ; mais tout cela, vous le saurez bien par la bouche d'un autre que moi. Aussi bien je ne donnerais pas mes souhaits, mes souvenirs et mes douces pensées pour la possession d'un très puissant royaume, car quand je considère au fond de moi-même la toute parfaite pureté de votre douceur, qui est au-dedans de mon cœur comme un trésor enfermé en son coffre et comme une pierre sertie dans l'or, j'ai souvent le sentiment d'être avec vous aussi doucement que je l'ai jamais été.

Mon doux cœur, si je ne vous envoie pas de mes poésies aussi souvent que j'en avais l'habitude, je vous en supplie humblement, n'en éprouvez aucun désagrément, car si

avoie la teste de fer et le cuer[1] d'acier et le corps d'aymant, ne porroie je mie bien faire vostre livre et penser a faire autres choses, qu'il me couvient[2] laissier l'un pour l'autre.

(k) Je vous suppli tant humblement comme je puis et de tout mon cuer que vous me veuilliez envoier l'une des choses que vous mettés plus prés de vostre cuer, par quoi je la puisse mettre si prés du mien comme je porrai. Et certes se vous la m'envoiez, je la tenrai[3] comme [168 v° a] vraie et digne relique ; et vous estes si bonne et si sage que vous sarés[4] bien que c'est a dire.

(l) Et aussi me veuilliez faire si bien de vostre suer que[5], quant je venrai vers vous, nous puissons[6] mener bonne vie sanz dongier.

(m) A Dieu, mon tresdoulz cuer, qui vous doinst le bien et la joie que vous desirés.

Vostre leal ami.

L'amant

Ma dame ainsi me resjoï,
4772 Comme dessus avés oÿ,
Par son gracieus mandement
Et par son doulz commandement,
Com celle en qui tout mon cuer maint.
4776 Or pri Dieu que vers li me maint
Briement, si serai assevis,
Car plus ne me faut, ce m'est vis.
Mais ja Dieus ne me laist tant vivre,
4780 Ains me toille honneur et mon vivre
Quant de li me departirai ;
Car quant devers sa part [t]irai,
Ce ne fu pas a repentir,

---

1. *Pm* et (l. cuer) *om.* – **2.** *Pm* qui m. c. – **3.** *Pm* tendray. – **4.** *Pm* saures. – **5.** *E* f. de u. s. si bien que, *Pm* si bien faire de v. s. – **6.** *E* puissions.

4778. *E* aduis (+ 1) – **4779.** *E* dieu – **4780.** *E* tolle – **4782.** *FA* part irai, *PmE* part tiray

j'avais une tête en fer et un cœur en acier et un corps en diamant, je ne pourrais à la fois rédiger comme il faut votre livre et penser en même temps à composer de nouvelles poésies : il me faut choisir entre les deux tâches.

Je vous supplie aussi humblement que je puis et de toute mon âme de vouloir bien m'envoyer l'un des effets que vous portez le plus près de votre cœur, afin que je puisse le mettre aussi près que je pourrai du mien. Et, pour sûr, si vous me l'envoyez, je le considérerai comme une vraie et sainte relique ; vous êtes assez généreuse et assez avisée pour comprendre ce que cela veut dire.

Encore ceci : veuillez me concilier les bonnes grâces de votre sœur, en sorte que, lorsque je viendrai chez vous, nous puissions passer de bons moments sans nous gêner.

Mon très doux cœur, je vous recommande à Dieu, qui veuille vous accorder le bonheur et la joie que vous désirez.

Votre loyal ami.

L'amant

Ma dame me rendit ma joie, comme vous l'avez entendu ci-dessus, par son précieux message et par son doux commandement, en personne chez qui tout mon cœur habite.

À présent je prie Dieu qu'il me mène bientôt chez elle, et je serai assouvi, car il ne me faut pas davantage, c'est ma conviction ; mais que Dieu ne me laisse pas subsister assez longtemps et me ravisse plutôt l'honneur et la vie, si jamais j'en viens à me séparer de ma dame, car quand je me rendis chez elle, ce ne fut pas pour m'en repentir un jour,

4784 Si puis bien dire sans mentir.
Et së en parle qui volra,
Mais certainement on verra
Tout clerement, je n'en doubt mie,
4788 La fleur de lis croistre en l'ortie
Et le fruit naistre en la racine
Et fin basme porter espine
Et en *f*uzin germer la rose,
4792 Qui seroit moult estrange chose,
Ainçois que cueure de tel laisse
Que je l'entroublie ne laisse;
Car ce ne porroit advenir
4796 Ne que je porroie avenir
Aus nues de mon petit doi,
Pour ce que, foi que je li doi,
Tous siens sui sans departement
4800 N'il ne porroit estre autrement.
Ainsi j'ai esperance qu'elle
Vuelt moult bien qu*ant* ami m'appelle,
Et de son bien claime chascun
4804 Ami, ne n'en aimme adés c'un;
Et sa response le m'ensengne,
Avoir n'en quie*r* nulle autre ensengne:
Vés la cy, je la vous lirai,
4808 Que ja mot n'i oublierai.

[Lettre XXVI des mss]

(a) Mon doulz cuer, ma douce amour et mon treschier ami[1]! *La dame*

Plaise vous a[2] savoir que, la merci Dieu et la vostre, je sui en tresbon point de corps. Et de cuer aussi, car je le sai en si plaisant et si doulz[3] demour que il ne

4785. *A* sen parole, *Pm* sen parolle, *E* si en parle – **4786.** *E* en u. – **4790.** *Pm* baume; *E* en espine (+ 1) – **4791.** *FAPm* suzin, *E* susin – **4802.** *Pm* mon b.; *APmE* quant, *F* que (– 1) – **4804.** *E* je n. – **4805.** *Pm* Car – **4806.** *APmE* quier, *F* quien – **4807.** *E* Vees (+ 1)

1. *E* tresloyal amy. – **2.** *E* a *om.* – **3.** *E* et si doulz *om.*

je puis l'assurer sans mentir. Et qu'on dise ce qu'on voudra, je tiens pour certain que sans l'ombre d'un doute on verra la fleur de lys pousser sur l'ortie, les fruits naître sur la racine, l'épine porter un baume très pur et la rose bourgeonner sur le fusain – ce serait un spectacle bien étrange ! –, plutôt que je m'empresse d'un seul élan de l'oublier et de l'abandonner : il ne serait pas plus possible que cela se produise que je ne pusse toucher les nuages de mon petit doigt, car, par la fidélité que je lui dois, je suis tout à elle et sans partage, et il n'est pas pensable qu'il en fût autrement. De la sorte j'ai de bonnes raisons de croire que c'est de propos délibéré qu'elle me donne le titre d'ami et que c'est honnêtement aussi qu'elle appelle un chacun ami, mais n'en aime continûment qu'un seul. Sa réponse aussi me l'apprend, je n'en demande nulle autre preuve.

Voici cette réponse que je vous lirai sans en omettre le moindre mot.

Lettre 26, de la dame [26 des mss ; XXVI de PP]

Mon doux cœur, mon doux amour et mon très cher ami !

Qu'il vous plaise d'apprendre que, grâce à Dieu et grâce à vous, je suis en très bon état quant au corps ; mais quant au cœur également, car je le sais en un si plaisant et si doux séjour qu'il ne porroit nul mal [168 v° b] avoir tant que il soit par devers vous, car, par Dieu, il y est a toute heure et sera toute ma vie ; et quant je m'avise que je l'ai si tresbien hesbergié[1] que je ne porroie ne voldroie mieulz, il n'est nulz maulz que li corps puist avoir. Et aussi comme je sai que li vostres cuers est tous par devers moy, et que vous vous tenés seurs de moy et[2] de m'amour, et que vous estes en joie et en revel, j'en ai tel joie que je ne le porroie dire, car certes je ne porroie avoir joie ne aise[3] tant comme je vous sentisse a meschief.

(b) Mon doulz cuer[4], j'ai receu vos lettres en queles vous me faites a[5] savoir que pluiseurs grans signeurs scevent les amours de vous et de mi, et que il vous ont mandé que vous leur envoiez de vos choses et des moies. Si me plaist tresbien que vous leur en aiés envoié, car je veil bien que Dieu et tout le monde sache que je vous aim et ay plus chier que homme qui au jour de hui vive. Et si me tien a mieulz paree et a plus honnouree de vostre amour que de roi ne de prince qui soit en monde[6], car a mon gré il n'a fame en monde[7] mieus assenee d'ami que je suis, de quoi je loe Dieu, Amour et Venus tous les jours plus de cent fois. Et si sai certainement que je ne ferai ja vers vous fausseté par coi je doive[8] avoir nul blasme. Et pour toutes ces causes ne me chaut il se nos amours sont descouvertes et ainsi vous savés bien que c'est pour le meilleur. Et, mon doulz cuer, vous m'escrivés que vous avés si grant joie de mon bon renon qu'il n'est mal qui vous puist venir. Et par Dieu, mon doulz cuer, si ai je dou vostre, et je l'en doi bien avoir, car je croi qu'en tout le monde nen a nul qui ait meilleur renommee de vous de tous les bons ; et vous savés que ce fu le commencement[9] de nos amours. Lequel fu trop tart a mon gré, car c'est

---

1. *A* herbergie, *E* hebergie. – **2.** *AE* de moy et *om.* – **3.** *A* aaise. – **4.** *Pm* car je le sai... Mon doulz cuer *om.* – **5.** *E* a *om.* – **6.** *E* ou monde. – **7.** *E* ou monde. – **8.** *E* doie. – **9.** *E* conmandement.

pourrait lui arriver aucun mal tant qu'il serait auprès de vous. Et en effet il y est à tout moment, et il le sera toute ma vie ; et quand je considère que j'ai la chance de le voir en un si parfait logis que je ne pourrais ni ne voudrais le voir en un meilleur, il n'est aucun mal qui puisse arriver à mon corps. À quoi s'ajoute que, comme je sais que votre cœur à vous est tout entier chez moi, et que vous vous sentez rassuré quant à moi et à mon amour, et que vous êtes parfaitement heureux, ma joie en est si grande que je ne saurais trouver les mots pour le dire ; et ce que je peux vous assurer, c'est que je ne pourrais éprouver ni joie ni contentement tant que je vous saurais malheureux.

Mon doux cœur, j'ai reçu votre lettre où vous m'informez que plusieurs grands seigneurs connaissent nos amours, et qu'ils vous ont fait dire de leur envoyer de vos poésies et des miennes. J'approuve tout à fait que vous leur en ayez envoyé, car c'est ma ferme volonté que Dieu et le monde sache que je vous aime et que vous m'êtes plus cher qu'aucun homme actuellement vivant ! Et je me tiens pour mieux parée et plus honorée par votre amour que par celui d'un roi ou d'un prince qui soit sur terre, car, à n'écouter que moi, il n'y a femme au monde mieux pourvue d'ami que je ne suis, et j'en bénis Dieu, Amour et Vénus tous les jours plus de cent fois. Et je sais de science sûre que je ne commettrai jamais envers vous aucune perfidie qui méritât le blâme public. Pour toutes ces raisons, il ne me fait ni chaud ni froid si nos amours sont connues de tous ; et vous savez bien que de cette façon les choses vont au mieux.

Mon doux cœur, vous m'écrivez que vous êtes si heureux de mon bon renom qu'il n'y a douleur qui puisse vous atteindre. Mais, par Dieu, mon doux cœur, j'ai la même joie pour le vôtre, et c'est un devoir pour moi d'éprouver une telle joie à ce sujet, car je suis convaincue que dans le monde entier il n'y a aucun homme – et je ne parle que de l'élite – qui ait meilleure renommée que vous ; et vous savez que c'est par là que commencèrent nos amours. Lequel commencement vint trop tard à mon gré, car c'est le plus grant regret[1] que j'aie que du bon temps que nous avons perdu, et n'ai riens que je ne volsisse avoir donné par quoy nous eussiens plus tost commencié.

(c) Et, mon doulz cuer, vous m'escrisiés que vous venrés briément deffermer le tresor[2] dont vous avés la clef ; et se ceulz que vous m'avez mandé qui seront au deffermer y sont, la compagnie en vaudra mieulz, et je pense bien que il y seront ; et ne cuide mie que, se Desir y vient, qu'il nous puist en riens grever, car celle noble compagnie l'aroit tost desconfit.

(d) J'ai veu[3] le rondel que vous m'avez envoié, et y ai bien trouvé mon nom. Et ai grant joie de ce que vous estes remis a faire nostre livre[4], car j'ai plus chier que vous le faciés que autre chose. Et me souffira se vous m'envoiés, toutes fois[5] que vous m'escrivés[6], .I. petit rondelet ou aucu-[169 a]ne chanson nouvelle, car je n'en veuil nulles aprendre que des vostres. Et, par ma foi, il ne me desplaist[7] point se vous [en] envoiés[8] a autres que moi[9], car chose qui vous plaist ne me porroit desplaire, mais qu'il vous plaise que je les aie la premiere[10].

(e) Je ne vous envoie pas ce que vous m'avés mandé, pour ce qu'il m'est avis qu'il ne seroit pas bon de l'envoier par ce message ; mais je le vous envoierai par vostre vallet[11] la premiere fois que vous le m'envoierés, aveuc vos paternostres[12] que je ne puis envoier si tost comme je volsisse. Mais je vous envoie la coiffe[13] et[14] le cuevrechief et le touret que je avoie affublé le jour que je reçui[15] vos lettres.

Ma suer se recommande a vous. Et ne aiés nulle doubte, car je trouverai assez chemin par quoi nous pourrons tout a loisir deffermer le tresor[16]. H., vostre

---

1. *E* regart. – **2.** *E* le coffre du tresor. – **3.** *Pm* enqueles... J'ai veu *om.* – **4.** *E* vostre l. – **5.** *Pm* toutes les fois. – **6.** *Pm* mescripres, *E* souffira t. q. u. ne escr. se uous menuoies. – **7.** *A* y. ne m. d. – **8.** *A* en enuoiez, *F* en *om.* – **9.** *A* qua m., *E* que a m. – **10.** *Pm* Et, par ma foi... premiere *om.* – **11.** *E* uarlet. – **12.** *PmE* patenostres. – **13.** *A* couiffe. – **14.** *PmE* et (le c.) *om.* – **15.** *APm* recu, *E* receuz. – **16.** *Pm* (le tr.) dont uous gardes la clef *ajouté.*

le plus grand regret que j'aie que celui du temps heureux que nous avons perdu, et je ne possède rien que je ne voulusse avoir donné pour avoir commencé plus tôt.

Mon doux cœur, vous m'écrivez que vous viendrez bientôt ouvrir le trésor dont vous avez la clef ; et si ceux dont vous me faites savoir qu'ils assisteront à l'ouverture y sont réellement, la compagnie n'en aura que plus de prix ; et je suis bien convaincue qu'ils y seront ; et je n'imagine pas que si Désir y vient, il puisse en quoi que ce soit nous importuner, car cette noble compagnie aurait vite fait de le mettre en déroute.

J'ai vu le rondeau que vous m'avez envoyé, et y ai bien retrouvé mon nom. Et je suis très heureuse que vous ayez repris le travail de notre livre, car j'aime mieux que vous composiez ce livre plutôt que quelque autre œuvre poétique ; et je serai satisfaite si, chaque fois que vous m'écrivez, vous m'envoyez un tout petit rondeau ou quelque nouvelle mélodie, car je n'en veux apprendre que des vôtres. J'ajoute qu'il ne me déplaît point, je le jure, que vous en envoyiez à d'autres qu'à moi, car une chose que vous décidez ne saurait me déplaire, pourvu seulement que vous décidiez que je les reçoive la première.

Je ne vous envoie pas ce que vous m'avez mandé par votre lettre, parce qu'il me semble que ce ne serait pas digne de l'envoyer par le messager d'aujourd'hui ; je préfère vous l'envoyer par votre jeune secrétaire la prochaine fois que vous me l'enverrez, avec votre chapelet, que je ne puis envoyer aussi vite que j'aurais voulu. À défaut, je vous envoie la coiffe, le couvre-chef et le touret dont je m'étais couverte le jour où je reçus votre lettre.

Ma sœur se recommande à vous ; et n'ayez aucune crainte : je trouverai quantité de moyens de nous permettre d'ouvrir tout à loisir mon trésor. Henry, votre amis[1], ha esté a Paris ; il se recommande a vous[2] moult de fois, et si a grant joie de vostre bien et du mien, et metteroit volentiers paine comment nous en eussons[3] plus ; et, par Dieu, nous le devons amer, car c'est cilz par quoi nos amours furent premiers commencies[4].

(f) Et mon doulz cuer, je ne pense point de mal en ce que vous me mandés que je vous envoie et cetera[5], car je sai bien que il n'en y a point, et[6] si le vous envoierai le plus tost que je porrai. **(g)** Par le Dieu en qui je croi, vous ne me trouverés ja lasse de faire chose [que je sache] qui vous doie plaire.

Je vous pri, recommendés moi a mon frere et le vostre, et li donnés ceste verge d'or et li dittes que je li prie[7] que il la porte pour l'amour de moi. Mon chier ami, je prie a Nostre Seigneur que il vous doinst tel bien et tele[8] honneur comme je volroie.

Vostre loial[9] amie.

Veü avés le doulz escript *L'amant*
Que ma douce dame m'escript ;
Et aussi je l'ai bien veü,
4812 Ymaginé et conceü.

Et certes, quant bien l'ymagine,
Je la compere a la roÿne
Qu'on appelloit Semiramis, [169 b]
4816 Qui d'avoir fu riche et d'amis
Et roÿne de Ninivee
Seant en marches de Caldee.

Valerius Maximus conte
4820 Et se dit aussi en son conte :

1. *E* nostre amy. – **2.** *E* a nous. – **3.** *A* eussiens, *E* c. uous en eussiez. – **4.** *E* conmenciees. – **5.** *Pm* et cetera *om.* – **6.** *Pm* et *om.* – **7.** *Pm* que je li prie *om.* – **8.** *Pm* tel h. – **9.** *Pm* loialle, *E* loyale.

4814. *PmE* compare – **4816.** *Pm* rice – **4818.** *PmE* es – **4820.** *Pm* einsy

ami, a été à Paris ; il se recommande mille fois à vous ; sa joie est grande de nous savoir heureux vous et moi, et il se mettrait volontiers en peine pour nous permettre de l'être encore davantage ; et, par Dieu, c'est pour nous un devoir de l'aimer, car c'est par son intermédiaire que nos amours commencèrent à leur tout premier début.

Mais, mon doux cœur, je ne pense point de mal à propos de ce que vous me mandez que je vous envoie, et cetera, car je sais bien qu'il n'y en a point ; et je vous enverrai cela le plus tôt que je pourrai. Par le Dieu en qui je crois, vous ne me trouverez jamais lasse de faire une chose que je sache qui doive vous faire plaisir.

Je vous prie, recommandez-moi à mon frère, qui est aussi le vôtre, et donnez-lui cette bague en or, et dites-lui que je le prie de la porter par amour pour moi.

Mon cher ami, je prie Notre-Seigneur de vous accorder bonheur et honneur comme je les voudrais.

Votre loyale amie.

L'amant

Vous avez vu le doux message que ma douce dame m'écrivit ; et en outre moi-même je l'ai bien perçue, elle, de mes yeux, en imagination et en pensée.

Et en vérité, quand mon imagination se la représente comme il faut, je la compare à la reine qui avait nom Sémiramis, et qui, riche en biens et en amis, était reine de Ninive, ville située sur le territoire de la lointaine Chaldée.

Valère Maxime nous le rapporte et s'exprime ainsi en son récit :

Semiramis fu une dame
Qui vault honneur et haÿ blame ;
Et n'ot pas le cuer si entort
4824 Quë a nul volsist faire tort ;
Et elle aussi ne voloit mie
Que l'en li feïst villenie
N'a sa gent honte ne damage :
4828 Garder voloit son heritage ;
Et moult amoit ses bons amis,
Mais fort haoit ses ennemis ;
Et trop plus amoit sans doubtance
4832 Misericorde que venjance,
Car elle estoit franche et piteuse
Et dou mal d'autrui dolereuse.

Un jour advint qu'en son palais,
4836 Qui fu grans et biaus, non pas lais,
Ou il ot grant chevalerie
Et pluiseurs gens de sa maisnie,
Un message vint en grant haste,
4840 Qui disoit a tous : « On me haste,
Parler m'estuet a la roÿne. »
Encor estoit en sa courtine
La roÿne qui s'atournoit ;
4844 Et li mes celle part tournoit
Et fist tant qu'il vint devant elle ;
Et puis li conta la nouvelle
Et li jura par saint Anthoine
4848 Que la cité de Babiloine
Estoit contre li revelee.
La dame estoit eschevelee
Fors tant que une tresse tressie
4852 Avoit et l'autre destressie ;
Mais en ce point ou elle estoit
La dame tantost se vestoit

4822. *A* uolt, *Pm* uoulst ; *E* amoit (+ 1) ; *Pm* hair – **4824.** *Pm* nully – **4827.** *Pm* dommage – **4833.** *Pm* france – **4836.** *APm* b. et gr. ; *E* et n. p. l. (+ 1) – **4841.** *A* me faut, *Pm* fault – **4849.** *Pm* rebellee – **4850.** *E* toute esch. (+ 1)

Sémiramis était une dame qui recherchait l'honneur et haïssait le vice ; mais si en son cœur il n'y avait pas la moindre dépravation qui la portât à faire du tort à personne, elle ne tolérait pas davantage que l'on lui fît quelque vilenie ni qu'on commît quelque infamie ou dommage à son peuple. Elle voulait préserver son patrimoine ; et elle aimait beaucoup ses amis dévoués et tout aussi fort elle haïssait ses ennemis ; mais elle aimait bien plus, cela ne fait point de doute, la miséricorde que la vengeance, car elle était généreuse et pitoyable et souffrait du malheur d'autrui.

Un jour il arriva qu'en son palais – qui était grand et très beau –, alors que s'y trouvaient un grand nombre de chevaliers et plusieurs personnes de son entourage familier, vint en grande hâte un messager qui dit, s'adressant à tous : « Je suis pressé : il me faut parler à la reine. » La reine était encore sous la tenture de son lit, en train de faire sa toilette. Le messager, se dirigeant de ce côté-là, eut vite fait d'arriver devant elle ; sur quoi il lui apporta la nouvelle, attestant par saint Antoine que la cité de Babylone s'était rebellée contre elle. La dame était encore en partie décoiffée, car une seule de ses deux nattes était tressée, l'autre étant encore en désordre. Qu'à cela ne tienne : en l'état où elle se trouvait, s'habillant sans tarder,

Et s'en ala a grans eslais
4856 A sa gent dedens son palais
Et leur dist, com vaillant et sage,
La descouvenue et l'outrage
Que cilz li avoit recité
4860 De Babiloine la cité ;
Et que jamais n'aroit bon jour,
N'en ville ne feroit sejour,
N'a son cuer n'aroit grant leesce,
4864 Ne tresseroit son autre tresce
Tant que li seroit amendé.
Et lors a ses grans os mandé,
Et si bien les sot pourvëoir [169 v° a]
4868 Que la ville vint assëoir ;
Et la fist tant qu'en sa presence
Vinrent tuit a obeÿssance.
Ne fu ce fait treshonnourable ?
4872 Se Hector, le puissant combatable,
L'eüst fait, se fut ce grant chose !
Dont il avint a la parclose
Que ceulz du pays pour ceste euvre
4876 Firent une ymage de cuevre
(Qui d'une part estoit tressie
Et de l'autre part destressie,
A sa samblance de te(i)l taille
4880 Comme elle estoit a la bataille)
En signe de ceste victoire,
Par quoi il en fust bon memoire.

Or veuil ma dame comparer
4884 A Semiramis, qui parer
Ne volt son chief ne sa figure
Fors que des euvres de Nature
Jusque a tant que la villenie
4888 Qu'on li avoit fait fust vengie.
Je sui la cité proprement,

4873. *APm* se fu, *E* si fust – **4875.** *A* pou c. – **4882.** *APm* grant m. – **4885.** *E* et s. f. – **4889.** *E* je fu

elle s'en alla à vive allure auprès de ses gens dans son palais, et, en femme avisée, elle leur dit l'infortune criminelle que le messager lui avait rapportée au sujet de la cité de Babylone ; et elle jura qu'elle ne connaîtrait plus aucune journée heureuse, ni ne séjournerait à la ville, ni n'éprouverait en son cœur aucune grande joie, ni ne tresserait son autre natte jusqu'à ce que réparation lui fût faite. Et voici que déjà elle a convoqué ses grandes armées, et elle avait su si bien les équiper qu'elle put mettre le siège devant la ville, où son activité fut telle qu'ils se présentèrent tous à elle pour lui jurer obéissance. N'était-ce pas une action tout à fait digne d'honneur ? Ah, si Hector, le puissant guerrier, l'avait faite ! Alors c'était un grand exploit ! À la suite de quoi, et en guise de conclusion, on vit les habitants de la contrée, à l'occasion de cet exploit, faire faire une statue de bronze (qui d'un côté avait les cheveux tressés et de l'autre les cheveux en désordre, avec l'apparence physique et la taille qui étaient les siennes au combat), cela à titre de marque de cette victoire et afin qu'on en gardât fidèlement le souvenir.

À présent je veux faire la comparaison de ma dame avec Sémiramis, qui ne voulut parer sa tête et son visage que des œuvres de Nature jusqu'à ce que la vilenie qu'on lui avait faite fût vengée.

Je suis exactement la cité,

Qui siene sui entierement,
De son droit et de son demainne,
4892 Et elle est de moi souverainne.
Mais Desirs et Merancolie,
Doubtance de perdre m'amie,
Longue Demeure, Longue Attente
4896 Du vëoir, Pensee Dolente
Et ce que je n'ai congnoissance
Ou elle maint ne acointance,
N'en ce monde n'a creature
4900 Qui li die ce que j'endure,
Font souvent murmuration
En mon cuer et rebellion,
Et si estaingnent la lanterne
4904 D'Espoir qui la cité gouverne;
Dont il faut que li las s'enfuie
Par nuit, dont durement m'anuie.
Mais quant ma chiere dame entent
4908 Ceste nouvelle, pas n'attent
Qu'on la prie de moi aidier,
Car on ne saroit souhaidier
Comment de moi aidier s'apreste
4912 Et comment la belle est tost preste;
Car en quel estat qu'elle soit,
Si tost com mes lettres ressoit
Et entend la descouvenue
4916 Qu'en sa cité est advenue,
N'oublie pas qu'elle n'aqueure
Et que tantost ne me sequeure
Par la voie plus honnourable [169 v° b]
4920 Qu'elle puet et plus couvenable,
Et qu'Esperance ne remette
En siege et les autres demette
Si que tuit a destruction
4924 Sont mis et en sujection.
Et pour l'ymage qui fu faite
De Semiramis et pourtraite,

4914. *Pm* t. que, *E* comme (+ 1)

moi qui lui appartiens tout entier, relevant de sa juridiction et de son autorité, elle étant ma souveraine. Cela entendu, il n'y a que Désir et Mélancolie, Crainte de perdre mon amie, Longs Délais, Longue Attente pour la voir, Pensée Attristée, et ce fait que je n'ai ni connaissance ni relation personnelle là où elle réside, et qu'il n'y a créature au monde qui lui dise ce que j'endure. Tout cela suscite souvent murmures et rébellion en mon cœur et éteint la lanterne d'Espoir qui gouverne la cité ; à la suite de quoi il faut que le malheureux s'enfuie à la faveur de la nuit, et cela me contrarie excessivement. Par chance, quand ma dame bien-aimée apprend cette nouvelle, elle n'attend pas qu'on la prie de me venir en aide, car on ne saurait imaginer l'empressement avec lequel elle se prépare à venir à mon secours et la rapidité avec laquelle la belle est prête. Et, en effet, quelle que soit sa situation du moment, dès qu'elle reçoit ma lettre et apprend le malheur survenu en sa cité, elle ne néglige pas d'accourir et de me secourir aussitôt par les voies et moyens les plus compatibles avec l'honneur et les plus appropriés qu'elle peut, puis de remettre Espérance sur son trône et de destituer les autres, en sorte que tous sont anéantis ou réduits à l'état de sujets.

Et comme pendant à la statue-portrait qui fut faite de Sémiramis,

Ensement les gens dou païs
4928 Ma dame, liges et naÿs
Feïrent pourtraire une ymage
Grant de taillë et de corsage,
De maniere et de contenance
4932 Toute pareille a sa samblance;
Et tant estoit belle a vëoir
Que a tous devoit plaire et sëoir,
Et pour sa grant biauté l'apelle
4936 Chascuns qui la voit *Toute Belle.*
(Mais trop fort me desconfortasse
Se ce ne fust, et trop doubta(i)sse
Desir et ceste autre merdaille
4940 Qui ne font que noise et bataille
Et qui se veulent reveler
Quant plus ne se puelent celer.)
Cilz dou pays la me tramirent
4944 Or vous dirai ceulz qui la *f*irent:
Ce furent Franchise, Pité,
Fine Douceur, Vraie Amisté,
Loyauté, Raison et Mesure,
4948 Qui toutes y misent leur cure;
Tresdoulz Espoirs le m'aporta,
Qui doucement me conforta
Et encor tousdis me conforte
4952 Et de mon cuer garde la porte,
Si que jamais n'i enterront
N'a la cité mal ne feront;
Et se Desirs y veult venir,
4956 Doucement le faut maintenir
Et qu'il n'aporte fu ne flame
Qui la cité brule et enflame;
Ne jamais n'i ara pensee
4960 Qui contre moi soit ordenee;
Et se je sui trop longuement

4929. *PmE* firent (– 1) – **4941.** *Pm* qui ne font que rebeller – **4942.** *Pm* puent, *E* peuent – **4944.** *APmE* firent, *F* sirent – **4946.** *E* amistié – **4948.** *APmE* mirent – **4949.** *APmE* la – **4953.** *APm* entreront – **4957.** *PmE* feu

semblablement les gens de la contrée de ma dame, hommes liges et natifs du pays, firent peindre un portrait de grandes dimensions quant à la taille et à la carrure, et quant à sa manière d'être et à son maintien en tout pareil à son aspect physique. Et il était si beau à voir qu'à tous il ne pouvait pas ne pas plaire beaucoup, et en raison de sa grande beauté chacun qui le voit l'appelle Toute-Belle. (Qu'on ne s'en étonne pas; je serais fort désolé si cela n'avait pas lieu, et je redouterais beaucoup Désir et tout le reste de la clique qui ne font que tapage et guerre, et veulent se livrer à une joie bruyante quand ils ne peuvent plus se cacher.)

Ceux du pays me l'envoyèrent; à présent je vous préciserai ceux qui la firent: ce furent Générosité, Pitié, Parfaite Douceur, Véritable Amitié, Loyauté, Raison et Mesure, qui toutes y mirent leur soin; Très Doux Espoir m'en a apporté la nouvelle, lui qui doucement me réconforte et encore chaque jour ranime mon courage, et de mon cœur garde la porte, si bien que désormais cette clique-là n'y entrera plus ni ne fera de mal à la cité; et si Désir veut y venir, doucement il faut le contenir et faire en sorte qu'il n'apporte feu et flamme pour embraser la cité et la brûler; et jamais plus il ne s'y complotera un projet qui soit dirigé contre moi. Et s'il est vrai que je suis très longtemps

Loing de la belle, vraiement
J'espoir qu'a joie la verrai,
4964 Nompas si tost com je vorrai,
Et a son ymage tousdis
Trairai comme a mon paradis.

Or est ma dame comparee
4968 A Semiramis, qui paree
Ne vault estre tant que venjance
Fust prise de l'outrecuidance
Que si subjés avoient fait, [170 a]
4972 S'en corriga bien le mesfait.
Si est bien temps que je responde
A la milleur qui soit en monde,
C'est a ma dame, et a sa lettre,
4976 Ou on ne puet plus de bien mettre
Ne de douceur qu'il en y ha;
Et pour ce mon oeil la tria
Com la plus monde et la plus pure
4980 De toute humaine creature.
Si li respondi sans attendre
Si com ci le porrés entendre.

[Lettre XXVII des mss]

(a) Mon tresdoulz cuer, ma douce suer, ma douce amour[1] et quanque mes cuers aime! *L'amant*

J'ai receu vos lettres, es queles vous me faites savoir vostre bon estat, dont j'ai si tresgrant joie que plus ne puis; car tant comme je vous sache en bon estat, il n'est nulz[2] maulz qui me puist venir, et se je savoie le contraire, dont Dieus vous gart et moi aussi[3], certes je seroie perdus et mors; si vous pri[4], mon tresdoulz cuer, que vous vous veuilliés bien garder, car li temps

4966. *E* Gariray (+ 1) – **4974.** *E* ou m. – **4975.** *E* a *om. devant* sa (– 1)

1. *Pm* tresdouce s., tresdouce a. – **2.** *Pm* nulz *om.* – **3.** *Pm* et moi aussi *om.* – **4.** *E* prie.

loin de la belle, en vérité j'ai l'espoir que je la verrai avec joie, quoique moins vite que je ne voudrais ; du moins près de son portrait chaque jour je me rendrai comme près de mon paradis !

Et voilà terminée la comparaison de ma dame avec Sémiramis, qui ne voulut pas achever sa toilette jusqu'à ce que fût vengée l'outrecuidante entreprise de ses sujets, dont elle redressa comme il faut l'action criminelle. Aussi est-il bien temps que je réponde à la meilleure qui soit sur terre, je veux dire à ma dame et à sa lettre, à laquelle il est impossible d'ajouter plus d'honnêteté ni de douceur qu'il ne s'y trouve : c'est la raison pourquoi mes yeux l'avaient distinguée comme la plus absolument pure de toutes les créatures humaines. Et je lui répondis sans attendre comme vous pourrez vous en rendre compte ici même :

Lettre 27, de l'amant [27 des mss ; XXVII de PP]

Mon très doux cœur, ma douce sœur, mon doux amour et tout ce que mon cœur aime !

J'ai reçu votre lettre, où vous me faites savoir votre bonne santé, chose qui me cause une joie si immense que je ne puis en éprouver une plus grande ; car tant que je puis vous savoir en bonne santé, il n'est nul malheur qui me puisse arriver, et si je savais le contraire – ce dont Dieu vous préserve, et moi également – pour sûr je serais perdu et même mort ; aussi vous prié-je, mon très doux cœur, de vouloir bien être sur vos gardes, car le moment

est trop[1] perilleus, especialment la ou vous estes[2]. Et, mon tresdoulz cuer, se vous estes lie[3] de ma paix, de ma joie et de mon bien, vous n'estes[4] pas engingnie[5], car vostre paix et vostre joie est la moie, ne je[6] ne més nulle difference entre vous et moi que le bien de l'un ne soit le bien de l'autre. Et, mon doulz cuer, vos douces lettres m'ont telement resjoÿ[7], que, par ycelli Dieu qui me fist, toutes les fois que je les lis, les larmes me viennent aus yeus de droite fine joie, car c'est un val plain de joie, un flun de douceur, un respit de mort que de les oÿr, et se les ay leues plus de .XX. fois ; et qui onques n'aroit amé, par ma foi, s'il les ooit[8], il ameroit, s'il n'estoit trop rudes ou trop meschans.

(b) Mon tresdoulz cuer, vous m'avés fait garde et tresorier des .II. plus nobles choses qui soient en tout le monde, c'est de vostre cuer et de vostre riche tresor ; et, se Dieu plaist, j'en ferai si bonne garde que Dieus et vous et tous ceulz qui le saront s'en tenront bien apaiés[9], car je sai bien que vous gardés mieus le mien cuer que je ne saroie faire le vostre.

(c) Et vous plaise savoir que, quant je reçui[10] vos lettres, li signeur[11], dont autre fois vous ay escript, envoierent vers moi pour avoir de vos choses et des mienes, et especialment pour veoir vostre ymage, comment et en quele reverence je l'ai mise et l'onneure, et je leur moustrai, si en ont moult grant merveille et m'ont bien mandé que vous estes la nonpareille des dames. **(d)** Et, mon doulz cuer, vous m'avés mandé [170 b] que vous loés Dieu, Amours et Venus de ce que vous estes si bien pourveue d'ami, et que vous ne volriés mie avoir le plus grant homme du monde a ami pour moi. Certes, ma douce amie de mon cuer, vous estes trop deceue, car, par m'ame, je ne sui mie dignes de vous regarder ne de vous deschaussier. Si

1. *E* trop *om.* – **2.** *Pm* si vous pri... vous estes *om.* – **3.** *E* (estes) helaz, m. t. d. c. se uous estiez liee. – **4.** *Pm* n'en estes. – **5.** *E* p. enuiee. – **6.** *Pm* je *om.* – **7.** *Pm* esjouy. – **8.** *E* oioit. – **9.** *E* t. a bien paiez. – **10.** *A* reçus. – **11.** *E* les seigneurs.

est plein de périls, spécialement là où vous êtes.

D'ailleurs, mon très doux cœur, si vous êtes heureuse de ma paix, de ma joie et de mon bien-être, vous n'êtes pas bernée par le sort, car votre paix et votre joie sont la même que la mienne, et je ne mets entre vous et moi nulle différence qui ferait que le bien de l'un ne soit aussi le bien de l'autre. D'ailleurs, mon doux cœur, votre douce lettre m'a tellement réjoui, que, par ce grand Dieu qui me créa, toutes les fois que je la lis les larmes me viennent aux yeux par la vertu de l'authentique pureté de ma joie : car c'est une vallée pleine de joie, un fleuve de douceur, un répit de la mort, que d'entendre lire la lettre, et pourtant je l'ai lue plus de vingt fois ; et quelqu'un n'aurait-il jamais aimé, s'il l'écoutait, je le jure, il se mettrait à aimer, à moins qu'il ne fût très mal dégrossi ou très malchanceux.

Mon très doux cœur, vous m'avez fait gardien et trésorier des deux plus nobles biens qui soient au monde entier, c'est-à-dire de votre cœur et de votre riche trésor ; et s'il plaît à Dieu, j'en assurerai une si bonne garde que Dieu et vous, et tous ceux qui l'apprendront, s'en trouveront bien tranquillisés ; en fait, je sais bien que vous gardez mieux mon cœur que je ne saurais garder le vôtre.

Et veuillez apprendre que, quand je reçus votre lettre, les seigneurs, dont précédemment je vous ai écrit, avaient envoyé chez moi pour avoir de vos poésies et des miennes, en particulier aussi pour voir votre portrait, et comment et avec quelle vénération je l'ai placé et l'honore – et je le leur ai montré en effet : ils sont pleins d'admiration à son sujet, et ils m'ont fait savoir que vous êtes la sans pareille parmi les dames.

Mon doux cœur, vous m'avez écrit que vous bénissez Dieu, Amour et Vénus de vous avoir si bien pourvue en fait d'ami, et que vous ne voudriez pas avoir le plus grand homme de la terre pour ami à ma place. En vérité, chère et douce amie de mon cœur, vous êtes dans l'erreur, car, par mon âme, je ne suis pas digne de vous regarder ni de vous déchausser.

n'en devés pas loer Amours, mais je la doi loer et mercier quant elle m'a si bien assené[1] comme en vous, qui estes la fleur des dames et qui estes si moie que vous dittes que je ne porroie faire chose qui vous despleust, et que jamais vous ne serés lassee de faire chose qui me plaise : Dieus le vous mire, quar je ne le porroie desservir, ne je n'en sui pas dignes[2].

(e) Mon tresdoulz cuer, je vous mercy trop chierement[3] de ce que vous m'avés envoié – et envoierés –, et, par m'ame, toutes les nuis je les couche sur mon cuer et les baise plus de .C. fois le jour.

(f) Vostres livres se fait et est bien avanciés, car j'en fai[4] tous les jours .C. vers ; et, par m'ame, je ne me porroie tenir du faire, tant me plaist la matere, et pour ce que je sai bien que vous le verriés tresvolentiers[5]. Mais j'ai trop a faire a querir les lettres qui respondent les unes aus autres[6] ; si vous pri qu'en toutes les lettres que vous m'envoierés d'ores en avant il y ait date, sans nommer le lieu.

(g) Je fuisse alés vers vous aveuc le porteur de ces lettres, se ce ne fust pour .II. raisons, les queles vous sarés bien cy aprés. Et, par Dieu, mon doulz cuer, je irai deffermer ce precieus et gracieus tresor le plus tost que je porrai, car se Dieus me doinst joie de vous, que j'aimme plus que tout le monde, onques en ma vie je ne desirai tant chose, et en ai laissié le dormir plus de .XXX. fois puis .I. mois.

(h) Et, mon tresdoulz cuer, vous estes courecie de ce que nous avons si tart commencié : par Dieu, aussi sui je. Mais ves cy le remede : menons si bonne vie que nous porrons en lieu et en temps, que nous recompensons le temps que nous avons perdu, et que on parle de nos amours jusques a cent ans cy aprés, en tout bien et en toute honneur, car s'il y avoit mal, vous le celeriés a Dieu, se vos poiés ; mais il n'i ha que bien ne n'ara ja. Et on ne puet trop de bien faire,

---

1. *E* s. b. asseuie. – **2.** *Pm* car c'est… pas dignes *om.* – **3.** *Pm* trop chierement *om.* – **4.** *AE* (j'en) fais. – **5.** *A* v. volentiers. – **6.** *Pm* et, par m'ame… les unes aus autres *om.*

Vous ne devez pas bénir Amour à ce sujet, c'est moi, au contraire, qui dois le bénir et le remercier de m'avoir si bien pourvu comme c'est le cas en votre personne, qui êtes la fleur des dames, et qui êtes si mienne que vous dites que je ne pourrais faire quoi que ce soit qui vous déplût, et que jamais vous ne serez lassée de faire ce qui me plairait. Dieu vous le rende, car je ne pourrais le mériter et je n'en suis pas digne.

Mon très doux cœur, je vous remercie très tendrement pour les objets que vous m'avez envoyés – et pour ceux que vous m'enverrez – et, par mon âme, toutes les nuits je les couche sur mon cœur, et les baise plus de cent fois le jour.

Votre livre est en train de se faire et est bien avancé, car j'en compose tous les jours cent vers ; et, par mon âme, je ne pourrais me retenir de composer, tant la matière me plaît, et aussi parce que je sais bien que vous-même le verriez très volontiers. Cependant il y a une difficulté : j'ai beaucoup de mal à trouver les lettres qui se correspondent les unes aux autres ; aussi vous prié-je que dans toutes les lettres que vous m'enverrez dorénavant il y ait la date – sans nommer le lieu.

Je serais allé chez vous avec le porteur de cette lettre, s'il n'y avait eu deux empêchements que vous connaîtrez exactement ci-après. Par Dieu, mon doux cœur, j'irai ouvrir ce précieux et gracieux trésor le plus tôt que je pourrai, car, par la joie que Dieu veuille me donner par vous, que j'aime plus que le monde tout entier, jamais, au cours de ma vie, je n'ai autant désiré une chose, et j'en ai interrompu le sommeil plus de trente fois depuis un mois.

Mon très doux cœur, vous êtes désolée de ce que notre amour a commencé si tard : par Dieu, je le suis moi aussi. Mais il y a le remède que voici : menons une vie aussi intense que les lieux et le temps nous le permettront, en sorte que nous compensions le temps que nous avons perdu, et que l'on parle de nos amours jusqu'à cent ans après nous – en tout bien et tout honneur, car s'il y avait quelque mal, vous le cacheriez à Dieu, si vous pouviez ; mais il n'y a et il n'y aura jamais que du bien. Or on ne peut faire trop de bien, et pour ce doit chascuns de nous deulz renvier le bien amer a son tour.

Recommendés moi treshumblement a vostre suer[1].

(i) Mon doulz cuer, tous li cuers me rit de la joie que j'aten[2], et[3] de ce que vous trouverés bien voie et loisir de deffermer ce riche tresor. Je vous envoie une balade qui fu faite[4] au bout du mois[5] que je me parti de vous et puis je commençai vostre livre. Et, ma tresdouce suer, je vous pri trop a certes[6] que vous et vostre suer pro-[170 v° a]mettés la voie a saint Nichaise[7] de Reims pour vous et pour ses enfans, et je vous promet, par ma foi[8], que je vous irai querre a la porte saint Anthoine; et Th., vostre frere, venra[9] aveuc moi.

(j) Mon tresdoulz cuer, vous me faites veillier grant partie des nuis, et escrire grant partie des jours; mais, par m'ame, il ne me grieve riens, ainsois y hai si grant plaisance que je ne puis entendre a autres choses, et pour amour de Toute Belle, que vous devés bien congnoistre[10]. A Dieu, mon tresdoulz cuer et ma tresdouce suer et ma treschiere dame, qui vous doinst paix et santé, et joie de quanque vostre cuers aime[11], si y partiroie[12].

Escript le .VIIIe. jour d'aoust.

Vostre leal ami[13].

Balade

Hui ha .I. mois que je me departi *L'amant*
4984 De celle en qui j'ai mis toute ma cure;
Mais onques mais mes las cuers ne senti

---

1. *Pm* Je fuisse alés… vostre suer *om.* – **2.** *E* jatens. – **3.** *Pm* de la joie que j'aten, et *om.* – **4.** *Pm* qui fu faite *om.* – **5.** *Pm* d'un mois. – **6.** *Pm* trop a certes *om.* – **7.** *E* v. a monseigneur s. N. – **8.** *Pm* par ma foi *om.* – **9.** *Pm* venra *om.* – **10.** *Pm* Mon tresdoulz… congnoistre *om.* – **11.** *Pm* c. desire. – **12.** *Pm* si y p. *om.* – **13.** *E* V. tres uray et loial a., *Pm om.*

4984. *E* a q.

et pour cette raison chacun de nous deux doit à son tour augmenter sa mise au jeu du bien aimer.

Recommandez-moi très humblement à votre sœur.

Mon doux cœur, tout le cœur me rit de la joie que j'attends, et de ce que vous trouverez effectivement voie et moyen d'ouvrir ce riche trésor.

Je vous envoie une ballade qui a été composée au bout du mois où nous nous sommes quittés et avant que je me mette à écrire votre livre.

Et, ma très douce sœur, je vous prie très sérieusement que vous et votre sœur vous mettiez en route pour aller à Saint-Nicaise de Reims et prier pour vous et pour ses enfants, et je vous promets sur ma foi que j'irai vous chercher à la porte Saint-Antoine; et Th., votre frère, viendra avec moi.

Mon très doux cœur, vous me faites veiller une grande partie de mes nuits et écrire une grande partie des jours; cependant ne soyez pas en peine pour moi, car, par mon âme, cela ne me pèse en aucune façon, et j'y trouve un si grand plaisir que je ne puis m'appliquer à d'autres œuvres, et cela par amour de Toute-Belle, que vous devez bien connaître.

Mon très doux cœur, ma très douce sœur, ma très chère dame, je vous recommande à Dieu, qui veuille vous accorder la paix et la santé, et la joie pour tout ce que votre cœur aime; et j'en prendrais ma part.

Écrit le 8e jour du mois d'août.

Votre loyal ami.

Ballade [de l'amant]

1. Aujourd'hui il y a un mois que je quittai
Celle en qui j'ai placé toute ma sollicitude;
Mais, hélas, jamais mon malheureux cœur ne sentit

Nulle dolour a endurer si dure
 Com fu le departement,
4988 Car je ne pos dire : « A Dieu vous commend ! »
Au departir de ma dame jolie,
Tant me fist mal de li la departie.

Car a paines que mes cuers ne parti,
4992 Tant fu chargiés de dolour et d'ardure
Quant je persus que le maintien joli,
Le doulz regart et la noble figure
 Et le doulz viaire gent
4996 De ma dame laissoie ; et vraiement
En grant paour fui de perdre la vie,
Tant me fist mal de li la departie.

Et sans doubtance onques puis je ne vi
5000 Riens qui peüst mettre en envoiseüre
Moi ne mon cuer ; et c'est drois, que sans li
Ne quier avoir nulle bonne aventure
 Ne joie ne alligement,
5004 Car a li sui donnés si ligement
Que je ne fis onques puis chiere lie,
Tant me fist mal de li la departie.

Balade

Amis, si parfaitement *La dame*
5008 Sui a vous donnee
Que c'est sans departement
 Et sans dessevree,
Ne tant com j'arai duree
5012 Mes cuers ailleurs ne sera ;
Et s'il est autre qui bee
A m'amour, il y faurra.

4991-5006. *E intervertit la 2e et la 3e strophe* – **4991.** *E* paine – **4993.** *E* japercus – **5000.** *E* enuoisure (– 1) – **5011.** *Pm* Ne ja tant qu'aray

Nulle douleur aussi pénible à endurer
Que fut mon départ,
Car je ne pus dire : « À Dieu je vous recommande »
En quittant ma dame enjouée,
Tant me fit mal de me séparer d'elle.

2. Car peu s'en fallut que mon cœur n'éclatât,
Tant il fut accablé de douleur et de brûlure
Quand je compris que je quittais le maintien
Le doux regard, le noble aspect [plaisant,
Et le doux visage gracieux
De ma dame ; et véritablement
Je fus en grande peur de perdre la vie,
Tant me fit mal de me séparer d'elle.

3. Et sans aucun doute jamais depuis je ne vis
Nulle créature qui pût mettre en joie
Moi ni mon cœur ; et cela m'est naturel, car en
[dehors d'elle
Je ne cherche à avoir nulle bonne fortune
Ni aucune joie ni soulagement ;
Car à elle je me suis donné en si parfait vassal
Que je ne fis jamais depuis bon accueil à personne,
Tant me fit mal de me séparer d'elle.

Ballade [de la dame]

1. Ami, si parfaitement
Je me suis à vous donnée
Que c'est sans partage
Et sans que rien nous sépare,
Et que tant que je serai en vie
Mon cœur ne sera ailleurs ;
Et s'il est quelque autre qui aspire
À mon amour, il y faillira.

Car si amoureusement
5016 Sui enamouree [170 v° b]
De vo gracieus corps gent
Qui seur tous m'agree,
Que pour creature nee
5020 Mes fins cuers ne vous laira;
Et s'il est autres qui bee
A m'amour, il y faurra.

Si que, amis, certainement
5024 Toute ma pensee
Et m'amour entierement
Est en vous fermee,
Ne pour longue demouree
5028 Mes cuers ne se changera;
Et s'il est autres qui bee
A m'amour, il y faurra.

Ceste ballade que j'ai ditte *L'amant*
5032 Estoit dedens la lettre escripte
Qui s'ensieut, et me respondoit
Ainsi comme respondre on doit.

[Lettre XXVIII des mss]

(a) Mon doulz cuer, frere, compains et vrais *La dame* amis!

J'ai receu vos lettres, et[1] par mon frere T., qui m'a dit qu'il ha long temps qu'il ne vous vid en milleur estat que vous estes. Si en ai si grant joie que je ne porroie avoir grigneur de chose qui me peust advenir, se n'estoit de vous veoir, que je desir plus que nulle autre chose.

(b) Et, s'il vous plaist, vous me vendrés[2] veoir au

5017. *PmE* gracieux – **5018.** *PmE* sur – **5020.** *E* uous faulra – **5033.** *PmE* s'ensuit

---

1. *Pm* et *om.* – **2.** *A* uenrez, *Pm* venrrés.

2. Car si passionnément
   Je suis devenue amoureuse
De votre gracieuse personne distinguée
   Qui par-dessus toutes m'agrée,
Que pour nulle créature au monde
Mon cœur pur ne vous abandonnera ;
Et s'il est quelque autre qui aspire
À mon amour, il y faillira.

3. Si bien que, ami, assurément
   Toute ma pensée
Et mon amour sont entièrement
   Fixés en vous,
Et, quelque longue que soit l'attente,
Mon cœur ne changera pas ;
Et s'il est quelque autre qui aspire
À mon amour, il y faillira.

L'amant

Cette ballade que je viens de vous faire entendre était écrite à l'intérieur de la lettre qui suit, et c'était, conformément aux bons usages, la réponse à la mienne.

Lettre 28, de la dame
[28 des mss ; XXVIII de PP]

Mon doux cœur, frère, compagnon et vrai ami !
J'ai reçu votre lettre, et cela par mon frère T., qui m'a dit qu'il y a longtemps qu'il ne vous a vu en meilleure santé que vous êtes actuellement. Et j'en ai une si grande joie que je ne pourrais en avoir une plus grande pour quoi que ce soit qui pût m'arriver, sauf de vous voir, ce que je désire plus que nulle autre chose.
Si vous voulez bien, vous viendrez me voir au

lieu que le porteur[1] de ces presentes vous dira, ou je pense a estre, se Dieu plaist, dedens les octaves de la miaoust, quar nous devons partir ce lundi prochain venant, ma suer et moi, pour y aler, pour doubte de la mortalité, qui est trop grant ou je sui. Et le plus tost que je serai la, je le vous ferai savoir ; si ne m'escrivés rien jusques atant que vous orrés nouvelles de moi.

(c) Mon tresdoulz cuer, je vous envoie ce que vous m'avés mandé, et vos paternostres ; et vous promet loyalment[2] que je les ai portees, tout en l'estat que je les vous envoie, .II. nuis et .III. jours[3], sans oster d'entour[4] moi[5] ; et, depuis que li fremaillés fu[6] fais, ai je tous jours porté les paternostres en ycelle maniere que je les vous envoie[7] ; si vous pri que vous le[s] veuilliés porter. Et je vous envoie unes autres, petites, et un petit fremail[l]et[8] pour vostre ymage ; et les ai ainsi portees longuement en l'environ de mon bras. Si vous pri, mon tresdoulz cuer[9], que il ne vous desplaise se je les vous ai envoyés si tart, car je ne le puis amender. **(d)** Et se j'ai nulle autre chose qui vous plaise, si le me mandés, et je le vous envoierai[10] de bon cuer. Car [171 a], par ma foi[11], je n'ai rien[12] qui ne soit vostre ; et, se vous ne mettés difference entre les biens de vous et de moi, que le bien de l'un ne soit le bien de l'autre, par ma foi, vous avés droit, car aussi n'i en més[13] je point, que je tien[14] certainement que tout le bien de vous est le mien, et le mien si est le vostre, ne je ne porroie estre mieulz a mon gré[15].

(e) Et je vous jur[16] par ma foy que l'amour que j'ai a vous est si grans que nulle puet plus[17] estre, et si m'est avis que elle croist encore tous les jours ; et si

1. *Pm* ou le p. – **2.** *EPm* loyalment *om.* – **3.** *Pm* .II. jours. – **4.** *A* den (*en fin de ligne,* -tour *ayant été omis sans doute par mégarde au début de la ligne suivante*). – **5.** *Pm* den moy. – **6.** *E* les fremilles furent. – **7.** *E* que je les vous envoie *om.* – **8.** *E* fermeilles. – **9.** *Pm* et les ai… tresdoulz cuer *om.* – **10.** *A* enuoiray. – **11.** *Pm* car je ne le p.… par ma foi *om.* – **12.** *Pm* toutesuoies, *aj. devant* je nay riens. – **13.** *E* mect. – **14.** *A* tieng. – **15.** *Pm* et, se vous ne mettés… a mon gré *om.* – **16.** *Pm* jure. – **17.** *E* plus *om.*

lieu que le porteur de la présente vous dira, où je pense être, s'il plaît à Dieu, dans l'octave de la mi-août, car nous devons partir ce lundi prochain à venir, ma sœur et moi, pour nous y rendre, par crainte de la mortalité, qui est très grande là où je suis. Dès que je serai arrivée, je vous le ferai savoir ; ne m'écrivez donc pas jusqu'au moment où vous apprendrez de mes nouvelles.

Mon très doux cœur, je vous envoie ce que vous m'avez demandé dans votre lettre, en même temps que votre chapelet ; et je vous garantis en toute loyauté que je l'ai porté, exactement tel que je vous l'envoie, deux nuits et trois jours, sans l'ôter d'autour de mon cou ; c'est-à-dire que depuis que le petit fermoir a été fait j'ai toujours porté le chapelet tel que je vous l'envoie ; je vous prie donc de vouloir bien le porter. Je vous en envoie un autre, petit, et un tout petit fermoir pour le portrait que vous avez, et je les ai portés longuement tels quels autour de mon bras. Je vous prie, mon très doux cœur, de ne pas m'en vouloir si j'ai tant tardé à vous les envoyer, et de fait je ne puis [actuellement] faire mieux. Si je possède quelque autre objet qui vous plaise, faites-le-moi savoir et je vous l'enverrai de bon cœur. Et en effet, je le jure, je ne possède rien qui ne soit vôtre ; et si vous ne mettez pas de différence entre vos biens et les miens (différence qui ferait que le bien de l'un ne soit pas le bien de l'autre), par ma foi, vous avez raison, car moi non plus je n'y en mets point ; et en effet je tiens pour certain que tout votre bien est à moi, et que le mien est à vous, et je ne pourrais donc mieux m'en trouver à mon gré.

Je vous jure et vous donne ma parole que mon amour pour vous est si grand qu'il ne peut l'être davantage, et il me semble qu'il grandit encore tous les jours ; aussi renvie le bien amer, et je sui certaine que si faites vous a vostre tour; si ne sera pas legiere chose a faire faillir le jeu, qui souvent est renviés.

(f) Je ai eu les .IIII. balades que vous m'avés envoiees[1]; et en ai envoiee (l')une[2], ainsi comme celle qui se fait fort de vous. Mais il me fait grant mal de vostre paine; si vous pri, mon tresdoulz cuer, que vous ne prengniés pas tant de painne que vostre corps en vaille pis, car, par Dieu, il m'en feroit trop mal; et il me souffiroit bien, toutesfois que vous m'escrisiés, se vous m'envoiés une petite chanson ou aucun rondel, mais qu'il fust notés, car je n'en veuil nulz chanter que des vostres; et si m'en aporte l'en bien souvent, mais je ne veul mettre painne a les apenre, car il m'est avis que tout ce que les autres[3] font ne vault rien[4], a regarder ce qui vient de vous[5]. Si vous pri, mon tresdoulz cuer, que vous m'en envoiés mains[6], si les envoiez notés; et, s'il vous plaist, que vous m'envoiez le virelai que vous feystes avant que vous m'eussiés veue, qui s'apelle *L'ueil qui est le droit archier*, ou *Plus belle que le biau jour*, car il[7] me semblent tresbons. **(g)** Et, mon doulz cuer, vous m'avez escript que je vous fais veillier grant partie dez nuis et escrire grant partie des jours. Et, par ma foi, ainsi le me faites vous, excepté ce que je n'escris[8] mie tant que vous faites; mais je pense tant a l'amour qui est entre vous et moi, que, par le Dieu en qui je croi, je y pense plus que en nulle autre chose. Et avient souvent que je sui l'espace d'un grant jour en ma chambre ou en aucun lieu ou je me destourne de la gent, pour ce que il ne[9] me destourbent de penser a vous[10]. Et en est aucune fois ma suer – et les gens de l'ostel – bien esbahie de ce que je me tiens si volentiers toute seule, car je ne l'avoie

---

1. *A* enuoies. – **2.** *AE* enuoie lune (*dans F et E,* l *précédant* une *a été ajouté par une seconde main*). – **3.** *A* li autre. – **4.** *E* riens. – **5.** *Pm* si ne sera pas... vient de vous *om.* – **6.** *E* quant uous m'enuoieray mes. – **7.** *Pm* ilz. – **8.** *A* escri. – **9.** *A* ne *om.* – **10.** *Pm* Et, mon doulz cuer... penser a vous *om.*

bien j'augmente la mise au jeu du bon amour, et je suis certaine que vous en faites autant quand c'est votre tour; ainsi ne sera-ce pas chose facile d'arrêter le jeu, alors que de nouvelles mises le relancent régulièrement.

J'ai reçu les quatre ballades que vous m'avez envoyées; et moi-même je vous en envoie une où je dis la force de mon attachement à votre personne. Mais je souffre de la peine que vous vous donnez, et je vous prie, mon très doux cœur, de ne pas vous imposer un travail tel que votre corps s'en trouve affaibli, car, par Dieu, j'en serais très malheureuse; il me suffirait tout à fait si, chaque fois que vous m'écrivez, vous m'envoyiez une petite chanson ou quelque rondeau, pourvu qu'il soit noté; je n'en veux en effet chanter que des vôtres, et pourtant on m'en apporte bien souvent, mais je ne veux pas prendre la peine de les apprendre, car il me semble que tout ce que les autres font n'a aucune valeur au regard de ce qui vient de vous. Je vous prie donc, mon très doux cœur, de m'envoyer moins de pièces, mais de me les envoyer notées; et, si vous voulez bien, de m'envoyer la chanson balladée que vous fîtes avant que vous m'eussiez vue, et qui a pour nom *L'œil qui est le droit archier*, ou bien *Plus belle que le beau jour*, car elles me semblent excellentes.

Mon doux cœur, vous m'avez écrit que je vous fais veiller une grande partie des nuits et écrire une grande partie des jours. Croyez-m'en, c'est de même aussi que vous me faites veiller et écrire de mon côté, sauf que je n'écris pas autant que vous; en revanche, mon esprit est si absorbé par l'amour qui règne entre vous et moi que, par le Dieu en qui je crois, il m'absorbe plus l'esprit que n'importe quelle autre chose. Et il arrive souvent que je suis tout un long jour en ma chambre ou en un autre lieu où je me détourne des gens, afin qu'ils ne m'empêchent pas de penser à vous. Et parfois ma sœur et les gens de l'hôtel sont bien étonnés de ce que je me tiens si volontiers toute seule, car ce n'était pas acoustumé ; et je ne m'en puis tenir, tant me plaist le penser a vous.

(h) Mon doulz cuer, ma suer se recommende a vous assez de fois[1], et vous desire moult a veoir[2] ; et vint a moy quant je faisoie escrire[3] ces lettres, et me demanda se je escrivoie a mon ami, et je li respondi que[4] oil, et elle me dist : « Recommendés moi a li [171 b] biau cop de fois, car, par Dieu, je le veysse volentiers. » Et je vous pri, mon doulz cuer, que vous me recommendés a vostre frere et au mien, car, par ma foi, c'est un[5] des hommes du monde que je desire plus a veoir aprés vous[6].

(i) Mon doulz cuer et mon doulz ami, je pri a Nostre Signeur qu'il vous doinst honneur, paix, santé et joie de quanque vostre cuer[7] aimme ; si y partiroie. Escript le digmenche[8] devant la miaoust.

Vostre loial[9] amie.

Ceste balade encor enclose *L'amant*
5036 Fu en sa lettre, et si suppose
Que de sa main escript l'avoit,
Ainsi com escrire savoit.

Balade

Puis que tant a languir hai *La dame*
5040 Pour vo longue demouree,
Tresdoulz amis, je prendrai
Grant confort en la pensee
Que loyaulment sui amee
5044 De vous ; aussi vous affie
Car le bien amer renvie.

---

1. *Pm* biau cop de f. – **2.** *Pm* et vous d.... veoir *om.* – **3.** *Pm* f. a escripre. – **4.** *Pm* que *om.* – **5.** *A* uns. – **6.** *Pm* Et je vous pri... aprés vous *om.* – **7.** *A* uostre cuers. – **8.** *A* diemanche, *F* digmenche (g *semble une correction de seconde main* ; *on devine* e *en dessous*), *Pm* dimence, *E* dimenche. – **9.** *Pm* loyalle.

5045. *E* Que

pas mon habitude ; mais je ne puis m'en abstenir, tant il me plaît de penser à vous.

Mon doux cœur, ma sœur se recommande à vous mille fois, et désire vivement vous voir ; elle était en effet venue à côté de moi tandis que j'écrivais cette lettre, et elle me demanda si j'écrivais à mon ami, et je lui répondis que oui ; et elle me dit : « Recommandez-moi à lui beaucoup de fois, car, par Dieu, je le verrais volontiers. »

Et je vous prie, mon doux cœur, de me recommander à votre frère, qui est aussi le mien, car, je le jure, c'est une des personnes au monde que je désire le plus de voir après vous.

Mon doux cœur et mon doux ami, je prie Notre-Seigneur de vous accorder honneur, paix, santé et joie pour tout ce que votre cœur aime ; et j'en prendrais ma part.

Écrit le dimanche avant la mi-août.

Votre loyale amie.

L'amant

La ballade suivante avait encore été incluse dans sa lettre, et je suppose qu'elle l'avait écrite de sa main, en femme qui savait l'écriture.

Ballade [de la dame]

1. Puisque j'ai tant à languir
À cause de votre longue absence,
Très doux ami, je tirerai
Un grand réconfort de la pensée
Que je suis loyalement aimée
De vous ; moi aussi je vous donne ma parole
Que je double la mise pour le bon amour.

Et si tost com je verrai,
Amis, vostre retournee,
5048 La dolour oublierai
Que j'ai longuement portee ;
De tous maulz serai sanee,
Et dirai a chiere lie
5052 Que le bien amer renvie.

Et aussi je garirai
Doucement, a recelee,
La dolour qu'en vo cuer vrai
5056 Est par Desir engendree :
La sera joie doublee,
Et verrés un cuer d'amie
Que le bien amer renvie.

5060 Or avés vous oÿ comment *L'amant*
Celle qui m'a en son comment
M'envoia lettres et joiaus [171 v° a]
Et reliques et dis nouviaus.
5064 Et certes je l[es] aouroie
Et si chierement les tenoie
Comme se fust mon Dieu terrien ;
Briément, je n'amoie tant rien
5068 Fors que ma dame seulement ;
Et a toute heure vraiement
Si prés de mon cuer les mettoie
Et de mon corps com je pooie,
5072 Car la douceur qui en issoit
Si doucement me nourrissoit
Que c'iert ma plus grant nourreture,
Qui venoit de plaisance pure :
5076 C'estoit ce qui me soubstenoit
Et qui en vie me tenoit,

5059. *APm* Qui – **5062.** *E* ioiaux – **5064.** *APmE* les a., *F* laouroie – **5065.** *APm* richement – **5066.** *A* ce

2. Mais si tôt que je verrai,
Ami, votre retour,
J'oublierai la douleur
Que j'ai longuement portée ;
De tous les maux je serai guérie
Et je dirai d'un visage heureux
Que je double la mise pour le bon amour.

3. Et de même je guérirai
Doucement, en cachette,
La douleur qu'en votre cœur sincère
Désir a engendrée :
Là sera la joie doublée,
Et vous verrez un cœur d'amie
Qui double la mise pour le bon amour.

L'amant

Vous avez donc entendu comment celle qui me tient sous ses ordres m'avait envoyé lettre, joyaux, reliques et textes nouveaux. Et, je vous l'assure, je les vénérais et les tenais aussi chers que s'il s'était agi de mon Dieu sur terre ; bref, je n'aimais rien au monde autant que ma dame – et elle seulement. Et en vérité, à tout moment, je plaçais ces objets aussi près de mon cœur et de mon corps que je pouvais, car la douceur qui en émanait me nourrissait si suavement que c'était ma principale nourriture, et elle avait pour origine le pur plaisir : c'était elle qui me soutenait et me gardait en vie,

C'estoit mon cuer, c'estoit ma joie,
C'estoit quanque je desiroie;
5080 Si que je puis comparison
Faire, sanz nulle mesprison,
De Hebe et de ma dame gente.

Hebe, deesse de Jouvente,
5084 Qui des cielz estoit boutilliere,
Raajonist, a la priere
D'Ercules, le viel Yolus
Dessus le mont de Tynolus
5088 – Filz fu Carliore le Sage –,
Si n'i avoit signeur ne page
Qui ne se sengnast: a merveille
De ce fait chascuns se merveille.
5092 Et nes li dieu s'en mervilloient,
Quant pour certain dire l'ooient,
Si que li dieu leurs viés parans,
Pour estre jones et parans,
5096 Souvent a Hebe presentoient
Et moult doucement li prioient
Qu'i[l] les volsist ajovenir;
Mais onques n'i porrent venir,
5100 Car la deesse bien aprise
Lor(s) respondoit par bonne guise
Et disoit qu'elle n'avoit cure
De tollir son droit a Nature.
5104 Ainsi fait ma dame de mi,
Car, foi que je doi saint Remi,
Sa grant biauté me rajonist;
Car de mon cuer nulle fois n'ist,
5108 Car par ymagination
En voi tousdis l'impression;
Dont j'en fais euvre de jonesce
Et s'ai tousdis en moi leesce
5112 Et l'esperit jone et legier;
Ce fait tous mes maulz allegier,

5098. *APmE* Quil; *APm* rajouenir, *E* ajouuenir – **5101.** *APmE* Leur – **5106.** *A* rajouenist, *PmE* rajonnist

elle qui était mon cœur, elle qui était ma joie, elle qui était tout ce que je désirais. Et c'est pourquoi je puis, sans me tromper, comparer ma noble dame à Hébé.

Hébé, déesse de la Jeunesse, bouteillère du ciel, rajeunit, à la prière d'Hercule, le vieux Yolus, fils de Carliore le Sage, sur le mont de Tynolus ; et il n'y avait seigneur ni page qui ne se signât : c'était admirable comment chacun s'émerveillait de ce miracle. Et même les dieux étaient émerveillés quand ils entendirent rapporter la chose comme certaine, si bien qu'à intervalles réguliers ils présentaient leurs vieux parents à Hébé pour qu'ils reprennent bonne mine, et avec grande douceur ils la priaient de vouloir bien pour cela les rajeunir. Mais jamais ils ne réussirent à obtenir satisfaction, car la déesse, bien instruite, leur répondait – certes poliment – qu'elle n'avait pas pour tâche de ravir son droit à Nature. C'est ainsi que ma dame procède avec moi. D'une part – par la foi que je dois à saint Remi – sa grande beauté me rajeunit, jamais elle ne quitte mon cœur, et avec l'aide de l'imagination j'en vois toujours la marque ; aussi ma conduite est-elle celle d'un jeune homme, liesse est toujours en moi et j'ai l'esprit vif et alerte, et tous mes maux s'en trouvent soulagés ;

– Comment que nulz ne puet faillir [171 v° b]
Qu'il puist vivre sans enviellir,
5116 Car a Nature chascuns paie
Son droit, son treü et sa paie,
Et qui autrement le feroit,
Nature trop s'en plainderoit :
5120 Mais ma dame de sa noblesse
Le fait comme mere et deesse,
Que j'aim, aour, criem et desir,
Et en qui sont tuit mi desir.

5124 Longuement ainsi demourai
Que je ne gemi ne plourai,
Car ainsi vivre me plaisoit
Tant que riens ne me desplaisoit
5128 Que d'elle me peüst venir.
S'en laissoie Amours couvenir,
Pour ce que j'estoie assevis
De toute joie a mon devis
5132 Et que je n'avoie deffaut
De quanque aus amoureus deffaut
– Fors itant que pas ne vëoie
Ma douce dame simple et coie,
5136 Car j'estoie trop loing de li.
Aussi gaires ne m'abelli
Ce qu'elle s'estoit departie,
Pour cause de l'epidimie,
5140 Dou lieu ou fu sa demouree,
Ains ala en autre contree ;
Et au lieu je ne congnoissoie
Creature, se Dieus me voie,
5144 A qui rien deüsse prier
N'en qui je m'osasse fier ;
Et s'on me dist que j'envoiasse
Devers li, faire ne l'osasse,
5148 Car elle m'avoit deffendu,
Se sa lettre avés entendu,

5122. *APm* crein, *E* crieng – **5128.** *A* elles

mais, d'autre part, à personne ne peut échoir de vivre sans vieillir, car chacun paie à Nature son dû, son tribut, son salaire; et si quelqu'un agissait autrement, Nature aurait bien raison de se plaindre! Si ma dame a agi comme elle l'a fait, c'est par générosité, comme une mère et une déesse, que j'aime, adore, crains passionnément, et en qui résident tous mes désirs.

Je demeurai longuement de la sorte, sans gémir ni pleurer, car j'avais plaisir à vivre ainsi, tant il est vrai que rien de ce qui pouvait m'advenir de sa part ne me déplaisait. Aussi bien, sur ce point, laissais-je Amour en disposer, car, ainsi que je le désirais, j'étais comblé de toute joie et je ne manquais de rien de ce qui est nécessaire aux amoureux, sauf seulement que je ne voyais pas ma douce dame simple et sereine, car je me trouvais très loin d'elle.

Je ne trouvais guère non plus à mon gré que, ayant quitté, à cause de l'épidémie, le lieu où elle résidait, elle s'en était allée en une autre contrée, en un endroit où je ne connaissais personne – par Dieu qui veuille prendre garde à moi – à qui j'aurais pu demander quelque renseignement ni à qui j'aurais pu faire confiance; d'ailleurs si quelqu'un m'avait dit de lui envoyer un message, je n'eusse pas osé le faire, car elle m'avait défendu dans sa lettre – vous vous en souvenez –

Que vers li point ne trameïsse,
Tant que nouvelles en oÿsse.
5152 Et se fui .II. mois tous entiers
Et aveuc ce j'entrai en tiers
Qu'onques de li n'oÿ nouvelle,
Si que je ne savoie s'elle
5156 Faisoit d'escrire ce demour
Par ruse ou par deffaut d'amour.
Lors me prinst trop a anoier
Quant vers li n'osoie envoier
5160 Ou qu'elle vers moy n'envoioit,
Car l'un rien de l'autre n'oioit.
Adonc Anemis-qui-ne-dort, [172 a]
– C'est Desirs, qui m'a fait maint tort –
5164 Tenoit en sa main un tison,
Et si s'en vint en traÿson
Et dedens mon cuer se bouta,
Si que prés le manoir tout ha
5168 A force ars, malgré mien, par m'ame,
Et mis tout a feu et a flame.
Et Souvenirs, qui conforté
M'a cent fois et joie aporté
5172 Qui tous biens faire me soloit,
Toute ma joie me toloit,
Car il m'aministroit pensees
Diverses et desordenees,
5176 Qui estoient entortillies
De courrous et merancolies,
N'autre chose ne m'aportoit
Fors qu'adés me desconfortoit.
5180 Et pour ce trop [fort] me doubtoie
Que celle qu'aim ou que je soie
De si vrai cuer, tout en appert
En lieu de bleu ne vestist vert.
5184 Si qu'en ce penser ou j'estoie
Droitement d'anui sommilloie,

5153. *AE* ou tiers, *F* entiers – **5180.** *APmE* trop fort m., *F* fort *om.* (– 1)

de lui adresser un message avant de recevoir de ses nouvelles. Je fus ainsi deux mois entiers, j'entrai même dans le troisième, sans apprendre de ses nouvelles. Si bien que je ne savais pas si c'était par précaution ou par manque d'amour qu'elle tardait tant à écrire. Je fus dès lors saisi d'une pénible inquiétude de ce que ni je n'osais envoyer vers elle ni elle n'envoyait vers moi, et qu'ainsi nous n'avions pas de nouvelles l'un de l'autre.

C'est dans ces conditions que l'Ennemi-qui-ne-dort – il s'agit du Désir qui m'a maintes fois injustement traité –, tenant dans sa main droite un tison, s'en vint traîtreusement pénétrer dans mon cœur, si bien qu'il a incendié presque tout l'habitacle par sa violence, malgré moi, je le jure sur mon âme, mettant tout à feu et en cendres. De son côté Souvenir, qui m'avait apporté cent fois réconfort et joie, habitué qu'il était à me combler de bienfaits de toute sorte, me ravissait toute ma joie, en me distribuant des pensées pêle-mêle, désordonnées, entortillées d'accès de mauvaise humeur et de mélancolie, et ne m'apportant rien d'autre que d'incessants chagrins. En raison de quoi je craignis très fort que celle que j'aime en tout lieu d'un cœur si loyal, au lieu de bleu, ne se fût très manifestement vêtue de vert. Finalement, tandis que j'étais plongé dans ces réflexions, le sommeil me gagnait sous l'effet direct de cette contrariété,

Et en cet anui m'endormi,
Qui ne fu pas trop bon pour mi;
5188 Qu'en dormant un songe songai,
Et veü dedens mon songe hai
Qu'en aourant ma douce ymage
Son chief tournoit et son visage,
5192 Ne regarder ne me daignoit,
Dont mes cuers trop fort se plaingnoit,
Et tout estoit de vert vestie,
Que nouvelleté signifie.
5196 Adont me souvint des ymages
Qu'avoit fait Virgiles li Sages,
Qui aus Rommains le chief tournoient
Quant leurs subjés se reveloient,
5200 – Comment qu'en moy subjection
Fust sans nulle rebellion
Et qu'en rien n'avoie mespris
Par devers ma dame de pris;
5204 Si que, se je fui a meschief [172 b]
Quant je li vi tourner son chief
Et si vi qu'elle estoit paree
De vert sans couleur asuree,
5208 Nulz homs ne le me doit enquerre,
Qu'en l'air n'en la mer n'en la terre
N'ot onques mais homs en songant
Tel mal comme j'os pour son gent
5212 Et tresdoulz vis, qui me veoit,
Que mon euil plus ne le veoit.
Si me parti de sa presance,
Plain de dolour et de pesance
5216 Et sans vëoir sa douce face.
Si m'embati en une place,
Ou il ot dames, chevaliers,
Damoiselles et escuiers.
5220 Un en y ot appert et cointe,
Qui sist sur une coute pointe
De soie bonne et belle et riche,

5194. *AE* toute – **5195.** *AE* Qui

et c'est avec cette inquiétude que je m'endormis ; ce qui ne fut pas très agréable pour moi, car pendant mon sommeil je fis un songe, et dans ce mien songe j'ai vu que, tandis que je vénérais la douce image que j'avais, elle détournait sa tête et son visage et ne daignait pas me regarder, de quoi mon cœur se plaignait amèrement ; et elle était tout entière habillée de vert, couleur qui signifie changement. Je pensai alors aux portraits qu'avait faits Virgile le savant, et qui tournaient la tête à l'attention des Romains, mais seulement quand leurs sujets se révoltaient – à la différence de ce qui m'arrivait à moi-même, chez qui l'état de sujétion ne s'accompagnait pas de la moindre rébellion et qui n'avais pas commis la moindre faute envers ma dame de si haut mérite. Aussi, si je fus malheureux quand je vis qu'elle tournait la tête et qu'elle était vêtue de vert sans trace de bleu, il est inutile de me le demander, car ni au ciel, ni sur terre, ni sur mer, jamais un homme n'éprouva en rêve un mal semblable au mien du fait de son noble et très doux visage qui m'évitait au point que mes yeux ne le voyaient plus.

Je me retirai alors hors de sa présence, plein de douleur et le cœur gros, moi qui ne voyais plus son doux visage, et je pénétrai sans m'être annoncé en un lieu fortifié où il y avait des dames, des chevaliers, des demoiselles et des écuyers. L'un d'eux était particulièrement distingué : assis sur une courtepointe de soie bonne et belle, et même somptueuse

– Bien croi qu'elle fu faite a liche –
5224 Et plus haut des autres seoit ;
Mais trop bien sur son chief seoit
Un chappellet de violettes,
Fait et donné par amourettes.
5228 Si saluai la compagnie,
Qui si bien estoit ensengnie
Qu'aveuc eulz me firent sëoir
Pour leur esbatement vëoir.
5232 Si m'assis et vi clerement
Que c'estoit *Le Roi qui ne ment*.
La li firent obeissance
Tuit et toutes, et reverence,
5236 Et je aussi li fis brief et court.
Chascuns d'eulz ala a sa court ;
La ot mainte belle demende,
Dont il n'est mestier que je rende
5240 Raison, car long seroit a faire
Du dire, pour ce m'en veuil taire.
Mais a mon tour a court alai
Et par tel guise au Roy parlai :

5244 « Roys, tu dois estre veritable,
Justes, loiaulz et charitables,
Et bien amer tes bons amis [172 vº a]
Et fort haÿr tes ennemis,
5248 Car trop fait a blasmer li homs
Qui est crueus comme lyons
En temps de paix a son ami
Et courtois a son anemi,
5252 Meesmement en temps de guerre ;
Qu'il ne puet en ce monde acquerre
Riens dont son pueple tant le blasme
Comme de chëoir en tel blasme.

5256 Belle chose est de verité
En bouche a roy, et grant vilté

5224. A de h. (+ 1 ; de *a été barré par un trait horizontal, provenant sans doute d'un lecteur plus récent*)

– je crois qu'elle avait été faite sur un métier de haute lisse –, son siège était plus haut que celui des autres. Le plus singulier était, très élégamment placée sur sa tête, une couronne de violettes, cadeau fait par un tendre amour. Je saluai la compagnie, qui était si bien policée qu'elle me fit asseoir en son sein pour que je pusse voir son divertissement. Je m'assis et je vis nettement que c'était le jeu du *Roi-qui-ne-ment*. Tous et toutes lui firent alors leur soumission et leur révérence ; et moi aussi je m'en acquittai, rapides et courtes. Chacun d'eux alla lui faire sa cour, et maintes belles requêtes furent alors formulées par eux, dont il n'est pas opportun que je rende compte, car la relation en serait longue ; et je m'en tairai donc.

Sauf cependant qu'à mon tour j'allai faire ma cour au roi, auquel je m'adressai en ces termes :

« Roi, tu dois être véridique, juste et charitable, et bien aimer tes vrais amis et fort haïr tes ennemis. En effet, il mérite grandement d'être blâmé, l'homme qui se montre cruel comme un lion en temps de paix envers son ami, et courtois envers son ennemi, en particulier en temps de guerre ; car il ne peut en ce bas monde rien accomplir dont son peuple le blâme autant que de choir en une telle dépravation.

C'est une belle chose que la fidélité à ses engagements dans la bouche d'un roi et une chose fort laide

De roy qui ha bouche qui ment;
(S'il avoit les dens de cyment
5260 Et en la bouche le lampas,
Ne le compleinderoit l'en pas,
Qui sage seroit?) quar sans doubte
Mentir estaint son honneur toute,
5264 Car c'est pechiés et decevance
De dire contre ce qu'on pense;
Et trop pert en roy li meffais
De "dire un, et l'autre tu fais."

5268 Justice dois faire a toute ame
Et si la dois peser a drame,
C'est a dire si lealment
Qu'a tous soit faitë egaument;
5272 Que ire, faveur, pitié n'amour,
Haÿne, grandeur ne cremour
Ne te doivent a ce mouvoir
Que mençonge faices du voir.
5276 Se tu veulz honneur recouvrer,
Tu ne [te] dois pas esprouver
A la misere des chatis,
Mais doit tes cuers estre ententis
5280 A sousmettre et donter la force
De ton anemi s'il t'esforce;
Car nobles cuers ne se doit prendre
A ce qui ne se puet deffendre,
5284 Mais s'um vaillant homme conquiert,
Honneur et loenge en acquiert,
Et en son cuer en ha grant gloire
Quant il ha si noble victoire.

5288 Tu dois estre plain de largesse,
Sans couardie et sans peresse;
Ce que as, donner a chiere lie;
Promettre ce que tu n'as mie

5273. *A* et cr. (et *est barré comme* de *au v. 5224*) – **5275.** *AE* faces, *F* faites – **5277.** *A* ne te dois, *F* te *om.* (– 1) – **5278.** *APm* chetis, *E* chetifs – **5279.** *A* Eins, *E* Ains

qu'un roi dont la bouche manque à sa parole (c'est comme s'il avait les dents en ciment et le lampas dans la bouche : un homme sensé ne le plaindrait pas ?) ; car, sans nul doute, le parjure ternit jusqu'à l'anéantir son honneur : c'est un péché – le péché de tromperie – que de dire le contraire de ce qu'on pense ; et, chez un roi, cela se vérifie trop bien quand il commet le crime que résume le dicton : "Tu dis une chose et tu fais le contraire."

Tu dois rendre la justice à toute personne, et tu dois la peser à la drachme près, ce qui veut dire avec une telle loyauté qu'elle soit rendue à tous d'égale manière ; car colère, faveur, pitié ni amitié, haine, puissance ni crainte ne doivent t'inciter à transformer la vérité en parjure. Si tu veux acquérir de l'honneur, tu ne dois pas te mesurer avec la misère des faibles, mais ton cœur doit être attentif à soumettre, à dompter la violence de ton ennemi s'il en use contre toi ; car un noble cœur ne doit pas s'en prendre à une créature qui ne peut se défendre ; si, au contraire, il triomphe d'un homme aguerri, c'est alors qu'il recueille honneur et louange, et en son âme il s'applaudit d'avoir remporté une si insigne victoire.

Tu dois être plein de largesse sans relâche ni indolence ; donner d'un visage joyeux ce que tu as, promettre ce que tu n'as pas pour le moment,

5292 Et ce que acquiers abandonner.
Ne te chaille d'assés donner.
As tu paour d'avoir deffaut ?
Trop plus aras qu'il ne te faut
5296 Se tu fais ce que je t'encorne.
Fai pendre ton seel a la corne
De cerf qui pent en mi ta sale, [172 v° b]
Si qu'il n'i hait langue si male
5300 Qui lettre ou or de toi n'emporte.
Et si lai ouverte ta porte,
Car Largesse ainsi le commande,
Pour ceulz qui te feront demande.
5304 Mais garde toy bien d'avarice,
Qu'en cuer de roy est trop grant vice
Que pris, honneur, loenge et grace
Et bonne renommee efface,
5308 Et si le fait tant diffamer
Qu'a paines le puet nulz amer.

En tous cas les dames honneure
De fait, de bouche, et a toute heure ;
5312 Et pense tousdis a honneur,
Si n'aras jamais deshonneur.
Aimme Dieu et chevalerie,
Conscience et honneste vie ;
5316 Ainsi porras terre tenir
Et les grans guerres soubstenir.
Roys, bien sai que loialment juges
Et que tu hes tous mauvais juges ;
5320 Et pour ce has nom *Rois qui ne mens*
Que tu fais loyaulz jugemens.
Bien sai que tu hes villonnie
Et aimmes toute courtoisie,
5324 Armes, dames, honneur et joie.

Pour ce encor .II. mos te diroie,
S'il ne te devoit anuier.

5305. *A* cest t.

et distribuer ce que tu acquiers. Ne te fais pas de souci de donner beaucoup. As-tu peur d'être dans le besoin ? Tu auras beaucoup plus qu'il ne t'en faut si tu fais ce que je préconise. Pends ton sceau à la corne de cerf suspendue au milieu de ta grande salle, en sorte qu'il n'y ait langue si malheureuse qui n'emporte une lettre ou de l'or en te quittant ; et laisse ta porte ouverte, car Largesse le commande ainsi, pour ceux qui t'adresseront une requête. Surtout, je te le répète, garde-toi bien d'Avarice, car dans le cœur d'un roi c'est un très grand vice, qui efface valeur, honneur, louange, grâce et bonne renommée, et elle lui vaut un tel discrédit qu'il est difficile de trouver quelqu'un qui soit capable de l'aimer.

En toutes occasions honore les dames par action, par paroles, et à toute heure ; et que tes intentions soient toujours honnêtes, et tu ne seras jamais traité d'indigne. Aime Dieu et les vertus chevaleresques, la conscience droite et une vie probe ; c'est ainsi que tu pourras gouverner ton royaume et soutenir les grandes œuvres. Roi, je sais bien que tu juges avec loyauté, et que tu hais tous les mauvais juges ; et c'est parce que tu rends de justes sentences que tu portes le nom de Roi-qui-ne-ment. Je sais bien que tu hais la vilenie et que tu aimes toute forme de courtoisie, celle des armes et celle des dames, celle de l'honneur et celle de la joie.

C'est pourquoi je voudrais te dire encore deux mots, si cela avait des chances de ne pas t'importuner.

Tu n'as chevalier n'escuier
5328 Ne homme dont ne soies haÿs
Se tu ne deffens ton païs,
Et se ies encor en aventure
Du perdre, qui est chose dure;
5332 Et s'aucuns t'aiment, ce sont gent
Qui ne t'aiment que pour argent,
Quar il n'ont de ton honneur cure
Ne de toi, fors tant qu'argent dure;
5336 Et se tu les veulz asservir,
Il ne te vorront point servir,
Et s'il te servent, il seront
Tel que ja bien ne te feront.
5340 Que vault service sans amour?
Ne que vault terre sans signour
Qui ne la vuet mie deffendre
Quant il la voit piller ou prendre:
5344 Molins oiseus, fours qui ne cuit,
Il ne valent guerres, ce cuit.
Et se tu havoies trés or
De ce monde tout le tresor
5348 Et cent fois le jour l'aourasses
Ne de partir ne l'endurasses,
Il ne te vaurroit une ortie [173 a]
Et si seroit ydolatrie;
5352 Car li tresor pas ne deffendent
Les royaumes quant il contendent,
Mais bons amis le font de fait.
Sages est qui tel tresor fait,
5356 Qu'on dit: mieulz vault amis en voie
Que ne font deniers en courroie.

Ne te conseille par merdaille,
Qu'il ne valent rien en bataille,
5360 N'a garsons, quar, se tu les crois,
Je te jur sur toutes les croix
Qui furent en Jherusalem,

5328. *E* dont tu ne s. (+ 1) – **5330.** *AE* se yes – **5350.** *A* ouertie

Tu ne possèdes chevalier ni écuyer ni vassal dont tu ne sois haï si tu ne défends pas ton pays et que tu t'exposes à subir encore une fois ce pénible sort de perdre une guerre ; et s'il en est qui dans ce cas t'aiment, ce sont gens qui ne t'aiment que pour l'argent, car ils n'ont cure de ton honneur et de ta personne qu'autant qu'il subsiste de l'argent ; et si tu veux les contraindre, ils refuseront de te servir ; et s'ils te servent, ils se conduiront de telle sorte qu'ils ne feront pas ton bonheur. Que vaut un service sans amour ? Pas plus que ne vaut une terre qui est privée de son seigneur, si celui-ci ne veut pas la défendre quand il la voit piller ou prendre de force : des moulins oisifs, un four qui ne cuit pas ne valent guère, me semble-t-il. Et si tu possédais dès à présent tous les trésors de ce monde et que cent fois par jour tu les adorasses et ne permisses pas qu'ils fussent partagés, ils ne te vaudraient pas le prix d'une ortie, et ce serait de l'idolâtrie ; car ce ne sont pas les trésors qui défendent les royaumes quand ils sont en guerre ; ceux qui le font réellement, ce sont de fidèles amis. Il est avisé, celui qui se constitue un tel trésor, car on dit : "Mieux vaut un ami quand on est en route que des deniers dans sa ceinture."

Ne te laisse pas conseiller par la canaille, car elle ne vaut rien dans les combats, ni par de jeunes coquins, car, si tu ajoutes foi à leurs discours, je te jure par toutes les croix qui ont été à Jérusalem

Il te mettront en si mal an
5364 Que tu n'i porras conseil mettre
Par cop d'espee ne par lettre.
Mais tu ies sages et subtis,
Larges, courtois, nobles, gentis,
5368 Si que d'eulz bien te garderas
Et aus bons te consilleras
Qui metteront corps et avoir
Ad ce que honneur puisses avoir.
5372 Se tu fais ce que je t'enseingne,
Tu porteras d'Onneur l'enseingne
Et bons amis seras sans faille
De Mars, qui est dieu de bataille.

5376 Et se trop largement parole
Mon songe, escuse ma parole ;
Mais cilz petitement besoingne
Qui riens ne fait de sa besoingne.
5380 Et pour ce que je y sui tenus,
Dirai pour coy je y suis venus.

Rois, je me vieng a toi complaindre
Des maulz d'Amours qui me font taindre
5384 Et de Desir qui maint assaut
Me fait et maint tour et maint saut ;
Si te dirai tout mon affaire
Et aussi quanque j'ai a faire.
5388 J'aim une dame par amours
Sur toutes. Or est mes demours
Loing d'elle, dont petit la voi [173 b]
Et po souvent vers li envoi ;
5392 N'il n'est personne qui li die
Mon amoureuse maladie
Ne qui a li me ramentoive
Pour mal que pour elle reçoive ;
5396 Ne je n'ose vers elle aler,
Car riens n'i vaurroit mon aler,

5363. *A* metteront, *Pm* metront

qu'ils te mettront en une situation si critique que tu ne pourras y remédier à coups d'épée ou par quelque document écrit. Mais par bonheur tu es sage et inventif, large, courtois, noble et généreux, en sorte que tu t'en garderas bien et prendras conseil des hommes intègres, qui se sacrifieront corps et biens pour ton honneur. Si tu te conformes à mes enseignements, tu seras le porte-enseigne de l'Honneur, et sans faute le grand ami de Mars, dieu des batailles.

Que si mon songe est trop bavard, excuse mon discours ; mais celui-là besogne petitement qui n'exploite pas les ressources de ce qu'il a entrepris. Puisque l'usage m'y incite, je dirai pourquoi je suis venu ici.

Roi, je viens me plaindre à toi des maux d'Amour qui me font pâlir et de ceux de Désir qui me livre maints assauts et me joue maints mauvais tours par ses attaques ; et je te dirai toute mon aventure, avec tous les ennuis qu'elle me causa.

J'aime d'amour et par-dessus toutes les autres une dame ; à présent je demeure loin d'elle, et de là vient que je la vois peu, et rarement envoie vers elle ; et il n'est personne qui lui dise mon mal d'amour, ni qui me rappelle à son souvenir quant aux maux que j'ai à endurer à cause d'elle ; et je n'ose aller chez elle, parce que je perdrais mon temps en m'y rendant,

Pour ce que je ne congnois ame
Ou elle demeure, par m'ame ;
5400 N'elle ne doit vers moy venir,
Ne ce ne porroit advenir,
Qu'Argus o ses .C. ieulz la garde,
Male Bouche la fait couarde,
5404 Paour, et Doubte-de-meffaire ;
Et Fortune m'i est contraire,
Car il ha prés de .IX. semaines
Que de li nouvelles certaines
5408 N'oÿ, dont je sui en doubtance
Qu'elle n'ait aucune grevance
Ou que son cuer ne soit ailleurs,
Qu'elle trop en voit de milleurs.
5412 Toute voie j'ay son ymage,
Pourtraite au vif en une page,
Si bien, si bel, si vivement
Que on ne porroit plus proprement.
5416 N'a quë un po, je l'aouroie
Et mon service li paioie,
Mais elle me tourna le chief,
Dont je fui a trop grant meschief.
5420 Mai[s] encor, pour mon mal eür,
Sa robe, qui estoit d'asur
Qui loyaulté signifioit
Et ou mes cuers moult se fyoit,
5424 Fu en couleur de vert changie
Qui nouvelleté signifie,
Dont je sui en si petit point
Que mais de joie en moi n'a point.
5428 Qu'elle ne puet a moi venir,
Et seulement par souvenir
Qui li empesche sa venue,
Las, ce m'ocist et me partue.
5432 Ainsi ai tous maulz a toute heure
Et si ne truis qui me sequeure.

5416. *APm* Na que un po que je l., *E* Na cun pou (– 1) – **5420.** *APmE* Mais, *F* Mai – **5430.** *A* empeesche (+ 1)

puisque je ne connais, par mon âme, personne où elle demeure. Et elle, de son côté, n'a pas le droit de venir me voir ; et si cela ne saurait se produire, c'est parce que Argus la garde avec ses cent yeux, que Male Bouche la rend timorée, ainsi que Peur et Crainte de mal faire. Fortune aussi contrarie mes projets, car il y a près de neuf semaines que je n'ai pas appris d'elle des nouvelles sûres, et cela me fait redouter que quelque chose de fâcheux lui soit arrivé, ou que son cœur soit allé ailleurs, car elle voit beaucoup d'hommes de qualité. Certes j'ai son portrait, peint sur le vif sur une feuille de parchemin, si parfaitement, avec des couleurs si belles et si vives qu'on ne pourrait le faire plus exactement. Il n'y a guère, alors que je lui rendais mon culte et m'acquittais de mon service, je la vis détourner sa tête et cela me rendit bien malheureux ; il y a plus grave encore pour mon infortune ; la couleur de sa robe azurée, qui signifiait loyauté et inspirait à mon cœur une grande confiance, se changea en vert, dont le sens est changement, et cela m'a mis en si piteux état qu'il n'y a plus en moi la moindre trace de joie. Qu'elle ne puisse venir vers moi, et rien que de penser à ce qui empêche sa venue, hélas, cela me tue, cela m'achève. De la sorte je souffre mille maux en permanence, et je ne trouve personne pour venir à mon secours.

Mais une chose trop m'anoie,
Qu'on quiert tant a avoir monnoie :
5436 Qu'il me faut paier XLme
XXXme, XXme, XIIIme
Et aussi .III. fois le Xme,
VIIIme, VIme, Vme,
5440 Et encor parle on du IIme,
Voire, par Dieu, et du Cent^{me}.
Les blez et les vins sont faillis,
Dont li pueples est mal baillis ; [173 v° a]
5444 Si que Dieus d'amont nous guerrie ;
Et li papes ne s'en faint mie.
Li dyables atise la guerre,
Aussi fait li rois d'Engleterre ;
5448 Or y revient la Grant Compagne,
Qui va jusques en Alemagne ;
Mais trop me plaing de l'Archeprestre
Et des Bretons qui font le mestre,
5452 Si que li pays est pilliés,
Tous gastés et tous essilliés.
Aveuc ce li leus nous menguënt,
Qui nous estranglent et nous tuent.
5456 Et s'est si grans mortalités
En bours, en villes, en cités
Et tout par tout le plat pays
Que chascuns en est esbahis ;
5460 N'ame n'oy qui ne prophetise
Pis pour le peuple et pour l'Eglise,
Si que trop serons ac(r)oupis ;
Quant chascuns dit : "Vous arés pis,
5464 A cy doleur et mesch[ë]ance,
A cy meschief et pestilence",
Et qui le porra endurer
Ne comment porra on durer ?
5468 Certes les .X. plaies d'Egipte
Contre ce fu chose petite,

5435. *A* tant auoir (– 1) – **5436.** *APm* quarantisme, *E* quarentisme – **5456.** *A* Et cest – **5462.** *A* accoupis, *PmEF* acroupis – **5464.** *APmE* mescheance, *F* meschance (– 1)

Ce n'est pas tout. Une chose me contrarie beaucoup, à savoir qu'on requiert tant d'argent : il me faut payer le 40e, le 30e, le 20e, le 13e, avec en outre trois fois le 10e, le 8e, le 6e, le 5e, et on parle encore du 2e, voire, par Dieu, même du 100e ! Le blé et le vin font défaut, et voilà le peuple bien mal loti ; et tandis que Dieu nous fait la guerre d'en haut, le pape ne demeure pas en reste. Le diable attise la guerre, et le roi d'Angleterre fait de même. À présent, à son tour, vient la Grande Compagnie, qui va jusqu'en Allemagne ; en particulier j'ai fort à me plaindre de l'Archiprêtre et des Bretons, qui jouent aux grands seigneurs, en sorte que la contrée est pillée d'un bout à l'autre, dévastée et ravagée.

À cela s'ajoute que les loups nous mangent, nous étranglent, nous tuent. Une si grande mortalité sévit dans les bourgs, les villes, les cités et partout dans le plat pays, que tous en sont consternés, et je n'entends personne qui ne prophétise pire pour le peuple et pour l'Église ; et à la fin nous serons fort malmenés. Quand un chacun dit : "Vous aurez pire : ici règnent la souffrance et le malheur, et là, la misère et la peste", qui, alors, pourra supporter cela ? et comment pourra-t-on subsister ? Assurément, les dix plaies d'Égypte furent une petite chose en comparaison,

Car li Egiptien esperoient
Qu'aprés le mal bon temps aroient,
5472 Ainsi com fait l'omme sauvage :
Quant il voit plouvoir ou boscage,
Il espoire qu'il fera bel,
Pour ce chante et est en revel.
5476 Mais nous vivons en esperance
D'avoir adés plus de grevance,
Et c'est la consummation
Et fin de no destruction,
5480 Se Dieus de sa grace n'i euvre ;
Si m'aten a Lui de ceste euvre,
Car s'Il ha la chose bastie,
D'omme ne puet estre garie,
5484 N'estre mise a point nullement,
S'il ne vient de Li proprement.
Mais toutes ces maleürtés,
Ces(t) pestilences, ces durtés
5488 Ne font a moi ne froit ne chaut,
Car par ma foi il ne m'en chaut,
Mais ce me fait pene et anoy
Que je ne voi ma dame n'oy,
5492 Ne que nouvelles de li n'ai ;
Et piece ha que je ne finai
De vivre et languir en attente
Qu'a moy fust ou je a li presente, [173 v° b]
5496 Ou que nouvellez en oÿsse
Teles que je m'en resjoÿsse.
Et pour ce, rois, je te depri
Que veuilles oÿr mon depri
5500 Et que de ton cuer les oreilles
Euvres, si que tu me conseilles,
Car j'ai mestier de ton conseil ;
Et pour ce a toi seul me conseil ! »

Le roy respont

5504 Li rois ma parole entendi
N'onques un mot ne respondi

5493. *A* piessa q.

car les Égyptiens espéraient qu'après le malheur ils allaient avoir un temps heureux, comme fait l'homme sauvage : quand il voit pleuvoir sur la terre boisée, il espère qu'il y aura de nouveau le beau temps ; et c'est pourquoi il chante et est en joie. Nous, au contraire, nous avons pour toute espérance l'attente de jours toujours plus accablants ; et c'est ainsi qu'arrive la consommation des siècles et la fin du monde avec notre destruction, si Dieu ne nous vient en aide par Sa grâce ; aussi bien est-ce sur Lui que je compte pour cette œuvre, car si c'est Lui l'auteur de cette situation, elle ne peut être assainie par un homme, ni être redressée autrement que par l'action personnelle de Dieu.

Mais toutes ces calamités, ces pestes, ces violences ne me font ni chaud ni froid ; oui, je le jure, elles me laissent indifférent, car ce qui me peine et me chagrine, c'est que je ne vois ni n'entends ma dame, et qu'elle ne me donne pas de ses nouvelles ; et il y a longtemps que je n'ai pas cessé de languir et de vivre dans l'attente de recevoir sa visite ou de me présenter chez elle, ou d'avoir d'elle des nouvelles qui me rendent la joie !

C'est pourquoi, roi, je te supplie de vouloir bien écouter ma requête et d'ouvrir les oreilles de ton cœur, de manière à me venir en aide, car j'ai besoin de ton aide, et c'est pourquoi je te consulte, et toi seul ! »

Réponse du roi

Le roi écouta mon discours, et ne fit pas la moindre réplique

Tant que je eus dit ma volenté
De s'onneur et de ma santé
5508 Et toutes les conditions
De mes grans tribulations;
Et lors commensa a sourrire
Et en riant me prinst a dire
5512 Sagement et de bel arroy,
Ainsi com il affier[t] a roy:

« Amis, je t'ai moult bien oÿ
Et mon cuer as moult resjoÿ
5516 De tes courtois ensengnemens.
Mais si lons est tes parlemens
Que trop longue chose seroit,
Qui chascun mot repeteroit;
5520 Si me passerai, pour briété,
De m'onneur et de ta griété,
Car ne puis faire mon devoir
De les toutes ramentevoir:
5524 Et me garderai de mesprendre
Si que n'i ara que reprendre,
Se je puis et Dieus le m'ottroie.

Et de ce mal qui te maistroie
5528 Et qui t'a si mal atourné
Pour l'ymage qui t'a tourné
Son chief, et de sa vesteüre
De bleu qu'est muee en verdure
5532 Qui signifie fausseté,
Biaus amis, c'est grant nicetté
Dou penser, car il le te semble, [174 a]
Tu dors et paroles ensemble,
5536 Et si m'est avis que tu songes:
On ne doit pas croire ses songes.
Raisons est que tu la veÿsses
Ainçois que d'elle(s) te plaingnisses;
5540 Et s'en bon estat la trouvoies,

5513. *A* affiert, *F* affier – **5539.** *A* elle, *F* elles – **5540.** *E* ne la t. (+ 1)

avant que j'eusse fini de dire ce que j'avais dans l'esprit pour ce qui regarde son honneur, ma santé et les multiples formes de mes grandes tribulations. Après quoi il se mit à sourire, et tout en souriant, il commença à me parler en homme sage et en bon ordre, comme il sied à un roi :

« Ami, je t'ai très bien entendu et tes courtois enseignements ont causé une grande joie à mon cœur. Mais ton exposé est si long qu'il faudrait beaucoup de temps pour reprendre chacun de tes propos ; aussi, pour faire court, m'abstiendrai-je sur les questions qui touchent à mon honneur et sur tes doléances, car je ne puis considérer que c'est mon devoir de les reprendre toutes ; je me garderai seulement de mal agir en sorte qu'il n'y aura rien à me reprocher, si du moins j'en suis capable et que Dieu me l'accorde.

Quant à cette souffrance qui te tient sous son joug et qui t'a si mal traité quant à ce portrait qui a détourné sa tête devant toi, et son vêtement qui a changé son bleu en vert, ce qui signifie perfidie, bel ami, c'est une grande sottise que de se faire du souci ; en réalité, cela n'est qu'un mirage, car tu parles tout en dormant, et c'est pourquoi je pense que ce n'est qu'un songe. On ne doit pas croire ses songes. Il serait raisonnable que tu visses le portrait avant de lui faire un procès ; et si tu le trouvais en position correcte,

De li plaindre te dev[e]roies,
Car amans qui se plaint a tort
A cuer rude, nice et entort.
5544 Esveille toi et la resgarde,
Car t'amour n'est pas si musarde
Qu'elle jamais rien te deïst
De quoi le contraire feïst.

5548 Tu seroie[s] plus esbahis
Que cers ramés, et estahis,
Et s'aroies paour et hide,
Se tu vëoies bien d'Ovide
5552 Les diverses mutations
Faites en maintes regions.

Josephus nous dist et raconte
Que pour le pechié(s) et la honte
5556 De ceulz de Sodome et Gomorre
Dieus les vault tous confondre en pourre.
Par souffre ardant les confondi,
Et la terre environ fondi,
5560 Si que puis n'i pot habiter
Homme ne fame ne heriter ;
N'onques n'en pot eschaper ame
Fors Loth, ses enfans et sa fame.
5564 Car Dieus, qui tout fist et fourma,
A trois angles donné fourme ha
Tele qu'il sembloient homme estre
– Sage[s] est qui sert si bon mestre –
5568 Et les envoia a Abram,
Qui puis fu nommés Abraham,
Et les receupt dessoulz le chaisne
Ou il habitoit, car de fraisne
5572 N'avoit ne maison ne palais,
Ne de pierre, ne biaus ne lais.
Les .III. angles de li partirent

5541. *AFE* p. te d., *Pm* ne d. ; *APmE* deueroies, *F* deuroies (– 1) – **5548.** *A* seroies, *F* seroie – **5567.** *APm* Sages, *F* Sage (– 1), *E* Sage et qui soit si b. m. (– 1)

tu devrais te retenir de porter plainte contre lui, car un amant qui se plaint injustement a un cœur grossier, niais, pervers. Réveille-toi et regarde le portrait de ta dame ; ta bien-aimée n'est pas si folle qu'elle t'aurait un jour dit une chose et ferait ensuite le contraire.

Tu serais plus étonné, plus figé qu'un cerf ramé aux abois, et tu serais rempli de peur jusqu'à l'épouvante si tu voyais dans la réalité les diverses métamorphoses ovidiennes qui se sont produites en maints points de la terre.

Josèphe nous rapporte qu'en raison du honteux péché des habitants de Sodome et de Gomorrhe, Dieu voulut les réduire tous en poussière. Il les anéantit par jets de soufre incandescent, et il fit fondre la terre tout autour, si bien qu'ensuite ne put y habiter ni homme ni femme ni leur progéniture. Pas une âme ne put en réchapper à l'exception de Loth, de sa femme et de leurs enfants. Dieu, en effet, qui a créé et façonné toute chose, donna à trois anges une forme qui les faisait ressembler à des hommes – il est sage celui qui sert un maître aussi habile ! – et les envoya à Abram. Celui-ci, qui plus tard fut appelé Abraham, les reçut sous le chêne où il habitait, car il n'avait ni maison ni palais de bois, de frêne ou de pierre, de belle forme ni même de vilaine. Les trois anges le quittèrent,

Et Loth hors de Sodome mirent
5576 Aveuc sa fame et ses enfans,
Qui d'aler ne furent pas lens.
Mais li angle(s) leur deffendirent
Et de par Dieu moult bien leur dirent
5580 Qu'adés devant eulz en alassent
Et derrier eulz ne regardassent.
La fame Loth mal se garda,
Car derrier elle regarda,
5584 Et tantost elle fut muee
En sel, c'est verité prouvee,
Car en sa forme et sa figure [174 b]
Estoit de sel son estature,
5588 Josephus le tesmoingne et dit
Qu'en ce point pluiseurs fois la vid.

Aussi li dieu les gens muoient
En quelque forme qu'il voloient
5592 Et les deesses ensement,
Car on vëoit appertement
Les uns mués en forme d'arbre,
Les autres en pierre de marbre.
5596 Perseüs, qui par l'air voloit,
Se m[o]oit en ce qu'il voloit;
Politetus le desprisoit
Et partout de li mesdisoit,
5600 Mais en pierre si le mua
Qu'onques puis ne se remua,
Par le chief Gorgon qu'i[l] gardoit,
Qu'ame ce chief ne regardoit
5604 Qui en pierre ne fust muee,
Tant fust subtive ne discree:
Ovides le dit en ses fables
En moralité[s] veritables.
5608 Se telz mutations vëoie[s],
Certes moult t'en mervilleroies

5602. *APmE* quil g., *F* qui – **5605.** *APm* desree – **5607.** *AE* moralitez, *F* moralité – **5608.** *APmE* veoies, *F* veoie

et firent sortir en toute hâte de Sodome Loth avec sa femme et ses enfants. Or les anges leur avaient expressément enjoint, de la part de Dieu, de toujours marcher droit devant eux, sans jamais regarder en arrière. La femme de Loth se surveilla mal : regardant derrière elle, elle fut aussitôt transformée en sel ; c'est une chose bien établie, car Josèphe atteste que la statue qui la représentait avait un corps et un visage de sel, et il affirme l'avoir vue plusieurs fois en cet état.

Les dieux eux aussi métamorphosaient les gens en leur donnant une forme de leur choix, et les déesses faisaient de même. En effet on voyait, à ne pas s'y tromper, les uns changés en arbres, les autres prendre l'aspect de roches marmoréennes. Persée, qui volait par les airs, se changeait en ce qu'il voulait ; Politète le méprisait et médisait de lui partout : Persée le métamorphosa en pierre en sorte que jamais plus, ensuite, il ne bougea – et cela en se servant de la tête de la Gorgone qu'il détenait, car personne ne regardait cette tête sans être changé en pierre, quelque habile, quelque avisé qu'il fût ; Ovide le dit dans ses fables mises en moralités véridiques.

Si tu étais le témoin oculaire de telles métamorphoses, tu en serais assurément tout à fait interloqué ;

Quant de joie ainsi te desrobe
La mutation d'une robe.
5612 Il puet estre que as desservi,
En ce que ta dame as servi,
La rage que tu li mes seure :
Ou Merancolie demeure
5616 En ton cuer, qui te fait penser
Vers elle si villain penser ;
Ou que tu la sers faussement ;
Ou que ta bouche fausse et ment.
5620 Si qu'amis en vain te traveilles
Qui de cë a moi te conseilles,
Quar il te couvient esvillier
Et a plus sage consillier.
5624 (Puet estre qu'elle n'a loisir
D'escrire a toy a son plaisir
Pour ce qu'elle est trop prés tenue :
Or maintiens tu qu'elle te tue ?)

5628 On voit et scet tout en appert
Que moult furent sage et appert
Cilz qui les sciences trouverent
Et au[s] peuples les lois donnerent.
5632 Lameth li mauvais fu bigames
Et si ot tout premier .II. fames,
Dont l'une avoit a non Ada
Et l'autre avoit a non Stella ;
5636 Il engendra de Ada Jabel,
Qui fu tantost aprés Abel,
Et Jubal ; cilz .II. furent frere [174 v° a]
Issus d'un pere et d'une mere.
5640 Jabel trouva les panetieres
Que portent bergiers et bergieres,
Et la guise d'eulz hesbergier,
Et tout ce qu'il faut a bergier ;
5644 Et premiers les bestes sevra
Et selon leur genres ouvra ;

5619. *APm* et *om.* – **5631.** *APm* aus, *F* au

mais quand le changement de la couleur d'une robe te ravit à ce point la joie, il se peut qu'en réalité tu as mérité la colère que tu lui reproches par ta manière de servir ta dame ; ou bien c'est le séjour de Mélancolie en ton cœur qui te fait concevoir de si viles récriminations contre elle ; ou tu te montres déloyal dans ton service ; ou c'est ta bouche qui est perfide et mensongère.

Si bien que, ami, tu te tourmentes en vain en me consultant à ce sujet ; il te faut donc te réveiller et consulter quelqu'un de plus sage que moi. Il se peut aussi qu'elle n'a pas la faculté de t'écrire comme elle voudrait, parce qu'elle est surveillée de très près : alors maintiens-tu qu'elle en veut à ta vie ? On sait, comme une chose indiscutable pour l'avoir lu dans les livres, que furent très savants et très habiles ceux qui inventèrent les sciences et donnèrent les lois aux peuples.

Lameth le dépravé fut bigame : il fut le tout premier à avoir deux femmes, dont l'une s'appelait Ada et l'autre, Stella ; d'Ada il engendra Jabel, qui vécut immédiatement après la mort d'Abel, et Jubal ; ces deux étaient frères issus du même père et de la même mère. Jabel inventa les panetières que portent les bergers et les bergères, et la manière de se loger sous une tente, et il inventa tout ce dont a besoin un berger ; à distinguer les bêtes par leur nom et à les traiter selon leur espèce.

Jubal trouva l'art de musique,
Tub*c*aÿn trouva [la] fabrique,
5648 Mais Jubal au son des martiaus
Fist to*ns* et sons, et chans nouviaus
Et notés, et les ordenances
De musique et les concordances;
5652 Et s'aucuns y ont amendé,
Je ne leur ai pas commandé.
Et Noëma trouva le tistre
Et le filer, quar a son tiltre
5656 On fait linges et draperies
Et les belles toiles delies.
Chus, li fil Cham filz de Noé
Qui premiers en l'Arche a noé,
5660 Fut cilz qui trouva la science
Que l'en appelle ningromance;
Et fist une ymage fondise
Par tel maniere et par tel guise
5664 Que l'ymage li respondoit
A tout ce qu'il li demandoit,
Et ce fut la premiere ymage
Qu'onques fut, ce dient li sage.
5668 Phoroneüs donna les lois
Tout premierement aus Grijois.
Quant Silinius Tullius
Gouverna aprés Justius,
5672 Il avoit .VII. sages a Rome.
Vesci les noms, je les te nomme:
Li premiers fu Talés nommés,
De Milese fu seurnommés;
5676 Et Pi*t*tacus de Mittalaine,
Qui ot pour savoir moult de painne;
Li tiers estoit Solons Dathenes,
Attrais de la cité de Athenes;
5680 Et Sillum de Lacedomoine

5647. *AF* Tubtaÿn, *Pm* Tuthayn, *E* Tubacarin (+ 1); *F* la *om.* (– 1) – **5649.** *A* tons, *FPmE* tout – **5654.** *A* titre – **5655.** *A* titre, *Pm* tistre – **5676.** *A* Pittatus, *F* Pictacus; *A* Mutelainne, *Pm* Mitelaine, *E* Mitalainne

Jubal inventa l'art de la musique ; Tubcaïn avait inventé la forge, mais c'est Jubal qui, d'après le bruit des marteaux, discerna les timbres et les sons, et inventa des mélodies nouvelles, les signes pour les notes, les rythmes et les accords ; et si d'aucuns y ont apporté des améliorations, ce n'est pas moi qui le leur ai ordonné.

Noéma inventa le filage et le tissage, car c'est sous son patronage qu'on fabrique les tissus de lin, les draperies et les belles toiles fines. Chus, fils de Cham, fils de Noé (qui fut avec l'Arche le premier navigateur), fut l'inventeur de la science appelée nécromancie ; il fabriqua en outre une statue de fonte, capable de répondre à toutes les questions qu'il lui posait ; et ce fut la première statue qui ait jamais existé, disent les savants.

Phoronée fut le premier à donner des lois aux Grecs. Quand Silinius Tullius régna après Justius, il y avait sept sages à Rome, dont voici la liste avec leurs noms. Le premier s'appelait Talès, dont le surnom était tiré de Milet ; Pittacus, qui tirait le sien de Mytilène, s'était donné beaucoup de peine pour acquérir son savoir ; le troisième était Solon Dathenes, originaire de la cité d'Athènes ; Chillon de Lacédémone

Fu des marches de Babiloine ;
Et *P*eriander de Corinthe
Li V^mes^ en l'ordre quinte ;
5684 Li sizimes, Cleobolus
De Lyndé, et Byaüs
– De Prine fu attrais et nés –,
Homs nobles, vaillans et senés.
5688 Li sept sages furent nommé
Ainsi com je le t'ai nommé.
Biaüs fu cilz qui disoit [174 v° b]
Que nulle rien siene n'estoit,
5692 Puis que l'en li peüst oster :
Tu dois bien ce mot cy noter.
En ce temps fu Pi*t*tagoras,
Dont, se de Romme ies, encor as
5696 Les lois et les ensengnemens
Qu'il fist sur les .IIII. elemens ;
Il vint des parties d'Auffrique
Et trouva l'art d'Arismetique
5700 Et la maniere de compter,
De ce ne te dois pas doubter.
De dire leur sens et leur euvres
– Dont il m'est vis que petit euvres,
5704 Quant ainsi ies envoleppés
D'amourettes et attrapés –
Certes longue chose seroit
A dire qui la te diroit ;
5708 Mais se trestuit juré t'avoient
Que tresbien te conseilleroient
De ceste dame qui t'assote,
Et si eüsses Aristote,
5712 Senecque, Virgile, Caton,
Salemon, Boesse, Platon,
Et aussi tous les advocas

5681. *A* marche – **5682.** *A* Feriender, *FPmE* Feriander – **5684.** *A* sisiemes, *Pm* siziesmez – **5685.** *A* Lyode (o *semble réécrit avec un encrage plus gras*) – **5686.** *A* De pene, *Pm* peine – **5694.** *A* Pitagoras, *F* Pictagoras – **5702.** *APm* leurs s. – **5704.** *A* enuolepés, *Pm* enuelopes, *E* enuelopez

venait des confins de la Babylonie ; Périandre de Corinthe est le cinquième dans l'ordre des sages ; le sixième, Cléobule, était originaire de Lyndé ; Bias, originaire de Priène, était un homme noble, de grande valeur et plein de sens. Tels étaient les noms que je t'ai indiqués que portaient les Sept Sages. Bias, c'est celui qui disait qu'aucun bien ne lui appartenait dès lors qu'on pourrait le lui ravir : tu dois bien noter cette maxime.

À cette époque vivait Pythagore, dont, si tu relèves de Rome, tu as appris les lois qu'il enseigna sur les quatre éléments ; il était venu du continent africain et il avait inventé l'arithmétique, qui est l'art de calculer, n'aie pas de doute à ce sujet !

Quant à dire leurs doctrines et leurs faits et gestes – dont il me semble que tu te préoccupes peu quand tu es ainsi pris dans le filet et les pièges de tes petites amours –, assurément ce serait une œuvre longue à faire pour qui l'entreprendrait ; ce qui est sûr, c'est que si tous ensemble ils t'avaient juré qu'ils te donneraient d'excellents conseils au sujet de cette dame qui te rend stupide, et si tu disposais d'Aristote, de Sénèque, de Virgile, de Caton, de Salomon, de Boèce, de Platon, avec, en outre, tous les avocats

Qui sont en ce monde, en ce cas
5716 Ne te saroient consillier;
Non, par Dieu, tuit mi consillier,
Dont vesci la plus grant partie,
– Dont mervillier ne te dois mie
5720 Se renommee de moi court
Quant j'ai tel conseil a ma court.
Si te comment ad ce venir
Que laisses Amour couvenir:
5724 Se tu le fais, bien t'en venra;
Et espoir qu'il t'en mescherra,
Car pour un a qui bien en chiet
A .IIII. souvent en meschiet. »
5728 Et quant on li oÿ ce dire,
Chascun*e* et chascun*s* prist a rire,
Dames, chevaliers, damoisiaus.
Et si avoit .I. chien d'oisiaus
5732 Qui prist si fort a abaier
Qu'il m'esveilla sans delaier.

[175 a]
L'amant

Et quant je fui bien esvilliés,
Bonnes gens, ne vous mervilliés
5736 Se je fui esbahis forment
Quant veü avoie en dorment
Les merveilles que dit vous ai.
Adont durement goulousai
5740 A savoir se ma douce ymage
Tourneroit vers moy son visage.
Si alumai de la chandelle
Et ving a genoulz devant elle
5744 Et la regardai longuement.
Mais il me sembla vraiement
Qu'i[l] si doucement me ryoit
Que mon cuer d'amer desfioit;
5748 Si qu'adonques bien esprouvai

5729. *A* Chascune et chascun, *Pm* et chascuns, *FE* Chascuns et chascune (+ 1) – **5746.** *A* Que, *F* Qui

qui existent en ce bas monde, dans ton cas ils seraient incapables de te conseiller ; ni non plus, par Dieu, tous mes conseillers, dont tu vois ici le majeure partie, et qui ne te donnent pas lieu de t'étonner si j'ai partout la renommée de posséder un merveilleux conseil à ma cour.

Cela étant, je te recommande, en guise de conclusion, de laisser à l'Amour le soin de régler l'affaire. Si tu le fais, tu t'en trouveras bien ; mais il se peut aussi que tu t'en trouves mal : pour un à qui ce recours réussit, il arrive souvent qu'il en est quatre à qui il échoue ! »

Quand on l'entendit dire cela, chacun et chacune (dames, chevaliers et damoiseaux) se mirent à rire. Il y avait là aussi un chien-oiseleur, qui se mit à aboyer si fort qu'il me réveilla tout aussitôt.

L'amant

Et quand je fus bien réveillé, nobles gens, ne vous étonnez pas si je fus très surpris d'avoir vu en dormant les choses extraordinaires que je vous ai dites. J'eus alors une très forte envie de savoir si le doux portrait en ma possession tournerait vers moi son visage. J'allumai donc de la chandelle et allai me mettre à genoux devant lui et le regardai longuement. À ma grande satisfaction, j'eus l'impression non trompeuse que si alors il me riait si doucement, c'était pour lancer à mon cœur un défi d'amour. Et ainsi, en trouvant le portrait dans cet état,

Mon sens, quant ainsi la trouvai,
Car clerement vi qu'en mon songe
N'avoit rien de vrai fors mensonge.
5752 Mais ains que je fuisse levés,
Uns vallés vint tous abrievés
Qui fort hurté a ma porte ha
Et une lettre m'aporta
5756 De ma tresdouce dame chiere.
Je la receus a lie chiere,
Et puis je la lui sans attendre
Si comme vous porrés entendre.

[Lettre XXIX des mss]

Mon cuer, m'amour et mon tresdoulz ami! *La dame* **(a)** Plaise vous savoir que je sui en bon point, la merci Nostre Sire, qui ce vous ottroit. **(b)** Et sui ou vous savez dés le .X[X]e.[1] jour d'aoust, et cuidoie que nous deussiens[2] tantost partir a aler ailleurs; mais on nous dist qu'il avoit grant foison d'anemis tout a l'environ, et n'i osoit nulz aler, et pour ce n'i avons nous point esté encor. Mais nous partismes, environ .XVII.[3] jours aprés que nous fumes la venus, en Brie, pour veoir les maisons de mon frere que ma suer n'avoit onques mais veues[4]. Et avons la demouré .XV. jours tous entiers[5]. Et ai esté[6] a si grant anui que onques chose ne m'anoia tant; et si[7] avoie des esbatemens biau coup, car en tout le chemin on ne faisoit que chanter et veoir dames et damoiselles et dames de religion; mais quant je veoie plus d'esbatement et de joie et[8] plus me desplaisoit quant il me souvenoit[9] que[10] je ne vous pooie veoir n'envoier par devers vous. **(c)** Et m'avint une nuit que j'estoie en une des

---

5753. *E* abriuez – **5757.** *A* recus, *E* receuz

---

1. *APmE* .XXe., *F* Xe. – **2.** *E* uous deussiez. – **3.** *E* XVI. – **4.** *E* veuz. – **5.** *Pm* et cuidoie... tous entiers *om.* – **6.** *A* est. – **7.** *A* si *om.* – **8.** *E* et (plus) *om.* – **9.** *Pm* et si avoie... souvenoit *om.* – **10.** *Pm* pource que (je ne v. p.) *ajouté.*

je pus mettre à l'épreuve mon esprit : je vis nettement que dans mon songe rien n'était vrai, et que tout y était pure menterie.

Autre satisfaction : avant que je ne me fusse relevé de terre, un jeune homme, qui avait fortement frappé à ma porte, vint en toute hâte m'apporter une lettre de ma très douce dame bien-aimée. Je ne cachai pas ma joie en la recevant, et me hâtai de la lire, joie et hâte que vous pourrez comprendre vous-même dans un instant.

Lettre 29, de la dame
[29 des mss ; XXIX de PP]

Mon cœur, mon amour, mon très doux ami !

Qu'il vous plaise de savoir que je me porte bien, par la grâce de Notre-Seigneur, qui veuille vous accorder la même faveur. Je suis où vous savez depuis le 20e jour du mois d'août, et je pensais que nous devions sans délai partir pour aller en un autre lieu ; malheureusement on nous a dit qu'il y avait là tout autour grande abondance d'ennemis et personne n'osait y aller, et c'est la raison pour laquelle nous n'y avons point encore été. Cependant, quelque dix-sept jours après notre arrivée ici, nous partîmes pour aller en Brie voir les propriétés de mon frère, que ma sœur n'avait jamais vues. Et nous avons séjourné là quinze jours entiers. Mais j'y éprouvai un désagrément comme je n'en ai jamais eu d'aussi pénible. Et pourtant j'avais quantité de divertissements, car sur tout le chemin on ne faisait que chanter et rendre visite à des dames, à des demoiselles et à des dames religieuses ; mais plus je voyais de joyeux divertissements, plus grand était mon déplaisir quand ma pensée me rappelait que je ne pouvais ni vous voir ni envoyer pardevers vous.

Or il m'arriva qu'une nuit, alors que je me trouvais dans une des maisons mon frere, et fu[1] la nuit de[2] la veille Sainte Crois, et m'estoie endormie en pensant a vous. Si me fu avis en mon dormant que je vous trouvoie couchié [175 b] en une sale en .I. biau lit et bien paré. Et la m'estoit avis que vous gisiés forment malades, et avoit une bonne fame vielle d'encoste vous qui vous gardoit. Et, m'est advis[3], sitost que je encommençai[4] a aprochier de vostre lit[5], je encommençai[6] a plourer et a vous baisier bien fort. Et me sembloit que vous me blasmiés de ce que je vous *a*voie[7] baisié devant ceste[8] fame, et je vous disoie qu'il ne m'en chaloit, et que de vous bien faire ne porroie avoir blasme. Et me sembloit que vous vous leviés tantost en tresbon point, et disiés que je vous avoie gari, et de ce j'estoie moult lie, si comme il me sembloit, en mon dormant. Et toute la nuit fui aveuc vous en cest estat. De coi je fui tout le jour en grant merancolie, car je doubtoie que vous n'eüssiés eu aucun essoine. Et me souvint de *Morpheus*. Et quant il me souvenoit que je vous avoie gari, j'en restoie un po[9] plus lie[10], et tout le jour fui en celle pensee[11]. Si vous pri, mon doulz cuer[12], que vous me veilliés escrire se a[13] celle journee vous eustes nul anui; et aussi de tout[14] vostre estat, que je le[15] desire moult a savoir, et que, par m'ame[16], il m'est avis[17] qu'il ha bien .I. an que je n'oy nouvellez de vous. **(d)** Et vous prie que vous me veilliez envoier de vos chansons, pour moi esbatre et mettre hors de merancolie. Et sommes la, ma suer et moi, aussi comme[18] deulz prisonnieres[19], ne je n'i congnois nulle personne du monde, se ce n'est de nos gens[20]. Si n'est nulz esbatemens que j'aie, se ce n'est de lire vostre livre et ce que vous m'avés envoié, et de penser a vous ; et se ce

---

1. *Pm* et fu *om.* – **2.** *E* la nuit de *om.* – **3.** *Pm* se m'estoit auis. – **4.** *Pm* commenchay. – **5.** *Pm* lit *om.* – **6.** *Pm* commenchay. – **7.** *APmE* auoie, *F* enuoie. – **8.** *Pm* d. celle vielle. – **9.** *A* estoie u. p. – **10.** *E* liee. – **11.** *Pm* et de ce j'estoie... en celle pensee *om.*, *E* male pensee. – **12.** *Pm* S. v. suplie, m. d. c. – **13.** *Pm* a *om.* – **14.** *Pm* tout *om.* – **15.** *Pm* le *om.* – **16.** *Pm* et que, par m'ame *om.* – **17.** *Pm* quer il m. a. – **18.** *A* si comme. – **19.** *dans F l'avant-dernier* e *est ajouté au-dessus de la ligne.* – **20.** *A* mes g.

maisons de mon frère (c'était la nuit de la vigile de la Sainte-Croix), je m'étais endormie en pensant à vous. Or pendant que je dormais, je rêvai que je vous trouvais couché en une grande salle dans un beau lit bien paré, et, à ce qu'il me semblait, vous gisiez là gravement malade, et il y avait une excellente vieille femme auprès de vous pour vous garder. Et je rêvai que, sitôt que je me mis à m'approcher de votre lit, je me mis à pleurer et à vous donner un ardent baiser sur la bouche. Et, me semblait-il, vous me blâmiez de ce que je vous avais donné un baiser devant cette femme, et je vous disais que peu m'importait et que de vous faire du bien ne pourrait me valoir un blâme. Et il m'apparaissait que vous vous leviez aussitôt en très bon état et que vous disiez que je vous avais guéri, et de cela j'étais très heureuse, ainsi qu'il me semblait, tandis que je dormais. Et toute la nuit je fus avec vous en cet état.

Mais ensuite je fus toute la journée en grande mélancolie, car je craignais que vous n'eussiez eu quelque contrariété. Et cela me fit penser à *Morpheus*. Mais quand il me revenait à la mémoire que je vous avais guéri, j'étais de nouveau un peu plus gaie. Et toute la journée je me faisais de ces réflexions. C'est pourquoi je vous prie, mon doux cœur, de vouloir bien m'écrire si ce jour-là vous eûtes quelque désagrément ; et écrivez-moi aussi, plus généralement, comment vous allez, parce que je désire beaucoup le savoir, car, par mon âme, j'ai comme l'impression qu'il y a bien un an que je n'ai pas eu de vos nouvelles.

Je vous prie de m'envoyer de vos chansons pour mon divertissement et pour me faire sortir de mélancolie. En effet, nous sommes là, ma sœur et moi, comme deux prisonnières, et je ne connais personne parmi le monde d'ici, si ce n'est de nos gens à nous. Et je n'ai aucun divertissement en dehors de la lecture de votre livre [*Morpheus*] et des pièces que vous m'avez envoyées ; et de penser à vous ; et en effet, s'il ne fust la pensee et le souvenir que j'ai de vous, je fusse trop a mal aise[1]. Mais, par Dieu en qui je croi, je y pense tant et a toutes heures que c'est tout mon confort, ne n'en puis oster ma pensee. Et s'il vous plaisoit a moy envoier la copie de ce que vous avés fait de vostre livre, je vous en saroie moult bon gré, si feriés grant aumosne, et me donriés[2] grant esbatement, et je le desire trop a veoir; et s'il ne vous plaisoit, je ne le mousterroie[3] a nullui. Mon tresdoulz cuer[4], je vous pri qu'il ne vous desplaise, se je ne vous ai plus tost escript, que, par m'ame, je ne l'ai peu amender bonnement. **(e)** Mes freres va par devers le roy, si vous pri que vous le voiés[5] et que vous li faiciés tele chiere et a ses gens aussi[6] comme vous savés qu'il est bon du faire. Et s'il va en vostre maison, ne li moustrés pas vostre ymage, car il m'est avis qu'il ne seroit pas bon. Mais je veuil bien que vous li dittes un po, et non pas trop, que vous m'amés, et pour ce que je chante volentiers et que vous m'avés avant envoié de vos chansons pluiseurs fois avant que vous me veissiés onques. Je ne vous ai rien escript par les gens de mon dit frere, pour cause que je vous dirai bien quant il plaira a Dieu que je [175 v° a] vous voie; la quele chose me tarde plus que ne fist onques nulle autre chose, et il n'est pas de merveille, car je ne puis sans vous avoir nulz des biens du tresor dont vous avez la clef.

(f) Mon tresdoulz cuer, je vous pri que, en tous estas que vous porrés[7], vous vous veilliez conforter et esjoÿr. Et ne pensés mie que ja jour de ma vie je me doie repentir de vous amer ne de faire quanque je sarai qui vous doie plaire; et certes je le doi bien faire, se onques fame le deult[8] faire pour son ami, car je voy bien que en tous estas vous m'amés et gardés mon honneur comme le vostre meisme[9]; et, par

---

1. *E* en malaise. – **2.** *E* donneries. – **3.** *A* moustreroie. – **4.** *Pm* et mettre... Mon tresdoulz cuer *om.* – **5.** *A* ueez. – **6.** *Dans A, point milieu après* aussi. – **7.** *E* que vous porrés *om.* – **8.** *A* dut. – **9.** *E* g. vostre honneur come la moye mesme.

n'y avait que je pense à vous, que je me souvienne de vous, je serais très malheureuse : heureusement, par le Dieu en qui je crois, je pense si fort à vous et à toute heure de la journée, que cela suffit à alimenter mon besoin de réconfort, et que je ne puis en détacher mon esprit. Aussi, s'il vous plaisait de m'envoyer la copie de ce que vous avez déjà écrit de votre livre [le *Voir Dit*], je vous en serais infiniment reconnaissante : vous feriez un acte très charitable et me procureriez un grand divertissement, car je désire fort le voir ; et si telle était votre volonté, je ne le montrerais à personne.

Mon très doux cœur, je vous prie de ne pas être fâché si je ne vous ai pas écrit plus tôt, car, par mon âme, honnêtement, je n'ai pas pu faire mieux.

Mon frère se rend auprès du roi, et je vous prie d'aller le voir à son hôtel et de l'accueillir chez vous, lui et sa suite, selon les bons usages que vous connaissez. Mais s'il vient en votre maison, ne lui montrez pas le portrait en votre possession, car il me semble que ce ne serait pas une bonne chose. En revanche, je veux bien que vous lui disiez – un peu, mais sans beaucoup insister – que vous avez de l'amitié pour moi, notamment parce que j'aime chanter et que vous m'avez plusieurs fois envoyé de vos chansons bien avant que vous ne m'ayez vue.

Je ne vous ai point écrit par les gens de mon dit frère pour une raison que je vous préciserai quand il plaira à Dieu que je vous voie, laquelle chose me tarde plus que ne fit jamais aucune autre chose, et cela n'a rien d'étonnant, car je ne puis sans votre présence jouir d'aucun des biens du trésor dont vous avez la clef.

Mon très doux cœur, en quelque situation que vous soyez à l'avenir, je vous prie, sachez trouver réconfort et joie dans le pensée que pas un jour de ma vie je doive me repentir de vous aimer et de faire tout ce dont je saurais qu'il ait des chances de vous faire plaisir. Et certes j'ai de bonnes raisons d'agir ainsi, si jamais femme eut des raisons d'agir de la sorte pour son ami, car je vois bien qu'en toutes situations vous m'aimez en gardant mon honneur comme si c'était le vôtre même ; croyez-moi, par

Dieu, quant il me souvient de la journee que vous partistes de moi et de l'onneur et du bien que je trouvai en vous, tous li cuers me resjoyst.

(g) Mon tresdoulz cuer[1], je pense que il sera avant grant piece que nous partions du lieu ou nous sommes[2]. Si vous pri que le plus souvent que vous porrés que vous m'escrivés de vostre estat, et par ce message tout comment il vous a esté depuis que je ne heus nouvelles de vous. Et ne doubtés mie a moi rescrire longuement, car par Dieu, toutes les fois que je ressoi lettres de vous, c'est la premiere chose que je regarde, que se elles sont bien longues et se il y ha biau cop de choses ; et quant je voy qu'elles sont petites, j'en sui toute courecie[3]. Si ne doubtés mie que chose que vous m'envoÿssiés me peust anoier. Et se me poés escrire tout a loisir, car ce message ne va par devers vous pour autre chose que pour porter ces lettres ; mais il ne scet pas que je les vous envoie, car je les y ai faites baillier par un mien bon ami en qui je me fie moult et qui ha esté long temps avec mi. Et l'ai ainsis fait pour ce que je ne veul mie que on sache que je vous envoie message qui n'aille pour autre chose.

(h) Mon tresdoulz ami, s'il avient chose que li pays soit seurs tant que nous puissons[4] aler ou vous savez que nous irons, et, si tost come je serai la, soiés certains que je le vous ferai savoir[5]. Je pri a Nostre Signeur qu'il vous doint honneur et joie de quanque vos cuers aime. Escript le .XVIIe. jour de septembre.

(i) Mon tresdoulz cuer et vrai ami, je me recommende a vous tant comme li cuers de moy puet plus penser[6], come celle qui est toute vostre et qui plus regrette vostre compagnie que ne fist[7] onques turtre son per.

Vostre loial[8] amie.

---

1. *Pm* quer (je pense). – **2.** *Pm* je parte d. l. ou je suy. – **3.** *E* courciee. – **4.** *E* puissions. – **5.** *Pm* Si vous pri... le vous ferai savoir *om.* – **6.** *Pm* Escript... plus penser *om.* – **7.** *Pm* (vostre) et qui plus vous desire que n. f. – **8.** *E* loyale.

Dieu, quand il me souvient du jour où vous me quittâtes et du bien que dans l'honneur je trouvai en vous, tout mon cœur se réjouit.

Mon très doux cœur, je pense qu'il se passera beaucoup de temps avant que nous partions du lieu où nous sommes. Aussi vous prié-je que le plus souvent que vous pourrez vous m'écriviez au sujet de votre santé ; et notamment, par le présent messager, donnez-moi les détails sur votre état depuis que je n'eus pas de nouvelles de vous. Et ne craignez pas de me répondre longuement, car, par Dieu, chaque fois que je reçois une lettre de vous, c'est la première chose que je regarde : si elle est bien longue et si elle contient beaucoup de nouvelles ; et quand je vois qu'elle est brève, j'en suis tout affligée. Et ne craignez pas qu'un texte que vous m'enverriez pût m'être désagréable. D'ailleurs vous pouvez m'écrire tout à loisir, car ce messager ne va pas chez vous pour autre chose que pour porter cette lettre ; mais il ne sait pas que c'est moi qui l'envoie, car je la lui ai fait remettre par un de mes excellents amis en qui j'ai une grande confiance et qui a vécu longtemps à mes côtés. Si j'ai ainsi procédé, c'est que je ne veux pas qu'on sache que je vous envoie un messager qui n'y aille que pour cela.

Mon très doux cœur, si les circonstances font que la contrée soit assez sûre pour que nous puissions nous rendre là où vous savez que nous devrons aller, alors, sitôt que je serai là, soyez certain que je vous le ferai savoir.

Je prie Notre-Seigneur qu'Il vous accorde honneur et joie pour tout ce que votre cœur aime.

Écrit le 17e jour de septembre [1363].

P.-S. Mon très doux cœur et vrai ami, je me recommande à vous avec la plus grande ferveur dont mon cœur est capable, comme celle qui est toute vôtre et qui plus regrette votre compagnie qu'une tourterelle a jamais regretté son compagnon.

Votre loyale amie.

Balade

5760 Nuit et jour en tel traveil *La dame*
Est le povre cuer de moi,
Car onques tourment pareil
Ne senti, si com je croi,
5764 Car sans cesser, en recoi, [175 v° b]
De celli cui sui amie
Regrette *l*a compagnie.

Car je ne dors ne ne veil
5768 Se n'est en pensant a soi,
A son maintien sans orgueil,
A son gracieus arroy;
Et de son doulz esbanoy
5772 Souvent a face mouillie
Regrette *l*a compaignie.

Je delivrai son messagier *L'amant*
Le lendemain aprés mengier.
5776 Mais de ma grant adversité
Que j'ay ci devant recité
Avoie jetté une lettre
Que je li voloie trametter.
5780 Si l'encloÿ en ces presentes,
Dont j'os de pensee[s] dolentes
Plus d'un millier, se Dieus me gart;
Car ma dame au plaisant regart
5784 Un petit se coursa a mi,
Dont je di pluiseurs fois: «Ai mi!»
(Et se n'i havoit seel ne cyre,
N'il n'avoit en moi courrous ne ire
5788 Quant je l'i mis, mais bien voloie
Qu'elle sceüst qu'esté avoie
A meschief pour l'amour de li);
Dont j'eus le cuer taint et pali,

5766. *A* la c., *F* sa c. – **5773.** *AF* sa c. – **5781.** *A* pensees, *F* pensee – **5788.** *Pm* le m.

Ballade [jointe à la lettre de la dame]

1. Nuit et jour en une si grande peine
Est mon pauvre cœur,
Que jamais je n'éprouvai
Pareille torture, ainsi que je crois ;
Car sans cesse, en cachette,
De celui dont je suis l'amie
Je regrette la compagnie.

2. En effet, je ne veille ni ne dors
Sans penser à lui,
À son maintien sans orgueil,
À sa gracieuse façon de s'habiller ;
Et de son doux enjouement
Souvent avec le visage mouillé
Je regrette la compagnie.

L'amant

Je libérai son messager le lendemain après le repas. Non sans que sur la grande déconvenue que j'ai rapportée plus haut j'eusse jeté sur le papier une lettre que j'avais [d'abord] l'intention de faire parvenir à mon amie. Mais je l'insérai [seulement] dans la lettre qui suit, ce qui fut à l'origine de plus d'un millier – que Dieu me préserve ! – de pensées dolentes ; car ma dame, au regard habituellement si plaisant, se courrouça quelque temps contre moi, ce qui plusieurs fois me fit dire : « Hélas pour moi ! » (Et pourtant je n'avais mis ni cire ni sceau, et il n'y avait en moi ni courroux ni aigreur au moment où j'ajoutai ce texte ; je voulais seulement qu'honnêtement elle sût que j'avais été malheureux pour l'amour d'elle.) À la suite de cet envoi [dans la lettre 31] j'eus le cœur sombre, pâli,

5792 Qu'elle me rescript durement,
Rudement et diversement.
Et bien l'avoie desservi,
Quant ainsi l'avoie servi,
5796 Car pechiés fis et negligence;
S'en souffroie la penitence,
Car petit au lire arresta
Pour ce qu'en un feu les getta.
5800 Et l'envoi dessus vous enfourme,
Qui estoit de lettre de fourme.

[Lettre XXX des mss]

LONGUE DEMOUREE FAIT CHANGIER AMI

Hé las, mon doulz cuer! *L'amant*

(a) Je vous avoie pluiseurs fois dit que je n'estoie [176 a] pas dignes de vous servir; si avés[1] fait pechié de moi si loier[2] en vos las que jamais n'en *serai* desliés, et vous le savés[3] bien[4]; et je m'i suis folement embatus[5]; mais, mon doulz cuer, je cuidoie bien faire.

(b) Mon doulz cuer[6], vous m'avés mandé de bouche et par[7] escript que je n'envoiasse point vers vous jusques vous envoieriés vers mi[8]; et j'ay obeÿ a vostre commandement, qui m'a esté – et est – moult dure chose, pour ce que je ne savoie[9] la cause. Mais je pense que on vous ait blasmé[10] ou dit aucune chose de mi, ou que vous me veilliés eslongier de vous. Car qui de po aimme, de po het? Non mie que vous sceussiés haÿr moi ne autrui! Mais qui bien aimme a tart oublie, et de po pleure a qui la leppe[11] pent.

(c) Et, par Dieu, je ne vous ay pas oublié[12], car j'ay

---

1. *A* aussi avez. – **2.** *Pm* de sy me loyer. – **3.** *APmE* sauez, *F* sares. – **4.** *APmEF dans les quatre mss, point après* bien. – **5.** *E* embatuz folement. – **6.** *Pm* (embatus), cuidant bien faire. M. d. c. – **7.** *Pm* mandé... et par *om.* – **8.** *Pm* jusquez ad ce que uous e. u. m. – **9.** *Pm* et j'ay o.... savoie *om.* – **10.** *Pm* Sy ne say la cause, mais j. p. que on mait blasme a uous. – **11.** *A* leuppe, *Pm* lippe, *E* la (leppe) *om.* – **12.** *Pm* oubliee.

car elle me répondit avec dureté, rudesse et cruauté ; et je l'avais bien mérité, puisque je l'avais si mal servie : j'avais péché par légèreté d'esprit, et j'en souffrais la pénitence. Elle ne consacra que peu à sa lecture, car elle la jeta au feu. Mais la suscription en grosse gothique bien formée vous informe du contenu.

Lettre 30, de l'amant [30 des mss ; XXX de PP]

LONGUE ATTENTE FAIT CHANGER D'AMI

Hélas, mon doux cœur !

Je vous avais plusieurs fois dit que je n'étais pas digne de vous servir ; aussi avez-vous commis un péché en me liant si étroitement en vos filets que je n'en serai plus jamais délié – et vous le savez bien ! – et je m'y suis précipité comme un insensé, mon excuse étant, mon doux cœur, que je m'imaginais bien faire.

Mon doux cœur, vous m'avez demandé par message oral et par lettre de ne plus envoyer vers vous avant que vous n'ayez envoyé chez moi, et j'ai obéi à votre ordre, ce qui a été – et reste – une bien rude épreuve, du fait que je n'en savais pas la raison. À défaut, je suppose qu'on vous a blâmée, ou dit des choses désagréables à mon sujet, ou que vous voulez m'éloigner de vous ; serait-ce que qui aime peu, pour peu hait ? Non, vous ne sauriez haïr ni moi ni quelqu'un d'autre ; mais il y a que qui bien aime n'oublie pas de sitôt, et celui à qui la lippe pend pleure pour peu de chose.

Mais moi, par Dieu, je ne vous ai pas oubliée, car j'ai

fait pour amour de vous[1] depuis la Magdelaine ce que je ne cuidoie mie faire en un an, ainsi com cilz message le vous dira, s'il le vous plai[s]t[2] a oÿr ; dont je ne dor nuit ne jour se po non[3], que adés n'i labeure[4] et qu'il ne me souviengne de vous[5]. Mais puis que matere me fault, il me couvient laissier euvre.

(d) Et ne pensés mi[e][6] que on le m'ait dit, car experience le m'aprent. Et aussi : qui eslongne de l'ueil, il eslongne du cuer. Et porroit estre que, quant vous me manderés, je n'i porrai aler vers vous[7] pour les signeurs qui sont en maison.

A Dieu, mon doulz cuer, qui vous doint joie et paix plus que je n'en hai, et congnoissance de ce que vous me faites.

De par vostre ami, qui ne scet
Se vos cuers l'aimme ou se il le het.[8]

[Lettre XXXI des mss]

L'amant

Mon tresdoulz cuer, ma douce amour et ma souveraine dame !

(a) J'ai receu vos lettres la vegile[9] saint Michiel, es queles vous me mandés vostre estat, dont je vous mercy tant come je puis, car, par m'ame, c'estoit la chose de ce monde que mes cuers desiroit plus a savoir ; ne pour riens je n'eusse laissié que je n'eusse envoié devers vous, et pluiseurs fois, se ne fust ce que vous me mandastes par vos lettres derrenement et de bouche par Th., que je n'envoiasse point a vous jusques a tant que je aroie eu nouvelles de vous ; dont j'ai esté a mout grant meschief, car je pensoie bien qu'il y avoit certene cause, et pour ce je m'en sui tenus[10]. Et mon doulz cuer, de mon estat dont il vous plaist a savoir,

---

1. *Pm* p. l'amour de v. – **2.** *A* plaist, *F* plait. – **3.** *Pm* ainsi com... se po non *om.* – **4.** *Pm* ades n'aye laboure en uostre liure. – **5.** *Pm* et qu'il... de vous *om.* – **6.** *A* mie, *F* mi (e *effacé par une tache blanche d'eau ?*). – **7.** *E* a uous. – **8.** *AF ces deux lignes en retrait* (*en F surtout*) *par rapport à la marge de gauche.* – **9.** *Pm* veille. – **10.** *E* suis uenus.

rédigé par amour pour vous, depuis la Madeleine [le 22 juillet], un nombre de pages que je n'imaginais pas écrire en un an, ainsi que ce messager vous le dira, si vous voulez bien l'entendre ; à cause de quoi je ne dors que peu la nuit et le jour, en sorte que je travaille sans cesse et ne détache pas ma pensée de vous. Malheureusement, dès lors que le matériau manque, il me faut abandonner le chantier.

Et ne croyez pas que je répète ce que d'autres m'ont dit, car c'est l'expérience qui me l'apprend ; et il y a aussi le proverbe : qui éloigne des yeux, éloigne du cœur. J'ajoute qu'il se pourrait que, lorsque vous m'inviterez chez vous, je ne puisse pas m'y rendre à cause des seigneurs logés chez moi.

Mon doux cœur, je vous recommande à Dieu, qui veuille vous accorder joie et paix plus abondamment que je n'en ai, et connaissance de ce que vous me faites souffrir.

De la part de votre ami, qui ne sait si votre cœur l'aime ou s'il le hait.

Lettre 31, de l'amant [31 des mss ; XXXI de PP]

Mon très doux cœur, ma douce amour et ma souveraine dame !

J'ai reçu votre lettre la veille de la Saint-Michel [le 28 septembre], lettre où vous m'informez de votre bonne santé, ce dont je vous remercie infiniment, car, par mon âme, c'était la chose au monde que mon cœur désirait le plus savoir ; et à aucun prix je n'eusse omis d'envoyer chez vous, et plusieurs fois, si n'avait été que vous veniez de me faire savoir, par lettre et de la bouche de Th., que je ne devais pas vous écrire jusqu'à ce que j'eusse eu de vos nouvelles. Ce qui m'a rendu très malheureux ; car je m'imaginais bien qu'il y avait à cela une raison sérieuse – et c'est la raison pourquoi je me suis abstenu de vous écrire.

Quant à ma santé, dont, mon doux cœur, vous voulez être informée, je sui en bon point, la merci Nostre Signeur, ne n'os mal, Dieu merci, depuis que je parti de vous, fors de[1] Desir, qui me maine trop dure vie.

(b) Et par Dieu, j'ai fait grant enqueste ou vous estes[2], et a pluiseurs; mais nulz ne m'en savoit dire le certain, dont j'ai eu maintes pen-[176 b]sees diverses. Et quant ad ce que geus, revelz[3] n'esbatemens ne vous peuvent[4] plaire quant vous ne me poés veoir, hé las, dolens! et dont me venroit joie, quant je ne vous voi, tresdouce, simple et coie? Certes ce ne porroit estre qu'elle me venist d'ailleurs que de vous, car vous avés fait la plaie qui ne puet estre garie sans vous[5].

(c) Et quant a vostre songe de la vigille de la Sainte Crois[6], veuilliez savoir, et[7] pour certain, que .IIII. jours devant ou .V. aprés[8] je fui telement bleciés en l'esperit que je laissai de tous poins l'ouvrer en vostre livre, et havoie fine esperance en mon cuer que jamais n'i penseroie pour ce que je n'ooie nouvelles de vous. Et dis pluiseurs fois[9] a pluiseurs de mes amis privés qui me demandoient que j'avoie[10], que vous m'aviés oublié[11]; et, par m'ame, je le cuidoie. Dont je jurai moult fort[12], s'il estoit ainsi, que jamais n'ameroie autre ne me fieroie en fame; dont, ainsi comme par Desesperance, je (ne) fis unes lettres encloses es presentes, et autres choses aveuc pour vous envoier; mais je ne volroie pour riens que je le vous eusse envoié adont[13]. **(d)** Et sachiés certainement que je songai, environ la Sainte Croix, que vostre ymage[14] me tournoit la teste et ne me daingnoit regarder; et estoit vestue de vert, qui signifie nouveleté, dont je fui

---

1. *E* de (desir) *om.* – **2.** *A* esties, *E* estiez. – **3.** *A* reuel. – **4.** *A* puelent. – **5.** *Pm* car, par m'ame... garie sans vous *om.* – **6.** *Pm* de la veille Sainte Croix, *E* (de) la (S. C.) *om.* – **7.** *Pm* et (p. c.) *om.* – **8.** *E.* VI. apres, *Pm* ou .V. aprés *om.* – **9.** *E* nouvelles de vous. Et dis pluiseurs fois *om.* – **10.** *Pm* Et dis... que j'avoie *om.* – **11.** *Pm* et pensoie que vous m'aviez oublié. – **12.** *A* m. tresfort. – **13.** *Pm* et, par m'ame... envoié adont *om.* – **14.** *Pm* que e. la S. C. je songay que u. i.

elle est en bon état, grâce en soit rendue à Notre-Seigneur, et je n'ai pas été malade, Dieu merci, depuis que je vous ai quittée, sauf de Désir, qui me mène une vie très dure.

Sachez aussi que, par Dieu, j'ai fait une grande enquête sur votre lieu de résidence, et cela auprès de plusieurs personnes ; mais, hélas, nul ne savait rien m'en dire d'assuré, et cela m'a inspiré maintes pensées inquiètes.

Quant à ce que vous dites que les jeux, divertissements et ébats ne peuvent vous plaire quand vous ne pouvez me voir, hélas, malheureux que je suis, d'où me viendrait de la joie à moi, alors que je ne vous vois pas, vous la très douce, la sans orgueil, la paisible ? Pour sûr cette joie ne me pourrait venir d'ailleurs que de vous, car c'est vous qui m'avez fait la blessure qui ne peut être guérie que par vous.

Pour ce qui est de votre songe de la veille de la Sainte-Croix [13 septembre], veuillez savoir – et c'est une certitude – que quatre jours avant ou cinq jours après j'eus l'esprit tellement meurtri que j'abandonnai sur tous les points le travail que je faisais pour faire avancer votre livre, et j'avais dans mon cœur la nette appréhension que jamais plus je ne m'en occuperais pour cette simple raison que je ne recevais pas de vos nouvelles. Et j'ai dit plusieurs fois à quelques-uns de mes amis intimes qui me demandaient ce que j'avais, que vous m'aviez oublié ; et, par mon âme, je le croyais. Ce qui me faisait jurer très fort que, s'il en était ainsi, je n'aimerais jamais plus une autre femme ni ne me fierais à aucune. À la suite de quoi, comme sur le coup de Désespoir, je fis une lettre, enclose en celle-ci, avec quelques poésies, le tout [primitivement] destiné à vous être envoyé [tout de suite]. Heureusement que je ne l'ai pas fait : pour rien au monde je ne voudrais vous l'avoir envoyée à ce moment.

Sachez comme une chose certaine qu'environ la Sainte-Croix, je rêvai que votre portrait détournait la tête de moi et ne daignait pas me regarder ; et votre image était vêtue de vert, ce qui signifie changement ; tout cela me plongea en si tresgrant merancolie que nulz ne le porroit penser. Et a mienuit fis alumer chandelles[1] pour regarder se c'estoit vray[2]; et quant je vi le contraire, je le baisai[3] et prins a rire, et dix que[4] Morpheus se moquoit de mi, et m'endormi, toute nuit, en pensant a vous. Et, par ma foy, se vous aviés loué Morpheus .X. milles[5] mars d'or, si ne vous porroit il mieus servir qu'il vous sert; car si tost comme la chandele est estainte, il saut en place et se figure en toutes manieres qui me doient et peulent[6] plaire, comment que Paours m'esveille aucune fois, en disant: « Longue demouree fait changier ami. »

(e) Mon tresdoulz cuer, vostre freres vint a moi le jour de Saint Michiel au matin, et me vint veoir tantost que il ot oÿ messe; et li fis toute l'onneur que je pos, et fu par tout mon hostel; ne il ne partira, se je puis, nullement que je ne li faice aussi comme au milleur signeur et ami que j'aie en ce monde, et a sa gent aussi.

(f) Mon doulz cuer, je saroie volentiers la cause que vous ne me volés escrire par la gent de vostre frere, et pour quoi vous me mandastes que je n'envoiaisse point a vous jusques atant que vous m'envoÿssiés le contraire; si vous pri que vous le me veuilliés mander, car je ne pense a envoier vers vous jusques atant que je le sache. **(g)** Mon tresdoulz cuer, par m'ame, je croi [176 v° a] bien que vous me desirés a veoir, mais je desire tant que je vous voie, que, nes de penser y, j'en laisse souvent toutes autres choses du monde. Hé las, mon doulz cuer, se vous ne poés avoir joie ne bien sans moi[7], ne nulz des biens du tresor, hé las, aussi n'en puis je nulz avoir sans vous; si desire tant que l'eure viengne que je ne le saroie dire ne penser; et, se Dieu plaist, elle venra, car il n'est chose qui n'aviengne[8].

(h) Hé las, mon doulz cuer, vous me mandés que je

---

1. *Pm* minuit f. a. de la chandelle, *A* chandeilles, *E* chandoilles. – **2.** *Pm* pour sauoir se c. u. – **3.** *E* lay b. – **4.** *E* que *om.* – **5.** *A* mille. – **6.** *A* peussent. – **7.** *A* a. bien ne joie s. m. – **8.** *Pm* et m'endormi… aviengne *om.*, *A* ne ueingne, *E* nauieigne.

dans une profonde mélancolie, dont nul ne saurait imaginer la tristesse. À minuit j'allumai de la chandelle pour examiner si tout cela était vrai ; et quand je vis que c'était le contraire, j'embrassai le portrait sur la bouche, et me mis à rire, et je me dis que Morpheus se moquait de moi, et je m'endormis, pensant toute la nuit à vous. Et ma foi, si vous aviez engagé Morpheus pour mille marcs d'or, il ne pourrait mieux vous servir qu'il ne vous sert, car dès que la chandelle est éteinte, il intervient et prend toutes les figures qui doivent ou ont des chances de me plaire, bien que Peur m'éveille parfois en disant : « Longue attente fait changer d'ami. »

Mon très doux cœur, votre frère est venu chez moi le jour de la Saint-Michel [29 septembre] au matin et c'était aussitôt après qu'il eut entendu la messe. Je lui rendis tous les honneurs que je pus, et il s'installa et occupa tout mon hôtel. Et il ne partira pas, si je puis, sans que je le traite comme le meilleur seigneur et ami que j'aie sur terre ; et j'en ferai de même pour sa suite.

Mon doux cœur, j'apprendrais volontiers la raison pour laquelle vous ne voulez pas écrire par l'intermédiaire des gens de votre frère, et pourquoi vous me fîtes dire de ne pas vous envoyer de messagers jusqu'à ce que vous m'écriviez le contraire ; et je vous prie de vouloir bien me le faire savoir, car je ne pense pas vous adresser de courrier jusqu'à ce que je sache tout cela.

Mon très doux cœur, par mon âme, je suis bien persuadé que vous désirez me voir ; mais mon désir à moi de vous voir est si fort que rien que d'y penser me fait souvent abandonner toutes autres occupations extérieures. Hélas ! mon doux cœur, si vous ne pouvez connaître la joie ni le bonheur sans moi, ni aucun des bonheurs enfermés dans le trésor, hélas ! moi non plus je ne puis en avoir aucun sans vous ; aussi mon désir de voir venir l'heure [de nous revoir] est-il si vif que je ne saurais ni le dire ni me le représenter ; mais si cela plaît à Dieu, elle viendra, car il n'y a rien qui ne finisse par se produire !

Hélas, mon doux cœur, vous m'écrivez que je

soie liés et confortés de toutes choses, mais c'est trop fort a faire, que, quant je sui loing de vous et bien sçai que je ne vous puis a piecez veoir[1], un seul jour m'est un an. Et je pense que vous estes tout le bien, la joie et toute la douceur de ce monde, a mon avis, ne sans vous ne puis avoir bien ne[2] joie ne douceur. C'est fort a faire que j'eusse bien ne joie[3] n'envoiseure; toute voie je fais de necessité vertus, et ressemble le menestrel qui chante en place et n'i ha plus courecié de li. **(i)** Et quant a vostre honneur garder, je l'aimme autant comme je desire paradis, ne ja jour de ma vie ne penserai ne ferai le contraire pour chose qui aviengne.

(j) Mon tresdoulz cuer, je voi bien que vous[4] ressongniés a moi escrire, selond ce qu'il m'appert par lettres[5]. Et vraiement li cuers me dit que il y ha aucune chose la quele vous ne me volés mander, dont je suis moult esbahis, comme dessus vous escris. Et ce n'est mie sans cause, car vous me soliés escrire couvertement, et maintenant vous me faites envoier vos lettres par estranges; si ne sai que penser; si ne pense a[6] envoier a vous jusques a tant que je le sache.

(k) Mon doulz cuer, j'ai fai[t][7] le chant dou rondel ou vostres noms est, et le vous envoierai[8] par le premier qui ira a vous. Je sui si embesongniés de faire vostre livre que je ne puis a rien entendre; et sachiés que je en ai fait autretant .III. fois comme tient *Morpheus*. (Et quant ad ce que vous me mandés que je vous envoie copie, ce seroit longue chose a faire, et si seroie moult coureciés se il estoit perdus au chemin; si le vous porrai envoier par le chappellain de vostre frere.) Et en ai plus fait depuis la Magdelene que je n'en cuidoie faire en un an entier. Je vous renvoie la laiette que vous me baillastes au partir de vous et

1. *A* puis apres u., *E* en piece u. – **2.** *E* ne (joie) *om.* – **3.** *E* bien fort a f. que j'eusse joie. – **4.** *Pm* je scay b. q. u. – **5.** *Pm* selond... lettres *om.* – **6.** *EPm* (pense) a (envoier) *om.* – **7.** *A* fait, *F* fai. – **8.** *Pm* j'ay fait ung rondel ou... sy le u. e.

sois enjoué et me montre réconforté en toute chose; mais cela est très difficile à réaliser, car quand je suis loin de vous et que je sais bien que je ne puis de longtemps vous voir, un seul jour m'est une année. Et je considère que vous êtes tout le bonheur, la joie et toute la douceur de ce monde, me semble-t-il, et sans vous je ne puis avoir ni bonheur ni joie ni douceur. Si c'est une chose difficile à réaliser que de posséder bonheur, joie et allégresse, je tâche du moins de faire de nécessité vertu: je ressemble au ménestrel qui chante sur la place, alors qu'il n'y a plus affligé que lui. Et pour ce qui est de garder votre honneur, je l'aime autant que je désire le paradis, et jamais je ne ferai ni ne penserai le contraire, quoi qu'il arrive.

Mon très doux cœur, je vois bien que vous appréhendez de m'écrire, du moins selon ce que me révèle votre lettre. Et en vérité, le cœur me dit qu'il y a quelque chose que vous ne voulez pas me communiquer, ce dont je suis fort troublé, comme je vous l'écris plus haut. Et mon étonnement n'est pas sans fondement, car vous aviez coutume de m'écrire en cachette, et maintenant vous me faites envoyer vos lettres par des inconnus; et je ne sais plus que penser. Voilà pourquoi j'ai l'intention de ne pas vous envoyer de message jusqu'à ce que je sache que penser.

Mon doux cœur, j'ai composé la mélodie du rondeau où se trouve votre nom, et je vous l'enverrai par le premier courrier qui ira chez vous. Je suis si accaparé par la rédaction de votre livre que je ne puis m'appliquer à rien d'autre. Et sachez que j'en ai écrit trois fois autant que l'ensemble du *Morpheus*. (Et quant à ce que vous me demandez de vous en envoyer copie, ce serait une longue affaire, et je serais bien affligé si cela était perdu; aussi ne pourrai-je vous l'envoyer que par le chapelain de votre frère.) D'ailleurs j'en ai plus écrit depuis la Madeleine [22 juillet] que je ne pensais en faire pendant une année entière. Je vous renvoie le coffret que vous m'aviez donné à mon départ de chez vous, tout ce qui estoit dedens, car tout est mis par ordre dedens vostre livre.

(l) Ma douce amour, je vous remercie de vos dignes et precieuses reliques, de vostre fermail, de vos paternostres, et de vostre belle balade : je vous envoierai la pareille par le premier qui ira vers vous[1]. Je vous envoie un rondel noté, dont je fis, piece ha, le [176 v° b] dit et le chant, s'i ay fait[2] nouvellement teneure et contreteneure ; si le[3] veuilliés savoir, car il me semble bon.

A Dieu, mon tresdoulz cuer, qui vous doinst joie, paix, honneur et santé[4], si comme mes cuers le desire.

Vostre loial ami.

L'amant

Quant ma dame mes lettres vid,
Amours, qui mains cuers assevit
5804 De grant joie et de grant dolour,
Mua telement sa coulour,
Qui estoit vermeille et rosine,
Qu'elle devint pale et terrine.
5808 Si se getta sur une couche,
Com celle qu'Amours au cuer touche
Et qui durement se complaint ;
Et dist ainsi en son complaint :

Complainte

La dame

5812 Doulz amis, que t'ai je meffait ?
De cuer, de pensee et de fait
Ai toujours ta volenté fait
Sans deshonnour,
5816 Car je t'aim de cuer si parfait
Que tout me semble contrefait
Quant ne te voi, que Dieus parfait,
En toute honnour.

---

1. *A* ira a uous. – 2. *A* piessa le chant et le dit ; si y ay f. – 3. *E* le (v. s.) *om.* – 4. *Pm* et santé *om.*

avec tout ce qui était dedans, car tout est maintenant mis dans l'ordre dans votre livre.

Mon doux amour, je vous remercie de vos dignes et précieuses reliques, à savoir le fermail et le chapelet, ainsi que de votre belle ballade, dont je vous enverrai la réplique par le premier messager qui ira chez vous. Je vous envoie un rondeau noté, dont je composai il y a longtemps le texte et la mélodie ; j'y ai ajouté récemment la tenure et la contretenure : veuillez l'apprendre, car il me semble bon.

Je vous recommande, mon très doux cœur, à Dieu, qui veuille vous donner joie, paix, honneur et santé, comme mon cœur le désire.

Votre loyal ami.

L'amant

Quand ma dame vit mes lettres, Amour, qui prodigue à maints cœurs de grandes joies et de grandes souffrances, lui changea tellement le teint que de vermeil et rose qu'il était, il devint pâle et couleur de terre. Et elle se jeta sur un lit comme une femme qu'Amour touche au cœur et qui avec véhémence se lamente ; et elle parla ainsi dans sa complainte :

Complainte [de la dame]

1. Doux ami, quel mal t'ai-je fait ?
Quant au cœur, à la pensée et à l'action
J'ai toujours fait ta volonté
En excluant le déshonneur,
Car je t'aime d'un cœur si parfait
Que tout me semble mal fait
Quand je ne te vois, toi que Dieu rend parfait
En toute espèce d'honneur.

5820 Et tu fais taindre ma coulour
Et tiens mon cuer en grant dolour,
En dueil, en tristesce et en plour
Sans nul meffait.
5824 Regarde, amis, comment je plour,
Oi mes souspirs, oi ma clamour,
Voi l*a* pene, voi le labour
Que mes cuers trait.

5828 Tu dis que longue demouree
Fait changier ami(e) et amee ;
Mais quant tu m'as bien esprouvee,
Il m'est avis
5832 Que pas ne m'as fausse trouvee ;
Qu'onques Jason belle Medee,
Ne Dido de Cartage Enee, [177 a]
N'aussi Biblis
5836 Cadmus, në Helaine, Paris
N'amerent tant, soies ent fis,
Com je t'aim. A Semiramis
M'as comparee ;
5840 Or dis qu'ailleurs mes cuers est mis !
Mais ainçois mons et vaulz onnis
Seront qu'a ce, tresdoulz amis,
Haie pensee.

5844 Tresdoulz amis, quant ce advenra
Que mes fins cuers te changera,
Li solaus jamais ne luira
Lassus amont,
5848 Ne lune nuit n'alumera,
N'estoile ne resplendira,
N'arbre en terre ne verdira
Dont il est mo*n*t ;
5852 Car par tout tenebres seront,
Toutes yaues retourneront,

5826. *AE* la p., *F* le p. – **5829.** *APmE* ami et, *F* amie et – **5851.** *AF* mlt, *PmE* moult

Et tu changes la couleur de mon teint
Et tu plonges mon cœur dans une grande douleur,
En affliction, en tristesse et en larmes
  Sans aucun mal de ma part.
Regarde, ami, comment je pleure,
Écoute mes soupirs, écoute ma clameur,
Vois la peine, vois le supplice
  Que mon cœur endure.

2. Tu dis qu'une longue attente
Fait changer ami et amie;
Mais quand tu m'as mise à l'épreuve
  Il me semble
Que tu ne m'as pas trouvée perfide;
Car jamais la belle Médée, Jason,
Ni Didon de Carthage, Énée,
  Ni non plus Biblis,
Caunos, ni Hélène, Pâris
N'aimèrent autant, sois-en assuré,
Que je t'aime. À Sémiramis
  Tu m'as comparée;
À présent tu dis que mon cœur s'est logé ailleurs!
Mais monts et vallées seront égalisés
Avant qu'à cela, très doux ami,
  Je me résolve.

3. Très doux ami, quand il arrivera
Que mon cœur pur te remplacera,
Le soleil ne luira plus
  Là-haut, au ciel,
Ni la lune n'illuminera la nuit,
Ni aucune étoile ne resplendira,
Ni aucun arbre sur terre ne verdira,
  Et il en est beaucoup!
Car partout règneront les ténèbres,
Toutes les eaux retourneront à leur source,

Li signe se combateront,
  Mer sechera,
5856 Les pierres par l'air voleront,
Les .IIII. elemens fineront,
Et Nature par tout le mont
  Toute faurra.

5860 L'amour des deesses de mer
Quonquist Ulixes par rouver
Et par courtoisement parler
  Et doucement;
5864 Mais ne te puis asseürer
Pour fiancer ne pour jurer,
Pour douceur ne pour toi amer
  Treschierement:
5868 Amis, tu m'aimes voirement
Et dis que c'est tresloialment;
Mais c'est pour moi donner tourment
  Et tout amer
5872 Quant tu me mescrois telement,
S'en crieng morir prochainement
Se Venus ne fait autrement
  Ton cuer muer.

5876 A Venus en ferai la plainte,
Qui scet que ma coulour est tainte
Et que j'ai plouré larme mainte
  Par son desroi,
5880 Car elle m'a par sa contrainte
Enyvré d'amour et ençainte:
Si devroit oÿr ma complainte
  En bonne foy.
5884 S'elle y pourvoit, a li m'ottroy;
Et s'elle en faut, je la renoi, [177 b]
Car je ne veuil croire ne croi
  En saint n'en sainte
5888 Qui me facent paine et anoi;

5877 *E* douleur

Les signes du zodiaque se combattront,
La mer sèchera,
Les pierres voleront par les airs,
Les quatre éléments périront,
Et Nature à travers tout l'univers
Refusera son service.

4. L'amour des déesses marines
Conquit Ulysse à force de prier
Et de parler avec courtoisie
Et douceur ;
Moi, au contraire, je ne puis te rassurer
Ni par les promesses ni par les serments
Ni par la douceur ni en t'aimant
Très affectueusement.
Ami, tu m'aimes véritablement,
Dis-tu, et que c'est en toute loyauté ;
Et pourtant c'est pour me mettre à la torture
Et me plonger dans l'amertume
Quand tu me soupçonnes à ce point ;
Si bien que je crains la mort à bref délai
Si Vénus ne contraint pas
Ton cœur à changer.

5. J'irai porter plainte auprès de Vénus,
Qui sait que mon teint a changé de couleur
Et que j'ai pleuré maintes larmes
À cause de son impétuosité,
Car c'est elle qui par sa contrainte
M'a enivrée d'amour et rendue comme enceinte ;
C'est pourquoi elle devrait entendre ma complainte
En toute équité.
Si elle s'en acquitte, je me soumets à elle ;
Si elle est défaillante sur ce point, je la renie,
Car je ne veux ajouter foi ni donner ma confiance
À un saint ou à une sainte
Qui m'infligent peine et chagrin ;

Car par droit mieulz valoir en doi,
Et j'en vail pis, par saint Eloi,
Quant tant l'ai crainte.

5892 Qu'en puis je se je me courresce ?
Amours me point, Venus me blesce ;
Et tu ies plain de grant rudesce,
Que ne veulz croire
5896 Que je ne soie changeresse
Et qu'ailleurs mon cuer ne s'adresse
Qu'en toi, doulz amis, qui l'adresse
Yes de ma gloire.
5900 Certes je n'ai mie memoire
Qu'onques venist biens de mescroire,
Et s'est pechiés, c'est chose voire,
Contre noblesce ;
5904 N'onques n'en vy chanson n'istoire
Qui vaulsist une seule poire.
Mieulz vaulroit estre en fons de Loire
Qu'en tel tristesce.

5908 Cephalus, qui ot corps legier,
Un jour aloit au bois chacier
A piet, en guise d'un archier
O l'arc poli.
5912 S'amie, pour li espyer,
En un buisson s'ala mucier,
Com celle qui d'autre acointier
Le mescreÿ.
5916 Cephalus celle part traÿ
D'aventure, et l'en mescheÿ,
Qu'il l'atainst, dont elle mory
Sans attargier,
5920 Fors tant qu'elle li dist : « Aimmi !
Doulz amis, tu m'as morte ci,
Et si t'amoie plus que mi
De cuer entier. »

5902-4. *A om.*

Car légitimement je devrais mieux valoir ;
Or c'est moins valoir qui m'est échu, par saint Éloi,
  Alors que pourtant je l'ai tant vénérée !

6. Comment puis-je m'empêcher d'être affligée ?
Amour me transperce, Vénus me blesse ;
Et toi tu es plein d'une grande dureté,
  Car tu ne veux pas admettre
Que je ne suis pas changeante
Et que mon cœur ne se dirige pas vers un autre
Que toi, doux ami, qui es la direction où je marche
  Pour chercher ma gloire.
En vérité je n'ai pas souvenir
Que jamais le bonheur procède du soupçon,
Car c'est péché, à n'en pas douter,
  Contre noblesse d'âme,
Et jamais je ne vis pour louer une telle conduite
Qui valût seulement une poire. [chanson ni récit
Mieux vaudrait être au fond de la Loire
  Qu'en une telle tristesse.

7. Céphalus, qui eut le corps agile,
Allait un jour au bois pour chasser,
À pied, à la manière d'un archer
  Muni de l'arc poli.
Son amie, pour l'épier,
S'en était allée se cacher dans les broussailles,
En femme qui le soupçonnait d'accointance
  Avec une autre.
Céphalus tira de ce côté-là
Par hasard, et mal lui en prit,
Car il l'atteignit d'un trait dont elle mourut
  Sans tarder,
Ayant juste le temps de lui dire : « Hélas pour moi !
Doux ami, tu m'as tuée ici,
Alors que je t'aimais plus que moi
  D'un cœur total. »

5924 Quant Cephalus vid le meschié,
Il a son arc en .II. trenchié
Et ses saiettes depecié ;
Tous ses dieus jure
5928 Qu'il s'ocirra pour ce pechié.
Moult a crié, moult a huchié
Quant il a le corps approchié ;
N'est creature,
5932 S'il veÿst le mal qu'il endure,
Son brait, son plaint, sa grietté dure,
Et com ses .V. sens de nature
Sont empechié,
5936 Qui n'en plorast a larme sure : [177 v° a]
Tant fu mis a desconfiture
Que Neron de ceste aventure
Eüst pitié.

5940 Amis, ce ne puet advenir
Que je te peüsse guerpir
Nes que je porroie advenir
Au ciel de terre,
5944 Car en toi sont tuit mi desir,
Mi penser et mi souvenir.
Et pour ce que ton bien desir,
Te veuil requerre
5948 Que faiciens paix de ceste guerre,
Sommierement, sans plus enquerre.
Or appaise ton cuer qui erre,
Car, sans mentir,
5952 Tes courrous le mien si fort serre
Que mon bien et ma joie enserre
Plus fort que n'est tresors en serre,
Dont trop souspir.

5956 Pymalion de son ymage,
Quant il l'ot prise a mariage,
Ot un fil cointe, appert et sage
Qu'on appelloit
5960 Adonis. Biaus fu de corsage
Et de vis, plains de vasselage ;

8. Quand Céphalus vit le malheur,
Il a brisé son arc en deux
Et mis en pièces ses flèches ;
  Il jure tous ses dieux
Qu'il se tuera pour ce péché.
Il a poussé beaucoup de cris, beaucoup d'appels
Quand il est venu près du corps ;
  Il n'y a créature,
Si elle avait vu le mal qu'il endurait,
Ses cris, ses plaintes, sa cruelle souffrance,
Et comment les cinq sens de son corps
  Étaient hébétés,
Qui n'en eût pleuré à larmes amères :
Il avait été tant abattu
Que Néron même de cette triste aventure
  Eût eu pitié.

9. Ami, il ne peut arriver
Que je puisse t'abandonner,
Pas plus que je ne pourrais atteindre
  Le ciel depuis la terre,
Car en toi sont tous mes désirs,
Mes pensers et mes souvenirs.
Et parce que je désire ton bonheur,
  Je veux te demander,
Que nous fassions la paix pour sortir de cette guerre,
Immédiatement, sans rechercher davantage.
Apaise donc ton cœur qui s'égare :
  Sans mentir,
Ton chagrin presse si fort le mien
Qu'il enserre mon bonheur et ma joie
Plus fort que n'est serré un trésor dans son coffre,
  Et cela m'arrache beaucoup de soupirs.

10. Pygmalion de sa statue,
Quand il l'eut épousée,
Eut un fils distingué, sociable et avisé,
  Qui avait pour nom
Adonis. Il était beau de corps
Et de visage, plein de bravoure ;

Mais trop volentiers en boscage
  Chassier aloit;
5964 Venus, qui chierement l'amoit,
De ce trop fort le reprenoit,
Pour ce c'un po le mescreoit
  En son courage;
5968 Mais cilz rien faire n'en voloit,
Car a chassier tant li plaisoit
Que ocys en fu a grant destroit
  D'un porc sauvage.

5972 Or use dont de mon conseil
Et fai ce que je te conseil,
Quar tu vois bien que mon vis mueil
  Et ma poitrine
5976 De larmes, que moult parfont cueil.
Oi les meschiés que je recueil,
Regarde mon cuer et mon veil
  Et l'amour fine
5980 Qui en moi d'accroistre ne fine.
Doulz amis, retien ma doctrine,
Car en bonne foi te doctrine;
  Entend mon dueil:
5984 Se tu le fais, mes maulz termine
Et me mainne a joieus termine;
Se non, li maulz ma vie fine,
  Dont fort me dueil. [177 v° b]

5988 Si qu'amis doulz, je te chastie,
Se tu veulz [mener] bonne vie,
Que ne soies en jalousie,
  Car c'est la mort;
5992 Et se tu has dame ou amie,
Amés vous d'une amour unie,
Sans haussage, sans signourie
  Et sans descort.

5970. *APm* desroit – **5982.** *E* Et mez en moy la medecine – **5989.** *A* v. mener b. v., *F* mener *om.*

En particulier il allait très volontiers
Chasser en forêt.
Vénus, qui l'aimait tendrement,
De cela le reprenait très fort
Parce qu'elle concevait quelques soupçons
En son cœur;
Mais lui ne voulait tenir compte de cette [réprimande,
Car la chasse tant lui plaisait
Qu'il finit par y être tué en grande détresse
Par un sanglier.

11. Mets donc à profit mon avis
Et fais ce que je te conseille,
Car tu vois bien que mon visage et ma poitrine
Se mouillent
De larmes, que je reçois du plus profond de moi- [même.
Écoute les souffrances que j'endure,
Regarde mon cœur et mes intentions,
Et le parfait amour
Qui en moi ne cesse de s'accroître.
Doux ami, retiens mon enseignement.
Car c'est de bonne foi que je te le dispense;
Entends ma douleur;
Si tu le fais, mon mal s'achève
Et me conduit à une heureuse issue;
Sinon, le mal met fin à ma vie,
Et cela me cause une grande douleur.

12. Or donc, doux ami, je te recommande,
Si tu veux mener une heureuse vie,
De n'être pas jaloux,
Car la jalousie, c'est la mort;
Et si tu as une dame ou une amie,
Aimez-vous d'un même amour,
Sans orgueil, sans recherche de domination
Et sans discorde.

5996 Ainsi le fait qui aime fort;
Et qui ostelle desconfort
Et nourist en lieu de confort
Merancolie,
6000 Par ma foi, je le tien pour mort,
Qu'amours pour un petit remort
Ou pour un mot rude et entort
Est anientie.

6004 Ainsi sa complainte fin ha; *L'amant*
N'onques puis elle ne fina
Tant qu'elle ot ceste lettre escripte;
Et sa complainte dessus ditte
6008 Fu dedens bien et bel enclose,
Sans addition et sans glose.

[Lettre XXXII des mss]

Mon tresdoulz cuer, ma douce amour et mon tresdoulz ami! *La dame*

(a) J'ai receu vos lettres. Et sachiés que je[1] me merveille moult de la petite fiance que vous avez en moi[2], qui cuidiés, pour ce que je vous ai un pochet trop tardé a escrire, que je vous doie oublier[3] et mettre en nonchaloir[4]. Si sui moult deceue en ceste partie, car je ne pense pas tant de mal en vous come vous faites en moy: car se vous ne m'escrisiés ne veiés jusques a un an, qui me seroit moult dure chose, si tien je vostre cuer si bon et si estable que vous ne m'oublieriés mie[5]; et toute personne qui ha bien et loiauté en li, le doit ainsi penser des autres.

(b) Et de ce que vous avés moult grant desir de savoir pour quoi je vous mandai[6] par mon frere Th.[7]

5997. *E* hoste le

---

1. *Pm* sachiés que je *om.* – **2.** *Pm* a. a moi. – **3.** *Pm* u. aye oublie. – **4.** *Pm* et mettre en nonchaloir *om.* – **5.** *Pm* car se... m'oublieriés mie *om.* – **6.** *Pm* mande (= -é). – **7.** *Pm* par mon frere Th. *om.*

Ainsi agit qui aime fort ;
Et qui loge le souci
Et entretient à la place de l'agrément
  La mélancolie,
Je l'atteste sur ma foi, je le tiens pour mort,
Car l'amour, pour une petite blessure
Ou pour un mot dur et malveillant,
  Est anéanti.

C'est ainsi que se termine sa complainte, *L'amant* après quoi elle ne s'arrêta pas avant d'avoir écrit la lettre que voici et que sa complainte ci-dessus dite y fût soigneusement incluse sans autre addition ni commentaire.

Lettre 32, de la dame [32 des mss ; XXXII de PP]

Mon très doux cœur, mon doux amour et mon très doux ami !

J'ai reçu votre lettre. Et sachez que je m'étonne beaucoup du peu de confiance que vous avez en moi, vous qui vous imaginiez, parce que j'ai un petit peu beaucoup tardé à vous écrire, que j'allais vous oublier et traiter avec indifférence. Mais je suis bien dupée dans ce jeu, car je ne pense pas tant de mal de vous que vous faites de moi ; en effet, dussiez-vous ne m'écrire ni me voir pendant un an, ce qui me serait une douleur bien rude, je considère votre cœur comme assez vertueux et assez constant pour que vous ne m'oubliiez pas et toute personne qui a de la vertu et de la loyauté en elle doit penser la même chose d'autrui.

Quant à votre très vif désir de savoir pourquoi je vous ai demandé par mon frère Th.

que vous ne m'escrisissiés[1] point jusques atant que vous orriez nouvelles de moy, sachiés que je le fis pour ce que[2] je ne savoie de certain quel chemin nous tenrions[3] ne combien nous demourrions[4] en chemin ; et j'avoie doubte que, se vous envoiés vers moi, que vostres messages ne fausist a moi trouver[5] ; et si cuidoie de jour en jour aler ailleurs, et de la vous escrire de mon estat.

(c) Et de ce que vous estes esbahis de ce que je ne vous ai escript par les gens de mon frere, sachiés que je le fis pource que je vous voloie envoier message qui de vous m'apportast [178 a] tantost certaines nouvelles[6], et se je vous eusse escript par eulz, je n'en eusse pas si tost oÿ nouvelles. **(d)** De ce que vous dittes que je vous escris par gens[7] estranges, je le fis tout[8] a ensciant[9] aussi[10], pour ce que les gens la[11] ou nous sommes a hostel sont simples gens et ne vous congnoissent, si y porroient penser autre chose qu'il n'i ha ; et cilz par qui je les fis baillier n'est pas estranges, car il est bien mes amis et me fieroie bien en lui de plus grant chose ; et soiés certains que je ne le fis pour autre cause du monde. **(e)** Et ne doubtés mie, car onques en ma vie je ne trouvai personne qui me blamast de chose que je feysse pour vous[12]. Si vous pri tant a certes come je puis et si chier come vous avez le cuer, le corps et l'amour de moi, que vous n'aiés plus teles souspessons sur moi, car, par m'ame[13], vous ne me poés plus courecier en monde que de moi mettre sus ce que je ne pensai[14] onques ; car puis que je vous acointai, je n'os pensee de vous eslongier, ne ne cuide mie que je l'aie toute ma vie. Et se vous saviez bien les pensee[s][15] que j'ai de vous, et a toutes heures, vous ne diriés mie que je vous

---

1. *A* escrisiez. – **2.** *Pm* jusquez ad ce que. – **3.** *APm* tenriens. – **4.** *APm* demourriens. – **5.** *Pm* me trouver. – **6.** *Pm* et si cuidoie... nouvelles *om.* – **7.** *Pm* gens *om.* – **8.** *Pm* tout *om.* – **9.** *APm* escient. – **10.** *Pm* aussi *om.* – **11.** *Pm* la *om.* – **12.** *Pm* et cilz... pour vous *om.* – **13.** *Pm* par m'ame *om.* – **14.** *Pm* pense (= -é). – **15.** *A* pensees, *F* pensee.

de ne pas m'écrire avant que vous n'appreniez de mes nouvelles, sachez que je l'ai fait parce que je ne savais pas avec certitude quel chemin nous prendrions ni combien de temps nous resterions en route ; et je craignais que si vous m'envoyiez un messager, celui-ci ne réussisse pas à me trouver ; et je pensais chaque jour aller ailleurs, et de là vous donner des nouvelles de mon état. Quant à votre étonnement au sujet de ce que je ne vous ai pas écrit par les gens de mon frère, sachez que je le fis parce que je voulais envoyer un messager qui m'apportât aussitôt des nouvelles sûres à votre sujet, et que si je vous avais écrit par ceux-là, ils ne m'auraient pas aussi vite apporté de vos nouvelles. Pour ce que vous dites que je vous écris par des personnes inconnues, je l'ai fait également en pleine conscience, parce que les gens de l'hôtel où nous logeons sont des gens simples, qui ne vous connaissent pas, et qui ainsi pourraient s'imaginer autre chose que ce qu'il y a ; alors que celui par qui je vous l'ai fait remettre n'est pas un étranger, car c'est un de mes bons amis, à qui je me confierais en toute sécurité pour des choses plus importantes ; et soyez assuré que je ne l'ai fait pour aucune autre raison au monde.

Et soyez sans crainte : à aucun moment de ma vie je n'ai rencontré personne qui me blâmât pour quoi que ce soit que j'aie fait pour vous. Aussi je vous prie avec toute l'assurance dont je suis capable et par tout l'attachement que vous avez pour mon cœur, mon corps et mon amour, de ne plus nourrir de tels soupçons sur moi, car, par mon âme, vous ne pouvez pas me faire une plus grande peine au monde que de m'imputer des pensées que je n'ai jamais eues ; en effet, depuis que je vous ai rencontré, je n'eus jamais l'intention de vous tenir éloigné de moi et je ne m'imagine pas que je puisse l'avoir ma vie durant. Et si vous saviez bien les pensées que je forme à votre propos, et à toute heure du jour, vous ne diriez pas que je pusse vous

eusse oublié, car, si m'ayt Dieus, je ne sui en nul estat qu'il ne me semble adés que je vous voie devant moi. Si ne volroie pour nulle chose que vous m'eussiés envoié les lettres qui estoient enclauses dedens les autres lorsqu'elles furent escriptes[1], quar je ne cuide mie que vous me *f*eyssiés[2] onques ne ne faiciés jamais autant de bien comme vous m'eussiés fait de mal. Et, par Dieu, encor amaisse[3] je mieulz que vous vous en eussiés[4] souffert, car je les commençai a lire plus de .X. fois, et si ne les pooie parlire, tant avoie le cuer courecié et les yeus plains de larmes ; si les ai arses et jette[e]s[5] ou feu, ad fin que je ne les voie jamais, car elles me coureceroient toutes fois[6] que je les verroie. Si vous pri, mon tresdoulz cuer, que vous[7] veuilliez penser[8] de loiaulté autant en moi comme je fai en vous ; car, par ma foy, du petit et povre sens que Dieus m'a donné, j'en ai fai[t][9] a mon pooir ce que j'en ai fait pour le milleur.

J'ai eu un rondel noté que vous m'avez envoié, mais je l'avoie autre fois veu et le sai bien. Je vous pri que vous me veilliez envoier des autres ; et se vous avez nulz des virelais que vous feystes avant que vous m'eussiés veue, qui soient notés, si m'en veuillés envoier, car je les ai en grant desir de savoir, et par especial *L'ueil qui est le droit archier*.

(g) J'ai trouvé en la laiette que vous m'aviés envoié unes lettres clauses qui aloient a vous, si les ouvri, pour ce que je ne [178 b] savoie pour quoi vous les aviés envoies ; et trouvai que c'estoit une balade, que on vous envoioit, si la vous renvoie, pour ce que je pense que vous ne la veystes onques, car elle e*r*t[10] encore toute sellee.

(h) Mon doulz cuer, se il va vers vous des gens de par deça, si leur faites bonne chiere, ad fin que, quant vous venrés la ou je sui, qu'il vous congnoissent[11]

---

1. *E* lesquelles f. e. – 2. *A* feissies, *F* veyssiez. – 3. *A* amasse. – 4. *E* vous v. e. e. *om.* – 5. *A* gettees, *F* jettes, *E* jetees. – 6. *E* t. les f. – 7. *Pm* car puis que... que vous *om.* – 8. *Pm* u. tousjours p. – 9. *A* fait, *F* fai. – 10. *AFE* est. – 11. *A* qui u. c.

avoir oublié, car, par l'aide de Dieu, en quelque situation que je sois, j'ai l'impression que je vous vois toujours en face de moi.

Aussi serait-ce mon plus cher désir que vous ne m'ayez pour rien au monde envoyé la lettre qui était incluse dans l'autre une fois celle-ci écrite, car je ne m'imagine pas que vous me fîtes jamais ni que vous me fassiez un jour autant de bien que vous m'avez fait de mal. Et mieux encore, par Dieu, je préfèrerais que vous vous fussiez abstenu de l'écrire, car j'ai commencé plus de dix fois à la lire, mais je ne pouvais pas la lire jusqu'au bout, tant j'avais le cœur affligé et les yeux pleins de larmes ; aussi l'ai-je jetée au feu et brûlée, afin de ne plus jamais la voir, car elle m'affligerait chaque fois que je la verrais. C'est pourquoi je vous prie, mon très doux cœur, de vouloir bien supposer chez moi autant de loyauté que j'en suppose chez vous ; car, je l'atteste sur ma foi jurée, avec la petite et pauvre intelligence que Dieu m'a donnée, j'ai fait mon possible pour agir pour le mieux.

J'ai reçu un rondeau noté que vous m'avez envoyé ; comme je l'avais vu une autre fois déjà, je le sais bien. Je vous prie de vouloir bien m'en envoyer d'autres ; et si vous avez des virelais que vous avez composés avant que vous m'eussiez vue, et qui soient notés, veuillez m'en envoyer, car je désire fort les savoir, et plus spécialement *L'œil qui est le droit archier*.

J'ai trouvé dans le coffret que vous m'avez renvoyé une lettre close qui vous était adressée ; et je l'ai ouverte, parce que je ne savais pas pour quoi vous me l'aviez envoyée ; et je découvris que c'était une ballade que quelqu'un vous envoyait, et je vous la renvoie donc, parce que je pense que vous ne l'aviez pas vue, car elle était encore munie de son sceau intact.

Mon doux cœur, s'il y a des gens de par ici qui vont chez vous, faites-leur bon accueil, afin que, lorsque vous viendrez là où je suis, ils vous connaissent mieulz. Je vous prie que vous me veuilliés escrire le plus souvent que vous porrés, et tant come je serai la ou je sui ; si envoiez chiés le curé de St. Pierre, a Bernard de Florent son frere, tout ce que vous m'envoierés, car il m'est advis que c'est le milleur selonc le pays leu on est[1]. Ma suer se recommende a vous. Je vous pri que vous me recommendés a mon frere, le vostre[2]. Mon tresdoulz cuer, je pri a Dieu qu'il vous doinst honneur et joie de quanque vostre cuer aimme. Escript le .V^e^. jour de *octembre*[3].

Vostre leal[4] amie.

Balade

Ne soiés en nul esmay, *La dame*
Amis, n'en merancolie,
6012 Car tant comme je vivrai
Vous serai loial amie ;
Car Amour qui tout maistrie
Veult que soie sans partir
6016 Vostre (sui) jusques au morir.

Si vous pri que tenir gai
Vous veill[i]é[s] a chiere lie
Et croire que sans delai
6020 Sur moi avés signorie
Tant com amans sur amie
Puet avoir, car, sans mentir,
Vostre sui jusqu'au morir.

6024 Et si tost que vous verrai,
Je vous promet et affie
Car tous vos maulz garirai

1. *AE* pays la ou on est. – 2. *Pm* car, par ma foy… frere, le vostre *om.* – 3. *AFPmE* may (*voir note*). – 4. *Pm* loyalle, *E* loyale.

6016. *PmF* V. sui jusques au (+ 1) – **6018.** *APmE* ueilliez, *F* ueille – **6026.** *Pm* Que

mieux. Je vous prie de vouloir bien m'écrire le plus souvent que vous pourrez, et cela tant que je serai là où je suis ; envoyez tout ce que vous m'écrivez chez le curé de Saint-Pierre, à l'adresse de Bernard de Florent son frère, car il me semble que c'est la meilleure manière, selon la contrée où l'on se trouve.

Ma sœur se recommande à vous. Je vous prie de me recommander à mon frère, je veux dire au vôtre.

Mon très doux cœur, je prie Dieu qu'il vous accorde honneur et joie pour tout ce que votre cœur aime.

Écrit le 5 octobre[1] [1363].

Votre loyale amie.

Ballade [de la dame]

1. Ne vous laissez pas troubler,
Ami, ni aller à la mélancolie,
Car tant que je vivrai
Je vous serai loyale amie ;
Et Amour qui tout gouverne
Veut que je sois sans partage
Vôtre jusques à la mort.

2. C'est pourquoi je vous prie que vous veuillez
Vous maintenir en gaieté, le visage joyeux,
Et croire que sans tarder
Sur moi avez la seigneurie
Autant qu'un amant sur une amie
Peut en avoir, car, sans mentir,
Vôtre je suis jusqu'à la mort.

3. Et dès que je vous verrai,
Je vous promets et vous jure
Que je guérirai tous vos maux ;

---

1. Paul Imbs propose cette correction en s'appuyant sur une note manuscrite d'E. Hoepffner, portée sur son exemplaire de l'édition Paulin Paris du *Voir Dit*. Voir également l'article de Georg Hanf, « Über Guillaume de Machauts *Voir Dit* », *Zeitschrift für romanische Philologie*, 22, 1898, pp. 145-196 et plus particulièrement la page 190.

Et aussi serai garie,
6028 Que trop m'est tart que vous die :
Mon doulz cuer qu'aim et desir,
Vostre sui jusqu'au morir.

Quant de ma dame vi l'envoi, *L'amant*
6032 Je dis : Hé ! las, dolens ! bien voi
Que j'ai vers ma dame mespris
Et qu'en autre maniere a pris
Ma lettre que je ne l'entan.
6036 Elle m'avoit dit tres antan
Que cuers qui vrais amans se claime
Ne doit pas courcier ce qu'il aime.
Mesfait ai, si l'amenderai,
6040 Se je puis, et responderai [178 vº a]
A sa complainte dolereuse,
Qui me semble moult amoureuse.

L'amant respont a la complainte

Dame en qui j'ai mis toute m'esperance,
6044 Mon cuer, m'amour, mon desir, ma plaisance,
Tout mon penser et toute ma fiance,
Se j'ai mespris, ce fu par ignorance ;
Qu'onques nel fis de certaine sciance,
6048 Ainçois le fist Amours, qui mon cuer lance
Et point souvent de l'amoureuse lance,
Quant lointains sui de vo douce samblance
[Dont en mon cuer remaint la remembrance].
Or me commande,

6052 Douce dame, que je le vous amende.
Vesci mon cuer, prenés le pour amende,
Car il couvient que li las en .II. fende
Se vo grace pers, dont Diex me deffende !
6056 Or me gart Dieus que plus ne vous offende

6039. *E* li ay (+ 1) – **6050-6203.** *Pm om.* – **6049.** *E om.* – **6050 *bis*.** *E* Dont en mon cuer remaint la remembrance – **6054.** *E* le las

Et moi aussi je serai guérie,
Car il me tarde beaucoup de vous dire :
Mon doux cœur que j'aime et désire,
Vôtre je suis jusqu'à la mort.

Quand je vis l'envoi de ma dame, je dis : *L'amant*
« Hélas, dolent que je suis ! je vois bien que je me suis mal conduit envers ma dame et qu'elle a compris ma lettre d'une autre manière que je ne la comprends. Elle m'avait dit naguère qu'un cœur qui se proclame ami vrai ne doit pas affliger celle qu'il aime. J'ai mal agi, et je réparerai, si je puis, et je répondrai à sa douloureuse complainte qui me semble pleine d'amour. »

L'amant répond à la complainte

Dame en qui j'ai mis toute mon espérance,
Mon cœur, mon amour, mon désir, mon plaisir,
Toute ma pensée et toute ma confiance,
Si j'ai mal agi, ce fut par ignorance ;
Car je ne le fis pas en pleine conscience,
Mais c'est Amour qui le fit, qui me harcèle
Et pique souvent de sa lance passionnée,
Quand je suis éloigné de votre douce image
Dont en mon cœur demeure le souvenir.
À présent Amour me commande,

Douce dame, que je vous fasse réparation :
Voici mon cœur, prenez-le pour mon amende,
Car il faut que le malheureux se fende en deux
Si je perds votre faveur, ce dont Dieu me préserve !
Or donc que Dieu me garde de vous offenser à l'avenir

Et que jamais n'envoie a vous ne mande
Lettre ne riens qui a vo paix ne tende,
Ou il couvient que je pense et entende
6060 Tant com vivrai ;

Car je vous aim, dame, de cuer si vrai
Que mis en vous cuer et corps et vivre hai ;
Car c'est raison, que jamais bien n'avrai
6064 Se par vous n'est, pour ce que trop navrai
Et a martire et a dolour livrai
Moi et mon cuer, quant premiers l'enyvrai
De vostre amour et que le dessevrai
6068 De moi pour vous, dont maint mal recevrai
[Et maint ennoy nuit et jour souferray]
Et mainte paine ;

Car vraiement Desirs trop fort se painne
De moi grever, quant vous m'estes lontainne ;
6072 Et, quant de moi vo douceur est prochainne,
Si doucement me constraint et demainne
Que je n'ai cuer ne corps ne nerf ne vainne
Qui ne tramble ; dont ma parole est vainne,
6076 Bien le savés, dame de grace plainne
Et de biauté mille fois plus que Helainne,
Helas, helas !

Et quant je sui ainsi pris en vos las,
6080 Se je vous pers, je perdrai tous soulas
Et s'en morrai dolans, tristes et las.
Mais, mon doulz cuer, certes je n'espoir pas
Que vos doulz cuer ne veu[i]lle mon respas
6084 Et qu'en tous lieus ne soit mes advocas,
Et que Pitié assés plus que le pas
Ne viengne a vous, s'elle scet mon trespas ;
Car a voir dire

6088 Trop bien vous puis comparer sans mesdire
A la mousche qui porte miel et cyre :

6061. *E* aime (+ 1) – **6068 *bis*.** *E* Et maint ennoy nuit et jour souferray – **6089.** *E* mouche

Et que je ne vous envoie plus ni ne vous fasse tenir
Une lettre ou quoi que ce soit qui ne tende à votre paix,
Vers quoi il faut que ma pensée s'applique
Tant que je vivrai.

Car je vous aime, dame, d'une affection si vraie
Que j'ai mis en vos mains et cœur et corps et vie,
Et c'est justice, car désormais je ne connaîtrai le
[bonheur
Si ce n'est par vous, parce que j'ai trop profondément
Et livré au martyre et à la douleur [blessé
Moi et mon cœur, quand, au commencement, je
De votre amour et le séparai [l'enivrai
De moi pour le donner à vous, dont je recevrai encore
[maints malheurs
Et dont je souffrirai nuit et jour de maint ennui
Et maintes peines.

Car, en vérité, Désir se donne beaucoup de mal
Pour m'accabler, quand vous êtes loin de moi;
Mais quand votre douceur est proche de moi,
Si doucement elle me presse et me tourmente
Que je n'ai ni cœur ni corps, ni nerf ni veine
Qui ne tremble; alors ma parole est réduite à néant,
Vous le savez bien, dame pleine de grâce
Et de beauté mille fois plus qu'Hélène,
Hélas! hélas!

Et puisque je suis ainsi pris en vos filets,
Si je vous perds, je perdrai toute consolation,
Et j'en mourrai de douleur, de tristesse, de malheur.
Mais, mon doux cœur, pour sûr, je ne pense pas
Que votre doux cœur ne veuille ma guérison
Et qu'en toutes circonstances il ne soit mon avocat,
Et que Pitié d'un pas très rapide
Ne vienne à vous quand elle me sait mourant;
Car en vérité,

Je puis raisonnablement et sans médisance
Vous comparer à la mouche porteuse de miel et de cire:

Le miel est doulz et le sur a li tyre
Et s'adoucist, homs nel puet contredire ; [178 v° b]
6092 Tout ensement vos doulz cuers, Dieus li mire,
De tous mes maulz est tousdis mon doulz mire
Et en mon plour m'a fait liement rire
[Pour ce qu'adés vers lui toudis le tire] ;
Et la cyre art,

6096 Qui alume le monde main et tart
Plus que ne fait du tounoire l'espart ;
Ainsi vos noms, qui en mains lieus s'espart,
Le bien de lui a pluiseurs gens depart,
6100 Et fait souvent un hardi d'un couart,
Et .I. sage homme et rassis d'un coquart,
Et les mauvais amender par son art,
Et les tresbons milleurs, se Dieus me gart,
6104 A l'aÿde de vostre doulz regart
Qui est sans blasme.

Ne fu vaillans Lancelos pour sa dame,
Tristans, Paris, et Perchevaus, qui ame
6108 Ne congnoissoit de bien ? Oÿl, par m'ame ;
Telz .X. mille en sont mis desous la lame
Et .X. mille vivans, que pas ne blasme,
Qui n'eüssent valu d'or une drame
6112 Ou de poivre, se ce ne fust pour fame.
Dont ha cilz bien cuer entort et esclame
Et de pute aire

Qui ne s'applique a leur service faire.
6116 Et pour ce a vous, tresdouce, debonnaire,
Me sui donnés sans partir ne retraire,
Pour vous servir tous mes jours sans mesfaire,
Com a celle qui estes exemplaire
6120 Des biens qu'on puet dire, penser et faire.

6094. *E* me fait r. – **6094 *bis*.** *E* Pour ce quades uers lui toudis le tire – **6108.** *A* congnoissient – **6109.** *E* XV m. ; *A* mis soubs (– 1) – **6110.** *E* XV m.

Le miel est doux, et l'aigre est attiré par lui
Et devient doux, nul ne peut y contredire;
Tout de même votre doux cœur – Dieu le lui rende! –
De tous mes maux est toujours mon doux médecin,
Et alors que je pleure il me fait joyeusement rire
Parce que toujours vers lui sans cesse je le tourne.
Quant à la cire, elle brûle,

Qui illumine le monde, tôt le matin et tard le soir,
Plus que ne fait l'éclair du milieu du tonnerre;
De même votre nom, qui se répand en maints lieux,
Distribue le bienfait venant de lui à bien des gens,
Et fait souvent un hardi d'un lâche,
Un homme sage et sensé d'un sot,
Et amende les méchants par son art,
Et rend meilleurs les très bons, Dieu me garde!
Par le secours de votre doux regard
Qui est sans reproche.

Ne fut pas vaillant Lancelot à cause de sa dame?
Et Tristan, Pâris? et Perceval dont l'âme
Ne savait pas ce qu'était le bien? Si, par mon âme;
Quelque dix mille parmi les preux sont étendus sous [la dalle
Et dix mille sont vivants, qui certes ne méritent que [des éloges,
Qui n'eussent valu une drachme d'or
Ou de poivre, s'ils n'avaient œuvré pour une femme.
C'est pourquoi celui-là a un cœur bien dépravé et [mauvais,
Et bien bas,

Qui ne s'applique pas à les servir.
Et c'est pour cela que, à vous, très douce et [bienveillante,
Je me suis donné sans partage et sans retrait
Pour vous servir tous mes jours sans mal faire,
Comme à celle qui est le modèle
Des bonnes choses qu'on peut dire, penser et faire.

Or veuille Amours que je vous puisse plaire,
Qu'en vous est tout de moi faire et desfaire.
Hé, bonne et belle,

6124 Pour vo biauté chascuns bons vous appelle
Fleur De Humaine Biauté et Toute Belle,
Et en douceur douce com coulombelle,
En loiaulté loial com tourterelle,
6128 En fine odeur printemps que renouvelle,
Et en couleur rose fresche et vermeille.
Honneur vous tient par l'estrier de la selle,
Sans vous conduit, Raison vous est ancelle,
6132 N'Estableté en vous pas ne chancelle.
En ce disant, tous li cuer me sautelle.
Vous estes tele

Qu'en vous main*t* joie et deduis s'i revelle.
6136 Pour ce sera Venus vo damoiselle
Et vous Deesse, et serrés plus haut qu'elle;
Juno sera vostre riche pucelle,
Aussi Pallas vostre sage baisselle;
6140 Li dieu feront feste de la nouvelle
Et quant tous biens avez soubz vostre aisselle
Qui vous servent bonnement sans cautelle,
Serés vous dont a mon depri rebelle? [179 a]
6144 Certes nennil, ains arai ma querelle,
J'en sui certains.

Quant Julius Cesar fu des Rommains
En traïson occis, mors et estains,
6148 Moult fu des dieus et des deesses plains
Pour la tresgrant valeur dont il fu plains:
Deÿfiés fu de leurs propres mains.
Et de Hercules ne firent il pas mains,

6128. *AE* qui r. – **6132.** *A* point n. – **6135.** *AE* maint, *F* mains – **6138.** *E* Et cy sera Juno Uostre pucelle – **6139** ***bis.*** *E* Sans fineté – **6141** ***bis-quater.*** *E* Quant la [nouvelle] saront et nature la belle Qui uous parfist de valeur nonpareille Chascuns le scet nia (= n'i a) cellui ne celle [Qui...] – **6150.** *E om.*

Veuille à présent Amour que je puisse vous plaire,
Car en vous est le pouvoir de me faire et de me défaire
Hé ! Bonne et belle, [tout entier.

À cause de votre beauté chaque homme de bien vous
Fleur-de-l'humaine-beauté et Toute-Belle ; [appelle
Pour votre douceur, douce comme une petite colombe ;
Pour la loyauté, loyale comme une tourterelle,
Pour le pur parfum, printemps de renouveau ;
Pour la couleur, rose fraîche et vermeille.
Honneur vous tient par l'étrier de la selle,
Esprit vous conduit, Raison est votre servante
Et Stabilité chez vous reste inébranlable.
En ce disant tout mon cœur bondit d'allégresse.
Vous êtes telle

Que chez vous séjourne Joie, et Déduit y est en liesse.
Pour cette raison Vénus sera votre demoiselle
[d'honneur,
Et c'est vous qui serez la Déesse, et vous siégerez
[plus haut qu'elle,
Junon sera votre magnifique suivante,
En outre Pallas sera votre servante avisée ;
Les dieux seront à la fête à cette nouvelle.
Et alors que toutes les vertus vous les avez sous votre
Qui sont à votre service sans tromperie, [aisselle,
Serez-vous donc rebelle à ma supplication ?
Sûrement non, je gagnerai ma cause,
J'en suis certain.

Quand Jules César fut traîtreusement
Frappé à mort par les Romains et anéanti,
Il fut grandement plaint par les dieux et les déesses
En raison de la très grande valeur dont il était comblé :
Il fut divinisé de leur propre initiative.
Et pour Hercule ils ne firent pas moins,

6152 (Qui tant chercha mons, valees et plains,
La mer parfonde et les pays lontains,
Et qui destruit Troies li premerains)
Qui fu des dieus, aprés sa mort, prochains
6156 Et a leur destre.

Si que, dame, vous y devés bien estre,
Car vous avés a destre et a senestre
Honneur, Raison et Sens, vostre bon mestre,
6160 Et tous les biens que Nature fait nestre,
N'avec les dieus n'a prestresse ne prestre
Qui sceüst riens amender en vostre estre.
Pour ce sui *s*y vostres, par saint Sevestre,
6164 Qu'avec les bues me poés faire pestre
A vostre guise.

Si que, dame que chascun loe et prise,
Que j'aim et serf loialment, sans faintise,
6168 D'un cuer vous pri qu'Amours art et atise
Qu'en gré prengniés mon trespetit servise;
Et se j'ai fait rien que vo cuer desprise,
Veuilliez le moi pardonner par franchise;
6172 Et je vous jur et promet vers l'Eglise
Qu'ainçois courroit par mi Damas Tamise
Que ma pensee ailleurs qu'a vous soit mise.

Mais encor ne m'en puis je taire, *L'amant*
6176 Ainçois vous veul dire et retraire
De Julius Cesar la fin.
Li dieu furent de lui affin
Si fort que une estoille en feïrent
6180 Et ou firmament l'asseïrent
Assés prés de la tresmontainne,
Qui est une estoille hautaine
Qui par nuit le monde enlumine [179 b]

6152. *A* sercha, *E* cercha – **6163.** *E om.*; *A* si, *F* cy – **6172.** *A* pr. par – **6175.** *A* ne me – **6176.** *A* uueil – **6179.** *E* firent

moult de diverses pensees et de sauvages
tions ; et li bon cuer ferme et loial moustrent
t il leur est sans nulle couverture. Et, par
mon tresdoulz cuer, onques m'entention ne
vous envoiaisse les lettres sellees dont vous
po meue contre moi ; et toutesvoies je l'ai
quoi vous sceussiés a quel meschief j'ai esté
es et du mandement que vous me mandastes
vostre frere.
mon doulz cuer, pour Dieu, veuilliés moi
ır excusé et ne veuilliés penser nullement que
ıs taingne pour bonne et pour leal ; car, par
se je savoie le contraire, je ne vous lairoie mie
a amer, mais jamais n'aroie joie. **(c)** Mais,
me autre fois vous ai escript, ce que je ne sui
ies de vous amer me donne trop de pointures
nsees dont je n'eusse mestier. Toutevoies je
et me fye en vostre bonté (car je n'ai nul
ur moi) et ma loyaulté [179 v° a] qui m'ai-
sdis, se Dieus plaist envers vous. Et se Dieus
st joie, je vous aim tant et prise[1] tant l'on-
a bonté de vous qu'il ne me puet sembler que
és pareille ; si ne saroie penser qu'il peust
ıl mal en vous, et [vous[2]] tien[3] bien pour
de tout ce que vous m'avés mandé. Et aussi
lt grant joie de ce que on ne vous dist onques
mi par quoi je deusse laissier a envoier vers
vous vers moi. Et aussi je pense certaine-
e tout ce que vous en avés fait et faites, c'est
milleur[4].
se vous dittes que je vous mette sus chose que
pensastes onques, et que vous ne me porriés
ne laissier, pardonnés le moy, s'i vous plaist ;
l'ame de moy, en tout le siecle je n'ai pensee
us, ne je ne porroie ne saroie amer ne desirer
e vous, mais c'est sans partir ne muer. Et par

se. – **2.** *F* vous *om.* – **3.** *A* uous t. – **4.** *Pm* et li bon cuer…
illeur *om.*

Lui qui avait parcouru tant de monts, de vallées et de [plaines,
La mer profonde et les contrées lointaines,
Et avait détruit Troie une première fois
Et qui siégea, après sa mort, à côté des dieux,
À leur droite même.

C'est pourquoi, dame, vous devez bien y être,
Car vous avez à votre droite et à votre gauche
Honneur, Raison et Esprit, votre bon maître,
Et toutes les vertus que Nature fait naître,
Et avec les dieux il n'y a ni prêtre ni prêtresse
Qui sût rien à corriger en votre personne.
Voilà pourquoi je suis tellement à vous, par saint [Sylvestre,
Qu'avec les bœufs vous pouvez me faire paître
À votre gré.

Si bien que, dame que chacun loue et prise,
Que j'aime et sers loyalement, sans feinte,
D'un même cœur qu'Amour brûle et attise,
Je vous prie d'agréer mon très modeste service ;
Et si j'ai fait quelque chose que votre cœur juge [indigne,
Veuillez me le pardonner par générosité,
Et je vous jure et promets par l'Église
Que plutôt la Tamise courrait au milieu de Damas
Que ma pensée ne se mette ailleurs qu'en vous.

L'amant

Mais je ne peux me taire encore sur ce sujet, car je veux dire et rapporter la vie posthume de Jules César. Les dieux étaient en si étroite parenté avec lui qu'ils en firent une étoile et l'établirent au firmament, tout près de l'étoile polaire ; celle-ci est une étoile haut située, qui tout au long de la nuit illumine le monde

6184 De sa clarté, qu'est pure et fine;
A li reprennent leur avis
Li marinier, ce m'est avis:
Quier en Histoire des Rommains,
6188 La le verras ne plus ne mains.
Li dieu de vous aussi feront
Une estoille et vous metteront
Ou firmament, delés l'estoille
6192 Qui a fait retourner maint voile,
Si qu'a vous bon avis penra
Qui a bon port venir volra.
Et tout ainsi com le biau monde
6196 *Vo* grant bonté qu'est pure et monde
Enlumine, enluminerés
Quant des dieus la mise serés:
Ainsi serés glorefiye,
6200 Dame, aprés ceste mortel vie,
Et en grace du Roy celestre
Qu'est sur tous dieus signeur et mestre.

Vescy la response de fait
6204 Que j'ay a sa complainte fait;
Mais nulle rime n'i est prise
Qui soit a la sienne comprise,
Et si n'est mie de tel mettre.
6208 Aprés li escris ceste lettre.

[Lettre XXXIII des mss]

Mon tresdoulz cuer, ma tresdouce amour *L'amant*
et ma treschiere dame!

(a) J'ay bien veu ce que vous m'avez escript, si ne vous devés point mervillier, ce m'est avis, de ce que je vous ay envoié enclos en mes lettres, car vous savés bien que

cuer qui sent l'amoureus point
n'est mie tousjours en un point,

6184. *E* qui est (+ 1) – **6186.** *A* maronnier – **6188.** *E* N'y troueuras ne – **6191.** *A* En f. – **6196.** *A* Vo, *F* De; *E* qui est (+ 1) – **6202.** *A* Qui fu; *A* sire

de sa clarté parfaitement pure; a
s'informent, me semble-t-il: va
toire des Romains, là tu le verra
vous, de même, les dieux feront
placeront au firmament, à côté
mis à maint voilier de retourn
qu'auprès de vous prendra un a
dra venir à bon port. Et tout a
qualités qui sont si totalemen
beau monde, vous rayonnerez q
là-haut par les dieux: c'est ains
fiée, dame, après cette vie mor
faveur du Roi du ciel qui sur
son pouvoir de seigneur et de m

Telle est l'exacte réplique qu
complainte, sans que cependa
figure soit empruntée aux sie
n'est pas davantage le même. A
la lettre que voici:

Lettre 33, de l'
[33 des mss; XXX

Mon très doux cœur, mon t
très chère dame!

J'ai bien vu ce que vous m'a
devez pas vous étonner, me se
vous ai envoyé inclus dans ma
bien que

cœur qui sent la piqûre de l'a
n'est point toujours dans le m

ains l
ymagi
comm
m'am
fu que
estes
fait pa
des le
par Th
(b)
tenir p
je ne v
m'ame
pour c
ainsi c
mie di
et de p
m'aten
autre p
dera to
me do
neur e
vous a
avoir r
excuse
j'ai mo
chose
vous n
ment q
pour le
(d) E
vous n
oublier
car, en
que a v
autre q

---

1. *A* p
pour le r

mais a des pensées contradictoires et des fantaisies désordonnées ; et les honnêtes cœurs fermes et loyaux manifestent leur état sans nulle dissimulation. Et, par mon âme, mon très doux cœur, mon intention n'a jamais été de vous envoyer munie de son sceau la lettre qui vous a causé quelque animosité contre moi ; je l'ai fait pourtant, et ainsi vous avez su dans quel désarroi m'avaient mis votre lettre et l'ordre que vous m'aviez fait parvenir par Th. votre frère.

Mais, mon doux cœur, pour l'amour de Dieu, veuillez m'excuser et ne penser en aucun cas que je ne vous tienne pas pour honnête et loyale ; car, par mon âme, si je savais le contraire, je ne cesserais pas pour autant de vous aimer, sauf que je n'éprouverais plus aucune joie. Malheureusement, comme je vous l'ai écrit une autre fois, le fait que je ne suis pas digne de vous aimer me donne beaucoup de raisons d'inquiétude et d'idées noires dont je me serais bien passé. Néanmoins je compte avec confiance sur votre bonté (car je n'ai nul autre avocat pour moi), et sur ma loyauté, qui m'assistera toujours, s'il plaît à Dieu, envers vous. Et, par la joie que je demande à Dieu de me donner, je vous aime tant et apprécie tant l'honneur et la bonté que vous me témoignez, qu'il me paraît difficile d'imaginer que celle-ci soit aussi grande en vous ; et pourtant je ne saurais penser qu'il pût y avoir nulle malice en vous, et je vous tiens pour innocentée pour tout ce que vous m'avez mandé dans vos messages.

En outre, j'ai une très grande joie de ce que jamais personne ne vous a rien dit à mon sujet qui nous obligerait vous et moi à cesser de nous écrire ; et je pense également avec une ferme conviction que tout ce que vous avez fait et faites à ce propos, c'est pour le meilleur que vous le faites. Et si vous dites que je vous impute une intention que vous n'avez jamais eue, et que vous ne pourriez ni m'oublier ni m'abandonner, pardonnez-moi, s'il vous plaît, car, en mon âme, au grand jamais je ne pense moi-même qu'à vous, et je ne pourrais ni ne saurais aimer ni désirer personne d'autre que vous, et, je le souligne, sans partage ni changement.

Hé par

Dieu[1], je me suis .C. fois repentis[2] des lettres que je vous envoiai. Et mon doulz cuer, je vous promet et jur loialment que, se jamais vous ne m'escrisiés ne n'envoiés vers moi, ne se jamais je ne vous veoie, dont Dieus me gart, jamais je ne vous escrirai, dirai ne manderai chose dont vous vous doiés courecier, a mon pooir ; et se Fortune ou li temps me sont contraires, je soufferrai au mieulz que je porrai, et si en lairai Amours couvenir.

(e) Mon tresdoulz cuer, j'ai fait le rondel ou vostres noms est, et le vous eusse envoié par ce message, mais, par m'ame, je ne l'oÿ onques, et n'ai mie acoustumé de baillier chose que je face[3] tant que je l'aie oÿ ; et soiez certaine que c'est l'une des bonnes choses que je feisse passé a .VII. ans, a mon gré. Vous me mandés que je note *L'ueil* etc., et que je le vous envoie ; plaise[4] vous savoir que j'ai esté si embesongniés de faire vostre livre, et sui encores, et aussi des gens du roy et de Monsigneur le duc de Bar, qui a geu en ma maison, que je n'ai peu entendre a autre chose[5]. Mais je (le) vous envoierai[6] bien tost et par certain message ce qui est fait de vostre livre, et vostre rondel aussi[7].

Mais je vous pri si chier comme vous m'avés[8] que vous ne moustrés le livre que a gens qui soient trop bien de vostre cuer ; et, s'il y ha aucunes choses a corrigier, que vous y faites ensengnes, car il vous a pleu que je y mette tout nostre fait, si ne say se y met ou trop ou po. Et sachiez vostre rondel, s'il vous plaist, car je l'aimme trop. Quant vous arés vostre livre, si le gardés chierement, car je n'en ai nulle coppie, et je seroie coureciés s'il estoit perdus et s'il n'estoit ou livre ou je mets toutes mes choses[9].

---

1. *Pm* je ne porroie... Et par Dieu *om*. – **2.** *PmE* repentu. – **3.** *A* je ne face. – *E* je vous envoie lueil noté, etc. – **4.** *A* m. q. je vous envoie note *L'ueil* etc. plaise.... – **5.** *Pm* Et mon doulz cuer... entendre a autre chose *om*. – **6.** *AE* je v. enuoierai, *F* je le u. – **7.** *Pm* et vostre rondel aussi *om*. – **8.** *A* que u. mauez. – **9.** *Pm* et, s'il y ha a.... mes choses *om*.

Dieu, je me suis cent fois repenti de la lettre que je vous ai envoyée. Mon doux cœur, je vous promets et jure loyalement que si à l'avenir vous ne m'écrivez ni ne m'envoyez plus de messager, et si je ne vous vois plus jamais – ce dont Dieu me préserve –, jamais je ne vous écrirai, dirai ni ferai savoir quoi que ce soit qui dût vous causer de la peine – du moins autant que je pourrai ; et si Fortune ou les circonstances me sont défavorables, je supporterai mon sort du mieux que je pourrai, et j'en laisserai la décision à Amour.

Mon très doux cœur, j'ai fait la mélodie du rondeau où figure votre nom, et je vous l'eusse envoyée par ce messager-ci, mais par mon âme, je ne l'ai pas encore entendue, et je n'ai pas coutume de donner une de mes compositions avant de l'avoir entendue ; mais soyez certaine que c'est une des bonnes choses que j'aie faites depuis plus de sept ans, du moins selon mon goût.

Vous me demandez de mettre en musique *L'œil etc.*, et de vous l'envoyer ; mais veuillez savoir que j'ai été si accaparé par la continuation de votre livre, et le suis encore, et aussi par les gens du roi et de Monseigneur le duc de Bar, qui a dormi dans ma maison, que je n'ai pu m'appliquer à autre chose. Mais je vous enverrai bientôt, et par un messager sûr, ce qui est fait de votre livre, avec en outre le rondeau sur votre nom. Mais je vous prie, par tout l'amour que vous avez pour moi, de ne montrer le livre qu'à des gens qui sont très près de votre cœur ; et s'il y a des choses à corriger, mettez-y des marques, car c'est vous qui avez voulu que j'y mette tout ce que nous avons fait, et je ne sais si j'y mets trop ou trop peu. Et sachez le rondeau sur votre nom, s'il vous plaît, car je l'aime beaucoup. Quand vous aurez votre livre, gardez-le amoureusement, car je n'en ai pas de copie, et je serais affligé s'il était perdu et ne figurait pas au recueil où je réunis toutes mes œuvres.

(f) A Dieu, mon doulz cuer, qui vous doint honneur et joie de quanque vos cuers aime ; [179 v° b] et nous doint grace que nous nous puissons briément veoir : si seroient adcomplis tuit mi desir.

Escript le .IXe. jour de *oct*embre[1].

Vostre loial amy.

Quant ma dame oÿ m'escusance, *L'amant*
Elle ne fist mie doubtance
Que tout ce ne fust verité
6212 Que j'ai ci devant recité ;
Si me pardonna bonnement
Le mesfait ; et dist doucement
Que, *se* jamais la mescreoie,
6216 Si tost le pardon pas n'aroie,
Qu'en amours ja bien ne fera
Jalous ne loiaulz ne sera,
Car toudis tend a esprouver
6220 Ce qu'il ne volroit pas trouver.
Cy aprés verrés l'escripture
De ma dame plaisant et pure.

[Lettre XXXIV des mss]

Mon tresdoulz cuer, ma douce amour et mon loial ami ! *La dame*

(a) J'ai bien veu ce que vous m'avés escript, que jamais vous ne serés en doubte ne ne penserés que je vous oublie ; car par ainsi[1] je vous pardoing[2] ce que vous m'avés meffait[3]. Mais se vous y rencheés[4] plus,

---

1. *A* XVe j. de decembre, *F* IXe j. de decembre, *E* IXe j. d'octembre, *Pm* de decembre (*cf. note*).

6214. *E* dit – **6215.** *AE* se, *F* sa

---

1. *Pm* et par ainsy. – **2.** *A* pardoin, *Pm* pardonne. – **3.** *Pm* m'a. fait. – **4.** *A* renchaiez, *E* rencheez, *Pm* renchoiez.

Je vous recommande, mon doux cœur, à Dieu, qui veuille vous donner honneur et joie pour tout ce que votre cœur aime ; et qu'il nous accorde la faveur de pouvoir nous voir à bref délai : ainsi seraient satisfaits tous mes désirs.

Écrit le 9 octobre[1].

Votre loyal ami.

L'amant

Quand ma dame eut entendu lire ma lettre de justification, elle ne douta pas que tout ce que j'ai ci-devant rapporté ne fût vrai ; et elle me pardonna sincèrement ma faute ; mais elle ajouta gentiment que si à l'avenir je la suspectais encore, je n'aurais pas si vite son pardon, car en amour le jaloux, qui ne recherche pas la vérité, jamais n'agira pour son bien, car toujours il risque d'éprouver une chose dont il n'aimerait pas faire l'expérience. Ci-après vous verrez ce que m'a écrit ma dame plaisante et intègre.

Lettre 34, de la dame [34 des mss ; XXXIV de PP]

Mon très doux cœur, mon doux amour et mon loyal ami !

J'ai bien vu ce que vous m'avez écrit, à savoir que jamais plus vous ne douterez de moi ni ne penserez que je vous oublie ; c'est pourquoi je vous pardonne votre faute à mon égard. Mais en cas de rechute éventuelle,

---

1. Paul Imbs choisit la date offerte par le manuscrit E en raison de la datation de la lettre suivante.

je croi que je ne le vous pardonrai pas si ligierement; que, par ma foi[1], je ne pense pas a faire chose, a mon pooir, de quoi vous doiés estre en doubte. Mais vous dittes trop mal de ce que vous dittes que vous n'estes pas dignes de moi amer[2], car par ma foi si estes a mon gré milleur[3] cent fois que je ne[4] sui pour vous, et si me tieng de vous a[5] mieulz assenee que du plus grant signeur du roiaume de France[6].

(b) Je vous pri[7] que vous m'envoiés vostre livre par ce message, et ne doubtés[8], car je le garderai bien. Et aussi vous me poés seurement escrire par[9] ce message; si vous pri que vous li faiciés[10] bonne chiere et je vous en sarai tresgrant gré[11].

Je prie a Nostre Signeur qu'i vous doinst honneur et joie[12] de quanque vostre cuer[13] aimme.

Escript le.[X]IIIe. jour[14] d'octembre[15].

Vostre leal amie.

Or avés vous oÿ comment *L'amant*
6224 Celle qui m'a en son comment
Sera des deesses servie
Et en la fin glorefiye
Et faite estoile ou firmament
6228 Des dieus, pour luire clerement
Et pour le monde enluminer
De son bien qu'on ne puet miner;
Et comment joie me donna,
6232 Quant doucement me pardonna [180 a]

---

1. *Pm* quer p. m. f. – **2.** *Pm* Mais... de moi amer, *remplacé par* et se vous dites que vous n'estes pas dignez de moy amer, vous dites mal. – **3.** *F* milleur milleur (2e milleur *non exponctué, mais* m *écrit en petite capitale*). – **4.** *A* ne *ajouté au-dessus de la ligne.* – **5.** *Pm* a *om.* – **6.** *Pm* du gregneur segnur qui soit au r. de F. – **7.** *Pm* Je u. en p. – **8.** *Pm* et nen d. – **9.** *Pm* escrire par luy. – **10.** *AE* faciez. – **11.** *Pm* si vous pri... gré *om.* – **12.** *APm* joie et honneur. – **13.** *Pm* vo cuers. – **14.** *AFPmE* XXVIIIe j. – **15.** *AFE* d'octembre, *Pm* ottobre.

6227. *A* en f. – **6228.** *E* De dieu – **6231.** *Pm* Comme

je crois que je ne vous accorderai pas mon pardon aussi facilement ; car, par ma foi, autant qu'il est en mon pouvoir, je ne pense pas que je ferai quelque chose qui vous oblige à douter de moi. Hélas ! Vous parlez très mal en disant que vous n'êtes pas digne de m'aimer, car, par ma foi, vous valez pour me satisfaire cent fois mieux que je ne vaux pour vous donner satisfaction à vous, et je me considère comme mieux partagée avec vous que je ne le serais avec le plus grand seigneur du royaume de France.

Je vous prie de m'envoyer votre livre par le présent messager, et n'ayez crainte : je le garderai bien. J'ajoute que vous pouvez m'écrire en toute sécurité par ce messager ; et je vous prie de lui réserver bon accueil, je vous en serai très reconnaissante.

Je prie Notre-Seigneur de vous accorder honneur et joie pour tout ce que votre cœur aime.

Écrit le 13 octobre.

Votre loyale amie.

L'amant

À présent vous avez entendu comment celle qui me tient sous ses ordres sera servie par les déesses et, à sa mort, glorifiée et faite étoile au firmament par les dieux pour luire de toute clarté et éclairer le monde par ses bienfaits indestructibles ; et comment elle me dispensa la joie quand gentiment elle me pardonna

La villonnie et le mesfait
Qu'envers li avoie mesfait.
Et se ja Dieus joie me doinst
6236 D'elle(s) et mes pechiés me pardoinst,
Je ne volsisse querre don
Fors sa paix pour tout guerredon.
Si me tins assés longuement,
6240 Que n'avoie pas l'aisement,
D'envoier vers sa douce face,
Que toutes mes doleurs efface.
Toute voie je y envoiai,
6244 Et ce livre moult fort loiai
En bonne toille bien cyree,
Que la lettre n'en fust gastee;
Voire ce que fait en avoie,
6248 Ce li tramis de ceste voie;
Et un rondel que souvent chant,
Dont je fis le dit et le chant,
Et se y mis son droit nom par nombre,
6252 Entierement qu*i* bien le nombre;
Et une lettre bien escripte,
De vrai sentement faite et ditte.
Si receupt tout a grant deduit
6256 Et au lire moult se deduit.
Vesci la lettre, lisiés la,
Pour ce que la Tresbelle l'a.

[Lettre XXXV des mss]

Mon tresdoulz cuer, ma chiere suer et ma tresdouce amour! *L'amant*

(a) J'envoie par devers vous pour savoir vostre bon estat, le quel Nostres Sires veuille tous jours faire si bon comme vous volriés et comme je desire[1] de tout

---

6234. *Pm* Que uers – **6236.** *A* elle, *F* elles; *E* me *om.* (– 1) – **6242.** *APmE* Qui – **6244.** *Pm* bien fort – **6245.** *E* b. lettre b. tiree – **6251.** *A* Et si, *Pm* sy, *E* say – **6252.** *APmE* qui, *F* que – **6255.** *E* desduit

---

1. *Pm* je le d.

la vilenie et la mauvaise action que j'avais commise à son égard. Et, autant que je souhaite que Dieu m'accorde la joie à son sujet et me pardonne mes péchés, je ne voudrais lui demander d'autre don que la paix avec elle pour tout cadeau.

Je m'abstins un temps assez long – car je n'en avais pas la possibilité – d'envoyer un messager à ma dame dont la vue efface toutes mes douleurs. Je finis cependant par pouvoir lui dépêcher quelqu'un ; je liai bien fort ce livre-ci dans une bonne toile bien cirée, de manière que l'écriture ne fût pas abîmée. En vérité, je lui transmis par ce courrier tout ce que j'en avais composé, avec un rondeau que je chante souvent, dont j'avais composé les paroles et la mélodie, et où j'avais mis son nom exact, à l'aide d'indications chiffrées, comme on peut s'en apercevoir en comptant bien le tout ; et en outre une lettre bien transcrite, rédigée et formulée avec la sincérité du cœur. Et elle reçut le tout avec une satisfaction profonde et la lecture lui fut un grand délice. Voici la lettre, lisez-la, telle qu'elle est entre les mains de la Très-Belle :

Lettre 35, de l'amant [35 des mss ; XXXV de PP]

Mon très doux cœur, ma chère sœur et mon très doux amour !

Je vous envoie ce courrier pour apprendre comment vous allez ; que Notre-Seigneur veuille que vous vous portiez toujours aussi bien que vous le souhaiteriez et que je le désire moi-même de tout mon cuer; car, par Dieu[1], c'est une des choses de ce monde que je plus desire que d'en oÿr bonnes nouvelles; et vous veoir aussi. Et du mien, s'il vous en plaist a savoir, plaise vous savoir que, la merci Nostre Signeur, moi, mon frere et nous tous estions[2] en bon point quant ces lettres furent escriptes.

(b) Et, mon tresdoulz cuer, se je n'ai envoié par devers vous si tost come je deusse, si le me veilliez pardonner, car Dieus scet que ce n'a mie esté par deffaut d'amour ne de bonne volenté, car Monsigneur le duc de Bar et pluiseurs autres signeurs ont esté en maison; si y avoit tant d'alans et venans, et me couchoie si tart et levoie si matin, que je ne l'ay peu amender; ne de jour n'y pooie entendre ne a vostre livre aussi se po non, dont moult me poise; le quel[3] je vous envoie par ce message, ce qui en est fait[4]. Si vous pri, si chierement comme je puis et sai, que vous le veuilliés bien garder et vous le me veuilliés[5] renvoier quant vous l'arés leu, par [180 b] quoi je le puisse parfaire[6]; car je seroie trop coureciés se tel paine et si grant come je l'i ai mise[7] et entend[8] a mettre estoit perdue; car ores vient le fort, et les beles et subtives fictions[9] dont je le pense a parfaire, par quoi vous et li autre le voiés volentiers et qu'il en soit bon memoire a tous jours mais. Et sachiés que il n'i fait mais a mettre que les lettres que vous m'avés envoiees et je a vous puis que vous partistes; renvoiés moi la lettre que je vous envoiai darreinement[10].

(c) Mon tresdoulz cuer, vous m'avez escript et commandé pluiseurs fois que je soie liés et joieus. Et si chier comme je vous aimme, et ne vous plaist pas que je me plaingne ne complaingne de chose que j'endure pour vous, se vous plaise savoir que ce m'est trop dure chose a faire; et aussi vostre livres[11] ara

---

1. *A* et p. d. – **2.** *A* estiens. – **3.** *Pm* car, par Dieu... me poise; le quel *om.* – **4.** *Pm* ce qui est fait de mon livre. – **5.** *Pm* et vous le me v. *om.* – **6.** *Pm* affin que je le p. p. – **7.** *Pm* le luy ay m., *E* je y ay m. – **8.** *A* enten. – **9.** *E* finctions, *Pm* ficcions. – **10.** *E* renvoyay d. – **11.** *Pm* par quoi vous... et aussi vostre livres *om.*

mon cœur; car, par Dieu, une des choses que je désire le plus au monde, c'est d'apprendre de bonnes nouvelles de votre santé, avec aussi le désir de vous voir. Quant à mon état, si vous voulez le savoir, qu'il vous plaise d'apprendre que, par la grâce de Notre-Seigneur, moi, mon frère et tout notre monde étions en bonne santé quand cette lettre fut écrite.

Mon très doux cœur, si je ne vous ai pas écrit aussi vite que j'aurais dû, veuillez me le pardonner, car Dieu sait que ce n'a pas été par défaut d'amour ni de bonne volonté; c'est que Monseigneur le duc de Bar et plusieurs autres seigneurs ont séjourné chez moi, et il y avait tant de va-et-vient, et je me couchais si tard et me levais de si bon matin que je n'ai pu mieux faire; et dans la journée même je ne pouvais m'appliquer ni à vous écrire, ni, ou fort peu, à rédiger votre livre, ce qui m'est très désagréable; lequel livre je vous envoie par le présent messager – je veux dire ce qui en est achevé. Et je vous prie aussi affectueusement que je puis et que j'en suis capable, de vouloir le bien garder et me le renvoyer quand vous l'aurez lu, pour que je puisse le finir; car je serais bien affligé si une peine aussi grande que celle que j'y ai mise – et entends encore y mettre – était perdue; en effet, à présent, vient la partie difficile, à savoir les belles et délicates inventions nouvelles par lesquelles je pense le terminer, pour que vous et les autres lecteurs aient plaisir à le regarder, et qu'il en soit fait bonne mémoire à tout jamais. Et sachez qu'il ne reste plus à mettre en place que la lettre que vous m'avez envoyée et celle que je vous ai écrite depuis que vous êtes partie pour le lieu où vous êtes: renvoyez-moi la lettre que je vous ai adressée tout récemment.

Mon très doux cœur, vous m'avez écrit et demandé plusieurs fois que je sois gai et joyeux. Or, aussi affectueusement que je vous aime, et alors que vous ne voulez pas que je me plaigne et me lamente au sujet de ce que j'endure à cause de vous, veuillez savoir non seulement que cela m'est une chose très pénible à faire, mais qu'il y a aussi le fait que votre livre aura nom *Le livre du voir dit*, si n'i veuil ne doi point mentir[1]. Et mon doulz cuer, vesci pour quoi ce m'est dure chose. Je sai bien que je ne vous puis a piece[2] veoir[3]; et se je voloie aler vers vous, je ne congnois homme ne fame au lieu ou vous demourés; et se j'envoie vers vous, il le me couvient faire par gens estranges que onques ne vi; ne n'est creature qui me ramentoive a vous; n'il n'appartient mie que vous vengniés a my, et, se je en devoie estre la tierce fois resuscité de mort, ne le porriés vous faire. Et aussi vous savés bien que je ne sai faire que de sentement: et comment porrai je faire joieusement et vivre dolereusement? Par m'ame ce m'est fort a faire; mais je ressemble le menestrel qui chante tele fois en la place, et il n'i ha plus dolent de li. Et pour ce il me semble[4] que amours et porter la haire, c'est auques tout .I. mestier[5]:

Trop font de paine et de haire
Amours et porter la haire.

Or le faites[6], s'il vous plaist, je vous pri, mon doulz cuer, que au mains par vostre gré[7] je me puisse plaindre et complaindre tous seulz (car, par m'ame, je n[e m]'ai a qui complaindre[8] de mal ne de paine que je seuffre pour vous) et aussi que, par vostre gré[9], je puisse faire du sentement qui me venra soit de doleur soit de joie; et, s'il le vous plaist a faire, j'en porterai plus legierement les cruautés de Fortune et mon amoureus mal car cilz est trop batus qui ne s'ose plaindre.

(d) Et, mon tresdoulz cuer, encor y ha pis[10], car ce riche tresor dont je porte la clef, j'en use ainsi com cilz qui est rois et nulz ne le scet que li, s'i n'a nul

---

1. *Pm* et sera nommé le liure du uoir dit, s'y n'y ueil point mentir. – **2.** *E* en piece. – **3.** *Pm* Et m. d. C., je scay bien que je ne u. p. a. p. ueir, si me semble si dure chose. – **4.** *Pm* et se je voloie... pour ce il me semble *om.* – **5.** *Pm* ce m'est tout yng seul mestier. – **6.** *E* Or le parfaites. – **7.** *E* p. u. grace. – **8.** *AE* je ne m'ay a qui c., *F* je n'ai a qui c. – **9.** *E* p. u. grace. – **10.** *E* y a il pis.

pour titre *Le Livre du Voir Dit*, et qu'ainsi je ne veux et ne dois pas mentir.

Et voici pourquoi, mon doux cœur, cela m'est une tâche pénible. Je sais parfaitement que je ne puis de longtemps vous voir ; et même si je voulais aller chez vous, je ne connais ni homme ni femme au lieu où vous séjournez ; et si je vous envoie des messages, il me faut le faire par des gens inconnus que jamais je n'ai vus ; et il n'y a là personne qui me rappelle à votre souvenir ; et il ne dépend pas de vous de venir chez moi, et dût-il falloir que je sois une troisième fois ressuscité de mort, vous ne pourriez pas le faire. Et j'ajoute que vous savez bien que je ne sais produire une œuvre que d'après ce que je ressens : or comment pourrai-je œuvrer dans la joie, alors que je vis dans la douleur ? Par mon âme, cela m'est difficilement faisable ; hélas, je ressemble au ménestrel qui parfois chante sur la place, alors qu'il n'y a pas plus affligé que lui. Et c'est pourquoi il me semble qu'aimer et porter la haire, c'est tant soit peu la même tâche :

Beaucoup de peine et de tourment
Causent amour et port de haire.

Or faites en sorte, s'il vous plaît, et je vous en prie, mon doux cœur, que je puisse pour le moins, avec votre agrément, me plaindre et me lamenter tout seul (car, par mon âme, je n'ai personne à qui je puisse me plaindre et me lamenter du mal et de la peine que je souffre pour vous), et qu'en outre il me soit possible, avec votre assentiment, de composer des œuvres sur ce que j'éprouverai réellement ; que ce soit dans la douleur ou dans la joie ; et ainsi, s'il vous plaît d'agir de la sorte, cela me permettra de supporter plus facilement les cruautés de Fortune et mon mal d'amour, car celui-là est trop à la torture qui n'ose pas se plaindre.

D'ailleurs, mon très doux cœur, il y a encore pire : ce riche trésor dont je porte la clef, j'en use comme celui qui est roi et est seul à le savoir, en sorte qu'il ne tire aucun bien de son royaume[1]; et ressemble Tantale, qui muert de soif et qui est en l'iaue jusques au me[n]ton[2] et ne puet boire; et le riche aver qui ha tout le trezor du monde et n'i endure a touchier, ains ha grant deffaut d'encoste. **(e)** Mais ce me grieve trop [180 v° a] que Raison m'a dit que Dangier porte une clef de ce tresor aveuc moi et que je ne le puis desfermer sans li; et aussi que Argus *a*tou*t*[3] ses .C. yeus ne fait[4] que regarder et espier que nulz n'i atouche, et, s'il en veoit aucune chose oster, il le diroit tantost a Male Bouche, qui le chanteroit a note par tou*s* les[5] quarrefours d'un pays. Si n'i voy rien de bien pour mi, fors que Raison s'acorde a Bonne Amour; mais c'est chose qui ne puet estre. Et mon doulz cuer, mes derreniers confors et refuges est telz que je sai bien que, quant il vous plaira et Dieus amenra la bonne heure, que vous estes si bonne et si douce que Dangiers n'osera groucier contre vostre douceur; et si[6] estes si sage que vous endormirés Argus si que il ne verra nes que une taulpe; et par ce Male Bouche se taira; si que, mon doulz cuer, vous veés bien que ma mort et ma vie, mon deduit et ma joie, ma doleur et ma santé gist en vos mains et en vostre ordenance; et en poés ordonner come de ce qui est vostre sanz riens retenir[7].

(f) Mon tresdoulz cuer, je vous envoie le chant du rondel ou vostre nons est[8]. Et a couvenu par force que je l'aie baillié ailleurs avant que a vous, car li estranges qui estoient a Reims ne m'en laissoient en paix[9]. Et sachiés certainement que passé ha .VII. ans je ne fis si bonne chose[10] ne si doulce a oÿr; dont j'ai grant joie quant je y ay si bien assené pour l'amour de vous et pour ce que vostre noms y est. Si vous pri

---

1. *E* si n'a nul bien de son royaume *om.* – **2.** *AE* menton, *F* meton. – **3.** *A* a tout, *FE* tous. – **4.** *E* la garde et n. f. *ajouté.* – **5.** *AE* tous les, *F* tout les. – **6.** *E* si *om.* – **7.** *Pm* je vous pri… sanz riens retenir *om.* – **8.** *Pm* Mon doulx cuer, je vous enuoie un rondel ou uostre nom est. – **9.** *Pm* Et a couvenu… en paix *om.* – **10.** *Pm* chose a mon gré.

avantage de sa royauté ; et je ressemble à Tantale, qui meurt de soif, alors qu'il est dans l'eau jusqu'au menton et ne peut en boire ; ou encore au riche avare qui possède tout le trésor de la terre et ne se permet pas d'y toucher, et il vit tout à côté dans le dénuement. Il y a plus : je suis très peiné de ce que Raison m'a dit, à savoir que Danger-Retenue porte en même temps que moi une clef de ce trésor et que je ne puis ouvrir celui-ci sans son aveu ; et qu'en outre Argus avec ses cent yeux passe son temps à regarder et à épier pour que nul n'y mette la main, et que, s'il voyait qu'on y prélève la moindre part, il le dirait aussitôt à Male Bouche, qui le claironnerait par tous les carrefours de la contrée ; ainsi je ne vois aucun avantage pour moi dans cette situation, en dehors de ce que Raison soit accordée avec Bonne Amour, ce qui est, malheureusement, impossible. Mais, mon doux cœur, mon dernier réconfort et refuge est celui-ci : je sais parfaitement que, quand cela vous plaira et que Dieu nous en fournira l'occasion opportune, vous êtes si bonne et si douce que Danger n'osera gronder contre votre douceur ; et que vous êtes si avisée que vous endormirez Argus de telle manière qu'il ne verra pas plus que ne voit une taupe ; et que pour cette raison Male Bouche se taira ; en sorte que, mon doux cœur, vous voyez bien que ma mort et ma vie, mon plaisir et ma joie, ma douleur et ma santé reposent en vos mains et dépendent de vos ordres ; et de tout cela vous pouvez disposer comme de ce qui est votre propriété sans la moindre réserve.

Mon très doux cœur, je vous envoie la mélodie du rondeau où figure votre nom. Mais j'ai été forcé de la donner à d'autres avant de vous la remettre, car les étrangers qui séjournaient à Reims ne me laissaient pas en paix à son sujet. Et sachez qu'en vérité depuis plus de sept ans je n'ai fait une composition aussi réussie ni aussi agréable à entendre ; et si j'en ressens une grande joie, c'est à cause de l'amour que j'ai pour vous et parce que votre nom y figure que j'y ai si bien réussi. Aussi, par tout votre amour

si chier que vous m'avés que vous le veilliez savoir, se vous poés. Et ne dittes a nelui comment vostre noms y est, car je n'en feroie plus par ceste maniere[1]; et laissiés muser les museurs.

(g) Je vous fais faire aucune chose a Paris, laquele je ne puis avoir si tost come je cuidoie pour la mortalité; mais si tost come je l'arai, je la vous envoierai.

(h) Mon tresdoulz cuer, uns clers vint a mi, n'a pas granment, qui me pressoit trop fort que je vous escrisisse, et ne m'aportoit lettres ne vraies ensengnes de vous; et pour ce j'en tins po de compte, et li respondi estrangement; si ne vous en tenés pas mal apaiee[2], je vous en[3] pri, car, par m'ame, ce fu cilz qui me donna matere d'escrire *Longue demouree fait changier ami*, dont je vous ay prié mercy et fai encor treshumblement. **(i)** Ma tresdouce suer, je pense estre a ceste Toussains a Saint Quentin, et de la[4] aler vers Monsigneur le duc; et ne sai com longuement il me volra tenir quant je serai vers li. Et ne vous tenés pas a mal paiee se je n'envoie si briément vers [vous[5]]; car de tout ce j'en ferai a vostre ordenance et selond ce que vous me manderés. Par ce message je vous envoie la balade T. Paien, et la response que je li fais, laquele je fis en present; mais il fist devant et prinst toute la graisse du [180 v° b] pot a son pooir, et je fis aprés: si en jugerés s'il vous plaist, mais vraiement il havoit l'avantage de trop. Et toutevoie je y ferai chant; si ne les bailliés a nului, je vous en pri. (Et toutevoie me dist il une fois que, s'il n'eust ailleurs a faire, je n'i fuisse jamais venus a temps. Et onques mais ne le vous vol[6] dire ne escrire, pour eschiver[7] vostre courrous et pour la fiance que j'ay en vostre bonté.)

(j) A Dieu, mon tresdoulz cuer et ma treschiere suer, qui vous doinst le bien et l'onneur et la joie que je volroie[8], et grace que nous nous puissons[9] souvent

---

1. *A* de c. m. – **2.** *E* p. a mal paiee. – **3.** *E* en *om.* – **4.** *E* la *om.* – **5.** *AE* uers uous, *F* vous *om.* – **6.** *A* u. uos. – **7.** *A* eschuer. – **8.** *Pm* ne si doulce… la joie que je volroie *om.* – **9.** *A* puissiens.

pour moi, vous prié-je de vouloir bien le savoir, si les circonstances vous le permettent. Mais ne dites à personne comment votre nom y est caché, car autrement je n'en ferais plus de cette manière ; et laissez perdre leur temps aux musards !

Je vous fais faire à Paris un bijou, que, à cause du grand nombre de morts, je ne pense recevoir aussi vite que je croyais ; mais dès que je l'aurai, je vous l'enverrai.

Mon très doux cœur, un clerc est venu me voir il n'y a pas longtemps, qui me pressait très fort de vous écrire, mais il ne m'apportait pas de lettres de créance de votre part ni aucun signe fiable vous concernant ; et pour cette raison je ne tins guère compte de sa visite, et je lui répondis par un refus. Et ne vous considérez pas pour cela comme négligée, je vous en supplie, car, par mon âme, c'était celui qui me fournit par ses insinuations la matière de ma lettre *Longue attente fait changer d'ami* [lettre 30], pour laquelle je vous ai demandé pardon et continue à le faire très humblement.

Ma très douce sœur, je pense être à la prochaine Toussaint à Saint-Quentin, et de là aller chez Monseigneur le duc ; mais je ne sais pas combien de temps il voudra me retenir quand je serai auprès de lui. Ne vous considérez pas comme négligée si je n'envoie pas de sitôt chez vous ; de fait en tout cela j'agirai selon vos ordres et selon ce que vous me manderez.

Par ce même messager je vous envoie la ballade de T. Payen et la réplique que je lui donne, réplique que je fis dans l'instant même ; hélas pour moi, il composa sa ballade le premier, et il prit toute la graisse du pot, s'appliquant à cette besogne de toute sa force, et je ne composai ma ballade qu'après lui : vous en jugerez, si vous voulez bien ; mais en vérité il avait – et de très loin – l'avantage sur moi. Mais cela ne m'empêchera pas d'en composer la mélodie ; cependant ne donnez ces pièces à personne, je vous en supplie. (Soit dit en passant, il m'avait dit une fois que s'il n'avait eu à faire ailleurs, je ne serais jamais venu là dans le délai voulu ; je n'ai jamais voulu vous dire ni vous écrire cela pour vous éviter du chagrin et à cause de la confiance que j'ai dans votre bonté.)

Mon très doux cœur et ma très chère sœur, je vous recommande à Dieu, qui veuille vous accorder le bien, l'honneur et la joie que je voudrais, avec la grâce que nous puissions nous voir à intervalles réguliers.

veoir. Et mon doulz cuer, se je vous escris trop briément[1], pardonnés le moi.

Escript .XVIIe. jour d'octembre[2].

Vostre loial ami.

Ainsi envoiai a ma dame, *L'amant*
6260 Que Dieus gart en corps et en ame;
Et briément la response orrés,
Si la lirés quant vous volrés.

Rondel, et y a chant

Dix [et] sept, .V., .XIII., .XIIII. et quinse *L'amant*
6264 M'a doucement de bien amer espris;

Pris ha en moi une amoureuse prise
.X. [et] .VII., .V., .XIII., .XIIII. et quinse.

[P]our sa bonté, que chascuns loe et prise,
6268 Et sa biauté, qui sur toutes ont pris,

.X. [et] .VII., .V., .XIII., .XIIII. et quinse
M'a doucement de bien amer espris.

[Lettre XXXVI des mss]

Mon tresdoulz cuer et mon loial ami! *La dame*

(a) J'ai eu ce que vous m'avés envoié par vostre varlet[1]; et ne doubtés, car je garderai[2] bien vostre livre.

(b) Mon doulz cuer, vous m'escrivés que vous ne

---

1. *AE* briefment, *Pm* briement. – **2.** *E* le. XVIIe. j. d'octobre, *Pm* ottobre.

6259. *E* lenuoiay – **6263.** *A* Dis et sept; *F* et *om.* – **6267.** *A* Pour, *F* P *initial effacé* – **6269.** *AF* et *om.*

---

1. *APm* uallet. – **2.** *Pm Se borne au début*: Mon tresdoulz... garderai.

Et mon doux cœur, si dans l'avenir je vous écris des lettres très brèves, pardonnez-le-moi!

Écrit le 17 octobre.

Votre loyal ami.

C'est ainsi que j'écrivis à ma dame que *L'amant* Dieu veuille garder corps et âme; et dans un instant vous entendrez la réponse, que vous lirez quand il vous plaira.

Rondeau, avec chant

Dix-sept, cinq, treize, quatorze et quinze
M'a doucement enflammé d'un bon amour;

Elle a en moi pris une amoureuse prise,
Dix-sept, cinq, treize, quatorze et quinze.

Pour sa valeur que chacun loue et apprécie
Et sa beauté, qui toutes deux l'emportent sur toutes
[les autres.
Dix-sept, cinq, treize, quatorze et quinze
M'a doucement enflammé d'un bon amour.

Lettre 36, de la dame
[36 des mss; XXXVI de PP]

Mon très doux cœur et mon loyal ami!

J'ai reçu ce que vous m'avez envoyé par votre serviteur; mais n'ayez aucune crainte: je garderai bien votre livre!

Mon doux cœur, vous m'écrivez que vous ne

me poés veoir jusquez a longue piece, ne venir la ou je suis; et aussi ne volroie je mie que vous y venissiés.

(c) Et de ce vous souffrés moult de paine, et j'en suis[1] certaine; et le say bien par moi meysme, car je ne m'ai a qui complaindre[2] ne que vous avés, et *c*'est[3] une chose qui trop nous fait de mal[4]. Et aussi vous m'escrisiés[5] que par mon gré vous vous puissiés complaindre de vos doleurs a vous tout seul; sachiés qu'il me plaist bien, mais que vous haiés en vous reconfort et bonne esperance; et penser que tout autel sent[6] je come vous faites, ne jour de ma vie je[7] ne vous oublieray.

(d) Vous m'escrisiés aussi qu'il vous grieve trop de ce que Raisons[8] vous dit que Dangier porte la clef par desseur vous du tresor dont vous l'avés, et que sans li vous n'i porriés avoir nulz des biens qui y sont. Mais n'aiés de ce doubte, car j'en cuide [181 a] bien chevir[9] a l'aide de vous; car je sai[10], l'amour que vous avés a mi est si loial et si honneste que vous n'osterés ja des biens du tresor[11] riens de quoi il amenrisse ne de quoi Dangier doive groucier; et pour ce je ne doubte riens Argus, car s'i[l] avoit encor autant de yeulz que il ha, n'i verra il ja chose de quoi Male Bouche doie mesdire. Si ne doubtés que, quant il plaira a Dieu que je vous voie, que je les lieray si qu'il n'en y aura nulz qui ause groucier.

(e) Mon doulz cuer, vous m'escrivés que vous serés a ceste Toussains a Saint Quentin, et de la vers Monsigneur le Duc; pour quoi je pense bien qu'il sera avant grant piece que j'oie nouvelle de vous. Et aussi ne pense je pas que je demeure cy longuement, mais pense a aler briément aillours; et, si tost come je y serai, je l'escrirai a mon frere, qui le vous fera savoir; et aussi vous pri je que vous li escrivés de vostre estat et li mandés qu'il le me face savoir. **(f)** J'ai bien veu

---

1. *E* sui. – **2.** *E* je n'ay mes a qui c. – **3.** *AE* c'est, *F* s'est. – **4.** *E* uous f. mal. – **5.** *A* escrissiez. – **6.** *E* sens. – **7.** *E* je *om.* – **8.** *E* raison. – **9.** *E* chevir *om.* – **10.** *E* que je scay, *un large tiret après* sçay. – **11.** *E* ja riens des b. du t.

pouvez me voir d'ici longtemps ni venir là où je suis ; moi non plus je ne voudrais pas que vous y vinssiez.

Et de cela vous éprouvez beaucoup de peine, j'en suis certaine ; et je le sais bien par moi-même, car, pas plus que vous, je n'ai personne à qui me plaindre, et c'est une situation qui nous rend très malheureux.

Vous m'avez écrit en outre que vous voudriez pouvoir avec mon agrément vous lamenter de vos douleurs à part vous ; sachez que je le veux bien, pourvu que dans votre for intérieur vous ayez réconfort et bonne espérance ; et pensez que je ressens tout à fait la même chose que vous, et que jamais je ne vous oublierai.

Vous m'avez également écrit que vous trouvez très pénibles les propos de Raison vous disant que Danger-Réserve porte, par priorité sur vous, la clef du trésor (cette même clef qui est votre propriété), et que sans lui vous n'auriez accès à aucun des biens qui s'y trouvent. Mais n'ayez aucune crainte à ce sujet, car je crois en venir à bout avec votre aide : je sais que votre amour pour moi est si loyal et si honnête que vous ne prélèverez jamais des biens du trésor quoi que ce soit qui le diminuerait et dont Danger ait des raisons de grogner ; c'est pourquoi je n'ai aucune crainte au sujet d'Argus, car même s'il avait deux fois plus d'yeux qu'il n'en a, il n'y verra rien dont Male Bouche ait à médire. Mais ne doutez pas que, quand il plaira à Dieu que je vous voie, moi-même je les attacherai si fort qu'aucun d'entre eux n'osera grogner.

Mon doux cœur, vous m'écrivez que vous serez pour la prochaine Toussaint à Saint-Quentin et que de là vous irez chez Monseigneur le duc ; en raison de quoi je pense qu'il se passera un long délai avant que j'apprenne de vos nouvelles. Aussi bien je ne pense moi-même pas rester longtemps ici, mais j'ai l'intention d'aller bientôt ailleurs ; et sitôt que j'y serai, je l'écrirai à mon frère, qui vous le fera savoir ; et je vous prie aussi de lui donner des nouvelles de votre santé et de lui demander de me le faire savoir.

J'ai bien vu

ce que vous m'avés escript de Thommas, et quant il plaira a Dieu, que je vous voie, je vous dirai tout ce qui en fu ; et aussi le vous sara bien a dire[1] H. **(g)** J'ai receu unes lettres, lesqueles vous envoiés au dit Henry ; mais je ne li envoierai mie, pour ce que je ne sai ou il est ; et si croi mieulz que je en ferai[2] le message que autres.

(h) Je vous envoie la derreniere lettre que vous m'envoiastes, pour ce que vous le m'aviés mandé[3] ; mais je ne vous envoie pas vostre livre, pour ce que je ne l'ai encor leu ; mais, quant je l'arai leu, je le vous envoierai.

Mon tresdoulz cuer, je prie a Nostre Signor qu'il vous doint honneur et joie de quanque vos cuers aimme.

Escript le jour saint Symon et saint Jude, .XXVIIIe. jour d'octobre[4].

Vostre[5] leal[6] amie.

L'amant

Bien avés vëu l'escripture
6272 De ma dame plaisant et pure,
Qui est parfaite, sans deffaut
De quanque a bonne et belle faut.
Si me semble qu'en sa response
6276 N'a pointure, espine ne ronce
Ne chose qui faice a blamer
Ains est tous doulz, sans rien d'amer,
Dont moult volentiers la vëoie ;
6280 Et au lire me delittoie
Pour ce qu'entre piés avoit mis
Les plus grans de mes anemis,
Si qu'il ne feront jamais grongne
6284 De bien que ma dame me dongne ;

1. *E* bien dire. – **2.** *E* il en fault. – **3.** *E* le m'avés mandé. – **4.** *A* octembre. – **5.** *A* Vostres. – **6.** *E* loyale.

6271-6397. *Pm om.* – **6277.** *AE* blasmer – **6278.** *E* tout

ce que vous m'avez écrit sur Thomas, et quand il plaira à Dieu que je vous voie, je vous dirai la suite donnée à cet envoi ; mais Henry saura vous le dire tout aussi bien.

J'ai reçu une lettre que vous adressez audit Henry ; mais je ne la lui enverrai pas, parce que je ne sais pas où il est ; et je pense que j'en ferai le messager mieux qu'un autre.

Je vous renvoie la dernière lettre que vous m'avez envoyée, parce que vous me l'aviez demandé ; mais je ne vous envoie pas votre livre, parce que je n'ai pas encore fini de le lire ; mais quand j'aurai fini de le lire, je vous l'enverrai.

Mon très doux cœur, je prie Notre-Seigneur qu'il vous accorde honneur et joie pour tout ce que votre cœur aime.

Écrit le 28 octobre, jour des saints Simon et Jude.

Votre loyale amie.

L'amant

Vous avez bien vu ce que m'a écrit ma dame plaisante et pure de tout vice, qui est parfaite, sans qu'il lui manque quoi que ce soit de ce qui est nécessaire à une personne belle et bonne. Et il me semble que dans sa réponse il n'y a ni piqûre ni épine ni ronce ni quoi que ce soit qui appelle le blâme, mais tout y est doux, sans aucune amertume, en vertu de quoi je regardais la lettre très volontiers et de sa lecture me délectais, parce qu'elle avait soumis à son pouvoir les plus grands parmi mes ennemis, en sorte qu'ils ne grogneront jamais pour quelque bienfait que ma dame m'accorde.

Car je les ressongnoie fort
Pour ce qu'il estoient trop fort
Et trop puissant encontre mi, [181 b]
6288 Dont j'ai dit pluiseurs fois: Aimmy!
Mais Desirs, qui sans dormir veille
N'en mon cuer onques ne sommeille,
Me vint dire et ramentevoir
6292 Que ne faisoie (pas) mon devoir
Et qu'il ne me lairoit durer,
Ains me feroit tant endurer
Que soubstenir ne le porroie,
6296 Se tour ou voie ne queroie
Comment ma douce amour veÿsse,
Car il m'en tenoit trop pour nice;
Si qu'en moi tousdis accroissoit
6300 Et Amours pas n'i descroissoit,
Qu'Amours et Desir, ce me semble,
D'une laisse courent ensemble;
Et quant li desirs amenrit,
6304 Cuers qui faussement aime en rit,
Et cuers qui aime loyalment
En pleure, car (aussi) certainement
L'un a l'autre couvient accroistre
6308 Entre les mondains et en cloistre,
Et de tel pié et de tel danse
Com li uns va li autres danse.
Si me pris tous seulz a complaindre
6312 Et de mon grant desir a plaindre,
Si que parfondement pensoie
– Et en pensant ymaginoie –
A ceulz dont j'ay devant parlé,
6316 Ce sont Piramus et Tisbé.
Il furent enclos en .II. tours,
Si qu'il ne fu voie ne tours
Qui lor oeil peüst avoier

6292. *AE* f. pas deuoir, *F* f. pas mon d. (+ 1) – **6298** *A* il me t. – **6306.** *A* aussi *om.*, *F* car aussi (+ 2) – **6307.** *A* L'un o; *E* ou – **6310.** *A* ha li; *E* autre – **6319.** *E* leur

Car je les craignais beaucoup parce qu'ils étaient très forts et très puissants contre moi, ce qui m'avait plusieurs fois fait dire : « Pauvre de moi ! »

Mais Désir, qui pas ne dort, mais veille et ne sommeille jamais dans mon cœur, vint me dire, faisant appel à mon souvenir, que je ne faisais pas mon devoir et qu'il ne me laisserait pas continuer de la sorte, mais me ferait tant souffrir que je ne pourrais pas le supporter, si je ne cherchais route ou détour pour voir mon doux amour, car il me tenait pour un grand sot à ce sujet. Si bien qu'il ne cessait de croître en moi et qu'Amour n'y diminuait pas ; et en effet Amour et Désir, me semble-t-il, courent ensemble d'un même élan : quand le désir diminue, un cœur à l'amour perfide en rit, alors qu'un cœur qui aime loyalement en pleure, car, chose est sûre, l'un croît nécessairement avec l'autre, qu'il s'agisse de gens vivant dans le siècle ou de cloîtrés ; du même pas et au même rythme que l'un va, l'autre danse. Je me mis alors à me lamenter tout seul et à me plaindre de mon grand désir ; et j'en vins à penser au fond de moi-même à ceux dont j'ai plus haut parlé – et en y pensant je me les figurais –, tels Pyrame et Thisbé, qui avaient été enfermés dans deux tours, si bien qu'il n'y eut route ni détour qui pût guider leurs yeux

6320 Pour eulz e*n*semble esbanoier ;
Trop leur desplaisoit cilz demours,
Si que force et rage d'amours,
Dont il estoient yvre et plain,
6324 Fist tant qu'il yssirent ad plain
Pour eulz deduire et solacier,
Baisier, acoler, embracier ;
Mais en la fin en furent mort
6328 Ensemble de piteuse mort.

Amours Leandon si *l*assoit [181 v° a]
C'un bras de mer a no passoit
Pour vëoir sa dame et s'amie ;
6332 En la fin en perdi la vie,
Car il en fu noiés et mors,
Si qu'encor en est li remors.
Ne passa le pont de l'espee
6336 Lancelos pour la bien amee
Geneuvre, qui estoit roÿne,
Qui tant s'amerent d'amour fine
Que leur amour, dont ce fu perte,
6340 En fu sceüe et descouverte ?
Ne se fist porter en un sac
Jadis li fieus Pierre Tousac
Par un ribaut qui sur la greve
6344 Portoit une affeutrure en greve ?
Oÿl, pour vëoir vis a vis
De sa douce dame le vis :
Certes ce fu fait a Paris.
6348 Ne passa haute mer Paris
Pour vëoir et ravir Helaine ?
Et de Vergi la chastellaine
Ot moult de haire au chienet duire
6352 Pour elle a son ami deduire
Et pour li vëoir a loisir

6320. *A* ensamble, *F* emsemble – **6329.** *A* si lacoit, *E* le lassoit, *F* si passoit – **6337.** *A* Gueneure, *E* Genieuure – **6342.** *A* fils – **6344.** *A* affautrure, *E* affectrure

en vue de leurs ébats communs. Ce séjour leur déplaisait fort, si bien que, sous la poussée de la violence et de la rage d'amour, dont ils étaient pleins jusqu'à l'ivresse, ils sortirent hardiment pour trouver plaisir et soulagement, s'embrasser sur la bouche, se prendre par le cou, s'étreindre ; à la fin ils y moururent ensemble d'une pitoyable mort.

Amour enlaçait si fort Léandre qu'il passait à la nage un bras de mer pour voir celle qui était sa dame et son amie. À la fin il en perdit la vie, car il y fut noyé et mourut, si bien que jusqu'à ce jour en reste l'amer souvenir.

Ne traversa le pont de l'épée Lancelot, par l'amour de la bien-aimée reine Guenièvre ? eux qui s'aimèrent d'un si parfait amour que leur amour – et ce fut leur perte – en fut connu et découvert ?

Ne se fit jadis le fils de Pierre Toussac porter en un sac par un ribaud qui au port de Grève avait sur la raie un feutre ? Mais si, pour voir face à face le visage de sa douce dame : assurément cela se passa à Paris.

Pâris ne passa-t-il la haute mer pour voir et enlever Hélène ?

Et la châtelaine de Vergi avait eu bien de la peine à dresser son petit chien pour se donner du bon temps avec son ami et le voir doucement, à loisir

Doucement et a son plaisir ;
Mais finalment elle en fu morte
6356 Et il de l'espee qu'il porte.
Aussi Paris en fu destruis,
Ainsi com en escript le truis.

Li dieu, qui par amour amoient,
6360 Leurs fourmes en autres muoient
Et si muoient leurs amies,
Souvent en vaches, ou en pies,
Ou ainsi com il leur plaisoit :
6364 Chascuns a son veul le faisoit
(Mais, quant devers elles estoient,
Leurs propres fourmes reprenoient)
Pour mener plus secretement
6368 Leurs amours et plus sagement.
J'ai les oreilles et les temples
Toutes plaines de telz exemples :
Pour ce di, et si n'en doubt mie,
6372 Sans lober et sans tricherie,
Que s'a un en voi bien chëoir
J'en voi a. XII. meschëoir.
Dont qui puet au moien venir,
6376 C'est le plus seür a tenir,
Car c'est uns grans perilz, par m'ame,
De trop ou po veïr sa dame,
Et adventure d'enchëoir
6380 En ce qu'on ne volroit vëoir ;
Car le trop esmuet les paroles [181 v° b]
Des mesdisans rudes et foles
Qui sont en amours neccessaire,
6384 Las ! et si ne se peulent taire
Pour le hanter qu'i fait l'amour ;
Et aucune fois long demour
Engendre souvent et attrait
6388 Que dame d'amer se retrait.
Or me gart Dieus de tel encontre,
Car dire n'oseroie contre.

6373. *E* en *om.*

et selon son gré. Hélas, à la fin elle mourut et lui se tua de l'épée qu'il portait. Pâris de même fut anéanti à la suite de son aventure, ainsi que je le trouve dans les textes.

Les dieux, quand ils aimaient d'amour, changeaient leurs formes en d'autres et ils changeaient aussi leurs amies, tantôt en vaches, tantôt en pies, tantôt en telles formes selon leur bon plaisir : chacun agissait à sa guise (mais quand ils étaient auprès d'elles, ils reprenaient leurs formes à eux), de manière à conduire leurs amours plus secrètement et avec plus de prudence. J'ai les oreilles et les tempes toutes pleines de tels exemples : aussi puis-je soutenir, sans hésiter et sans me tromper et sans tricherie, que si j'en vois un à qui ce jeu réussit, j'en vois douze à qui il échoue. De là je conclus que si on peut s'en tenir à la voie moyenne, c'est la voie la plus sûre à tenir, car on court un grand péril, par mon âme, à trop ou trop peu voir sa dame, et on s'expose au risque d'encourir une mésaventure qu'on voudrait pouvoir éviter. En effet, le trop suscite les propos durs et extravagants des médisants qui sont chose inévitable en amour, hélas ! et ils ne peuvent pas se taire à cause du trop grand nombre de rencontres dont est responsable l'amour ; mais, d'autre part, une longue attente a souvent pour résultat et pour effet que la dame renonce à l'amour ; à présent, veuille Dieu m'épargner un tel sort, car je resterais sans voix devant l'événement.

A toutes ces choses musoie
6392 Et es exemples me miroie
Que j'ai dit qui sont advenu
Et qu'on voit souvent et menu;
Mais rien n'i pooie trouver
6396 Que pour bon peüsse prouver
Adfin que ma dame veÿsse.
Si me pensai que j'escrisisse
Et que devers elle envoiasse,
6400 Pour essaier s'en li trouvasse
Par qu'elle y peüst conseil mettre;
Si fis escrire ceste lettre.
– Mais n'oubliai pas ces .II. choses
6404 Qui furent en ma lettre encloses,
Et furent mises par escript.
T. fist devant, plus n'en escript,
Et le mieulz et le plus qu'il pot
6408 Prist toute la graisse du pot,
Si qu'il o(s)t d'assés l'avantage
De faire milleur son potage.
Et je respondi par tel rime
6412 Et par tel mettre comme il rime;
Et si ai fait les chans a .IIII.
Pour elle deduire et esbatre;
Ne homs vivans, tant fust mes amis,
6416 Nes avoit quant je li tramis,
Car pour elle estoit ja li fais
De ces .II. dis, long temps ha, fais;
Or ay fait le chant si present,
6420 Pour cë humblement li present.

6395. *AE* pouoie – **6396.** *E* Qui – **6399.** *E* que *om.* – **6401.** *E* y deust peine m. – **6409.** *A* ot, *EF* ost – **6410.** *E* meilleur – **6413.** *E* touz IIII – **6415.** *E* mes *om.* – **6419.** *Pm* Or en fis

Je réfléchissais longuement à toutes ces aventures et je regardais comme dans un miroir ces cas dont j'ai dit qu'ils étaient réellement arrivés et qu'on les voit très souvent se produire ; hélas ! je n'y pouvais trouver aucun qui pût passer à mes yeux pour le moyen approprié de voir ma dame. L'idée me vint alors de lui écrire et de lui envoyer un messager, en vue de la sonder sur la possibilité qu'elle verrait de me venir en aide ; et je dictai la lettre qui suit. Mais je n'oubliai pas les deux pièces dont j'ai parlé plus haut et qui avaient été incluses dans ma lettre après avoir été copiées.

(T. [on s'en souvient] avait composé la sienne le premier, et rien de plus, mais le mieux et le plus qu'il put il prit toute la graisse du pot, si bien qu'il eut l'avantage – et de loin – de faire son potage mieux que moi ; quant à moi, je lui donnai la réplique par les mêmes rimes et le même rythme que lui.)

J'ai composé la musique pour quatre voix, pour ses divertissements et ébats en société. Mais nul homme au monde, fût-il mon ami, ne possédait les pièces quand je les lui avais transmises, car c'est pour elle qu'avaient été composés ces deux textes, écrits il y a longtemps ; c'est maintenant seulement que j'ai fait la mélodie ci-jointe, que je lui offre humblement.

Balade, et y a chant

Quant Theseüs, Hercules et Jason *Thommas*
Chercherent tout et terre et mer parfonde
Pour accroistre leur pris et leur renon
6424 Et pour vëoir bien tout l'estat du monde,
Moult furent digne d'onnour;
Mais quant je voi de biauté l'umble flour,
Assevis suis de tout, si que, par m'ame,
6428 Je voi assez, puis que je voi ma dame.

[Q]uar en veant sa biauté, sa façon
Et son maintieng qui de douceur souronde,
Je y pren assés bien pour devenir bon; [182 a]
6432 Car le grant bien de li en moi redonde
Par (la) grace de fine amour
Qui me contraint a haÿr deshonnour
Et tout vice; si puis dire, par m'ame:
6436 Je voi assés, puis que je voi ma dame.

[V]ëoir ne quier la Doree Toison
Ne les Indes ne de Rouge Mer [l']onde,
Ne aus infernaus penre guerre ou tenson
6440 Pour eslongier le regart de la blonde
Dont me vient joie et baudour
Et doulz penser; mais tien pour le millour
Qu'a tout compter et bien peser a drame
6444 Je voi assés, puis que je voi ma dame.

6421-6468. *E répartit autrement les strophes entre les deux balades; par rapport au texte de A et F, l'ordre dans E est le suivant* (A = bal. Thomas dans *AF*, B = bal. G. de M. dans *AF*):

	A1 (Quant)		A3 (Veoir)
Bal. Thom.	B1 (Ne)	*Bal. G. de M.*	B2 (De)
	A2 (Car)		B3 (Si)

6422. *A* cerchierent, *E* cercherent – **6427.** *Pm* du t. – **6429.** *F* Q *initial non fait*; *APm* ueoir – **6430.** *E* de tout bien s. – **6431.** *E* p. en d. (+ 1) – **6433.** *AF* P. la grace (+ 1), *E* Par grace – **6437.** *F* V *initial non fait* – **6438.** *E* Ide; *A* londe, *F* onde; *Pm* des rouges mers

Ballade, de Thomas avec chant

1. Quand Thésée, Hercule et Jason
Parcoururent tout l'univers, la terre et la mer
Pour accroître leur valeur et renom [profonde,
Et pour bien voir en sa totalité l'état du monde,
Ils furent dignes d'être honorés ;
Mais quand je vois l'humble fleur de beauté,
Je suis comblé en toute chose, si bien que, par mon
Je vois assez, dès lors que je vois ma dame. [âme,

2. Car à la vue de sa beauté, de sa forme
Et de son maintien qui déborde de douceur,
Je prends auprès d'elle assez de bien pour devenir
[bon moi-même ;
Car le grand bien qu'elle a rejaillit sur moi
Par la faveur du parfait amour
Qui me presse de haïr le déshonneur
Et tout vice ; si bien que je puis dire, par mon âme :
Je vois assez, dès lors que je vois ma dame.

3. Je ne désire pas voir la Toison d'or
Ni les Indes ni les flots de la mer Rouge,
Ni entreprendre une guerre ou entrer en conflit
[avec les Infernaux
Au risque d'éloigner de moi le regard de la blonde
Dont me viennent la joie et l'allégresse
Et doux penser ; car je tiens pour le sort le meilleur
Qu'à tout compter et bien peser au trébuchet,
Je vois assez, dès lors que je vois ma dame.

Balade

Response G. de Machau

Ne quier vëoir la biauté d'Absalon,
Ne de Ulixes le sens et la faconde,
Në esprouver la force de Sanson,
6448 Ne regarder que Dalida le tonde,
Ne cure n'ai par nul tour
Des ieus Argus ne de joie grignour,
Car pour plaisance et sans aÿde d'ame
6452 Je voi assez, puis que je voi ma dame.

[D]e l'ymage que fist Pymalion
Elle n'avoit pareille ne seconde;
Mais la belle qui m'a en sa prison
6456 .C. mille fois est plus belle et plus monde;
C'est uns drois fluns de douçour,
Qui puet et scet garir toute dolour,
Dont cilz ha tort qui de dire me blame:
6460 Je voi assez, puis que je voi ma dame.

[S]i ne me chaut dou sens de Salemon,
Ne que Phebus en termine ou responde,
Ne que Venus s'en mesle, ne Mennon
6464 Que Jupiter fist muer en aronde;
Car je di: « Quant je l'aour,
Aim et desir, sers et criem et honnour
Sur toute rien, et que s'amour m'enflame,
6468 Je voi assés, puis que je voi ma dame. »

[Lettre XXXVII des mss]

Mon doulz cuer, ma douce suer et ma tres-douce amour! *L'amant*

6445. *A* Response G. de Machau, Rondel G. d. M., *Pm* Response par Guille de Machaut – **6451.** *A* Car plaisence et s. a., *Pm* pour *om.* – **6453.** *F* D *initial non fait* – **6458.** *E* puet assez g.; *Pm* guerir – **6461.** *F* S *initial non fait* – **6463.** *E* merle – **6466.** *Pm* crain – **6467.** *E* Et que samour sur toute riens menflame

Ballade – Réplique de G. de Machaut

1. Je ne cherche pas à admirer la beauté d'Absalon,
Ni d'Ulysse l'esprit et la faconde,
Ni à éprouver la force de Samson
Et à regarder Dalila le tondre,
  Ni je n'ai cure d'aucune manière
Des yeux d'Argus, ni d'augmenter ma joie,
Car pour mon plaisir et sans l'aide de personne
Je vois assez, dès lors que je vois ma dame.

2. Quant à la statue que fit Pygmalion,
Elle n'avait pas sa pareille, pas de rivale ;
Mais la belle qui m'a dans sa prison
Cent mille fois est plus belle et plus pure ;
  C'est exactement un fleuve de douceur,
Qui peut et sait guérir toute douleur,
Et c'est pourquoi celui-là a tort qui me blâme de
Je vois assez, dès lors que je vois ma dame. [dire :

3. Et ne m'importe pas la sagesse de Salomon,
Ni que Phébus sur cela réponde ou énonce ses
Ni que Vénus s'en mêle ou Memnon [conclusions,
Que Jupiter fit changer en aronde,
  Car je déclare : « Quand je l'adore,
Aime et désire, sers et crains et honore
Par-dessus toute chose, et que son amour
[m'enflamme,
Je vois assez, dès lors que je vois ma dame. »

Lettre 37, de l'amant
[37 des mss ; XXXVII de PP]

Mon doux cœur, ma douce sœur et mon très doux amour !

(a) J'ai receu vos lettres par mon vallet[1], qui m'a dit de vostre bon estat, de quoi j'ai plus grant joie que de chose de ce monde; et du mien, s'il vous plaist [a savoir[2]], j'estoie en bonne santé de corps, la mercy Nostre Signeur qui ce vous ottroit, quant ce fu escript.

(b) Je ne sui pas alés a Saint Quentin ne vers Monsigneur le duc, pour aucuns ennemis qui sont en Biauvesis[3], si le m'a on desconsillié, pour laquele chose je sui demourés[4].

(c) Mon tresdoulz cuer, ma treschiere sue[r][5] et ma tresdouce amour[6], vous [182 b] ne m'avez mie escript[7] de mon livre, ne de mes .II. balades jugié que je vous ai envoié[8], dont je fis l'emprise pour vous, comment que je ordenasse[9] que li autres feist premiers[10]. Et m'est avis que vous m'avés escript plus briément que vous n'avés acoustumé : si ne sai se vous avés[11] loisir ou se vous le faites pour ce que je vous escrive plus briément; mais c'est une chose que je feroie a mal aise, car quant je commence, je n'i puis faire fin.

(d) Mon doulz cuer, ma chiere suer et ma tresdouce amour[12], je vous pri[13] que vous gardés bien mon livre et que vous le moustrés a mains de gens que vous porrés; et s'il[14] y ha aucune chose qui vous desplaise ou qui vous semble qui ne soit mie bien, faites y signe[15] et je l'osterai[16] et amenderai[17] a mon pooir.

(e) Mon doulz cuer et ma tresdouce amour[18], je croi que li uns des grans biens et la milleur fortune[19] qu'Amours et Fortune donnent aus amoureus est d'amer prés de lui[20], et li plus grans meschiés est amer loing, et je m'en sai bien a quoi tenir : et je croi

---

1. *E* uarlet. – **2.** *APmE* p. a savoir, *F om.* – **3.** *A* Biauesis, *E* Beauuoisis. – **4.** *Pm* Je ne sui pas... demourés *om.* – **5.** *A* suer, *F* sue, *E* seur. – **6.** *Pm* ma treschiere... amour *om.* – **7.** *Pm* riens escript. – **8.** *Pm* enuoiees. – **9.** *E* p. v. bonnement je ordenay. – **10.** *E* li premiers. – **11.** *A* auiez, *FE* auez. – **12.** *Pm* dont je fis... ma tresdouce amour *om.* – **13.** *Pm* sy u. p. – **14.** *E* u. g. mon liure le mieulx que uous pourez et s'il. – **15.** *Pm* faitez y .I. signe, *A* signet. – **16.** *E* l'estoreray. – **17.** *Pm* l'amenderay ou osteray. – **18.** *Pm* et ma tresd. amour *om.* – **19.** *E* je croy li un des grans biens est li meilleurs de fortune. – **20.** *Pm* pres de soy.

J'ai reçu votre lettre par mon serviteur, qui m'a parlé de votre bonne condition, ce qui me fait une joie plus grande que n'importe quoi au monde ; quant à la mienne, si vous désirez la connaître, j'étais, quand cette lettre a été écrite, en bonne santé physique, grâce à Notre-Seigneur, qui veuille continuer à vous accorder la même faveur.

Je ne suis pas allé à Saint-Quentin ni chez Monseigneur le duc, en raison d'un certain nombre d'ennemis qui sont en Beauvaisis, et on me l'a déconseillé ; à cause de quoi je suis demeuré ici.

Mon très doux cœur, ma très chère sœur et mon très doux amour, vous ne m'avez rien écrit sur mon livre [le *Voir Dit*] ni porté de jugement sur les deux ballades que je vous ai envoyées, et qui, sur mon initiative, avaient fait l'objet d'un tournoi à votre propos, étant convenu que l'ordre de succession serait que c'est mon partenaire qui composerait le premier sa partie.

Il me semble d'autre part que vous m'avez écrit plus brièvement que d'ordinaire : je ne sais si c'est pour vous une question de loisir, ou si vous le faites pour que moi-même je vous écrive plus brièvement ; mais à ceci je me résoudrais difficilement, car quand je commence, je ne peux y mettre un terme.

Mon doux cœur, ma chère sœur et mon très doux amour, je vous supplie de bien garder mon livre et de le montrer au moins de gens possible ; et s'il y a quelque chose qui soit de nature à vous déplaire ou qui ne vous paraît pas bien fait, faites-y une marque, et je l'ôterai ou le corrigerai autant que je pourrai.

Mon doux cœur et mon très doux amour, je crois que l'un des plus grands biens et la meilleure faveur qu'Amour et Fortune accordent aux amoureux est d'aimer dans son proche voisinage, et que le plus grand malheur est d'aimer au loin, et je sais à quoi m'en tenir sur ce point ; et je pense que aussi faites vous, car se ce ne fust, je ne volsisse plus souhaidier en ce monde fors vivre pour[1] vous veoir mon gré et vous servir; si pense tant comment on y porroit[2] mettre remede que c'est une des plus grans pensees que j'aie, mais je n'i voi tour s'il ne vient de vous. Et, mon tresdoulz cuer, vous savés[3] comment Pyramus et Tysbé[4], que on avoit enfermé en divers lieus pour ce que il ne se veyssent, quirent voie par quoi il se peussent veoir[5]; comment Leandon passoit un bras de mer a no pour aler veoir sa dame, que autrement n'i pooit aler; et comment la chastellaine de Vergi quist voie pour aler veoir son ami; et comment Lancelos passa le pont de l'espee; et tout ce faisoient pour amour de leurs dames. Et, mon tresdoulz cuer, comment que je ne soie si bon[6] comme il furent[7], il n'est chose en ce monde que mes corps[8] peust souffrir que je n'entrepreysse a faire a vostre commandement[9] et par quoi je vous peusse veoir; car vostre parfaite biauté et vostre fine douceur, qui attrait moi et mon cuer aussi come l'aymant attrait le fer, trairoient moi et mon cuer a eulz si doucement que riens ne me porroit grever que je feysse a vostre doulz commandement. Et vous estes si sage, et si savés bien tant qu'*assez reuve qui se va complaingnant*, car je n'*i*[10] saroie mettre conseil s'il ne venoit[11] de vous[12].

(f) Mon tresdoulz cuer, je vous envoie les .II. balades que vous avés veues autre fois, qui furent faites pour vous par escript; si vous suppli humblement que vous [les[13]] veuilliés savoir, car je y ai fait les chans a quatre, et les ai [182 v° a] pluiseurs fois oÿs et me plaisent moult bien[14].

---

1. *Pm* vivre pour *om.* – **2.** *Pm* comme on y p. – **3.** *E* Et, mon tresdoulz cuer, vous s. *om.* – **4.** *E* Thibe. – **5.** *E* peurent u. – **6.** *A* s. aussi bons, *E* s. mie si bon. – **7.** *E* Et, mon tresd. c.... comme il furent *om.* – **8.** *Pm* il f. sy uous supli que uous y pouruoies; quer il n'est en ce monde chose que mon corps. – **9.** *Pm* que je ne feisse a u. c. – **10.** *A* ni, *E* ny, *F* ne. – **11.** *E* uenoit. – **12.** *Pm* et par quoi... s'il ne venoit de vous *om.*, *A* uient de u. – **13.** *F* les *om.* – **14.** *Pm* par escript... moult bien *om.*

qu'il en est de même chez vous, car si ce n'était pas le cas, je ne serais pas celui qui ne voudrait en ce monde souhaiter autre chose que vivre pour vous voir à son gré et vous servir, et je réfléchis si intensément sur la manière dont on pourrait porter remède à la présente situation que c'est une des plus grandes préoccupations que j'aie ; et je ne vois malheureusement pas de solution à cela si elle ne vient de vous.

Mon très doux cœur, vous savez comment Pyrame et Thisbé, qu'on avait enfermés en des lieux distincts pour qu'ils ne pussent pas se voir, cherchèrent un moyen qui leur permît de se rencontrer ; comment Léandre passait un bras de mer à la nage pour aller voir sa dame, car il ne pouvait la rejoindre autrement ; comment la châtelaine de Vergi chercha un moyen d'aller voir son ami ; et comment Lancelot passa le pont de l'épée ; et tout cela ils le faisaient pour l'amour de leurs dames. Et, mon très doux cœur, quoique je ne sois pas aussi courageux qu'ils furent, il n'y a rien en ce monde qui me fût supportable que je n'entreprisse pour agir selon vos ordres et pour me permettre de vous voir ; car votre beauté accomplie et votre parfaite douceur, qui attirent moi et mon cœur comme l'aimant attire le fer, attireraient à elles moi et mon cœur si doucement que rien que je ferais selon votre doux commandement ne pourrait me peser. Mais vous êtes si avisée et vous savez si bien que *c'est bien assez demander que de se complaindre*, que vous comprenez que je ne saurais rien décider si l'initiative ne venait de vous.

Mon très doux cœur, je vous envoie les deux ballades que vous avez vues précédemment et qui avaient été composées à votre intention dans leur texte ; et je vous supplie humblement que vous les veuillez savoir, car j'ai composé pour elles le chant à quatre voix, et je les ai entendu plusieurs fois chanter et elles me plaisent vraiment beaucoup.

A Dieu, mon tresdoulz cuer, ma chiere suer et ma tresdouce amour, qui vous doint parfaite joie de ce que vos cuers[1] aimme, et bonne vie et longue[2], et nous doint temps et lieu que nous nous puissons[3] briément veoir.

Escript le .IIIe. jour de novembre.

Vostre leal[4] ami.

Aprés ceste lettre presente *L'amant*
Ne fist mie moult longue attente
Ma dame bonne, belle et sage,
6472 Ainçois delivra mon message
Si brief, que ce fu la journee
Que ma lettre li fu donnee ;
Et m'envoia ce rondelet
6476 Avec un tresbel anelet.

Rondel

Tant com je serai vivant *La dame*
Vous serai leal amie

Loing de vous et en present
6480 Tant com je serai vivant.

De ce ne soiés doubtant,
Amis, que je vous affie :

Tant com je serai vivant
6484 Vous serai loial amie.

---

1. *APm* uostres cuers, *E* uostre cuer. – **2.** *Pm* et bonne vie et longue *om.* – **3.** *APm* puissiens. – **4.** *APm* loial, *E* loyal.

6470. *E* une moult

Je vous recommande, mon très doux cœur, ma chère sœur et mon très doux amour, à Dieu, qui veuille vous donner une parfaite joie pour tout ce que votre cœur aime, et une vie bonne et longue, et nous accorde le moment et le lieu où nous puissions nous voir à bref délai.

Écrit le 3 novembre.

Votre loyal ami.

Après la lettre ci-dessus, ma dame bonne, *L'amant* belle et sage n'attendit pas longtemps, mais libéra mon messager si vite, que ce fut le jour même où ma lettre lui avait été donnée ; et elle m'envoya le petit rondeau que voici avec une très belle petite bague.

Rondeau [de la dame]

Tant que je serai en vie
Je serai votre loyale amie

Loin de vous comme en votre présence,
Tant que je serai en vie.

De cela n'ayez pas de doute,
Ami, car je vous en donne ma parole :

Tant que je serai en vie
Je serai votre loyale amie.

Balade

Se par Fortune, la lasse, (et) la dervee, *La dame*
Qui onques n'est estable ne seüre,
Mes doulz amis fait longue demouree
6488 Et m'est lontains par aucune aventure,
N'est pas raison que l'en soie plus dure
Ne que le doie oublier ne guerpir,
Car cuers donnés ne se doit retollir.

6492 Certaine sui que toute sa pensee
Tout son desir est, et toute sa cure,
Comment il puist faire brief retournee,
Et que par ce souvent grief paine endure;
6496 Dont, se je fais mon devoir par droiture,
Je le doi bien pour escusé tenir,
Car cuers donnés ne se doit retollir.

Je sui de li en tous lieus honnouree
6500 Et par son bien mon honneur croist et dure;
Or soit certains, tant com j'arai duree,
Je l'amerai de loial amour pure,
Ne je ne croi qu'en monde ait creature
6504 Qui m'amour puist de li faire partir,
Car cuers donnés ne se doit retollir.

[Lettre XXXVIII des mss]

Mon tresdoulz cuer, ma tresdouce amour *La dame*
[182 v° b] et mon treschier ami!

(a) J'é receu[1] vos lettres et ai moult grant joie de ce que vous n'estes point alés la ou vous aviés escript, car j'avoie grant doubte que vous n'eussiés anoi en chemin[2].

6485. *APmEF* et la d. (+ 1) – **6488.** *Pm* loingtains – **6495.** *A* ce *om.* – **6497.** *APm* excuse – **6498** ***et*** **6505.** *A* se puet r. – **6499.** *Pm* lieux – **6503.** *E* ou m.

---

1. *APmE* jay receu, *F* je (= j'é) receu. – 2. *Pm* et ai... en chemin *om.*

Ballade [de la dame]

1. Si par la faute de Fortune, la misérable, l'insensée,
Qui jamais n'est stable ni sûre
Mon doux ami me fait longuement attendre
Et se trouve loin de moi par quelque hasard,
Il n'est pas raisonnable que je lui en sois plus [cruelle,
Ni que je doive l'oublier et abandonner,
Car cœur donné ne doit se reprendre.

2. Je suis certaine que toute sa pensée,
Tout son désir et tout son souci
Ont pour objet comment il pourrait bientôt revenir [chez moi,
Et que pour cette raison il endure souvent une [pénible souffrance ;
Chose dont, si je fais mon devoir en toute justice,
Je dois bien le tenir pour non coupable,
Car cœur donné ne doit se reprendre.

3. Je suis quant à lui honorée en tout lieu
Et en raison de son mérite mon honneur croît et [perdure ;
Qu'il soit donc certain que, tant que je serai en vie,
Je l'aimerai d'amour loyal et sans mélange,
Et que je ne crois pas qu'au monde il y ait quelqu'un
Qui puisse séparer de lui mon amour,
Car cœur donné ne doit se reprendre.

Lettre 38, de la dame [38 des mss ; XXXVIII de PP]

Mon très doux cœur, mon très doux amour, et mon très cher ami !

J'ai reçu votre lettre et je me réjouis fort de ce que vous n'êtes pas allé là où vous m'aviez écrit que vous iriez, car je craignais beaucoup que vous eussiez des difficultés en chemin.

(b) Je ne vous escris[1] riens a l'autre fois[2] de vostre livre que vous m'avés envoié pour ce que[3] je ne l'avoie mie leu. Mais je l'ai depuis leu .II. fois ; si me semble qu'il est moult[4] tresbons ; et quant il plaira a Dieu que je vous voie, la quele chose sera briément, se Dieu plaist[5], je vous dirai aucunes choses dont il amendera. Les .II. balades que vous m'avés envoies[6] sont si bonnes que on n'i saroit trouver[7] que redire. Mais ce n'est pas comparison, car[8] ce que vous faites me plaist trop mieulz a mon gré[9] que ce que li autres font ; et aussi(s) sui[10] je certaine que ainsi fait il aus autres.

(c) Vous m'avés escript qu'il n'est doleur si grant comme d'amer loing de li[11] ; et, par ma foi, je le sai bien, car je ne cuide mie qu'il soit creature ou monde[12] qui en puist avoir plus de paine que j'[en] endure[13]. Et, mon doulz cuer[14], pour ce que je sai bien que vous l'avés autele comme j'ai[15], vous promet je a y mettre tel remede que nous nous verrons bien briément a grant joie. Et, pour ceste cause seulement, je serai ou vous savés[16] dedens .VIII. jours sans faute ; et, si tost come je serai la, vous orrés teles nouvelles[17] qui vous plairont ; car onques tous ceulz et celles que vous m'avés escript ne mirent si grant poine come je y pense a mettre, car, par Dieu, c'est le plus grant desir que j'aie en ce monde[18].

(d) Mon tresdoulz cuer, se je vous escri briément, je vous pri qu'il ne vous veuille desplaire, car, se vous saviés bien ou je sui et les gens a qui j'ai a faire, vous m'en tenriés bien pour excusee.

---

1. *E* escrips. – **2.** *Pm* Et dites que je ne uous escrips r. a l'a. f. – **3.** *Pm* Et, mon tresdoulx cuer, la cause fu pour ce que. – **4.** *Pm* et me semble qui e. m. – **5.** *Pm* uoie qui sera brief s. d. p. – **6.** *E* enuoiees. – **7.** *Pm* trouver *om.* – **8.** *Pm* quer. – **9.** *Pm* a mon gré *om.* – **10.** *A* aussi suis. – **11.** *Pm* loing de soy. – **12.** *A* en monde. – **13.** *APm* que j'en endure, *FE* j'endure. – **14.** *Pm* mon doulz cuer *om.* – **15.** *Pm* comme moy. – **16.** *Pm* je serai ou vous savés *om., remplacé par des points de suspension (passage illisible dans l'original ?).* – **17.** *Pm* tieulx n. – **18.** *Pm* car onques... en ce monde *om.*

Si je ne vous ai rien écrit la dernière fois de votre livre [le *Voir Dit*] que vous m'avez envoyé, c'est parce que je ne l'avais pas lu. Mais depuis je l'ai lu deux fois ; et il me semble qu'il est très, très bon ; et quand il plaira à Dieu que je vous voie, ce qui arrivera bientôt, s'il plaît à Dieu, je vous dirai certaines choses qui le corrigeront. Les deux ballades que vous m'avez envoyées sont si bonnes qu'on n'y saurait trouver à redire ; bien plus, il n'y a pas de comparaison possible, car ce que vous écrivez me plaît et me satisfait beaucoup mieux que ce que font les autres ; et je suis certaine aussi qu'il en est ainsi pour les autres gens.

Vous m'avez écrit qu'il n'y a douleur aussi grande que d'aimer loin de soi ; et croyez-m'en, je le sais bien, car je ne pense pas qu'il existe une créature au monde qui puisse en avoir plus de chagrin que je n'en éprouve. Et, mon doux cœur, parce que je sais bien que le vôtre est aussi fort que le mien, je vous promets d'y apporter le remède qui consistera en ce que nous nous verrons très bientôt avec grande joie. Et rien que pour cette raison, je serai là où vous savez dans huit jours sans faute ; et dès que je serai là, vous apprendrez de mes nouvelles qui vous feront plaisir ; et jamais ceux et celles dont vous m'avez écrit ne mirent autant d'empressement que je pense y mettre, car, par Dieu, c'est là le plus grand désir que j'ai en ce monde.

Mon très doux cœur, si je ne vous écris qu'une courte lettre, je vous prie de vouloir bien ne pas en être choqué, car si vous saviez exactement où je suis et les gens à qui j'ai affaire, vous me tiendriez bien pour non coupable.

(e) Mon tresdoulz cuer, je prie a Dieu qu'il vous doint honneur et joie de quanque vos cuers aime. **(f)** Et, mon tresdoulz cuer, je vous envoie un rondel et une balade que j'ai fait[1] pour [amour[2]] de[3] vous[4], et un anelet que vous porterés pour amour de mi[5], s'il vous plaist, et je vous en prie[6].

Escript le .V^e^. jour de novembre[7].

Vostre leal[8] amie.

Longuement pas ne demoura — *L'amant*
Que ma dame son demour a
6508 Mué en un autre manoir,
Plus loing que ne soloit manoir,
Ou cuer d'une tresbonne ville ;
Et se vous jur par l'Evangile
6512 Qu'elle m'escrist qu'elle y aloit
Pour ce que vëoir me voloit
Plus souvent et mieulz a son gré.
Si le receu en moult bon gré,
6516 Qu'elle mandoit que je y alasse,
Et mon secretaire menasse, [183 a]
Priveement, a po de gent,
Pour vëoir son corps bel et gent ;
6520 Et que pas n'eüsse doubtance,
Qu'elle avoit fait tele ordenance
Que Argus estoit bien endormis
Et Dangiers mes fors anemis ;
6524 Et que Male Bouche groucier
N'oseroit pour nous couroucier

---

1. *E* faite. – **2.** *F* amour *om.* – **3.** *PmE* pour l'amour de. – **4.** *A* pour amour de u. – **5.** *E* pour l'amour de moy, *Pm* pour amour de mi *om.* – **6.** *Pm* je prie nostre segneur qu'il uous doint joie de quanque vostres cuers aime *(ajouté, par emprunt à la lettre XXXIX).* – **7.** *Pm* Escript le 6e jour de novembre. – **8.** *Pm* loyal.

6509. *E* (*ajouté en fin des vers 6509 et 6510*) Pour son esbatement auoir ; *Pm* quel ne – **6512.** *A* escrist, *FE* escript – **6513.** *A* que de ueoir (+ 1) – **6515.** *Pm* rechus – **6516.** *E* Quelle me (+ 1) – **6518.** *A* Priuement (– 1) – **6521.** *Pm* telle ordonnance – **6524.** *Pm* grouchier

Mon très doux cœur, je prie Dieu qu'il vous accorde honneur et joie pour tout ce que votre cœur aime.

Mon très doux cœur, je vous envoie un rondeau et une ballade que j'ai composés par amour pour vous, et une petite bague que vous porterez par amour pour moi, si vous voulez bien, et ainsi que je vous en supplie.

Écrit le 5 novembre.

Votre loyale amie.

Il ne se passa guère de temps que ma dame *L'amant*
changea son domicile pour un autre séjour,
assez loin de l'endroit où elle habitait alors, au cœur d'une très bonne ville, et je vous jure sur l'Évangile qu'elle m'écrivit qu'elle y allait parce qu'elle voulait me voir plus souvent et d'une manière plus conforme à son gré. Je reçus cette nouvelle avec un très grand plaisir, car elle me demandait d'aller là-bas, en emmenant mon secrétaire, sans ostentation, avec peu de gens, pour la voir, elle dont j'admirais la gracieuse beauté ; et elle ajoutait que je n'eusse aucune crainte, car elle avait pris des dispositions telles qu'Argus était bien endormi, ainsi que Danger-Réserve, mon puissant ennemi ; et que Male Bouche n'oserait grogner pour nous désoler

N'elle n'aroit jamais envie
Se nous meniens joieuse vie ;
6528 Et qu'elle avoit mis en prison
Plus fort qu'onques ne fu pris hon
Ceulz qui nous pooient grever,
Et en deüst Raison crever.
6532 Vous le verrés par son escript,
Car vesci ce qu'elle m'escript.

[Lettre XXXIX des mss]

Mon tresdoulz cuer, ma douce amour et mon treschier ami ! *La dame*

(a) Plaise vous savoir que je sui ou vous savés en tresbon point, la merci Nostre Signeur, qui ce vous ottroit. **(b)** Et sachiés que[1] quant il vous plaira a venir[2], vous y trouverés tele joie et tele douceur[3] que vous porriés penser et[4] souhaidier ; car j'ai emprisonné Dangier et Male Bouche, et si ay endormi Argus, en tele maniere qu'il n'i ha celli qui ja vous puisse grever de riens. Et, mon tresdoulz cuer, combien que je vous desire plus a veoir que nulle chose terrienne, vous prie je que vous ne vous mettés point en chemin de venir se ce n'est a l'aise de vostre corps, car les chemins ne sont pas bien segur, et je n'aroie jamais bien ne joie se vous vous metiés en chemin et vous aviés mal. Et, mon doulz ami[5], quant ce sera que vous venrés[6], je vous pri que vous prenés vostre hostel en l'ostel que vous savés, car il me semble que c'est le milleur[7]. Et voldroie bien, s'il pooit estre, que vostre secretaire venist aveuc vous, et, s'il n'i puet estre[8], si amenés aveuc[9] vous de vos gens ceulz en qui vous vous fiés le mieulz[10]. Et venés si secretement

---

6527. *A* meniens, *Pm* menions, *F* maniens, *E* uous meniez

---

1. *Pm* que *om.* – **2.** *E* a y uenir. – **3.** *Pm* doucour. – **4.** *Pm* penser et *om.* – **5.** *Pm* Et, mon tresd.... doulz ami *om.* – **6.** *Pm* quant uous u. – **7.** *E* meilleur. – **8.** *E* et, s'il n'i puet estre *om.* – **9.** *Pm* auesques. – **10.** *E* ou celuy de voz gens en qui uous uous fiez le plus.

ni ne se montrerait envieuse à la vue de la plaisante vie que nous mènerions ; et qu'elle avait emprisonné, plus sûrement que ne le fut jamais personne, ceux qui pouvaient nous accabler, et tout cela dût Raison en éclater de rage. Vous le verrez par sa lettre, car voici ce qu'elle m'écrivit :

Lettre 39, de la dame *[39 des mss ; XXXIX de PP]*

Mon très doux cœur, mon doux amour et mon très cher ami !

Qu'il vous plaise de savoir que je suis où vous savez, et en très bonne forme, grâce à Notre-Seigneur, qui veuille vous accorder la même faveur.

Et sachez que quand il vous plaira de venir ici, vous y trouverez toute la joie et toute la douceur que vous pourriez concevoir et souhaiter ; car j'ai emprisonné Danger et Male Bouche, et j'ai endormi Argus, en sorte qu'aucun d'entre eux ne puisse vous accabler en quoi que ce soit. Mais, mon très doux cœur, quoique je désire – ô combien ! – vous voir plus qu'aucune créature sur terre, je vous prie de ne point vous mettre en route pour venir si ce n'est assuré des aises que demande votre bien-être physique ; car les chemins ne sont pas très sûrs, et je n'aurais ni bonheur ni joie si de prendre la route vous mettait à mal.

Mon doux ami, quand sera réellement arrivé le moment où vous viendrez, je vous prie de vous loger à l'hôtel que vous connaissez, car il me semble que c'est le meilleur parti. Et je voudrais bien, si c'était possible, que votre secrétaire vînt avec vous, ou que, s'il ne peut y être, vous ameniez avec vous parmi vos gens ceux en qui vous avez la plus entière confiance. Et venez avec une discrétion telle que nulz ne sache rien de vostre venue jusques a tant que je aurai parlé a vous ; et a mon pooir le tresor sera deffermés avant[1] qu'il soit nulle nouvelle de vostre venue. Et, si tost comme vous serés descendus en l'ostel dessus dit, si envoiés par devers moi en l'ostel de ma mére aucun de vos gens, et par cellui m'escrisiés vostre venue[2] ; et s'il trouvoit en l'ostel de ma mére aucune personne qui li demandast dont il venoit, qu'il deist[3] qu'il venist de ma suer et qu'il m'aporte lettres de par elle[4]. **(c)** Mon tresdoulz cuer, je vous pri que vous m'escrisiés vostre estat[5] par ce message et quant vous venrés[6] [183 b] par devers mi[7], adfin que je puisse mieulz estre avisee de mon fait ; car je vous promet loiaulment que la plus grant cause pour quoi je sui venue ou je sui, si est pour ce que je vous y porray veoir plus a loisir que aillours.

(d) Je ne vous envoie point vostre livre, pour ce que, se Dieu plaist, je le vous baillerai.

Une de mes compaignes[8] et amie, qui s'appelle La Coulombelle, se recommende[9] a vous moult de fois ; et je vous promet que c'est une fame qui vous puet faire assés de biens, mais je ne li ai encore rien descouvert de vostre affaire, ne ne ferai jusques a tant qu'il sera poins[10]. H. est hors du pays et ne puet venir quant ad present pour certaine cause ; si ai ouvertes vos lettres[11] que vous li envoiés, et si tost comme il revenra, qui sera bien briément, se Dieu[12] plaist, je l'envoierai vers vous pour vous admener[13].

Je pri a Nostre Signeur qu'il vous doinst honneur et joie de quanque vostre cuers[14] aime[15].

Escript le .XIIIe. jour de novembre.

Vostre tresloial[16] amie.

---

1. *E* auant ce. – **2.** *E* et par cellui... venue *om.* – **3.** *E* dist. – **4.** *Pm* et, s'il n'i puet estre... par elle *om.* – **5.** *Pm* me enuoiez par escript de u. e. – **6.** *Pm* uenrrez. – **7.** *Pm* p. deuers moy. – **8.** *E* je le bailleray a une de mes compaignes. – **9.** *E* et se rec. – **10.** *E* point. – **11.** *AE* les l. – **12.** *A* dieux, *PmE* dieu. – **13.** *Pm* Une de mes compaignes... vous admener *om.* – **14.** *A* uostres cuers, *E* uostre cuer. – **15.** *A* aimme. – **16.** *A* tresleal, *Pm* loyal, *E* loyale.

que personne ne sache rien de votre arrivée jusqu'au moment où j'aurai parlé avec vous ; et, autant qu'il me sera possible, le trésor sera ouvert avant que ne soit connue votre venue. Et sitôt que vous serez descendu à l'hôtel ci-dessus indiqué, envoyez à l'hôtel de ma mère un de vos gens et par lui annoncez-moi votre venue ; et s'il rencontrait à l'hôtel de ma mère quelqu'un qui lui demanderait d'où il vient, qu'il réponde qu'il vient de chez ma sœur et qu'il m'apporte une lettre de sa part.

Mon très doux cœur, je vous prie de me dire dans la lettre que vous confierez au messager comment vous vous portez, et quand vous viendrez chez moi, afin que je puisse au mieux préparer mon emploi du temps ; car je vous garantis en toute loyauté que la principale raison de ma venue à l'endroit où je suis est que je pourrai vous y voir plus librement qu'ailleurs.

Je ne vous envoie pas votre livre [le *Voir Dit*], parce que, s'il plaît à Dieu, je vous le donnerai de la main à la main.

Une de mes compagnes et mon amie, qui a nom Colombelle, se recommande à vous mille fois ; et je vous promets que c'est une femme qui peut vous faire beaucoup de bien, mais je ne lui ai encore rien découvert de votre projet, ni ne le ferai avant le moment opportun.

H. est hors de la contrée et ne peut venir pour l'instant en raison d'une mission définie ; aussi ai-je ouvert la lettre que vous lui adressez, et sitôt qu'il reviendra – ce qui ne tardera pas, s'il plaît à Dieu – je l'enverrai chez vous pour qu'il vous amène.

Je prie Notre-Seigneur qu'il vous donne honneur et joie pour tout ce que votre cœur aime.

Écrit le 13 novembre.

Votre très loyale amie.

Mon secretaire envoiai querre *L'amant*
Qui estoit en estrange terre
6536 A .III. journees loing de mi;
Si n'arresta jour ne demi
Jusqu'a tant qu'a moi fust venus,
Car il desiroit plus que nulz
6540 A savoir que je li voloie
Qui en tel haste le mandoie.
Et fu droit ou mois de nouvembre
.XXVIII. jours, bien m'en remembre,
6544 Et se vous ai bien en couvent
Qu'onques ne vi faire tel vent,
Car les tieules par l'air voloient
Et les cheminees chëoient
6548 Et se chaÿ pluiseurs maisons.
Onques tel vent ne vid mais homs:
On n'osoit aler ne venir,
N'on ne se pooit soubstenir,
6552 Car si horriblement venta
Que li vens mainte fois jetta
Pluiseurs gens plus loing, par saint Pierre,
De .C. pas ou d'un jet de pierre.
6556 Lui venu, je li descouvri
Tout mon affaire et li ouvri
Ces lettres; si les prinst a lire
Et en la fin me prinst a dire:
6560 « Vraiement, vesci un escript
Qui est moult doucement escript
Et de cuer d'amours enoubli
Que pas ne vous met en oubli;
6564 Or regardons que nous ferons. »
Je respondi: « Nous monterons, [183 v° a]
Car aler vers elle me faut,

6535. *E* en une (+ 1) – **6538.** *Pm* Tant que deuers m.; *E* que vers m. (+ 1) – **6542.** *E* Ce – **6548.** *APmE* chei – **6553.** *A* maintes – **6553-4.** *Pm* maintes gens getta Plusieurx fois – **6562.** *E* anobly – **6563.** *A* Qui; *Pm* en anobli (+ 1) – **6566.** *PmE* uers elle aler m. f.

J'envoyai chercher mon secrétaire qui était *L'amant* en territoire étranger à trois journées de distance de chez moi ; et il ne s'arrêta pas en route un seul jour, voire une demi-journée avant d'arriver chez moi, car plus que personne il désirait savoir ce que je lui voulais, moi qui le faisais chercher avec une telle hâte. Il arriva exactement le 28 novembre, je m'en souviens bien, et je vous garantis que jamais je n'avais vu un tel vent, car les tuiles volaient en l'air et les cheminées tombaient et plusieurs maisons s'écroulèrent. Jamais personne n'avait vu un tel ouragan : on n'osait aller ni venir et on ne pouvait se tenir debout, car le vent était si épouvantable que maintes fois il projeta plusieurs personnes en avant, par saint Pierre, de cent pas ou d'un jet de pierre.

Lorsque mon secrétaire fut venu, je lui révélai toute mon affaire et lui ouvris la dernière lettre ; il se mit à la lire, et lorsqu'il eut fini, il se prit à me dire : « En vérité, voici un texte qui est écrit avec beaucoup de douceur et d'un cœur ennobli par un amour qui ne vous oublie pas. Voyons donc ce que nous allons faire. » Je répondis : « Nous monterons à cheval, car il me faut aller chez elle,

Si qu'il n'i hait point de deffaut,
6568 Qu'assés mieulz morir ameroie
Qu'entrelaissasse ceste voie. »
Quant il m'oÿ, il prist a rire
Et me dist en riant : « Biaus sire,
6572 Vous n'avés mestier de conseil,
Alez y, je le vous conseil,
Car, foi que doi sainte Marie,
Aveu[ques] vous n'irai [je] mie. »
6576 Je li dix : « Pour quoi, doulz amis ?
Vous veés que ma dame a mis
En sa lettre que o moi vous maine,
Car sans vous perderai ma paine. »
6580 Et il dist : « Je le vous dirai
Ne ja ne vous en mentirai.
Sire, je dis premierement
Que je vous aim si bonnement
6584 Que volentiers, se je savoie,
En tous cas vous conseilleroie.
Mais je voi en ceste besongne
Pluiseurs choses que moult ressongne,
6588 Et que moult devés ressongnier,
Et tous ceulz qui ont a songnier
De vos biens et de vo personne.
Et cilz qui le conseil vous donne
6592 D'aler y si hastivement,
Il vous conseille folement.
Or m'escoutés, vesci pour quoi.
Se vostre dame au maintieng coi
6596 A de vous vir affection,
Onques ne fu s'in*t*ention
Que vous vous mettés en peris
Ou pluiseurs ont esté peris.
6600 Li ennemis de toutes pars
Sont parmi le pays espars,

6569. *E* Que delaissasse – **6574.** *E* que je doy (+ 1) – **6575.** *A* Auesques, *F* Aueuc, *Pm* Auesquez, *E* Auec ; *A* je – **6577.** *E* Ueez uous – **6587.** *PmE* que je r. – **6595.** *Pm* maintien – **6597.** *F* sincention, *E* sentencion – **6599.** *E om.*

en sorte qu'il n'y ait point de défaillance de ma part ; et en effet j'aimerais bien mieux mourir que de manquer l'occasion de ce déplacement. » Quand il m'eut entendu, il se mit à rire et me dit d'un ton ironique : « Très cher seigneur, je vois que vous n'avez pas besoin de conseil ! Allez-y ; mais laissez-moi vous dire ceci en toute confidence par la fidélité que je dois à sainte Marie : je n'irai pas avec vous. » Je lui répondis : « Pourquoi, doux ami ? Vous voyez que ma dame a mis dans sa lettre que je vous emmène avec moi, car sans votre compagnie, je perdrai ma peine. » Il me dit alors : « Je vous dirai pourquoi, sans mentir.

Sire, je dis d'abord que je vous aime si sincèrement que volontiers, si cela m'était possible, je vous assisterais en toute circonstance. Mais je vois en la présente affaire plusieurs choses que je redoute beaucoup et que vous-même devez grandement craindre, ainsi que tous ceux qui ont à se soucier de vos intérêts et de votre personne. Or si quelqu'un vous conseille d'y aller, il vous donne un conseil déraisonnable. Écoutez-moi bien, je vais vous dire pourquoi.

Si votre dame au tempérament paisible a une très grande envie de vous voir, ce ne fut pas un instant son intention que vous vous exposiez à des dangers où plusieurs personnes déjà ont péri. Les ennemis sont répandus de tous côtés à travers la contrée,

Qui font grans et petis onnis.
Cui il tiennent, il est honnis.
6604 Trop sont fors et malvais leur tour;
S'il vous tiennent en une tour
Trois jours ou .IIII. durement,
Vous seriés mors certainement,
6608 Car vous estes uns tenres homs:
Pour ce l'aler n'est pas raisons
Ne vo dame mais n'aroit joie
S'il vous meschëoit en la voie;
6612 Et elle le vous mande ainsi.
Or vous mettés en tel soussi!
Ne veés vous quel vent il vente?
Gens, maisons et clochiers cravente,
6616 N'on n'ose venir në aler
Pour les tieules qu'on voit voler [183 v° b]
Pour le vent qui ainsi les souffle
Par son fort et mervilleus souffle.
6620 Il ha des ans plus de .L.,
Voire, par Dieu, plus de .LX.
Que li temps ne fu si divers.
Et se commence li yvers,
6624 Glages, neges et grans froidures
Qui vous seront a souffrir dures:
N'i ha si dur ne si jone homme
Qui ne les doubte(z), c'est la somme.
6628 Or vous volés mettre au chemin!
Honnis soiz je, se o vous chemin!
Encor y ha une grant doubte:
Souvent vous prent en pié la goute,
6632 Si que, sire, s'elle venoit
Et en vostre pié vous prenoit,
S'en un povre lieu demouriés,
Par m'ame, sire, vous morriés.
6636 Et que diroit vostre bons freres,

6604. *AE* sont faus – **6607.** *Pm* mors uraiement – **6608.** *E* tendres – **6610.** *E* dame jamais (+ 1) – **6614.** *E* comment il – **6616.** *Pm* Len – **6622.** *Pm* le t. – **6624.** *A* Glaces – **6626.** *Pm* jeune – **6627.** *A* doubte – **6629.** *AEF* soie (+ 1), *Pm* soiz – **6631.** *E* ou pie – **6634-6794.** *Pm om.*

infligeant le même sort aux grands comme aux petites gens. Tout homme qu'ils tiennent est flétri par eux, leurs raids sont violents et cruels ; s'ils vous traitent rudement, enfermé dans une tour pendant trois ou quatre jours, vous risquez la mort à coup sûr, car vous êtes un homme d'une tendre complexion : voilà pourquoi ce voyage n'est pas raisonnable ; et votre dame elle-même n'éprouverait plus de joie s'il vous arrivait malheur en route, et elle vous le dit expressément dans sa lettre.

Or vous vous mettez dans une situation aussi préoccupante. Ne voyez-vous pas quel vent se déchaîne ? Il met à mal gens, maisons et clochers, et on n'ose ni aller ni venir à cause des tuiles qu'on voit voler sous l'effet du vent qui s'acharne sur elles avec l'extraordinaire violence de son souffle. Il y a plus de cinquante ans, voire, par Dieu, plus de soixante, que le temps ne fut aussi contraire. Et voici que commence l'hiver, avec ses gelées, ses neiges et ses grands froids qui vous seront rudes à supporter ; pour tout résumer, il n'y a homme même très résistant ou très jeune qui ne les craigne. Et vous voulez vous mettre en route ! Que je sois honni si je voyage avec vous !

Il y a encore un autre sujet d'inquiétude : souvent la goutte vous prend au pied, si bien que, sire, si la crise survenait et vous prenait à votre pied alors que vous seriez en quelque localité miséreuse, par mon âme, sire, ce serait votre mort !

Et que dirait votre bon frère

Qui vous est filz, sires et peres,
Qui si doucement vous nourri(s)t
Que chascuns bons de joie en rit?
6640 Et aussi tuit vostre autre ami?
Il seroient mi ennemi
Et diroient: "Il nous ha mort
No chier ami et mis a mort."
6644 S'en seroie deshonorés,
Mains prisié et mains honorés
Et maudis en pluiseurs pays
Et de .XX.M. hommes haÿs.
6648 Or me gart Dieus que je n'encharge
Si grant fardel ne si grant charge
Com d'aler en vo compagnie,
Voire en peril de vostre vie!
6652 Qu'en autre cas ne vous faurroie
Nes que Hector fist a ceulz de Troie.
Mais se Circé l'enchanterresse,
Qui d'anchantement fu deesse
6656 Et savoit vrais experimens
Pour faire tous enchantemens
(Et fist muer Piquus en pique
Qui de son bec les arbres pique;
6660 Et aussi mua les messages
Dë Ulixes en pors sauvages;
Et la riviere envenima
Pour Scilla, que Glaucus ama
6664 Qui estoit uns dieus de la mer,
Et elle ne le volt amer,
Dont elle fu envenimee
Sans raison et deshonnouree
6668 *Et ses corps de chiens enragiés*
En plus de cent lieus damagiez)...
Ne vous porroit elle conduire,
Tant sceüst bien ses charmes cuire,
6672 *Que ne vous en repentissiez*

6639. *E* en *om.* – **6653.** *E* Ne – **6657.** *A* t. experimens – **6663.** *FA* Stilla, *E* Scilla – **6664.** *E* un dieu – **6665-94.** *F om.*; *texte de A* – **6671.** *E* ch. suire

qui vous aime comme un fils et vous protège comme un seigneur et père, et si tendrement vous soigne que tous les honnêtes gens en sourient de joie ? Et de même aussi tant d'autres qui sont vos amis ? Ils seraient mes ennemis et diraient : "Il nous a assassiné notre cher ami, en l'exposant à la mort." Et j'y perdrais ma réputation, je serais moins estimé et moins honoré, et maudit en plusieurs contrées et haï de vingt mille hommes ! Que donc Dieu me préserve de me charger d'un si pesant fardeau et d'une si lourde responsabilité que de voyager en votre compagnie, alors que véritablement votre vie est en danger ! Car, en d'autres circonstances, je ne vous ferais pas défaut, pas plus qu'Hector ne fit défaut à ceux de Troie.

Il y a plus : même Circé la magicienne, qui était déesse des enchantements et connaissait les vrais moyens d'opérer toutes les sortes d'ensorcellement (et en effet elle métamorphosa Picus en pic qui pique de son bec les arbres ; et elle transforma les messagers d'Ulysse en porcs sauvages ; c'est elle aussi qui empoisonna la rivière à cause de Scylla, que Glaucus, un des dieux de la mer, aima et qu'elle ne voulut pas aimer, ensuite de quoi elle fut empoisonnée sans motif raisonnable et déshonorée, et son corps fut blessé par des chiens enragés en plus de cent endroits), ne saurait vous conduire, même si elle savait bien faire bouillir ses poisons, sans que vous regrettiez votre voyage

Et en grant peril ne fussiez
De corps, de membre ou de chevance,
Ou d'avoir aucune grevance.

6676 *Ne say se vous savez l'istoire*
De Piquus ; mais c'est chose voire
Que Piquus fu rois de Laurente ;
Et si fu de façon si gente,
6680 *Si biaus, si cointes, si jolis,*
Si gens, si apers, si polis
Et pleins de si tresbon affaire
Com Nature le savoit faire ;
6684 *Et fu li plus vaillans sans faille*
De la troienne bataille,
De hardement, de vasselage,
Voire selonc son juene aage,
6688 *Car ans n'avoit pas plus de .XX.*
Or vous dirai je qui l'avint.
Maintes dames le couvoiterent
Et son amour li demanderent ;
6692 *Nimphes de bois et de rivieres*
L'en feïrent maintes prieres.
Mais onques n'en volt nulle amer
Ne dames n'amies clamer
6696 Fors une seul[e] qu'il amoit,
Qui son doulz ami le clamoit.
Cyrcé, dame d'anchanterie,
Le pria de sa druerie, [184 a]
6700 Mais onques ne la volt oÿr
Nes ses paroles conjoïr ;
Dont la deesse s'acourça,
Si que Piquus mué pour ce a
6704 En un oisel de lait plumage
Qu'on treuve souvent en boscage.
Mais la franche et noble roÿne
Que Piquus amoit d'amour fine

6688. *E* des ans (+ 1) – **6693.** *E* Lui en firent – **6696.** *A* seule, *F* seul (– 1) – **6701.** *A* Ne – **6702.** *A* se courca, *E* se courroussa (+ 1)

et ne soyez en grand danger pour votre corps, vos membres et vos biens, ou pour subir quelque autre grave ennui.

Je ne sais si vous connaissez l'histoire de Picus ; sachez seulement – et la chose est vraie – que Picus fut roi de Laurente ; et il était d'un maintien si distingué, si beau, si noble, si gai, si élégant, si ouvert, si policé et plein d'aussi excellentes qualités que Nature savait les créer ; et il était sans erreur le plus valeureux des guerriers de l'armée de Troie pour la hardiesse, les exploits, surtout compte tenu de son jeune âge, car il n'avait pas plus de vingt ans. Or voici ce qui lui arriva. Maintes dames le désirèrent et lui demandèrent son amour ; des nymphes des bois et des rivières lui adressèrent à ce sujet maintes prières. Mais jamais il ne voulut aimer aucune d'entre elles ni les appeler dames et amies, à l'exception d'une seule, qu'il aimait et qui l'appelait son doux ami. Circé, maîtresse de magie, lui avait demandé sa tendresse, mais jamais il n'avait voulu l'entendre ni réserver le moindre accueil à ses paroles, ce qui provoqua le courroux de la déesse, qui en prit prétexte pour changer Picus en un oiseau de vilain plumage [le pivert] qu'on rencontre souvent dans les bois. Celle que Picus aimait, la généreuse et noble reine – et il l'aimait d'un pur amour

6708 Et elle l'amoit et cremoit
Et son droit signeur le clamoit,
Ce fu la belle Caneüs,
Dont li chans fu si congneüs
6712 Que ceulz qui bien la congnoissoient
Deesse de chant l'appelloient.
(Caneüs, c'est chant en grig*ois*,
Ce dient nobles et bourjois).
6716 Caneüs si tresbien chantoit
Que les montaignes enchantoit
Et les roches faisoit mouvoir
Par son tresdoulz chanter pour voir;
6720 Les chaisnes, les cedres, les pins,
Les amangdeliers, les sapins
Et tou*s* li arbres l'enclinoient
Quant son tresdoulz chanter ooient
6724 Et venoient a li faire ombre
Quant elle ha chaleur qui l'encombre;
Retourner faisoit les rivieres;
Les bestes sauvages et fieres
6728 Faisoit a son chant arrester
Ne n'i pooient contrester;
Les Nimphes des bois et des champs
Souvent dansoient a ses chans,
6732 Et en biers li juesne enfanson
Entendoient a sa chanson.
Mais de Circé l'enchantement
Ne de Piquus le hardement
6736 Ne de Caneüs le chanter
Ne porroient si enchanter
Le vent, le froit et les Compagnes
Qui sont au bois et aus champagnes,
6740 Qu'il vous menassent la seür
Sens avoir aucun maleür.

6709. *E* seigneur – **6714.** *A* gregois, *F* grigios – **6720.** *A* cidres – **6721.** *A* amandreliers, *E* amendeliers – **6722.** *A* Et tous les, *E* Et li (– 1), *F* Et tout li; *A* senclinoient, *FE* lenclinoient – **6730.** *E* nymphes – **6731.** *E* chantoient – **6732.** *A* juene; *E* bers – **6739.** *E* en ch.

et elle l'aimait et l'entourait de crainte respectueuse et l'appelait son seigneur légitime –, c'était la belle Canëus, dont le chant était si renommé que ceux qui la connaissaient bien l'appelaient la déesse du chant (Canëus, c'est *chant* en grec, selon ce que disent les gens distingués des cours et des villes). Canëus chantait si parfaitement qu'elle ensorcelait les montagnes. Et elle faisait remuer les rochers par son très doux chant – c'est la vérité ! Les chênes, les cèdres, les pins, les amandiers, les sapins, bref tous les arbres s'inclinaient devant elle quand ils entendaient son chant mélodieux, et ils venaient lui donner de l'ombre quand la chaleur l'accablait. Elle faisait remonter le cours des rivières. À son chant elle faisait s'arrêter les bêtes sauvages et farouches, qui ne pouvaient y résister. Souvent les nymphes des bois et des campagnes dansaient à ses chants. Et dans les berceaux les petits enfançons prêtaient l'oreille quand elle chantait. – Cependant ni la magie de Circé ni la hardiesse de Picus ni le chant de Canëus ne pourraient si bien ensorceler le vent, le froid et les Grandes Compagnies qui se trouvent aux bois et aux champs qu'ils vous mèneraient là-bas en sécurité sans subir aucun malheur !

Se vous estiés or sur la roche [184 b]
Du jaiant qui les nez arroche
6744 Des grans pierres et des grans cros!
Tant est fors, orguilleus et gros
Que les nés perist et affonde
Dedens la haute mer parfonde;
6748 Et quanqu'il attaint il cravente
Pour paistre sa gueule senglente:
Quant les hommes prent, il les tue,
Puis les deveure et les mengue,
6752 Si que li sans aval degoute
Parmi sa barbe goute a goute.
Trop est plains de desloiauté,
De traÿson, de cruauté;
6756 A paine rien ne li eschappe,
Trop est chetis cilz qu'il attrappe,
Car rien ne li puet eschaper
Qu'il puist tenir et attraper.
6760 Sa crine *l*ocue et diverse
Pigne des gros dens d'une herce.
Un seul oeil ha emmi le front,
Grant et gros, orrible et parfont;
6764 Com(me) feu rouge e[s]t soubz la paupiere;
Ha plus d*ou* tour d'une pa*v*iere.
Si surcil sont de tel façon
Com de la pel d'un heriçon.
6768 Ou crues de son nés se j'estoie
Tous armés, bien y muceroie.
La barbe est au corps afferans
Qui ressemble dens de cerens,
6772 Qu'elle est poingnans et rude et grosse.
Sa bouche ressemble une fosse
Puant com charongne de mors
Qu'il a mengié, occis et mors.
6776 Quant assis est dessus sa roche,

6743. *E* nefs – **6757.** *E* chetifs – **6760.** *AE* locue, *F* bocue – **6764.** *AF* comme (+ 1); *A* est, *F* et – **6765.** *A* dou t., *F* dun t.; *A* pauiere, *EF* paniere – **6767.** *E* Comme la p. – **6768.** *E* creux; nez

Supposez à présent que vous soyez sur le rocher du géant [Polyphème] qui harcèle les nefs avec de grandes pierres et d'énormes crocs : il est si fort, si plein d'énergie et si athlétique qu'il détruit et engloutit les nefs dans les abîmes de la haute mer ; et tout ce qu'il atteint de ses mains, il l'écrase pour le donner en pâture à sa gueule sanglante : quand il prend les hommes, il les tue, puis il les mange avec voracité, en sorte que le sang tombe goutte à goutte parmi sa barbe. Il est tout plein de déloyauté, de traîtrise, de cruauté ; nulle créature, ou peu s'en faut, ne lui échappe ; il est bien pitoyable, celui qu'il attrape, car, en fait, rien ne peut lui échapper pour peu qu'il réussisse à le capturer et à le retenir dans ses pièges. Sa chevelure, étrangement hirsute, il la peigne avec les grosses dents d'une herse. Il n'a qu'un seul œil placé au milieu du front, grand et gros, horrible et profond ; comme un feu rouge il luit sous la paupière ; il mesure plus d'un tour de pavois. Ses sourcils sont faits comme la peau d'un hérisson. Si je me trouvais au creux de son nez tout armé, j'y aurais une bonne cachette. Sa barbe, proportionnée au corps, ressemble à des dents de séran de cardage, car ses poils sont piquants, durs et gros. Sa bouche a l'apparence d'une fosse puante comme la charogne des morts qu'il a tués, mordus et mangés. Quand il est assis au sommet de son rocher,

Un pin tient dont ces bestes croche.
Mais il n'est pas en toit couvert,
Ainçois est tout a descouvert,
6780 N'il n'a maisons, chambres ne sales,
Fors cavernes ordes et sales
Es queles li mauffés se boute
Quant säoule est sa pance gloute.
6784 A senestre ha un aviron
Lonc de cent piez ou environ
Et gros a l'avenant sans faille
Dont il retourne son aumaille.
6788 Et quant il voit le soleil luire
Et li mauffés se vuelt deduire,
En sa main tient une flahute
De .C. rosiaus dont il flahute;
6792 Mais quant il la vuelt fort sonner, [184 v° a]
Mer et terre fait ressonner
Entour lui .III. lieues ou .IIII.:
Ainsi se scet li vers esbatre;
6796 Mais loing et prés tous ceulz qui l'oient
De son encontre se desvoient.
Par amours amoit Galathee,
Qui le haoit plus que riens nee
6800 Pour sa façon ville et horrible
Qui estoit hideuse et terrible,
Et pour son doulz amis Accis
Que li mauvais avoit occis
6804 En traÿson et par boidie,
Par fureur et par jalousie,
Car une roche li rua
Si qu'il le destruit et tua.
6808 Aussi eüst il Galatee,
S'il peüst, honnie et tuee;
Mais Galatee s'en feuy
En un crot, dont bien li cheÿ.

6777. *A* ses b. – **6778.** *A* en tout c. – **6782.** *A* quelle – **6783.** *A* saoules, *E* saoule – **6790.** *AE* prent – **6795.** *A* uers (*mais avec un* u *initial écrit* v) – **6798.** *E* amort G. – **6802.** *A* amy – **6803.** *Pm* le m. – **6811.** *A* chei, *F* chay

il tient un pin avec lequel il crochète les bêtes qui vivent avec lui. Chose étonnante, il ne vit pas abrité sous un toit, mais est absolument privé de couverture : il n'a ni maisons ni chambres ni salles, rien que des cavernes ordurières et sordides où le démon se réfugie quand sa panse gloutonne est saturée. De sa gauche il tient un aviron long de cent pieds – ou environ – et gros, pour sûr, en proportion, avec lequel il fait faire retour à son troupeau. Quand le démon voit luire le soleil et qu'il veut se divertir, il tient en main une flûte de cent roseaux, dont il joue ; mais quand il décide de la faire sonner fort, il fait résonner la terre et la mer à trois ou quatre lieues à la ronde : c'est ainsi que le vilain verrat sait s'ébattre, cependant que ceux qui de près ou de loin l'entendent se détournent de sa rencontre.

Il aimait d'amour Galatée, qui le haïssait plus qu'elle ne haïssait créature au monde, pour ses manières vulgaires et empreintes d'horreur, de hideur, de terreur, et à cause de son doux ami Acis que le mauvais avait tué traîtreusement et par ruse, dans la fureur de la jalousie : il lui avait lancé un rocher par quoi il le massacra et le mit à mort. Il eût de même, s'il avait pu, déshonoré et tué Galatée ; mais Galatée s'était enfuie en une caverne, et ce fut sa chance.

6812 On l'appelloit Poliphenus.
Jupiter manace et Venus,
Et dist qu'il les estranglera,
S'il les attaint, et mengera,
6816 Quant par amours le font amer
Et se n'i puet trouver qu'amer.

Galatee nous fait .I. conte
De lui, cui Dieus doint male honte,
6820 Et dist qu'il estoit uns devins
Qui savoit les secrés divins;
Thelephus estoit appellés.
Les chans des oisiaus revelés
6824 Et l'abai des chiens li estoient,
Si qu'il savoit quanqu'il disoient.
Au gaiant vint et si li dit:
"Garde ton oeil et croi mon dit,
6828 Car Ulixes le te emblera
Ne riens ne t'en deffendera."
Li anemis, que Dieus maudie,
Tenoit son dit a moquerie;
6832 Mais Ulixes le li embla:
Dont depuis la roche trembla,
Que, quant il ot son oeil perdu,
Il ot le cuer si esperdu
6836 Que li anemis s'estendi
Si qu'en .II. la roche fendi.
Il va hullant com beste mue,
Il brait, il crie, il huche, il mue;
6840 Mais assés puet braire pour voir,
Car son oeil ne puet il ravoir.
Ulixes menace formant,
Qui embla son oeil en dormant; [184 v° b]
6844 Et aussi font si compagnon,
Qui estoient mauvais gaignon.
Mais jamais ne le reverront,
Menace[nt] tant comme il volront.

6813. *A* menasse, *E* menace – **6815.** *E* Ne jamais ne les aimera – **6830.** *E* ennemis – **6837.** *Pm* roce – **6847.** *A* menassent, *Pm* menasse, *F* menace

Le géant s'appelait Polyphème. Il menace Jupiter et Vénus et affirme qu'il les étranglera, s'il réussit à les approcher, et les mangera, eux qui le poussent à aimer d'amour là où il ne peut trouver que de l'amer.

Galatée nous fait sur Polyphème – que Dieu veuille honnir de mauvaise honte ! – un récit où elle raconte qu'il y avait un devin qui savait les secrets des dieux. Télèphe était son nom. Le sens des chants des oiseaux lui était révélé, et de même celui des aboiements des chiens, si bien qu'il comprenait tout ce qu'ils disaient. Il alla trouver le géant et lui dit : "Prends garde à ton œil et crois ce que je te déclare : Ulysse te le prendra et nulle créature ne te défendra contre lui." Le démon – que Dieu maudisse – tournait les propos du devin en dérision ; mais pour son malheur, Ulysse lui ravit son œil. Ensuite de quoi le rocher se mit à trembler, car, quand le géant eut perdu son œil, le démon eut le cœur si hors de soi que de tout son long il s'étendit et que le rocher, sous le choc, se fendit en deux. Il ne cesse de hurler comme une bête sauvage, il brait, il crie, il appelle, il mugit. Mais, en vérité, il a beau crier, il ne peut recouvrer son œil. Il profère de violentes menaces contre Ulysse, qui lui avait ravi son œil pendant qu'il dormait ; et de même font ses compagnons, qui étaient de méchants mâtins de basse-cour. Mais qu'ils menacent tant qu'ils voudront, jamais plus ils ne reverront Ulysse.

6848 Achimenides, qui le vit,
Disoit comment il se chevit
Quant de son oeil fu defferrés:
Jamais dÿable ne verrés
6852 Si forsené, si *en*r*a*gié
De son oeil qu'on a arr*a*gié.
Ne portoit perches ne bastons,
Ainçois aloit a atastons,
6856 Querant les voies et les sentes
A ses ordes mains et senglentes.
Souvent au[s] roches se hurtoit,
Dont li sans de li degoutoit.
6860 Lors maudissoit dieus et deesses,
Auters, moustiers, prestres, prestresses,
Et menassoit tous ceulz de Grece.
Mais jamais ne li feront presce,
6864 Car jamais ne l'approcheront
Ne plus prés de li ne seront.
Acheminedes le sivoit;
S'il se dressoit, il s'en fuioit,
6868 Car se prés de li demourast,
Li maufés tout le devourast.
Ulixes fu de grant courage,
Qui ausa bastir tel ouvrage.

6872 Quant Eneas parti de Troie
Son filz et son pere et sa proie
Que dou feu de Troie getta,
Et la franche Thegneÿta
6876 Qui l'alaita de ses mamelles
Qui estoient blanches et belles;
– La sage prophete Sibille,
Qui avoit cuer franc et nobile,

6852. *Pm* De grant courout s. e. – **6853.** *A* arragie, *Pm* enragie, *E* quon esragie (– 1), *F* arregie – **6855.** *Pm* Maiz eincoiz aloit a t., *E* aloit a tastons (– 1) – **6858.** *A* aus, *F* au – **6861.** *A* Autez, *PmE* Autelz – **6866.** *Pm* suiuoit – **6869.** *PmE* tost l. d. – **6871.** *E* osa – **6873.** *A* fil, *E* filz son p. (– 1) – **6875.** *Pm* france

Achiménide, qui avait vu le géant, racontait comment il se comporta quand on lui eut extirpé son œil : jamais plus vous ne verrez un démon aussi hors de sens, aussi enragé, pour son œil qu'on lui a arraché. Ne tenant ni perches ni bâtons, il allait à tâtons, cherchant les chemins et les sentiers avec ses mains sales et ensanglantées (fréquemment il se heurtait aux rochers, à la suite de quoi il perdait le sang goutte à goutte). Alors il maudissait dieux et déesses, autels, sanctuaires, prêtres et prêtresses, et menaçait tous ces Grecs, qui cependant jamais plus ne se grouperont autour de lui, car jamais plus ils ne s'approcheront ni ne se tïendront plus près de lui. Achiménide le suivait ; si le géant se levait, il s'enfuyait, car, s'il était demeuré près de lui, le démon l'eût dévoré tout entier. (Ulysse avait fait preuve d'un grand courage, qui osa mettre en œuvre un tel exploit ; tandis qu'au contraire Énée fit partir de Troie son fils, son père et ses provisions qu'il avait arrachés aux flammes de Troie avec, en outre, la noble Thegneÿta qui l'avait allaité de ses belles mamelles blanches – la savante prophétesse Sibille, au cœur noble et généreux,

6880 De ce grant peril l'avisa,
Et Venus, qui tant le prisa
Qu'elle le fist deÿfier
Par les dieus et glorifier –
6884 Si s'en aloit, lui et sa gent,
Jour et nuit par la mer nagent;
Mais il laissa la roche a destre
Et prist son chemin a senestre
6888 Pour aler droit en Lombardie,
Ou il ot puis grant signourie.

Encor raconte Galatee,
Qui du jaiant fu tant amee,
6892 Que sa grant cruauté dontoit
Amours, pour ce qu'il la doubtoit.
(Or regardés bien que ce monte: [185 a]
Est il rien que fame ne donte
6896 Puis qu'Amours s'i vuelt consentir?
Trop puelent fames sans mentir;
Mais trop me merveil qu'Amours panse,
Qui se met en si orde pance;
6900 Je l'en blasme et si l'en desprise,
Qui qui l'en loe ou qui l'en prise.)
Et ensois qu'il fust des(s)juglés
De son seul oeil et avuglés,
6904 Souventes fois estoit assis
Sur un pe*rr*on gros et massis;
Et quant deduire se voloit,
De sa flahute flajoloit
6908 Et de ses .C. roisiaus ensemble,
Si que tous li pays en tremble,
Ce sembloit a ceulz qui l'ooient,
Que plus que foudre le doubtoient.

6885. *PmE* Nuit et jour – **6892.** *A* donbtoit (*avec* b *exponctué*) – **6894.** *APm* regardons – **6895.** *Pm* femmes – **6897.** *Pm* peuent – **6898.** *E* merueille (+ 1) – **6901.** *Pm* Qui que – **6902.** *APmEF* dessinglez (*ou* dessiuglez) – **6905.** *APmE* perron, *F* penon – **6907.** *Pm* flauste, *E* flute (– 1) – **6908.** *A* roseaux – **6909.** *Pm* tout – **6910.** *E* qui aloient

l'avait avisé du grand péril, ensemble avec Vénus qui le prisait si fort qu'elle obtint des dieux qu'il fût élevé à leur rang et admis à partager leur gloire, et c'est ainsi qu'Énée s'en allait avec ses compagnons, naviguant jour et nuit sur la mer, mais laissant la roche du géant sur sa droite et choisissant son chemin sur sa gauche pour voguer droit vers la Lombardie, où il détint ensuite de grands pouvoirs souverains.)

Galatée, que le géant aima tant, raconte encore que la grande cruauté de celui-ci était domptée par Amour en raison de la crainte qu'il lui inspirait. (Or considérez ce que cela signifie. Existe-t-il quelque créature qu'une femme ne dompte dès lors qu'Amour y veut donner son accord ? Certes, les femmes possèdent de grands pouvoirs ; mais je m'étonne fort et me demande ce qu'Amour a dans l'esprit quand il se loge en une si vilaine panse : je le blâme et le méprise pour cette conduite, envers et contre ceux qui le louent et l'en félicitent.) Or avant que par ruse il fût privé de son œil unique et rendu aveugle, souvent il était assis sur une grosse pierre massive, et quand il voulait se donner du bon temps, il jouait de sa flûte, faisant résonner ensemble ses cent roseaux, si bien que toute la contrée était comme saisie d'un tremblement de terre, ainsi qu'il semblait à ceux qui l'entendaient, car ils le redoutaient plus que la foudre.

6912 Si que li mauffés chante et note
En *s*on flajol ne sçai quel note,
Mais il fist le chant et le dit,
Si com Galatee le dit;
6916 Et vesci comment trouvé l'ai,
Ne sai se c'est chanson ou lai:
"Galathee, es(t) plus blanche en corps
Prés florissables, et gens corps
6920 Biaus et appers, lons et adrois
Plus que n'est aunes biaus et drois;
Plus clere que voirre[s] luisans;
Plus jolive et plus deduisans
6924 Que chevriaus tendres et petis;
Corps plus soué*s* et plus traiti*s*
De quoquille[s] qui sont en mer!
– Belle, qui plus fais a amer,
6928 Plus aggreable et plus plaisans
Que solaus en yver luisans
Et que n'est ombre en temps d'esté;
Dame de grant apperteté
6932 Plus que palmes haus et parans;
Dame plus noble et mieus flairans,
Plus vermeille et mieus coulouree
Que pomme douce et savouree;
6936 Ha, belle, qui plus as la face
Clere et resplendissant de glace;
Vaillant dame et de bon eür,
Plus douce que roisin meür;
6940 Dame debonnaire et benigne,
Plus blanche que plume de cysne
Ou de caillé frés en foisselle;
Dame plus plaisant et plus belle
6944 Que jardin moiste et arrousable,
Plain de fruit doulz et delitable!

6913. *APmE* son, *F* fon – **6916.** *Pm* comme – **6918.** *Tous les mss:* est – **6920.** *E* et drois (– 1) – **6922.** *A* uoirres – **6923.** *Pm* jolie, *E* jolis – **6925.** *A* soues, *Pm* souefs, *F* souef; *A* traitis, *F* traitif – **6926.** *A* coquilles, *F* quoquille – **6936.** *A* Ha dame – **6939.** *Pm* raisin – **6942.** *Pm* faisselle, *E* ou foisselle

Et ainsi le démon jouait sur sa flûte je ne sais quelle musique ; ce qui est sûr, c'est qu'il avait composé texte et mélodie, ainsi que le rapporte Galatée. Et voici sous quelle forme je les ai trouvés, mais je ne sais si c'est chanson ou lai :

"Galatée, tu es plus blanche, dévêtue, qu'un pré fleuri, avec ton corps gracieux et beau, doté de toutes les perfections : svelte et souple plus que n'est un bel aulne droit, plus brillant que le verre qui luit, plus lascif et plus ravissant qu'un tendre petit chevreau ; corps plus suave et mieux bâti que les coquillages qui sont en mer ! Belle, qui mérites le plus d'être aimée, plus agréable et plus plaisante que le soleil qui luit en hiver et que l'ombre en été ; dame de plus grande perfection qu'un palmier haut et de bonne apparence ; dame plus noble et mieux fleurante, plus vermeille et de plus belle couleur qu'une pomme douce et savoureuse ! Ah, belle, qui as la figure plus claire et plus resplendissante que la glace ; dame de haut prix et de bon augure, plus douce que le raisin mûr ; dame de bon cœur et bienveillante, plus blanche qu'une plume de cygne ou que le caillé frais en faisselle ; dame plus plaisante et plus belle qu'un jardin humide et bien arrosé, plein de fruits doux et délectables :

Vien a ton ami qui t'apelle, [185 b]
Si ne te repon ne ne celle
6948 Vers moi, qui tant t'aim et desir :
Fai mon voloir, fai mon plaisir !
Et se tu fai[s] de moi refu,
Onques plus crueuse ne fu ;
6952 Se tu ne fais me[s] volentés,
Onques toriaus qui n'est dantés
Ne fu de si grant cruauté,
De tel orgueil, de tel mauté.
6956 Plus es dure de chaisne viel,
Se tu ne fais ce que je viel.
Plus e(r)s vaine et escoriable
D'iaue courant, et flechissable
6960 Que n'est verge d'osiere blanche
Ou que li vins de vigne blanche ;
Mains piteable, et sans merci
Plus que n'est ceste ronce cy ;
6964 Plus crueuse et plus damageuse
D'iaue parfonde ; et orguilleuse
Plus que paön, quant on le leue
Quant il va rouant de sa queue ;
6968 Plus damageuse et plus nuisant
Et plus aigre de feu luisant
De seche b(o)uche et de lardons ;
Plus aspre de poingnans chardons ;
6972 Plus crueus d'ourse faonnee ;
Plus desloial d'isdre foulee,
Et plus tourble de sourde mer
Se tu ne me daigne*s* amer ;
6976 Plus fuiable et plus effraee
De cerf ou de biche bersee,
Et non pas de cerf seulement,
Mais plus fuiable vraiement

6948. *E* qui taim tant – **6950.** *AE* fais, *F* fai – **6952.** *A* mes, *F* me – **6955.** *A* te ; *A* maiste – **6958.** *E* est u. ; *A* escoriable, *F* estoriable – **6959.** *Pm* Deaue ; *E* et plus f. (+ 1) – **6970.** *APmE* buche, *F* bouche – **6973.** *E* idre – **6974.** *E* trouble ; *A* sourdomer – **6975.** *AE* deignes, *F* daigner – **6977.** *E* b. barbee

viens auprès de ton ami qui t'appelle, et ne te cache, ne te dissimule pas devant moi, qui tant t'aime et te désire ; soumets-toi à ma volonté, procure-moi mon plaisir ! Si tu me repousses, jamais il n'y eut plus cruelle ; si tu ne te rends pas à mes volontés, jamais taureau indompté n'eut une si grande cruauté, un tel orgueil, une telle méchanceté. Tu es plus dure qu'un vieux chêne, si tu ne fais ce que je désire. Tu es plus inconsistante et plus instable que l'eau qui court, et plus flexible qu'une verge d'osier blanc ou que le rameau de la vigne blanche ; moins compatissante et plus impitoyable que n'est la ronce que voici ; plus cruelle et plus dommageable qu'une eau profonde ; et plus orgueilleuse que le paon de ce qu'on le loue quand il fait la roue avec sa queue ; plus dangereuse, plus funeste et plus aigre que la flamme luisante que produisent une bûche sèche ou des brandons ; plus âpre que des chardons piquants ; plus cruelle qu'une ourse qui a mis bas ; plus traîtresse qu'un serpent foulé, et plus agitée que la mer sourde, si tu ne daignes m'aimer ; plus prompte à fuir et plus effrayée que le cerf ou la biche criblés de flèches, et pas seulement qu'un cerf, mais en vérité plus prompte à fuir

6980 Que nulz vens (mes, se je pooie,
Cest[e] ynelleté te toudroie).
Mais se tu bien me congnoissoies,
Je croi tu te repentiroies
6984 De ce que tu me vas fuiant;
Si t'iroit sans doubte anoiant,
Si mettroies paine et traveil
A mettre ad fin ce que je vueil.
6988 Si vendroies o moi manoir
En la cave ou j'ai mon manoir,
Assise el pendant d'une roche
En un grant mont qui pas ne hoche,
6992 Tant est le lieu et fier et fort;
Tant qu'on n'i puet trouver effort
De soleil tant comme esté dure,
Ne ne crient en yver froidure.
6996 El jardin sont pommier planté
Qui pommes portent a planté
Plus que ne peuent soustenir. [185 v° a]
Se tu daignes a moy venir,
7000 J'ai roisins meürs en mes vignes,
Que je te gart jusques tu vi(e)gnes,
Blans et noirs, si en mengeras,
De ceulz que tu mieulz ameras;
7004 Et de freses, se tu les aimes,
Qui naissent au bois suz les raimes,
Cueillir en porras a loisir
Tant com te vendra a plaisir;
7008 Et des cormes et des prunelles
Et des boutons et des cynelles
Et des prunes noires et blanches
Queudras a meÿsme les branches;
7012 Et s'a mari prendre me daignes,
Assez pues avoir de chastagnes,
Si pues avoir a grans bouissiaus
Tous fruis d'aubres et d'arbrissiaus.

6981. *APm* Ceste, *F* Cest – **6990.** *E* Assis; *Pm* ou p. – **6992.** *A* fiert – **6995.** *Pm* craint – **7001.** *E* garde tant que t.; *A* uingnes, *Pm* uignes, *F* uiegnes – **7003.** *E* aimeras – **7015.** *AE* arbres

qu'aucun vent, rapidité que, si je pouvais, je te ravirais.

Cependant, si tu me connaissais bien, je crois que tu te repentirais de ce que tu ne cesses de me fuir ; et ce sentiment te serait sans nul doute pénible, et tu emploierais peine et labeur à accomplir ce que je désire. Alors tu viendrais habiter avec moi dans la caverne où j'ai ma demeure, établie sur la pente rocheuse d'une haute montagne qui ne bouge pas, tant le lieu est puissant et solide ; caverne telle qu'on n'y peut ressentir l'assaut du soleil tant que l'été dure, ni qu'on y craint le froid en hiver. Au verger sont plantés des pommiers qui portent des fruits en plus grande abondance qu'ils ne peuvent en soutenir. Si tu daignes venir auprès de moi, j'ai des raisins mûrs en mes vignes, que je te garde jusqu'à ce que tu viennes, des blancs et des noirs, et tu en mangeras parmi ceux que tu aimeras le mieux. Et il y a des fraises, si tu les aimes, qui poussent au bois sous les ramures, tu pourras en cueillir à loisir, tant que cela te plaira ; et des cormes et des prunelles et des boutons d'églantier et des cenelles. Et tu cueilleras des prunes aux couleurs sombres ou claires à même les branches. Et si tu daignes me prendre pour mari, tu peux avoir abondance de châtaignes ; bref, tu peux avoir plein de grands boisseaux de tous fruits d'arbres et d'arbrisseaux.

7016 Riches seras, se tu es moie ;
Se ma fame ies, ja ne t'esmoie
Que [tu] n'aies avoir assez ;
Cis bestiages amassés
7020 Entour moi contreval ces roches
Et plus au bois et plus aus croches
En mes cages, sont miens sans faille ;
Et se tu de la moie aumaille
7024 Me requiers que je la te nombre,
J'en ai tant que n'en sai le nombre :
Povres est cilz qui puet savoir
Tout le nombre de son avoir.
7028 Se tu ne crois que ce soit voir
De mes bestes de mon avoir,
Vien les veoir presentement,
Si sauras plus certenement
7032 Se c'est voirs : verras les femelles
Qui tant ont plaines les memelles
Qu'a paine soubstienent le let ;
D'autre part sont li aignelet
7036 Et li chevrelet en maison.
J'ai dou lait en toute saison,
Dont je menguë et fai[s] potage
Et dont je fai[s] faire frommage.
7040 Assez te porras deliter
En ce que tu m'ois reciter ;
Et non pas en ce seulement,
Mais en autres dons ensement,
7044 Dont tu pues faire tes aviaus
Et toi deduire se tu viaus.
Je te donrai dains et chevriaus,
Des connines et des levriaus
7048 Dont tu porras ton plaisir faire.
J'ai de columbiaus une paire

7018. *A* Que tu, *F* tu *om.* (– 1) – **7024.** *Pm* je te la n. – **7032.** *Pm* uoir – **7033.** *APmE* mamelles – **7038** ***et*** **7039.** *APmE* fais, *F* fai – **7047.** *E* Connins (– 1) – **7047** ***bis.*** *E* Et de bons tendres lapperiaux (*vers ajouté par E*)

Tu seras riche, si tu es à moi ; si tu es ma femme, ne te laisse pas troubler par l'idée que tu n'aies pas assez de biens. Ces bêtes massées autour de moi le long des rochers et plus nombreuses encore dans la forêt et plus encore attachées dans mes enclos, sont à moi sans exception. Et si tu me demandes de faire le compte de mon troupeau de bêtes, j'en ai tant que je n'en sais le nombre. Il est pauvre, celui qui peut chiffrer le montant de sa fortune ; si tu ne crois pas que telle est la vérité quant aux bêtes en ma possession, viens les voir de tes propres yeux, et tu sauras avec plus de certitude si telle est la vérité : tu verras les femelles avec leurs mamelles si pleines qu'avec peine elles portent le lait ; de l'autre côté, sous abri couvert, sont les petits agneaux et les petits chevreaux. J'ai du lait en toute saison, dont je mange une partie sous forme de potage, le reste servant à faire du fromage. Tu pourras te délecter grandement de ce que tu m'entends mentionner ; et pas seulement de cela, mais aussi d'autres dons dont tu peux disposer à volonté et faire ton amusement si l'envie t'en prend. Je te donnerai des daims et des chevreaux, des lapines et des levreaux dont tu pourras user à ta guise. J'ai une paire de petites colombes

Qu'alai l'autrier d'un ny[t] abatre ; [185 vº b]
Ceulz auras pour ton corps esbatre.
7052 S'ai deulz orselés d'un aage,
D'une façon et d'un courage
Qu'ai trouvés en une monta[i]gne,
Si dis : « Jusque ma dame va[i]gne
7056 Seront gardé cil orselet,
Car cest present veuil je qu'elle et. »
Belle, ne refuse cest offre
Ne ces biaus presens que je t'offre,
7060 Mes vien, si trai hors de la mer
Ton biau chief, car dignes d'amer
Sui je bien, (car) je l'ai congneü :
J'ai mon corps et mon vis veü
7064 En l'iaue ou je me sui mirés :
Je sui biaus et bien atirés,
Moult me pleut, quant je me miroie,
La grandeur du corps que j'avoie.
7068 Esgar que je sui grans donsiaus :
Ne sai quel dieu qui est es ciaus,
Ce dites vous entre vous gens,
N'est pas ne si biaus ne si gens
7072 Ne si grans, ce m'est il avis.
J'ai grant cosme que tout le vis
Aveuc les espaules me coeuvre.
Qui bien m'avient. Car c'est laide euvre
7076 De cheval sans come et sans crins ;
Les oisellés et les poucins
Doit couvrir la plume sans faille :
Let sont puis que plu*me* leur faille ;
7080 Bien avient aus brebis leur laine ;
Si est laide chose et villaine
Homme sans barbe ; bien m'avient
Le poil qui en mon cuir se tient,
7084 Qui est long et bien redrecié,
Ainsi com soies hirecié.

7050. *A* un nit, *E* de nuit – **7054.** *A* montaingne, *Pm* montaigne, *F* montagne – **7055.** *A* ueigne, *PmE* uiengne, *F* uagne – **7058.** *AE* ceste – **7079.** *APmE* plume, *F* plus (– 1)

que l'autre jour je suis allé dénicher : tu les auras pour ton passe-temps. J'ai aussi deux oursons de même âge, d'un même aspect et d'un même cœur, que j'ai trouvés sur une montagne, et j'ai dit : 'Ces oursons seront gardés jusqu'à la venue de celle qui sera ma dame, car je veux qu'elle possède cela à titre de don.'

Belle, ne rejette pas cette offre ni ces beaux cadeaux que je te présente, mais hors de la mer mets ta belle tête et viens, car je suis bien digne d'être aimé ; j'en ai eu la certitude, en voyant mon corps et mon visage dans l'eau où je me suis miré : je suis beau et bien tourné, et elle me plut beaucoup, quand je me mirais, la haute taille qui était la mienne. Considère comme je suis grand damoiseau : je ne sais quel dieu qui est aux cieux – selon ce qu'on dit parmi vous – n'est pas aussi beau, ni aussi distingué, ni aussi grand, me semble-t-il. J'ai une longue chevelure qui me couvre tout le visage avec les épaules. Ce qui me va bien. Car c'est un laid spectacle qu'un cheval sans poils et sans crinière ; le plumage doit couvrir les oiselets et les poussins : ils sont laids dès lors qu'une plume leur manque ; leur laine va bien aux brebis. C'est ainsi que c'est une chose laide et vilaine qu'un homme sans barbe ; il me sied bien, le poil qui est planté sur ma peau : il est long et bien redressé, hérissé comme des soies.

J'ai un seul oeil en mi le vis,
Mais bien m'avient, ce m'est avis,
7088 Car je l'ai grant et gros et large
Ainsi comme reonde targe ;
Ainsi com je n'ai c'un seul oeil
N'a il en ciel c'un seul soleil,
7092 Au monde quë une rondesse.
Pour ce, se le poil me redresse,
Ne me dois tu pas desprisier :
Petit voit l'en *l*'arbe prisier
7096 Quant il a perdue sa fueille.
Suer belle, vers moi ne t'orgueille,
Ma[i]s me reçoi par mariage,
Car estrais sui de grant parage
7100 Et telz que bien me dois amer :
Je sui filz au dieu de la mer,
En mon pere auras bon signour, [186 a]
Tu ne pues avoir nul grignour.
7104 Il n'i faut plus, ma dame chiere,
Mais que tu faces ma proiere,
Car je t'en pri devotement.
Et certes a toi seulement
7108 Sui je subgés et le veuil estre.
Jovem, ne sai quel dieu celestre,
Son ciel, sa foudre et sa vertu
Ne pris le vaillant d'un festu !
7112 Toi seule appel, toi seule aeure,
Toi seule crieng, toi seule honneure.
Je ne crieng pas la foudre tant
Com je crieng t(e)'yre et ton content.
7116 Et certes, se tu rien n'ama(i)sses
Et tu tous autres refusasses
Aussi com tu refuses moi,

7089. *E* ronde (– 1) – **7095.** *APmE* doit ; *A* larbes (*un premier* e *a été légèrement redressé de manière à pouvoir être lu* r), *Pm* larbre, *F* larbe (l *initial corrigé, un* b, *qu'on devine en dessous*) – **7098.** *APm* Mais, *F* Mas ; *Pm* recoif – **7105.** *APmE* priere – **7112.** *AE* appelle (-le *exponctué dans A*) ; *Pm* appelle toy a – **7113.** *E om.* – **7115.** *Pm* je fais tire, *A* tire, *F* te yre. – **7116.** *A* se tu bien n'amasses

J'ai un seul œil au milieu du visage, mais cela me va bien, me semble-t-il, car je l'ai grand et gros et large comme un bouclier rond ; de même que je n'ai qu'un seul œil, il n'y a au ciel qu'un seul soleil, dans l'univers qu'une seule surface ronde. Je le répète, si mes poils se dressent, ce n'est pas une raison pour que tu doives me mépriser ! On voit peu priser l'arbre quand il a perdu son feuillage.

Sœur belle, ne te montre pas orgueilleuse envers moi, mais accepte-moi pour époux, car je suis issu d'un haut lignage et tel que tu as bien des raisons de m'aimer : je suis fils du dieu de la mer, en mon père tu trouveras un bon seigneur, tu ne peux en avoir nul qui soit plus grand.

Il ne manque plus rien, ma dame chérie, sauf que tu accomplisses ma prière, que je t'adresse dévotement. Et assurément c'est de toi seule que je suis et veux être le sujet : Jupiter, je ne sais quel dieu céleste, son ciel, sa foudre et sa puissance, je ne les prise la valeur d'un fétu ! C'est à toi seule que je m'adresse, toi seule que j'adore, toi seule que je crains, toi seule que j'honore. Je ne redoute pas autant la foudre que je redoute ta colère et ton agressivité. Mais, assurément, si tu n'aimais personne et repoussais tous les autres comme tu me repousses,

Mains en eüsse ire et esmoi,
7120 Si le souffrisse en paciance.
Mais trop hai desdaing et pesance
Que tu desprises moi, gaiant,
Pour amer un chetif noiant,
7124 Accin, de cui tu te solaces,
Si le baises et si l'embraces,
Et moi ne daignes embracier
Ne deduire ne solacier.
7128 Mais certes, combien qu'il te place,
Se je le puis trouver en place,
Ma grant force li mouster[r]ai :
Le cuer du ventre li trairai,
7132 Qui qu'il plai[s]t ou qui qu'il dessiece,
Si le desromprai piece a piece
Et l'espandrai parmi les voies
Et par les champs, si que tu voies
7136 Cellui que tu pues tant amer ;
J'en espandrai par mi la mer,
Si serés ambedeus ensemble,
Car si veuil je qu'a toi s'assemble.
7140 Je sui jalous et acoupis,
S'ai l'angoisseuse flame ou pis,
Qui autant m'art et grieve et cuit
Que tous li feus d'enfer, ce cuit.
7144 Je languis pour toie amistié,
Et si n'en has nulle pitié."
C'est la complainte, la riote,
Que li maufés tousdis riote.
7148 Ne tenés pas que ce soit fable,
Ains est la chanson au dÿable.
Or avez oÿ la chanson
Du definement jusqu'en son
7152 Et d'en son jusques en la fin :
Comment li jaians de cuer fin

7122. *A* jaiant – **7124.** *E* A Cellui d. c, *F* Actin – **7130.** *APm* moustreray, *F* mousterai, *E* mousterray – **7132.** *APm* laist, *E* plaise, *F* plait – **7136.** *E* que en puet – **7137.** *A* Jeu *ou* Jen, *E* Je lespendray

j'en aurais moins de douleur et de trouble, et je le supporterais avec patience. Mais j'endure trop de dédain et ai le cœur trop gros de ce que tu me méprises, moi géant, pour l'amour d'un misérable rien du tout, Acis, de qui tu tires ton plaisir : tu lui donnes tes baisers et tes embrassements, alors que moi, tu ne daignes m'embrasser, ni me procurer joie ni plaisir. Mais, sois-en certaine, encore qu'il te plaise, si je peux le trouver en un terrain propice, je lui ferai voir ma grande force : je lui tirerai le cœur du ventre, à qui que cela plaise ou déplaise, et je le réduirai en pièces après morceau, et je le répandrai par les chemins et par les champs, en sorte que tu voies bien celui que tu as le malheur de tant aimer ; j'en répandrai une part en pleine mer et vous serez ensemble tous deux, car c'est ainsi que je veux qu'il s'unisse à toi. Je suis jaloux comme un mari trompé, et j'ai en ma poitrine le feu qui m'angoisse et me brûle et me torture et me cuit autant, je crois, que tout le feu d'enfer. Je languis par amour pour toi, et toi tu n'as nulle pitié de moi !"

Telle est la complainte et la querelle que le démon débite au long des jours. Ne prenez pas cela pour invention pure : c'est le chant du diable.

Vous venez d'entendre ce chant de la fin jusqu'au début et du début jusqu'à la fin, à savoir comment le géant aima d'un cœur généreux

Ama la bele Galatee, [186 b]
Et sa maniere (se) forsenee,
7156 Sa traÿson, sa cruauté
Et sa tresgrant desloiauté,
Et comment cilz est mal venus
Qui est de ses gros poins tenus.
7160 Mais je vous promet et vous jur
Qu'il ne vous merroit pas si dur,
Se vous estiés entre ses mains,
Com li pilleur, dont il ha mains
7164 En ce pays, ne d'anemis
Que dyable nous ont tramis ;
Que on ne puet corps d'omme miner
Pis que par mort faire finer.
7168 Aussi li frois, li vens qui vente
Qui plus errache qu'il ne plante,
Car il fait les arbres tumer
Et plungier les coques de mer
7172 Vous aroit mort en moult po d'eure.
Et pour ce conseil la demeure.
Si que, sire, vous demorrés,
Et, tout le mieus que vous porrés,
7176 Unes lettres li escrirés,
Et en vos lettres li dirés
Vostre essoingne et vostre escusance ;
Et elle est tele sans doubtance
7180 Que ja ne vous en blamera
Ne mains ne vous en amera.
Et aussi je li escrirai
Et en ma lettre li dirai
7184 La cause de vostre demeure.
Or escrisons a la bonne heure
Et si tenés vo cuer en joie,
Car c'est le milleur que je y voie. »

7155. *F* se forsenee (+ 1) – **7162.** *APm* Sil uous tenoit e. s. m. – **7166.** *E* tenir – **7167.** *E* fenir – **7169.** *APmE* esrache – **7178.** *A* essoinne, *E* esloingne – **7181.** *E* aimera – **7187.** *E* meilleur

la belle Galatée, puis son discours de forcené, sa traîtrise, sa cruauté et sa très grande perfidie ; et comment celui-là est mal accueilli qu'il tient dans ses gros poings. Mais je vous promets et vous jure que le géant ne vous malmènerait pas aussi cruellement, si vous étiez tombé entre ses mains, que les pillards, qui abondent en notre contrée, et les ennemis que les diables nous ont expédiés ; car on ne peut saper plus cruellement le corps d'un homme qu'en lui faisant terminer sa vie par une mort brutale. Il y a en outre le froid, il y a le vent qui souffle – lequel plus arrache qu'il ne plante, car il fait tomber les arbres, et il engloutit les navires qui voguent sur la mer – : il vous tuerait en bien peu de temps. Et voilà pourquoi je vous conseille de différer votre départ. Ayant ainsi, mon maître, remis votre voyage à plus tard, de votre plus belle plume vous écrirez à la dame une lettre et dans cette lettre vous lui exposerez vos craintes et votre justification : elle est telle, sans nul doute, qu'elle ne vous en blâmera pas ni ne vous en aimera moins. Moi, de mon côté, je lui écrirai et lui dirai dans ma lettre la cause de l'ajournement de votre départ. Écrivons donc sans tarder et gardez votre cœur en joie : c'est le meilleur parti que je voie en la circonstance. »

7188 Quant il ot finé sa parole, *L'amant*
Que je tins pour nice et pour fole,
Je dix : « Amis, par saint Symon,
Vous m'avés fait un long sarmon
7192 Adfin que ma dame ne voie.
Mais vous paierés la lamproie,
Car vous n'estes pas advoés,
Ne consillier ne me poés
7196 Tel conseil qu'il n'i hait deffaut,
Quant vous savés bien qu'il me faut
Aler au doulz commandement
De celle qui j'aim loialment. »

7200 Ainsis fumes en grant debat,
Que chascuns de nous se debat
En soustenant s'entention.
Mais n'i ot pas conclusion,
7204 Pour ce c'uns sires s'embati
En ma chambre, qui abati [186 v° a]
Nos paroles et nos debas,
Qui vint coiettement, et bas
7208 Dist : « Dieus gart ceste compagnie
De courrous et de villenie
Et li doint paix, honneur et joie
Tele com d'amour la volroie ! »
7212 Si qu'en l'eure nous nous levames
Et humblement le saluames
Et li feÿmes reverence
De cuer et de nostre puissance.
7216 Si me mena par la main destre
Acouter sur une fenestre,
Et sur un coussin s'acouta
Et de chief en chie*f* me conta
7220 (Et) comment il avoit escouté
Tout ce que nous aviens compté

7191. *E* sermon – **7192.** *A* afin – **7199.** *AE* que – **7200.** *E* Ainsi – **7204.** *E* que mes s. (+ 1) – **7207.** *E* cointement (– 1) – **7217.** *E* A compter – **7218.** *A* couissin, *PmE* coissin – **7219.** *A* chief m., *F* chier m. – **7221.** *E* auions

Quand il eut terminé son discours, que je tins pour sot et pour fol, je dis : « Ami, par saint Simon, vous m'avez fait un long sermon pour me dissuader d'aller voir ma dame. Mais non : vous paierez la lamproie, car vous n'êtes pas un conseiller attitré capable de me donner un avis exempt d'erreur, alors que pourtant vous savez bel et bien qu'il me faut partir pour obéir au doux commandement de celle que j'aime en toute loyauté. »

Nous eûmes ainsi un long débat, auquel chacun de nous prenait part en soutenant son opinion. Débat cependant resté sans conclusion, car un seigneur pénétra à l'improviste dans ma chambre, et mit fin à nos discours et à notre dispute. Il était venu tout doucement, et, sans élever la voix, il dit : « Que Dieu garde votre compagnie de courroux et de vilains mots, et lui accorde paix, honneur et joie telle que mon amitié la souhaiterait ! » Dans l'instant même nous nous levâmes et humblement le saluâmes, lui faisant la révérence très sincèrement et aussi profondément que nous pouvions. Me tenant de sa main droite, il me conduisit vers une fenêtre pour que je m'y accoude, et lui-même s'accouda sur un coussin et me raconta comment de bout en bout il avait écouté tout ce que nous nous étions dit ensemble,

Entre moi et mon secretaire,
Et qu'il veoit moult bien l'affaire
7224 De no debat, de no tenson,
Et du fier jaiant la chanson,
Le desir qu'avoie et l'envie
De veoir ma dame jolie;
7228 Et qu'i[l] le me pense a deffendre,
Se vëoir le veul et entendre.
Et je, qui l'amai et doubtai,
Moult diligemment l'escoutai.

7232 Lors dist: « Amis, se je savoie,
Vostre grant bien, je le volroie
Croistre, eslever et essaucier
Et vostre damage abaissier;
7236 Car certes vous avez en mi
Un tresvrai et loyal ami.
Et pour ce vous veuil deviser,
Seulement pour vous aviser,
7240 Comment li ancien entailloient
L'ymage d'Amour ou paingnoient.
Il faisoient un jouvencel,
D'entailleüre ou de pincel,
7244 Si bel de corps et de viaire [186 v° b]
Com main de soubtil le puet faire.
Son chief avoit tout descouvert
Fors que d'un chapellet tout vert
7248 Qui estoit moult bel et moult gent;
Lettres avoit d'or ou d'argent
En front, disans: *Par amité*
Et en yver et en esté;
7252 Nient plus dessus son chief n'avoit.
Et le costé fendu avoit,
Si qu'on veoit appertement
Son cuer sans nul empechement,
7256 Et si le enseingnoit de son doi
Ou il avoit, dire le doi,

7225. *A* la tenson – **7228.** *A* quil le m., *FE* qui le m. – **7235.** *PmE* dommage – **7245.** *A* subtil

moi et mon secrétaire, et qu'il voyait fort bien l'enjeu de notre débat, de notre querelle et du chant du farouche géant, à savoir le fort désir que j'avais de voir ma dame enjouée, envie dont, dit-il, il avait l'intention de me détourner, si je consentais à l'écouter et à bien réfléchir. Et moi, qui avais de l'amitié pour lui et le révérais, je l'écoutai avec beaucoup d'empressement.

Voici ce qu'il me dit : « Ami, si j'en étais capable, je voudrais rendre les grandes chances de votre vie encore plus grandes, plus élevées, plus hautes, et, du même coup, diminuer vos risques d'infortune, car, soyez-en certain, vous avez en moi un ami absolument véritable et très loyal. Dans cet esprit, je voudrais vous expliquer, rien qu'à titre de conseil, comment les Anciens sculptaient ou peignaient le personnage d'Amour. Avec leur ciseau ou leur pinceau, ils représentaient un jouvenceau aussi beau de corps et de visage qu'une main d'habile artiste peut le faire. Il avait la tête toute nue, à part une couronne bien verte, fort belle et fort gracieuse, et sur le front une inscription en lettres d'or ou d'argent, disant : *Dans l'amitié en hiver comme en été* ; c'était tout ce que le jouvenceau avait sur la tête. Sur le côté il avait une fente à travers laquelle on voyait son cœur nettement et sans difficulté – et il le désignait de son doigt –, cœur sur lequel il y avait

En escript : *De prés et de loing* ;
Bien le sçai, pour ce le tesmoing.
7260 Une cote avoit ceste ymage
Plus vert que fueille de bosca(i)ge,
A lettres d'or fin entaillie,
Qui disient : *A mort et a vie*.
7264 Et si n'avoit sollers ne chausse,
Ainçois estoit toute deschausse.
Or vous dirai je sans attendre,
S'un petit me volés entendre,
7268 Ce que l'ymage segnifie.
Li chapiaus dit qu'a chiere lie
Doit chascuns tousdis son ami
Aidier contre son anemi
7272 Et en tous cas qu'il ha a faire ;
Et doit estre parés dou faire.
Et vous savés bien qu'on se pere
D'un chapel, pour ce li compere ;
7276 Et si n'est si biau parement
Com de loiauté vraiement ;
Et li chapiaus moustre leesce,
Qui est en cuer moult grant richesse.
7280 Ce qu'elle ha descouvert le chief
Signifie que pour meschief,
Pour mal ne pour adversité,
– Pour bien ne pour prosperité –
7284 N'ara ja la face enclinee,
Ains va partout teste levee,
Amoureusement, sans dangier,
Pour son ami tousdis aidier :
7288 Ainsi le font li vrai ami,
Qui n'ont cuer lent ni endormi,
Mais champions et advocas
Sont pour leur ami en tous cas.
7292 L'escripture qui estoit mise
En son front ensengne et devise

7262. *APm* lettre – **7263.** *E* disoient – **7264.** *A* soler, *PmE* souler – **7289.** *A* ne e.

une inscription disant : *De près et de loin* ; si j'en témoigne, c'est parce que j'ai de bonnes raisons de le savoir. Le jouvenceau-symbole était revêtu d'une tunique plus verte qu'une feuille poussant au bois, sur laquelle étaient gravés en lettres d'or fin ces mots : *Pour la vie et pour la mort* ; il ne portait ni souliers ni bas, il avait les pieds et les jambes tout nus.

À présent je vais tout de suite vous dire, si vous voulez m'écouter un moment, ce que cette image signifie.

La couronne veut dire que chacun doit toujours avec une mine avenante venir au secours de son ami contre son ennemi, et cela en toutes circonstances où celui-ci est en difficulté et qu'il doit s'orner en rapport avec son action ; et vous savez bien qu'on s'orne en portant une couronne, et c'est pourquoi il s'en met une ; et il n'y a pas en vérité d'aussi bel ornement que la fidélité ; et la couronne manifeste aussi la gaieté, et cela est en un cœur une très grande richesse. Si le jouvenceau a la figure découverte, c'est pour signifier qu'en cas de contretemps, de malheur ou d'adversité – comme dans le bonheur ou la prospérité –, loin de baisser le visage, il va partout la tête haute, comme on va vers la bien-aimée, sans excessive timidité, pour jour après jour venir en aide à son ami. C'est ainsi que se comportent les vrais amis, qui, loin d'avoir le cœur indolent ou endormi, sont des champions et des avocats pour la défense de leur ami en toutes circonstances.

L'inscription placée sur son front explique et enseigne

Qu'a parfaite amour riens ne chaut
D'yver, d'esté, de froit, de chaut,
7296 N'elle ne se varie point, [187 a]
Ainçois est tousdis en un point,
Ferme, loial, juste et onnie,
Car qui bien aime a tart oublie.
7300 Et qui m'arés bien entendu,
Ce qu'elle ha le costé fendu
Si qu'on vo*it* son cuer pleinnement,
Ensengne qu'on doit clerement
7304 Veoir l'ami par mi le cuer
Et que riens ne face a nul fuer
Qu'amours n'i soit ferme et entiere,
Et qu'Amours porte la baniere,
7308 Qu'avoir ne doit en amour pure
Ne faintise ne couverture.
La cote de vert qu'elle porte
Moustre qu'amour n'est onques morte
7312 Ne seche, ains est tousdis nouvelle
Et verde, ainsi comme l'entele
Qui en yver sa verdeur cuevre
Et en temps d'esté la descuevre;
7316 Ainsi l'amour, qui est couverte,
Doit estre au besoing descouverte.
La lettre dit que sans remort
Dure amour a vie et a mort.
7320 Ce que dou doi en cuer ensaing[n]e
Dit qu'il est voirs, comment qu'il praingne;
Et la lettre qui est entour
Dist qu'en presence et en destour,
7324 Soit loing soit prés amis sera
Qui parfaitement amera.
Mais je sui a dire tenus
Pour quoi elle ha les piés tous nus.
7328 Vescy pour quoi. Son chief, sa fa(i)ce
Sont descouvert en toute place,

7300. *APmE* Et quant – **7301.** *A* costel – **7302.** *APmE* uoit, *F* uoir – **7313.** *E* uerte; *A* lentelle, *E* lancelle – **7320.** *APmE* enseigne, *F* ensainge – **7324.** *E* Soit pres soit loing – **7328.** *A* face

qu'à une parfaite amitié n'importe pas que ce soit l'hiver ou l'été, qu'il fasse froid ou qu'il fasse chaud : elle ne change pas, mais garde toujours la même attitude, inébranlable, loyale, justifiée, égale à elle-même, car qui bien aime n'oublie pas de sitôt.

Et si vous m'avez attentivement écouté, qu'elle ait le côté ouvert en sorte qu'on voit son cœur tout entier, enseigne qu'on doit voir son ami en plein cœur de manière qu'aucun obstacle n'empêche un amour stable et total, et que ce soit le dieu Amour qui porte la bannière ; car dans le pur amour il n'y a place ni pour le faux-semblant ni pour la dissimulation.

La tunique de couleur verte que porte le jouvenceau montre qu'Amour n'est jamais mort ni sec, mais est toujours renouvelé et vert, comme le jeune arbre greffé qui en hiver cache sa verdure, mais en été la manifeste ; c'est ainsi que l'amour, s'il est discret, doit en cas de nécessité se manifester. L'inscription dit que l'amour dure sans regrets à la vie et à la mort. Que le jouvenceau désigne du doigt le cœur veut dire que celui-ci est sincère en toute circonstance ; et l'inscription qui entoure le cœur affirme que, présent ou absent, de loin ou de près, il sera un ami qui aimera d'un amour parfait.

Je dois vous dire en outre pourquoi l'image a les pieds tout nus ; et cette raison, la voici. Sa tête, son visage sont sans coiffe ni visière en tout lieu,

A tele fin que chascuns voie
Qu'en chambre n'en sale n'en voie
7332 N'a chief ne cuer qui soit couvert ;
Pour ce sont si piét descouvert
Aussi, que chausse ne soler
Ne doit attendre pour aler
7336 Vers son ami, s'abesongnier
A de li, ne riens ressoingnier
Ronce, pierre, groe, n'espine.
Tele est amour qu'est vraie et fine,
7340 Qui n'est couverte ne celee
A champ n'a ville n'a[n] (v)alee.

Or vous ay devisé l'ymage
D'Amour, et comment li plus sage
7344 Ainciennement la figuroient
Et les causes qu'il y mettoient.
Telz vous sui je, je le vous jur,
Amis, et pas ne me parjur ;
7348 Et pour ce, amis, je vous veul dire [187 b]
Quel chemin vous devés eslire,
Se mon conseil croire volés.
Mais vous estes si affolés
7352 Et entrepris de ceste dame
Que je me doubt et croy, par m'ame,
Que je y gasterai mon langage.
Mais ce n'iert pas moult grant damage,
7356 Car, soit qu'il vous plaise ou desplaise,
N'est pas raison que je m'en taise
Et que n'en faice mon devoir :
Pour ce vous en dirai le voir.
7360 Amis, par Dieu, c'est chose voire
Qu'il ha plus d'un asne a la foire,
Car vo dame ha pluiseurs acointes,
Juenes, jolis, appers et cointes,
7364 Qui la vont visiter souvent.

7330. *APmE* celle f. – **7336.** *E* se besoingnier – **7337.** *E* Y uelt ne soy ensoingnier (– 1) – **7341.** *APmE* nen alee, *F* na ualee – **7347.** *APm* ne men p. – **7358.** *AE* ne face

et chacun peut voir ainsi que ni lorsqu'il est dans sa chambre ni aux réceptions dans la grande salle ni en promenade sur les chemins de sa résidence, sa tête ni non plus son cœur ne sont couverts; de même aussi ses pieds sont présentés nus, pour signifier qu'il ne doit attendre d'avoir mis bas et souliers pour aller vers son ami, si la nécessité s'impose à lui de voler à son secours, et cela sans la moindre crainte des ronces, des pierres, des gravières ou des épines. Tel est un amour authentique et parfait, qui ne se dissimule ni ne se cache aux champs ou en ville ou sur les chemins des châteaux.

Je vous ai à présent analysé en détail l'image d'Amour, et montré comment les plus sages autrefois se la représentaient et les significations qu'ils y attachaient. C'est un tel ami que je suis pour vous; je vous le jure et ne me parjure pas. C'est pourquoi, ami, je veux vous dire quel chemin vous devez choisir si vous voulez attacher foi à mon conseil. Malheureusement vous êtes si gravement blessé et mis à mal par cette dame que je crains et crois, par mon âme, que j'y perdrai mon temps à vous parler; mais ce ne sera pas un très grand malheur, car, que cela vous plaise ou vous déplaise, il n'est pas raisonnable que je n'en parle pas et que je ne fasse pas mon devoir en l'affaire; c'est pourquoi je vous en dirai la vérité.

Ami, j'en atteste Dieu, il est bien vrai qu'il y a plus d'un âne à la foire: votre dame a plusieurs familiers, jeunes, enjoués, de belle prestance et élégants, qui vont souvent lui rendre visite.

Et encor(e) vous ay je couvent
Que par tout vos lettres flajole
Et moustre, ne(i)s a la carole,
7368 Dont ce n'est c'une moquerie
Et poi y ha qui ne s'en rie :
Par tout de vostre amour se vante,
Certainement li vens qui vante
7372 N'est pas de tous si congneüs
Comme on dit qu'estes deceüs.
Et cuidiés vous qu'elle vous aime
Pour ce que son ami vous claime ?
7376 Ainsi ami clameroit elle
Le plus estrange de Castelle
Et li feroit chiere d'amie
S'il venoit en sa compagnie,
7380 Car elle est apperte et courtoise
Et scet bien qu'amour vault et poise :
Je ne di pas qu'elle l'amast
Pour ytant qu'ami le clamast,
7384 Car mainte dame ami clamé
A maint, sans estre d'elle amé.
Je ne parole pas en blame,
Car elle est bonne et preude fame,
7388 Sage, honneste, cointe et apperte,
Et n'est ombrage ne couverte ;
Mais je le di pour vous, amis,
Qu'Amours en vostre cuer a mis
7392 Une amour qui n'en puet partir
Et qui vous fait vivre martir ;
Et folement vo temps usés,
Qu'englués estes et rusés ;
7396 Et soiés certains qu'on s'en moque.
Et pour ce, amis chiers, je vous lo que
Vous laissiés ceste amour ester
Et plus n'i veuilliez arrester ;

7365. *APmE* encor, *F* encore (+ 1) ; *E* en couuent – **7367.** *APmE* nes, *F* neis – **7368.** *Pm* Dont de ce n'est que m. – **7375.** *Pm* P. ce se son – **7376.** *AE* Aussi, *Pm* Auxi – **7397.** *A* chiers

En outre, je vous assure qu'elle claironne et montre partout vos lettres, et jusqu'en pleine carole, à la suite de quoi c'est une moquerie unanime et il y en a peu qui n'en rient : partout elle se vante de votre amour, et, pour sûr, le vent qui souffle n'est pas de tous aussi connu que le bruit qui court que vous êtes trompé. Et croyez-vous qu'elle vous aime parce qu'elle vous appelle son ami ? De la même manière elle appellerait ami l'étranger le plus inconnu de Castille et elle lui réserverait un accueil d'amie s'il entrait dans le cercle de ses relations, car elle est instruite et formée aux usages de la courtoisie et elle sait bien le prix et le poids de l'amour. Je ne crois pas qu'elle aimerait cet étranger du seul fait qu'elle l'appellerait ami : mainte dame a appelé ami maint homme, sans qu'il soit aimé d'elle. Je ne dis pas cela pour la blâmer, car elle est honnête et femme de bien, instruite, soucieuse de son honneur, d'élégance et de distinction, et elle ne cultive pas la dissimulation dans l'ombre ; si je le dis, c'est pour vous, ami, car Amour a mis dans votre cœur une passion qui ne peut pas s'en séparer et qui vous fait vivre le martyre, et vous usez votre temps comme un insensé, car vous êtes à la fois englué et repoussé ; et soyez certain qu'on se moque de votre folie. Et voilà pourquoi, ami cher, je vous conseille de ne plus vous occuper de cet amour et de vous décider à ne pas y persévérer davantage.

7400 Si que, amis, creés mon conseil [187 v° a]
Qu'en bonne foi je vous conseil. »

L'amant respont

Quant il ot dit tout son plaisir
Longuement et a grant loisir,
7404 Je ne fui mie moult hastis
De respondre, car amatis
Estoit mon sens et mon memoire
Plus assez qu'on ne porroit croire,
7408 Car tuit li membre me trembloient
Et mi euil tenrement plouroient,
Si que ne savoie que dire,
Tant avoie de dueil et d'ire.

7412 Aussi m'avoit uns miens amis,
Qu'avoie vers elle tramis,
Escript, piece ha, que [la] laissasse
Et que d'elle mon cuer ostasse
7416 Sans querir essoingne n'esloingne,
Car ce n'estoit pas ma besongne.
Si qu'a ces .II. choses pensoie
Et ensemble les assembloie ;
7420 Et me sembloit bien voirsemblab[l]e
Que, de personne si notable
Com du signeur qui la estoit,
Qui si mes grans amis estoit,
7424 Et com l'autre, que je creüsse
De quanque faire avoir peüsse
Autant com moi (et au seurplus
Il m'amoit, ce croi, encor plus
7428 Que li sires qui me blamoit
De ce que mes cuers trop amoit),
Que ce n'estoit truffe ne songe,
Flabe, contreuve ne mensonge,
7432 Ains falloit de necessité

7401. *E* le uous c. – **7414.** *F* la *om.* (– 1) – **7416.** *APm* querre (– 1) – **7420.** *APm* uoirsamblable, *E* voirsemblable – **7421.** *A* Que, *F* Qui – **7431.** *APmE* Fable ; *A* contrueue, *E* contraire

Pour conclure, ami, suivez mon conseil, que je vous donne en toute bonne foi. »

Réponse de l'amant

Quand il eut dit longuement et en prenant son temps tout ce qu'il avait eu l'intention de dire, je ne me hâtai pas beaucoup de répondre, car mon intelligence et mon esprit étaient abattus bien plus qu'on ne saurait croire ; en effet tous mes membres tremblaient et mes yeux doucement pleuraient, si bien que je ne savais que dire, si grands étaient mon chagrin et ma douleur.

De la même manière un de mes amis, que j'avais envoyé chez elle porteur d'un message, m'avait écrit, il y avait quelque temps, de renoncer à elle et d'en éloigner mon cœur sans délai, sans chercher à justifier ma conduite, car cela ne s'imposait pas à moi. Le résultat fut que, réfléchissant sur ces deux faits et les réunissant ensemble, il me semblait bien vraisemblable que, s'agissant de personnes aussi avantageusement connues que le seigneur qui se tenait près de moi et qui était tellement mon grand ami, et que l'autre, que, pour tout ce que j'aurais pu avoir à faire, j'aurais cru comme un autre moi-même (car il y avait cela en plus qu'il m'aimait, je crois, encore plus que le seigneur qui me blâmait de ce que mon cœur était trop amoureux), il était, dis-je, vraisemblable que tout cela n'était ni tromperie ni rêve ni fable ni imagination ni mensonge, mais que nécessairement ils devaient

Quë il deïssent verité
Ou c'aucune chose en sceüssent,
Car autrement il se teüssent:
7436 Ne ce n'estoient pas jengleur,
Bien le savoie, ne jongleur.
Si fui bleciés en l'esperit,
Si qu'en mon cuer joie en perit,
7440 Et prins si grant merancolie
Qu'onques puis ne fis chiere lie.
Toutevoie finablement
Je di: « Sires, certainement
7444 Vous m'avés dit une nouvelle
Qui ma grant doleur renouvelle.
Secretement la porterai
Et petit semblent en ferai
7448 Jusqu'a tant que soie enformés
Mieulz de ce dont vous m'enformés,
Sire, comment que bien vous croie
Et que seürs et certains soie [187 v° b]
7452 Que vous ne *le* diriés jamais
Se ce n'estoit verité; mais
Il est bon que je face a point
Ce que j'en ferai et par point,
7456 Car mauvaise haste n'est preus,
N'onques n'en vint honneur ne preus. »
Il dist: « N'en volés vous plus faire? »
Et je dix: « Oÿl, car retraire
7460 M'en veuil, se je puis nullement;
Mais n'iert pas si soudainement,
Car les mutations soudaines
Sont perilleuses et grevaines.
7464 Par franchise et par amisté
M'a .II. fois de mort respité,
S'aroie cuer villain et rude
Et plain de grant ingratitude
7468 Se je oublioie les bienfais

7433. *E* Quil en d. – **7435** *A* ce t., *Pm* sen t. – **7442-3.** *A intervertit ces deux vers* – **7449.** *E* S'il est uoirs ce que dit mauez – **7452.** *A* le, *F* li – **7459.** *Pm* je dis bien car r. (– 1) – **7468.** *AE* biens fais, *Pm* bien fais

dire la vérité ou du moins en savoir une partie, car autrement ils se seraient tus ; et ce n'étaient pas des bavards médisants, je le savais bien, ni des faiseurs de jongleries. Ainsi j'en eus l'esprit blessé, tant et si bien qu'en mon cœur la joie fut morte et qu'une si profonde mélancolie s'empara de moi que la bonne humeur me fut impossible après cela. Toutefois je finis par dire : « Monseigneur, il est certain que vous m'avez apporté une nouvelle qui ranime et ravive ma douleur. Je la porterai en secret et la manifesterai peu jusqu'à ce que je sois mieux informé au sujet de ce que vous m'avez rapporté, monseigneur, bien que je vous croie parfaitement et que je sois sûr et certain que vous ne le diriez jamais si ce n'était la vérité ; mais il est bon que je fasse convenablement et méthodiquement ce que j'en ferai, car une hâte excessive ne vaut rien et n'a jamais rapporté ni honneur ni profit. » Il dit : « Est-ce là tout ce que vous voulez faire ? » À quoi je répondis : « Non, car je veux, dans toute la mesure du possible, prendre mes distances par rapport à elle ; mais ce ne sera pas aussi subitement, car les changements subits sont dangereux et pénibles. Par générosité et par amitié elle m'a deux fois sauvé de la mort, et j'aurais un cœur vulgaire et grossier et tout plein d'ingratitude si j'oubliais les moments de bonheur

Qu'elle m'a par mainte fois fais.
Aveuc ce je li ai promis
Que tousdis serai ses amis
7472 Et qu'autre jamais n'amerai.
Si que ainsi sans amour serai,
Que li n'autre ne veuil amer ;
Si que je me porrai clamer
7476 Des hommes le plus dolereus
Et le tresplus maleüreus,
Qu'onques mais ne fui sans Amour
Qu'elle en moy ne feÿst demour ;
7480 Et s'arai perdu ma sciance,
Car (ja) mais ne ferai sans doubtance
Balade, rondel, virelai,
Biau dit, biau chant n'amoureus lai ;
7484 Ne mais aprés ceste retraite
Mes cuers n'ara joie parfaite,
Ains sera merancolieus,
Tristes, pensis et en(n)vieus
7488 De morir sans remission.
Or vous ay dit m'entention. »
Quant il m'oÿ ainsi parler,
Il dit : « Plus ne m'en veuil meller :
7492 Bien savoie que je perdoie
Mon langage, se j'en parloie. »
Il but, et puis il s'en parti
Et me laissa en ce parti.
7496 Mes secretaires bien l'oÿ
Et me dist : « Sire, vous lo(e) y
Bon conseil ? Dites m'en la voire,
Foi que vous devez saint Grigoire. »
7500 A ce mot ne li vos respondre,
Et il prist un petit a grondre,
Puis dist : « Sire, bien m'en doubtoie,
Mais dire ne le vous osoie, [188 a]
7504 Mais je doubtoie vos courrous

7477. *A* le plus tresmaleureus – **7481.** *A* Car mais, *F* Car ja m. (+ 1) – **7487.** *AE* enuieus, *FPm* ennuieus – **7499.** *APm* gringoire, *E* gregoire

qu'elle m'a maintes fois prodigués. À quoi s'ajoute que je lui ai promis que je serai toujours son ami et que je n'aimerai plus jamais aucune autre ; si bien que, dans ces conditions, je serai privé d'amour si je ne veux aimer ni elle ni aucune autre, au point que je pourrai m'appeler le plus malheureux et le plus totalement malchanceux des hommes, car jamais jusqu'ici je n'ai vécu sans qu'Amour ait établi sa demeure en moi ; et dans ce cas j'aurai perdu mon savoir, car jamais plus, sans aucun doute, je ne composerai ballade, rondeau, virelai, beau dit, beau chant, ni lai d'amour ; et jamais plus, après cette rupture, mon cœur n'aura de joie parfaite, mais il sera mélancolique, triste, pensif et désireux de mourir sans rémission. À présent j'ai achevé de vous dire mes intentions. » Quand il m'entendit parler de la sorte, il dit : « Je ne veux pas me mêler davantage de l'affaire : je savais bien que je perdais mon temps si j'en parlais. » Il but, puis s'en alla et me laissa dans cette résolution.

Mon secrétaire, qui avait écouté attentivement la conversation, me dit : « Monseigneur, vous donnai-je un bon conseil ? Dites-m'en votre vraie pensée, par la foi que vous devez à saint Grégoire. » Je ne voulus pas répondre à son discours ; il se mit à murmurer un court instant, puis il dit : « Monseigneur, j'avais bel et bien des inquiétudes à ce sujet, mais je n'osais vous le dire, car je craignais vos éclats de colère

Et que li festus ne fust rous
Entre nous deulz sans renouer ;
Si que jamais ne quier vouer
7508 A fame ne moi obligier,
Car on les pert trop de ligier. »
Et quant j'entendi ceste note
Que mes secretaires me note,
7512 En mon cuer si fort la notai,
C'onques puis je ne l'en ostai.

Aprés des jours plus de quarente
Ou environ, que je ne mente,
7516 Uns miens amis especiaulz
Qui m'estoit certains et loiaulz
Me dist : « Il est un advocas
Qui scet trop mieulz moustrer son cas
7520 Que vous ne faites vraiement,
Car il le fait si proprement,
Biaus doulz amis, que mis serés
Aveuc les pechiés oubliés. »

7524 Aprés environ .III. semaines
Chevauchai par mons et par plaines
Pour visiter un mien signeur,
Mille fois de l'autre gregneur.
7528 Quant il me vid, il prist a rire,
Et puis me commença a dire :
« Amis, vous [b]a*t*és les buissons
Dont autres ont les oisillons. »
7532 Mais il le dist en audience
Devant tous et en ma presence.
Quant ainsi me vi salués,
Si esperdus et si mués
7536 Fui qu'onques mot ne respondi ;
Si c'un petiot attendi,
Et puis aprés le saluai,

7521. *APmE* il le scet – **7530.** *A* harez, *Pm* bates, *E* batez, *F* ares – **7537.** *A* petioit

et que le fétu ne fût rompu entre nous deux sans retrouver sa jointure. La conclusion que j'en tire est que jamais plus je ne cherche à m'engager à une femme et à m'y lier d'obligation, car on les perd trop facilement. » Quand j'entendis cette musique que mon secrétaire me joua, je la gravai si fort dans mon cœur que jamais depuis je ne l'en ôtai.

Au bout de plus de quarante jours – ou environ, pour ne point mentir – un de mes amis très intimes, dont j'avais éprouvé la loyauté, me dit : « Il est un avocat qui, bien mieux que vous ne faites, sait défendre sa cause car il le fait si pertinemment, cher et tendre ami, que vous serez rangé dans la catégorie des péchés qu'on oublie [de confesser]. »

Au bout d'environ trois semaines je chevauchai par monts et par plaines pour rendre visite à un de mes seigneurs, mille fois plus grand que l'autre. Quand il me vit, il se prit à rire, après quoi il se mit à dire : « Ami, vous battez les buissons dont les autres ont les oisillons. » Hélas ! il le dit devant tous et en ma présence. Quand je me vis ainsi salué, je fus si troublé et devins si muet que je ne répondis pas le moindre mot ; si bien que j'attendis un petit moment, après quoi je le saluai,

Mais maniere si fort muai
7540 Au saluer, que ne savoie,
Se Dieus me gart, que je disoie.
Ainsi chascun me raportoit
Chose qui mon cuer enhortoit
7544 D'oublier ma dame de pris
Que j'aim, crien, sers et loe et pris;
Nes en alant parmi la rue,
Chascuns un estrabot me rue
7548 En disant, et par moquerie:
«Je voi tel qui ha bele amie.»
Ainsi chascuns me rigoloit,
Pour ce que ma dame voloit
7552 Que nos amours fussent chantees
Par les rues et flajolees
Et que chascuns apperceüst
Qu'elle m'amoit et le sceüst; [188 b]
7556 Et c'estoit chose assés commune
Et a chascun et a chascune.
Si vous dirai ce que je fis:
Bien croi que ce fust mes profis.
7560 Ce fu droit en mois de novembre,
Qu'on fait feu en sale et en chambre;
Si demourai en ma maison
Jusqu'a la nouvelle saison
7564 C'onques vers elle n'envoiai,
Ne lettre n'escri ne ploiai
Pour li envoier ne tramettre,
Qu'ailleurs voloie mon temps mettre.
7568 La demourai mainte journee
Qu'ainçois qu'elle fust adjournee
Estoie saoulz de plourer;
Si ne vaus depuis aourer
7572 Sa belle ymage, ainçois l'ostai
De mon chevés et la boutai

7547. *PmE* escrabot – **7549.** *A* bel – **7559.** *APmE* fu m. p. – **7560.** *E* ou – **7565.** *E* l. escripte ne – **7568.** *E* adjournee – **7569.** *E* Et souuent ma face espouree – **7570.** *E* Cestoie saoulez de p. – **7572.** *APm* La

mais au moment de le saluer, je changeai si fort de contenance que je ne savais plus, Dieu me protège, ce que je disais.

C'est ainsi qu'un chacun m'apportait une information qui exhortait mon cœur à oublier la dame de grand mérite, que j'aimais, révérais, servais, louais et prisais ; même tandis que je marchais dans la rue, chaque quidam me lançait un quolibet en disant, sur un ton moqueur : « J'en vois un qui a une belle amie ! » C'est ainsi que chacun me raillait de ce que ma dame voulait que nos amours fussent chantées et claironnées dans les rues et que tout le monde pût constater et être assuré qu'elle m'aimait ; et c'était en effet une chose communément répandue auprès de chacun et de chacune.

Je vais vous dire ce que je décidai de faire, et j'ai de bonnes raisons de croire que c'était tout à mon avantage. C'était exactement au mois de novembre, alors qu'on fait du feu dans la salle de séjour et dans sa chambre. Je demeurai chez moi jusqu'à la saison nouvelle sans lui envoyer aucun porteur de message, ni écrire et plier aucune lettre à lui envoyer et à lui remettre : aussi bien voulais-je consacrer mon temps à d'autres tâches. Je demeurai là maintes journées où avant l'aube j'avais déjà pleuré à satiété. Je décidai aussi qu'à partir de là je ne vénèrerais plus son beau portrait, que j'ôtai du chevet de mon lit et d'un geste brutal

Et mis en un petit coffret
Qui dedens un plus grant coffre est.
7576 La est encore et y sera,
N'a piece mais n'en partira,
Ains la tenrai en ma prison
Fermee, pour la mesprison
7580 Que ma dame ha fait envers mi
Quant elle ha fait nouvel ami,
Au mains le m'a on raporté,
Dont perdu joie et deport é
7584 Lors pour alligier la dolour
Qui taint et pallist ma coulour,
Je fis ceste balade cy,
A cuer taint et malade, si
7588 Plain d'amoureuse maladie
Que menre en est la melodie.

Balade, et y a chant

Se pour ce muir qu'Amours ai bien servi, *L'amant*
Il fait mauvais servir si fait signour,
7592 Car je n'ai pas mort d'amours deservi
Pour li amer de tresloial amour; [188 v° a]
Mais je voi bien que finé sont mi jour
Quant je congnois et voi tout en appert
7596 Qu'en lieu de bleu, dame, vous vestés vert.

Hé! las! dame, je vous ai tant chieri
En desirant de merci la douçour,
Que je n'ai mais sens ne pooir en mi,
7600 Tant m'ont miné mi souspir et mi plour;
Et m'esperance est morte sans retour
Quant Souvenirs me moustre a descouvert
Qu'en lieu de bleu, dame, vous vestés vert.

7604 Pour ce maudi les yeus dont je vous vi,
L'eure, le jour, et le trescointe atour
Et la biauté qui ont mon cuer ravi

7582. *E* moins – **7584.** *APm* ma d.

mis dans un petit coffret placé dans un plus grand coffre. C'est là qu'il est encore et restera, et ce n'est pas de sitôt qu'il en sortira, car je le tiendrai comme mon prisonnier en raison de la faute grave commise par ma dame envers moi quand elle s'est donné un nouvel ami – c'est du moins ce qu'on m'a rapporté – ensuite de quoi j'ai perdu la joie et le goût du plaisir. Alors, pour soulager la douleur qui assombrit mon teint et le pâlit, je fis la ballade que voici, d'un cœur morose et dolent, si plein du mal d'amour que moins riche en est la mélodie.

Ballade [de l'amant], avec chant

1. Si je meurs pour avoir bien servi Amour,
On agit mal en servant un tel seigneur
Car je n'ai pas mérité une mort par amour
En l'aimant d'un amour très loyal;
Hélas! je vois bien que finis sont mes jours
Quand je sais, pour l'avoir vu, très nettement,
Qu'au lieu de bleu, dame, vous vous vêtez de vert.

2. Hé! pauvre de moi! dame, je vous ai tant chérie
En désirant la douceur de votre faveur,
Que je n'ai plus en moi esprit ni énergie,
Tant m'ont miné mes soupirs et mes pleurs;
Mon espérance aussi est morte sans retour
Quand ma pensée me représente très clairement
Qu'au lieu de bleu, dame, vous vous vêtez de vert.

3. C'est pourquoi je maudis les yeux par lesquels je
[vous ai vue,
Et l'heure et le jour, et votre si élégante mise
Et votre beauté, qui m'ont ravi le cœur

Et le plaisir enyvré de folour;
7608 Et si maudi Fortune et son faus tour,
Et Loiauté qui seuffre et a souffert
Qu'en lieu de bleu, dame, vous vestés vert.

Ne demoura pas longuement *L'amant*
7612 C'uns messages soudainement
Vint a moi droit emmi la rue
Et dist: « Vo dame vous salue
Et vous envoie ceste lettre,
7616 Ou on ne puet oster ne mestre
Mot ne sillabe sans mesprendre.
Or la veuilliés lire et entendre. »
Quant il m'ot dit tout son salu,
7620 J'ouvri la lettre et si la lu.

[Lettre XL des mss]

Treschiers et tresdoulz amis! *La dame*

(a) Je envoie devers vous pour le tresgrant et parfait desir que j'ai d'oÿr aucunes bonnes nouvelles de vous, les queles Nostre Sires, par sa sainte grace, me doint oÿr tele*s*[1] come mes cuers [le] desire[2], car je n'en oÿ nulles[3] puis la chandeleur; et si vous ai depuis escript, et derrenement, par vostre secretaire, et si li dis[4] pluiseurs choses de bouche, les queles il vous devoit dire[5], et si me promist qu'il feroit tant par devers vous que j'en aroie briément response. Mais vous n'en avés riens daignié faire, dont il me semble pour certain que vous m'aiés[6] de tous poins guerpie et mise en nonchaloir, et que vous n'avés mais nulle amour a moi.

7608. *E* Le doulz regart qui mimist en errour – **7614.** *E* Vostre dame (+ 1) – **7615-6.** *E vers inversés*

---

1. *APmE* teles, *F* tele. – **2.** *APmE* le d. – **3.** *APmE* oy nulles, *F* oy nouvelles. – **4.** *Pm* u. s. auquel je dis. – **5.** *Pm* bouche qu'il u. d. d. – **6.** *AE* u. m'auez.

Et grisé mon plaisir par des idées folles,
Et je maudis aussi Fortune et sa roue traîtresse,
Et Loyauté qui a admis et admet
Qu'au lieu de bleu, dame, vous vous vêtez de vert.

L'amant

Il ne se passa guère de temps qu'un messager m'accosta soudain en plein milieu de la rue et me dit : « Votre dame vous salue et vous envoie cette lettre-ci à laquelle on ne peut ôter ni ajouter un mot ou une syllabe sans en fausser le sens. Veuillez donc la lire attentivement. » Quand il eut achevé de me dire la salutation, j'ouvris la lettre et la lus.

Lettre 40, de la dame [40 des mss ; XL de PP]

Très cher et très doux ami !

J'envoie un messager auprès de vous, à cause du très vif et très impérieux désir que j'ai d'entendre quelques bonnes nouvelles de vous, nouvelles que je prie Notre-Seigneur de me faire connaître par sa sainte grâce telles que mon cœur les désire, car je n'en ai reçu aucune depuis la Chandeleur [12 février] ; et je vous ai depuis écrit, et cela récemment, par votre secrétaire, et je lui ai dit de vive voix plusieurs choses qu'il devait vous rapporter, et il m'a promis d'agir auprès de vous pour que j'en eusse rapidement une réponse. Mais vous n'en avez rien daigné faire, aussi me paraît-il certain que vous m'avez complètement abandonnée, que je vous suis devenue indifférente, et que vous n'avez plus aucun amour pour moi.

Si avés tort et faites mal et pechié, car je pri a Dieu que jamais ne me doint honneur ne joie de chose que je li requiere, se onques je fis en dis[1] n'en fais ne en pensee riens vers vous pour quoi vous me deüssiés ainsi laissier ne mettre mon cuer a si grant destresse comme il est pour vous ; si le poés bien savoir, et si ne vous en chaut ne il [n']est[2] nul remede que vous y veuilliés mettre[3]. **(b)** Et, par Dieu, mon cuer ne fut[4] onques vers vous ytelz[5], car je n'os onques [188 v° b] bien[6] ne joie tant comme je sceüsse vostre cuer a meschief, et que, tantost que je le savoie, je n'i meisse paine de vous conforter a mon pooir.

Et je croi que vous savés bien le grant meschief que mes cuers ha pour vous, et si ne vous en chaut de riens ; dont j'ai plus grant merveille de vous que je n'eusse de tous les hommes du monde, car je croi qu'il ne fut onques nulz homs qui tant ait gardee et amee la paix, le bien et l'onneur de toutes fames comme vous avés tous jours fait, et meesmement de celles que vous ne veistes onques et qui onques ne vous amerent ne bien ne vous firent. Et moi, qui vous aime plus chierement que tous les hommes qui sont au jour de hui en vie et plus que autre fame ne vous ama onques, je suis par vous en si grant doleur et en si grant angoisse de cuer, que je ne croi mie que cuers humains peust croire la .X^e^. partie de ce que je endure. Et il n'est mie de merveille[7], car je sui en aventure, se vous n'y mettés briément conseil, de perdre honneur et toute joie ; car vous savés que les amours de vous et de moi ont esté sceues de pluiseurs bonnes personnes, que, se il savoient que elles fussent departies, il cuideroient que je vous eusse fait fausseté ou que vous eussiés trouvé en moi aucune mauvaisté ou folie pour quoy l'eussiés[8] fait. Et certes,

---

1. *AE* nen dis. – **2.** *AE* nil n'est, *F* ne il est. – **3.** *Pm* si me p.... mettre *om*. – **4.** *A* mon dous cuer mon cuer ne f. (mon cuer *barré d'une plume légère, moderne ?*) – **5.** *A* ytels, *Pm* ytieulz. – **6.** *Pm* ne b. – **7.** *Pm* de vous... merveille *om*. – **8.** *APmE* uous l'e.

Mais vous avez tort et agissez mal et commettez un péché ; c'est pourquoi je prie Dieu de ne plus m'accorder ni honneur ni joie pour quoi que ce soit que je lui demanderais, si jamais j'ai commis envers vous des paroles, des actes ou des pensées qui vous obligeraient à me délaisser et à plonger mon cœur dans une aussi grande détresse que celle qu'il endure à cause de vous ; mais vous avez beau le savoir, cela vous laisse indifférent, et vous ne voulez absolument pas remédier à la situation.

Par Dieu, mon cœur ne se montra jamais tel envers vous, car je n'eus jamais bonheur ni joie quand et tant que je savais votre cœur malheureux, et, dès que je le savais, je ne manquais pas de me mettre en peine de vous réconforter, autant que je pouvais.

Oui, je suis certaine que vous savez parfaitement le grand malheur qui affecte mon cœur à cause de vous, et pourtant vous ne vous en souciez nullement ; ce qui m'étonne plus fort de votre part que cela ne m'étonnerait de la part de tous les autres hommes au monde, car je crois qu'il n'y eut jamais nul homme qui ait autant aimé et défendu la paix, le bonheur et l'honneur de toutes les femmes que vous l'avez toujours fait, et particulièrement de celles que vous n'avez jamais vues et qui jamais ne vous ont aimé ni ne vous ont fait quelque bien. Et moi, qui vous aime plus ardemment que tous les hommes qui sont aujourd'hui en vie et plus qu'aucune autre femme ne vous a jamais aimé, j'éprouve à cause de vous une si grande douleur et une si grande angoisse de cœur que je ne crois pas qu'un cœur humain pût concevoir la dixième partie de ce que j'endure. Et il n'y a rien d'étonnant à ce que je coure le risque, si vous ne venez à mon secours, de perdre l'honneur et toute joie ; car vous n'ignorez pas que nos amours sont connues de plusieurs personnes de qualité, qui, si elles apprenaient la rupture, s'imagineraient que je vous ai trahi ou que vous avez découvert chez moi quelque perversité ou quelque inconduite justifiant votre décision de rupture. Et assurément,

s'il estoit ainsi[1], je me tenroie pour la plus deshonneree qui soit au monde[2], ne jamais n'aroie bien ne parfaite joie.

(c) Et pour ce, mon treschier et doulz ami, je vous suppli, si chierement et si humblement[3] que le cuer triste et dolent de vostre vraie et[4] loial amie puet plus penser, comme cellui en cui gist tout mon bien, tout mon honneur et toute ma joie, que vostre doulz cuer, qui a tousjours esté si doulz et si humble vers toutes fames, ne veuille pas estre si crueus vers moi qu'il veuille que je reçoive tant de mal ; mais veulle vostre tresgrant douceur humilier a moi oster du grant meschief ou je sui, et moi donner confort et joie ; et sachiés certeinement qu'elle ne me puet jamais venir de nule part s'el[le] ne me vient[5] de vous. Et s'il est ainsi que vous m'aiés de tous poins ainsi guerpie et sans ce que je l'aie desservi, et que vostres cuers soit si crueus vers moi que je n'i puisse trouver confort ne amour, je sui celle qui me doi plaindre de vous plus que ne fist onques nulle fame de son ami, et plus que ne fist Medee de Jason. Et si vous promet loiaulment et jure sur tous les seremens que nulz crestiens puet jurer, car, se il est ainsi que Amour, que j'ai si longuement et si loialment servi et en qui j'ai mis cuer, pensee et amour, me tolt la riens ou monde que j'aimme plus chierement, dont elle m'avoit promis bien et parfaite joie, je la renie et renunce de tous poins a li et a son service, ne jamais sa [189 a] serve ne serai en tele subjection, ne moi ne nulle autre fame que je puisse destourner ; ne jamais bien ne plaisir ne ferai a nul homme que je saiche qui aime par amours moi ne autre fame sur qui j'aie pooir, ainçois leur ferai tout l'anui et tout le destourbier que je porrai, et tout en despit d'Amours qui tant de maulz m'a fait.

(d) Mais, s'il vous plaist, mon tresdoulz ami, vous poés bien tost amender ce courrous, car se vous me

---

1. *Pm* et se ainsy estoit. – **2.** *Pm* au monde *om.* – **3.** *Pm* si h. *om.* – **4.** *E* vraie et *om.* – **5.** *AE* selle ne u.

si telle était leur opinion, je me considèrerais comme la femme la plus déshonorée au monde, et jamais plus je ne connaîtrais le bonheur ni la joie parfaite.

C'est pourquoi, mon très cher et très doux ami, au nom du plus haut degré de tendresse et d'humilité que le cœur triste et dolent de votre vraie et loyale amie peut concevoir, je vous supplie, vous en qui repose tout mon bonheur, tout mon honneur et toute ma joie, de faire en sorte que votre doux cœur, qui a toujours été aussi aimable et aussi humble envers toutes les femmes, ne veuille pas être d'une telle cruauté envers moi qu'il cherche à me faire subir tant de malheur; mais, au contraire, que votre immense douceur daigne m'arracher au grand malheur où je suis et me donner réconfort et joie; et soyez absolument certain que cette joie ne peut me venir de nulle part si elle ne me vient de vous.

Mais si les choses en sont là que vous m'ayez absolument abandonnée, comme il semble, et sans que je l'aie mérité, et que votre cœur soit si cruel envers moi que je n'y puisse trouver réconfort ni amour, j'ai plus de raisons de me plaindre de vous que n'en eut jamais nulle femme de son ami, davantage même que n'en eut Médée de Jason.

Et je garantis sincèrement et je vous jure par tous les serments qu'un chrétien peut jurer, que, si les choses en sont là qu'Amour – que j'ai si longtemps et si loyalement servi et en qui j'ai mis mon cœur, ma pensée et ma capacité d'aimer – me ravit l'être que je chéris le plus tendrement au monde (en échange de qui il m'avait promis bonheur et joie parfaite), s'il en est ainsi, dis-je, je le renie et renonce absolument à lui et à son service, ni je ne serai jamais plus sa serve au même degré soumise, moi, ajouterai-je, et nulle autre femme que je puisse en détourner; et que jamais plus je ne ferai ni faveur ni plaisir à nul homme que je saurais qui m'aime d'amour, moi ou quelque autre femme sur qui j'aurais autorité; au contraire je leur causerai tout le désagrément et leur ferai toutes les vexations dont je serai capable, et tout cela par le mépris que je voue à Amour, qui m'a fait tant de misères.

Mais, si tel est votre bon plaisir, mon très doux ami, vous pouvez très rapidement faire réparation pour ce qui a causé mon ressentiment car si vous voulez me

volés tenir pour bonne et vraie et leal amie, tele come je sui et serai toute ma vie[1], et que vous ne veuilliés nulz croire de chose que on die contre moi, et aussi(s)[2] que vous me veuilliés estre bons et loiaulz amis, ainsi come autre fois avés esté, sachiés certainement que onques Amours ne fu autant ne si loiaument servie ne honore[e][3] come elle sera encore de moi pour l'amour de vous. Si vous pri et suppli si humblement et si chierement come je puis, et en tout guerredon[4], que vous me veuilliés escrire par ce message, en tele maniere que je puisse estre confortee, car vous poez savoir certainement qu'il est du tout en vous de mon bien et de mon honneur et de toute ma joie[5].

A Dieu, mon tredoulz cuer, a qui je prie de bon cuer et leal (et a sa douce Vierge[6] Mere), qu'il vous doinst honneur et joie de quanque vostre cuer aimme, et qu'il vous mette en volenté de faire chose dont je soie resjoye.

Escript .XIIIe. jour de novembre.

Vostre leal[7] amie.

L'amant

Or avés oÿ et veü
Les lettres, s'il vous a pleü,
De ma damë, et comment seure
7624 Me couroit chascuns a toute heure
Pour l'amour que j'avoie a li,
Et comment pas ne m'abelli,
Ainçois trop fort me desplaisoit
7628 Tous les jours ce qu'on m'en disoit;
Et com son ymage aouree
Mis dedens ma prison fermee,
Qui mort n'i avoit desservi,
7632 Las, et je l'avoie servi
Telement que je me cuidoie

1. *Pm* comme cellui... ma vie *om.* – **2.** *AE* aussi. – **3.** *A* honnouree, *E* honoree. – **4.** *Pm* et aussi que... guerredon *om.* – **5.** *Pm* car vous poez... ma joie *om.* – **6.** *A* virge, *E* uierge, *Pm om.* – **7.** *Pm* loyal, *E* loyale.

tenir pour une honnête, sincère, et loyale amie, telle que je le suis en effet et serai toute ma vie, et que vous ne veuillez ajouter foi à personne pour ce qu'on peut dire contre moi, et que, en outre, vous veuillez être mon honnête et loyal ami comme vous l'avez été naguère, sachez, en toute certitude, que jamais Amour n'aura autant et aussi loyalement été servi et honoré qu'il le sera par moi à l'avenir par amour pour vous.

C'est dans cet esprit que je vous prie et vous supplie, aussi humblement et aussi affectueusement que je puis, de vouloir bien m'écrire, par l'intermédiaire de ce messager, d'une manière telle que je puisse être réconfortée, car vous connaissez l'exacte situation : il n'est pas douteux que c'est de vous seul que dépend mon bonheur, mon honneur et toute ma joie.

Je vous recommande, mon très doux cœur, à Dieu, que je prie en toute sincérité et en toute loyauté (ainsi que la douce Vierge Sa Mère) de vous accorder honneur et joie en tout ce que votre cœur aime, et qu'Il vous inspire la volonté d'agir de manière que de mon côté je retrouve la joie.

Écrit le 13 novembre.

Votre loyale amie.

L'amant

À présent, si vous l'avez bien voulu, vous avez entendu et vu la lettre de ma dame, et vous avez appris comment à tout moment chacun me harcelait à cause de mon amour pour elle ; et comment nullement ne me plaisait, mais me déplaisait très fort, ce qu'on m'en disait tous les jours ; comment en outre je mis son portrait adoré dans ma prison fermée à clef, lui qui n'avait pas, dans l'aventure, mérité la mort, le malheureux, alors que moi je l'avais servi avec tant de zèle que je pensais me

Sauver en ce que j'en faisoie!
Toutevoie je m'avisai
7636 Et moult y pensai et visai
Que unes lettres li escriroie
Et que riens ne li manderoie
De ce qu'on dist tout en appert
7640 Qu'elle vest en lieu de bleu vert.
Vesci de la lettre la fourme,
Qui mot a mot vous en enfourme.

[Lettre XLI des mss]

L'amant

Mon tresdoulz cuer et ma treschiere suer et ma tresvraie amour! [189 b]

(a) J'ai bien[1] veu ce que vous m'avés escript, si vous merci moult chierement[2] de vostre bon estat que vous m'avés mandé[3], car, par m'ame, c'est la plus grant goie que je puisse avoir que d'en oÿr bonnes nouvelles, aprés vous veoir, que je desir sur[4] toutes les choses du[5] monde.

(b) Et, mon tresdoulz cuer, quant ad ce que vous me mandés que vous estes « ou vous savés » et que je vous puis aler veoir quant il me plaira, et aussi de l'ordenance que vous en avez fait, qui moult me plaist[6] (car par ce voi je certainement[7] que vous avés vrai cuer et bonne volenté par devers moi[8]), je vous en mercy[9] tant humblement comme je puis et non mie[10] tant comme je doi. Si ai mandé mon secretaire et me trairai par devers vous le plus tost que je porrai, la saint Andrieu passee, ou plus tost se je puis, car li consaulz se remuent[11] aucune fois[12]. Et n'i menrai que trois de mes vallés[13], aveuc[14] mon secretaire se avoir le puis.

---

1. *Pm* bien *om.* – **2.** *Pm* moult bonnement. – **3.** *APmE* u. m'auez fait sauoir. – **4.** *A* seur. – **5.** *A* dou. – **6.** *Pm* car, par m'ame... me plaist *om.* – **7.** *E* certainement *om.*, *APm* clairement. – **8.** *E* b. u. uers moy. – **9.** *Pm* dont je u. m. – **10.** *Pm* et non pas. – **11.** *E* le conseil se remue. – **12.** *Pm* car li consaulz... fois *om.* – **13.** *E* uarlez. – **14.** *APmE* auec.

tirer d'affaire par la manière dont je le traitais.

Sur ces entrefaites je me ravisai et, après mûre réflexion, je décidai d'écrire à ma dame une lettre, mais sans rien lui apprendre de ce qu'on m'avait dit très clairement, à savoir qu'elle, au lieu de bleu, s'habille de vert. Voici le texte de la lettre qui mot pour mot vous informe de tout cela.

Lettre 41, de l'amant [41 des mss; XLI de PP]

Mon très doux cœur, ma très chère sœur et mon véritable amour !

J'ai bien vu ce que vous m'avez écrit et je vous remercie très tendrement de m'avoir fait savoir votre bonne forme, car, sur mon âme, c'est la plus grande joie que je puisse avoir que d'entendre de vos bonnes nouvelles, après le fait de vous voir qui est la chose que je désire le plus au monde.

Et, mon très doux cœur, à propos de ce que vous me dites que vous êtes « où vous savez », et que je peux aller vous voir quand il me plaira, et aussi en ce qui concerne l'arrangement que vous en avez fait, qui me plaît beaucoup (car par cela je vois bien que vous avez un cœur sincère et une volonté bien disposée envers moi), je vous remercie aussi humblement que je le puis et non point autant que je le dois. J'ai demandé mon secrétaire et m'en irai vers vous le plus tôt que je pourrai, une fois la Saint-André passée, ou plus tôt si je le peux, car les projets varient quelquefois. Et je n'emmènerai que trois de mes jeunes serviteurs, avec mon secrétaire, si je peux l'avoir.

(c) Mon tresdoulz cuer, je savoie[1] bien que vous aviés[2] pooir d'endormir[3] Argus et de emprisonner Dangier et Malebouche, et, par m'ame, j'ai grant joie de ce qu'il sont en ce point. Si vous prie chierement que jusques a tant que je vous arai veue, il ne se partent de cest estat, et si tost comme je serai partis[4] de vous, qu'il soient delivre et facent leur office de vous garder encontre tous. Et, mon tresdoulz cuer, ne vous doubtés que, quant je serai venus a vous, qui sera bien tost se Dieu plaist et je puis, je ferai sagement et secretement ce que vous m'avez mandé, et du sourplus m'attendrai a vostre noble cuer[5].

Recommandés moi treshumblement[6], s'il vous plaist[7], a la Coulombele, car[8] je la desire moult a veoir pour l'amour de vous. Et sachié[s] que «la ou vous estes» je n'i congnois personne fors vous; si couvient bien, quant je y serai, que je vive a vostre ordenance. Recommendés moi a H.[9] quant vous le verrés; et certes, se il me pooit venir querre, je seroie honnerés[10], et si seroit la paix[11] de mon frere, qu'il ne puet avoir bien ne joie tant comme je soie hors.

(d) Je vous avoie fait faire aucune chose a Paris, mais on m'a dit que li orfevres est mors, si croi que j'arai perdu ma besongne et mon or[12].

(e) Mon tresdoulz cuer, vous m'escrivés[13] moult[14] ouvertement[15] et avés[16] tous jours escript; si ne sai se il est bon que je mette(s)[17] vos lettres en mon livre tout ainsi come elles sont; si m'en veuilliés mander vostre volenté.

(f) A Dieu, mon tresdoulz[18] cuer, qui vous doint honneur et joie de quanque vous amés, et nous doinst

---

1. *E* je scay. – **2.** *E* auez. – **3.** *Pm* auiez puissance de. – **4.** *E* s. departiz. – **5.** *Pm* Et, mon tresdoulz... noble cuer *om.* – **6.** *Pm* treshumblement *om.* – **7.** *A* plait. – **8.** *Pm* quer. – **9.** *E* R. m. a luy. – **10.** *E* moult h. – **11.** *E* moult de la p. – **12.** *Pm* Recommendés... et mon or *om.* – **13.** *Pm* maues escript et escripsies. – **14.** *Pm* moult *om.* – **15.** *E* m. touvertement. – **16.** *A* et m'auez. – **17.** *APmE* mette, *F* mettes. – **18.** *A* dous, *Pm* doulx.

Mon très doux cœur, je savais bien que vous aviez le pouvoir d'endormir Argus et d'emprisonner Danger-Retenue et Male Bouche et, sur mon âme, j'ai grande joie qu'ils soient en cet état. Je vous prie instamment que jusqu'à ce que je vous ai vue, ils ne se départent pas de cet état, et aussitôt que je vous aurai quittée, qu'ils soient libérés et accomplissent leur tâche de vous protéger de tous. Et, mon très doux cœur, n'ayez aucune crainte, quand je serai venu auprès de vous, ce qui sera bientôt s'il plaît à Dieu et que je le puisse, je ferai sagement et en secret ce que vous m'avez indiqué, et pour ce qui est du surplus, je m'en remettrai à votre noble cœur.

Recommandez-moi humblement, s'il vous plaît, à la Colombelle, car je désire beaucoup la voir par amour pour vous. Et sachez que « là où vous êtes », je ne connais que vous ; et il faudra, quand j'y serai, que je vive selon ce que vous aurez organisé. Recommandez-moi à H. quand vous le verrez ; et certes, s'il pouvait venir me chercher, je serais honoré, et mon frère serait rassuré, qui ne peut avoir ni joie ni bonheur tant qu'il me sait éloigné.

Je vous avais fait faire certaine chose à Paris, mais on m'a dit que l'orfèvre est mort et je crois que j'aurai perdu mon travail et mon or.

Mon très doux cœur, vous m'écrivez et m'avez toujours écrit très librement. Je ne sais donc pas s'il est bon que je mette, telles quelles, vos lettres en mon livre. Faites-moi savoir votre volonté.

Je vous recommande à Dieu, mon très doux cœur, qu'Il vous donne honneur et joie en tout ce que vous aimez, et qu'Il nous fasse grace que nous nous puissons[1] veoir a honneur, a joie et a santé, et briément.

Escript .XIIIe. jour[2] de novembre.

Vostre tresloial[3] ami.

[189 v° a]

L'amant

Ainsi a ma dame rescry
7644 Que je ne fis plainte ne cry
De chose qu'on m'eüst conté,
Ne pour gaingnier une conté,
Non vraiement pour nul avoir
7648 Je li eüsse fait savoir,
Car trop courrecier la peü(i)sse
Se signifié li eüsse,
Et si l'eüsse fait plorrer;
7652 Et messages trop demourer
Ne puet, ne tart hurter a porte
Qui maises nouvelles aporte.
Si me couchai dedens mon lit,
7656 Tous nus, sans joie et sans delit,
En pensant a ceste aventure,
Qui trop m'estoit pesant et dure;
Si m'endormi a moult grant painne,
7660 Car presque toute la semaine
Plus plouré avoie et gemi
.C. fois que n'avoie dormi;
Si songai ce que vous orrés,
7664 Ne sai se croire le porrés.

En mon songe m'estoit avis
Que je veoie vis a vis
L'ymage ma dame honoree
7668 Qui estoit toute eschevelee
Et qui plouroit moult tendrement

1. *A* puissiens. – **2.** *PmE* le XIIIe j. – **3.** *E* loyal.

7646. *E* g. une cite – **7648.** *E* Ne l. – **7649.** *APm* peusse – **7657.** *E* de c.

la grâce que nous puissions nous voir rapidement, dans l'honneur, la joie et la santé.

Écrit le 13 novembre.

Votre très loyal ami.

C'est ainsi que je répondis à ma dame sans me plaindre ni gémir de ce qu'on m'avait rapporté ; dussé-je y gagner un comté, non, en vérité, à aucun prix je ne lui en aurais rien mandé, car je risquais si je l'en informais de la peiner beaucoup et de la faire pleurer ; et un messager ne peut attendre très longtemps, ni frapper tard à la porte s'il apporte de mauvaises nouvelles. Je me couchai alors dans mon lit tout nu, sans éprouver ni joie ni plaisir en réfléchissant à cette aventure qui m'était très pénible et très rude ; et j'eus beaucoup de peine à m'endormir, car presque toute la semaine j'avais cent fois plus pleuré et gémi que je n'avais dormi. Et je fis le rêve que vous allez entendre ; je ne sais si vous pourrez le croire.

COMMENT LE PORTRAIT DE TOUTE-BELLE SE PLAINT À L'AMANT

En mon rêve je crus voir face à face le portrait de ma dame honorée qui, tout échevelée, pleurait très tendrement

Et souspiroit parfondement,
Et qui essuoit de sa crine
7672 Ses yeus, sa face et sa poitrine,
Et disoit : « Lasse, emprisonnee
Et en .II. coffres enfermee
Sans departir, sire, m'avés ;
7676 Et nulle cause n'i savés.
S'on vous a donné a entendre
Qu'ailleurs vostre dame vuelt tendre,
Ami, qu'en va, qu'en puis je mais ?
7680 Li fais je faire ? nenil ! Mais
Vous creés trop legierement, [189 v° b]
Si vous en venra telement
Que briément vous en mescherra,
7684 Et tous li mondes le verra,
Car vous en perderés vo dame
Qui vous aime de cuer et d'ame.
Or supposons qu'elle soit fausse
7688 Envers vous et qu'elle vous fausse,
Le doi je (bien) pour ce comparer ?
Hé ! las ! vous me soliés parer
De chansonnettes amoureuses,
7692 D'or et de pierres precieuses
Et de dras d'or d'outre la mer ;
Or volés delaissier l'amer,
Si couvient que je le compere !
7696 Ce n'est pas raison, par saint Pere,
Quar rien n'ai, s'il i a meffet,
Mespris ne mesdit ne meffet.
Et certes elle n'i ha courpe,
7700 Si fait grant pechié qui l'encourpe ;
N'il n'est d'elle plus vrai amant,
Ainsi le croi, se Dieu m'amant.
Faites li savoir sans muser,
7704 Et s'elle se puet excuser
Si soit hors de la villonnie !
Et si doit en oÿr partie,

7687. *A* sousposons – **7693.** *E* draps – **7701.** *E* Il ; uraiement – **7706.** *APmE* on

et poussait de profonds soupirs. Et avec sa chevelure elle s'essuyait les yeux, le visage et la poitrine, et elle disait : « Malheureuse que je suis, vous m'avez, seigneur, mise en prison et enfermée dans un double coffre sans que je puisse en sortir ; et vous ne connaissez aucune justification à cet acte. Si on vous a donné à comprendre qu'ailleurs votre dame veut s'orienter, ami, ce qui se passe, qu'y puis-je ? Est-ce moi qui l'y encourage ? Non ! Ce qui est vrai, c'est que vous croyez trop facilement les gens, et il en résultera pour vous qu'à bref délai vous serez dans le malheur ; et tout le monde le verra, car vous y perdrez votre dame qui vous aime du fond de son cœur. Mais supposons qu'elle soit perfide à votre égard et qu'elle vous trompe, est-ce moi qui dois l'expier ? Hé ! malheureuse que je suis, vous aviez coutume de m'honorer de petites chansons d'amour, de bijoux en or, de pierres précieuses et de tissus d'outre-mer ; or à présent vous voulez renoncer à l'amour, et c'est moi qui dois en faire les frais ! Cela n'est pas raisonnable, par saint Pierre, car je n'ai commis aucune faute – si faute il y a – soit par incongruité de parole, soit par forfaiture ; et assurément elle non plus n'est pas coupable ; et il commet un grand péché, celui qui l'accuse et il n'est plus son véritable amant, telle est ma conviction, que Dieu me protège ! Convoquez-la sans perdre de temps ; et si elle peut se disculper, qu'elle reste hors de tout soupçon de vilenie ! C'est ainsi qu'on doit entendre un accusé,

Car bons juges ja ne sera
7708 Qui partie n'ascoutera !
Et vous la volés condempner
Et de vostre grace planer
Pour .III. ou pour .IIII. paroles
7712 Qui sont mensongnes et fryvoles,
Plus que serpens envenimees
Et de mesdisans contrevees ?
C'est grans pechiés de si tost croire
7716 Et plus grans du dire. Une hystoire
Vous en veul dire et raconter,
Se vous me volés escouter.

Li corbiaus jadis plume blanche [190 a]
7720 Havoit plus que la noif sur branche,
Ne que coulon, gente ne cisne,
Ne que la flour de l'aube espine ;
Brief en li n'avoit riens de lait,
7724 Car il estoit plus blans que lait.
Phebus l'amoit moult chierement
Et y prenoit esbatement
Plus qu'en son arson n'en sa harpe
7728 Dont il s'esbat souvent et harpe.
Or vous dirai comment ce avint
Que sa blancheur noire devint.
En Thessalle ot une pucelle
7732 Qui estoit avenant et belle
Et de grace la plus loee
Qui fust en toute la contree.
Nee en la cité de Laurisse
7736 Fu, si n'estoit rude ne nice,
Ains estoit cointe, apperte et sa(i)ge
Et estraite de haut linage.
Coronis ot nom la meschine.
7740 Phebus l'amoit d'amour si fine,

7708. *A* astentera (assentera ?), *E* nescoutera – **7714.** *APm* controuvees, *E* controuvez – **7718 *bis*.** (*en sous-titre dans A et F*) Comment li corbiaus blans fu mues en plume noire – **7721.** *E* cine – **7737.** *A* sage – **7738.** *APm* lignage, *E* lygnage – **7740.** *E* si *om.* (– 1)

et il ne sera jamais un bon juge, celui qui n'écoutera pas l'accusé. Or vous voulez la condamner et l'exclure de votre bonne grâce pour trois ou quatre propos mensongers et frivoles, plus venimeux que des serpents et par des médisants inventés. C'est un grand péché que de croire si vite, et un plus grand encore d'en parler. Je vais là-dessus vous dire et conter une histoire, si vous voulez bien m'écouter.

COMMENT LE CORBEAU MUA SA PLUME BLANCHE EN PLUME NOIRE

Le corbeau jadis avait un plumage plus blanc que la neige sur la branche, ou que le pigeon, l'oie blanche, ou le cygne, ou que la fleur de l'aubépine ; bref, en lui il n'y avait aucune laideur, car il était plus blanc que le lait. Phébus l'aimait très tendrement et se divertissait avec lui plus qu'avec l'archet de sa viole ou sa harpe dont il jouait souvent pour son plaisir.

Je vais maintenant vous dire comment il arriva que sa blancheur devint noire.

En Thessalie il y avait une pucelle qui était avenante et belle et la plus louée, pour sa grâce, de toutes celles qui vivaient dans la contrée. Elle était née dans la ville de Larisse, et n'était ni fruste ni sotte, mais distinguée, intelligente et savante, issue d'une famille de haute noblesse. Coronis était le nom de la jeune fille. Phébus l'aimait d'un amour si total,

Si fermement et de tel cuer
Que ne l'oubliast a nul fuer.
Mais elle amoit un damoisel
7744 Plus que Phebus son blanc oisel;
Brief rien tant n'amoit autre chose.
Bien y parut a la parclose,
Car li corbiaus les vid ensemble
7748 Joins par nature, ce me semble,
Que chascuns prenoit son deduit
Si com Nature les y duit.
Quant li corbiaus vid l'avoutire,
7752 Il les commença a maudire
Et si jura grant serement
Qu'il yroit dire ynelement
A Phebus la grant lecherie
7756 Qu'il a veü en son amie.
De ses eles l'air acola
Et sans plus dire s'en vola
Pour dire a Phebus la nouvelle
7760 Dou damoisel et de la belle,
Comment il les avoit trouvé
Presentement en fait prouvé.
La cornaille qui l'encontra
7764 Pris son vol en son encontre a.
Moult enquist ou voler voloit
Qui si hastivement voloit.
Li corbiaus tantost li respont
7768 Et de chief en chief li espont
De Coronis tout l'avoutire
Et dit qu'a Phebus le va dire,
Car pas ne vuelt celer la honte [190 b]
7772 De son signeur qu'il ne li conte.

Quant la cornaille l'entendi,
Elle dist: "Corbiaus, tant t'en di:
Se tu m'en crois, tu n'(i) yras pas!

7742. *A* Quil – **7753.** *A* sairement – **7754.** *A* liroit (l *exponctué*) – **7763.** *APmE* corneille *(id.* **7773**, *etc.)* – **7772 *bis.*** (*en sous-titre dans A et F*) Comment la cornaille (corneille) reprist et chastia le corbiau

si ferme et d'un cœur si tendre que rien ne la lui eût fait oublier. Malheureusement pour lui, elle aimait un jeune seigneur plus fort que Phébus n'aimait son oiseau blanc ; bref, il n'y avait absolument aucune autre créature qu'elle aimât autant, comme cela apparut à l'évidence à la fin de l'aventure. En effet le corbeau les vit unis ensemble par un lien, me semble-t-il, naturel, car chacun y prenait son plaisir, selon que Nature les y incitait. Quand le corbeau vit l'adultère, il se mit à les maudire et jura par un serment solennel qu'il irait rapporter en toute hâte à Phébus la grande perfidie qu'il a vue chez son amie. De ses ailes il frappa l'air et sans autre discours il s'envola pour dire à Phébus la nouvelle concernant le damoiseau et la belle, à savoir comment il venait de les surprendre en flagrant délit. La corneille qui l'aperçut sur son passage prit son vol à sa rencontre. Elle s'enquit auprès de lui où il projetait de se rendre, lui qui volait avec une telle hâte. Le corbeau lui répond aussitôt et lui expose de bout en bout tout ce qu'il sait de l'adultère de Coronis, ajoutant qu'il va le dire à Phébus, car, dit-il, il ne veut pas cacher et laisser ignorer à son seigneur son déshonneur.

COMMENT LA CORNEILLE REPRIT ET MIT EN GARDE LE CORBEAU

Quand la corneille entendit cela, elle lui dit : “Corbeau, je ne te dis que ceci : si tu m'en crois, tu n'y iras pas !

7776 Areste et vole par compas,
Et entend ce que je dirai,
Car ja de mot n'en mentirai.
Tous voirs ne sont pas biaus a dire :
7780 Cuides tu que Phebus, ton sire,
Ne soit dolans et a meschief
Et qu'i[l] n'ait bien mal en son chief
Quant tu li diras villonnie
7784 De Coronis, qui est *s*'amie ?
Cuides tu qu'il t'en sache gré
Et t'en mette en plus haut degré ?
Nenil voir, ainçois te harra
7788 Et jamais bien ne te volra.
Et l'ymage qui parle a dit
Cy dessus un notable dit,
Que tart ne puet venir a porte
7792 Qui maises nouvelles aporte.
Souvent meschiét de dire voir
Et tu pues clerement savoir
Que grans maulz t'en puet advenir.
7796 Je m'en sai bien a quoi tenir,
Car je fui maistresse jadis
En la maison de Palladis
Et y estoie a grant honnour ;
7800 Or en sui hors a deshonnour
Et tout pour dire verité :
Ne fu ce grant iniquité ?
Escoute et retien mon chastoi
7804 Et voi comment je te chastoi,
Car noblement lait sa folie
Cilz qui par autrui se chastie.
Or te dirai ce qui m'avint
7808 Il ha ja des ans plus de vint.

7779. *A* bon, *Pm* bons – **7782.** *APm* Et quil, *F* Et qui n. – **7784.** *APm* samie, *F* lamie – **7787.** *A* Nenni, *PmE* Nennil ; *E* ten herra – **7791.** *E* hurter a. p. – **7792.** *E* maluaises (+ 1) – **7795.** *E* grant mal – **7800.** *A* suis ; dehonnour – **7805.** *A* laist

Fais trêve et vole d'un vol régulier, et écoute ce que je vais te dire, car pas un mot de mon propos ne sera mensonger. Toutes les vérités ne sont pas bonnes à dire : t'imagines-tu que Phébus, ton seigneur, ne sera pas affligé et malheureux et que sa tête ne souffrira pas quand tu lui diras la vilaine conduite de Coronis qui est son amie ? T'imagines-tu qu'il t'en saura gré et que ton rapport te fera monter dans son estime ? Non, en vérité ; au contraire il te haïra et jamais plus il ne te voudra du bien. D'ailleurs le portrait, dans son discours de ci-dessus, a dit une parole digne d'être rapportée, à savoir qu'il n'est pas possible de se présenter tard à la porte si on apporte de mauvaises nouvelles. Dire la vérité porte souvent malchance ; et te voilà en mesure de savoir en toute clarté qu'un grand malheur peut t'en échoir. Je sais bien à quoi m'en tenir là-dessus : je fus jadis intendante dans la demeure de Pallas, et j'y étais tenue en grande estime ; à présent j'en suis sortie, déshonorée, et tout cela pour avoir dit la vérité : ne fut-ce pas une grande iniquité ? Écoute et retiens mon avertissement, et vois comment je t'instruis, car c'est agir noblement de renoncer à sa folie quand on se laisse instruire par autrui. À présent je vais te dire ce qui m'arriva il y a de cela plus de vingt ans.

Je fui jadis dame et maistresse [190 v° a]
De l'ostel Pallas la deesse.
Mon service tant li plaisoit
7812 Que milleur chiere me faisoit
Qu'*a* nul qui fust en sa maison.
Se savoir vuelz pour quel raison
Je fui bannie de sa court,
7816 Je le te dirai brief et court.
Vulcains, li viés et li despis,
Que male goute fiere ou pis,
Qui forge foudres et tempestes
7820 Par jours ouvrables et par festes,
Et pour mal faire seulement,
Ama Pallas si ardamment
Qu'il la requist de puterie.
7824 Mais elle ne l'acorda mie,
Ains volt garder son pucellage
Comme bonne, vaillant et sage.
Vulca[i]ns long temps la poursuï
7828 Et elle tousjours le fui.
Li ennemis et li maufés
Fu une fois si eschaufés
Que son germe en terre espandi.
7832 La terre s'ouvri et fendi
Et de ce la terre conçupt
Un enfant que Pallas receupt.
Eurithomon fu appellés.
7836 Mais mauvaisement fu celés,
Car je l'accusai comme fole
Par ma jengle et par ma parole.
Or te dirai de l'enfançon.
7840 Trop ot mervilleuse fasson,
Car Nature qui le fourma
Le fist tel que double fourme ha.
Pallas le mist dedens un coffre
7844 Et se jura par saint Honoffre

7813. *AE* Qua, *F* Que ; *E* nuls – **7817.** *APmE* Vulcans ; *A* uieus, *Pm* uiex, *E* uis – **7824.** *E* elle ne si accorda m. (+ 1) – **7827.** *APmEF* Vulcans – **7833.** *AE* concut – **7834.** *AE* recut – **7844.** *E* Et puis j.

J'ai donc été jadis dame et intendante de l'hôtel de Pallas, la déesse. Mon service lui plaisait à ce point qu'elle me faisait meilleur visage qu'à nul autre en sa maison. Si tu veux savoir pour quel motif je fus bannie de sa cour, je te le dirai en peu de mots. Vulcain, ce vieillard méprisable, que la mauvaise goutte puisse frapper à la poitrine, lui qui forge foudres et déchaîne tempêtes, au long des jours ouvrables et des jours de fête, et rien que pour faire mal, aima Pallas si passionnément qu'il la requit de puterie. Hélas pour lui, elle repoussa la requête, car elle voulut garder son pucelage en fille honnête, vertueuse et sage. Vulcain la poursuivit longtemps et elle le fuit sans cesse. L'ennemi diabolique fut un jour si échauffé qu'il répandit sur le sol son sperme. La terre se fendit et s'ouvrit, et de ce fait elle conçut un enfant que Pallas recueillit. On l'appela Eurithomon. On le cacha ; hélas pour lui, l'affaire tourna mal, car je commis la folie de le trahir par les discours de ma mauvaise langue. Je vais à présent te parler du petit enfant. Il avait une forme tout à fait étrange, car Nature qui le forma lui avait donné deux natures. Pallas le plaça dans un coffre et jura par saint Onuphre

Qu'elle verroit que ce seroit
Et que bien garder le feroit,
Et ne voloit pas qu'on sceü[s]t
7848 Que la terre enfanté l'eüst.
A .III. suers cyroperiennes,
Qu'elle tenoit pour toutes siennes,
En Athenes bailla la garde
7852 Et deffendi qu'on ne regarde
Dedens le coffre nullement,
Qu'elle vuelt que celeement
Soit nourrie la creature
7856 Qui est nee contre nature;
Et s'est voirs qu'elle fu, sans mere,
Nee de la semence au pere.
Pandrasos fu la suer premiere,
7860 L'autre Hercé, et la derreniere
Aglaros estoit appellee. [190 v° b]
Mais elle fu mal avisee,
Qu'a force le coffret ouvry
7864 Et tout le secret descouvry.
Dessus un chaine m'*emb*uchoie
Et de haut en bas regardoie,
Si que je vi tout le couvine,
7868 Comment Aglaros la meschine
Ouvry le coffre pour savoir
Ce qu'il pooit dedens avoir.
Et je vi tout certeinnement
7872 Mieus qu'elle ou aussi proprement.
Et vi(d) qu'il ot piés de serpent
Dont par le coffre aloit rampant;
Aussi vi je sa double fourme
7876 *Qu'*Aglaros dessus une fourme
Le coffre ouvry et defferma,
Ne sai se depuis le ferma.
En l'eure de la m'en volai
7880 Et devers Pallas m'en alai

7847. *APm* sceust, *F* sceut – **7857.** *APm* Et cest – **7865.** *APmEF* mespluchoie – **7871.** *E* Et le vi – **7876.** *A* Quaglaros, *F* Maglaros

qu'elle examinerait en quoi cela pouvait consister et qu'elle le ferait bien garder, car elle ne voulait pas qu'on sût que c'était la terre qui l'avait enfanté. À trois sœurs, filles de Cécrops, qu'elle tenait pour toutes dévouées à elle, elle en donna la garde, à Athènes, mais interdit absolument de regarder à l'intérieur du coffre ; car elle voulait que la créature née contre nature fût élevée en cachette ; et en effet il est bien exact qu'elle était née sans mère de la seule semence du père. La première sœur s'appelait Pandrasos, la seconde Hercé, la dernière eut pour nom Aglaros. Hélas ! celle-ci fut bien imprudente, car elle força l'ouverture du coffre et découvrit tout le secret. Embusquée sur un chêne, de là-haut je regardais en bas, si bien que j'observai tout le manège par lequel la jeune Aglaros ouvrit le coffre pour savoir ce qui pouvait bien se trouver à l'intérieur. Et certes je vis tout mieux qu'elle, ou du moins aussi exactement : c'est ainsi que je constatai qu'il avait des pieds de serpent à l'aide desquels il rampait à travers le coffre, et je vis aussi sa double nature. Quant au fait qu'Aglaros, assise sur un banc, ouvrit le coffre et souleva le couvercle, je ne sais si depuis elle le referma : pour moi, sur l'heure, je m'envolai de là et m'en allai chez Pallas

Pour gargouillier et reveler
De mot a mot, sans rien celer,
Par cui le coffre estoit ouvert
7884 Et tout le secre[t] descouvert.
J'en cuidai avoir tel salaire
Qu'elle m'en deüst grant bien faire.
Ne sai qui ce me pourchassa,
7888 Mais tout en l'eure m'enchassa
Et me banni sans rappeller,
Ne puis n'osai vers elle aler.
Mais la chose qui plus m'est dure
7892 En ceste dolente aventure,
C'est ce qu'elle a mis la suette
(Qui n'est belle, gente ne nette,
Ains est orde, vilz et beccue
7896 Et sa face est toute coquë)
En lieu de moi, et tout gouverne
En l'ostel et en la caverne,
L'orde esraillie, l'orde garce :
7900 Pleüst a Dieu qu'elle fust arse !
Elle ne vole que par nuit,
Chascuns la het, chascuns li nuit,
Il n'est oisiaus qui bien li veuille
7904 Et qui ne s'en plaingne et s'en deuille ;
Et si coucha aveuc sen pere
Et maintenant Pallas s'en pere ;
J'en ai tel dueil et tel envie
7908 Que certes j'en perdrai la vie.
Or pues tu bien apercevoir
Ce qu'il m'avint pour dire voir,
Si que, corbiaus, je te conseil [191 a]
7912 Que tu uses de mon conseil
Et te souvaingne que l'en dit :
Tant grate chievre que mal gist."
Li corbiaus dit que non fera

7881. *A* garguillier, *E* gargoullier – **7884.** *APm* secret, *F* secre – **7887.** *Pm* pourcacha – **7888.** *Pm* mencacha – **7893.** *Pm* chuete – **7895.** *APm* becue, *E* bescue – **7896.** *AE* quocue, *Pm* coque – **7898.** *APmE* tauerne – **7902.** *E* la fuit – **7905.** *AE* son

pour lui révéler par mon gazouillis, mot pour mot, sans rien cacher, par qui le coffre avait été ouvert et tout le secret dévoilé. Je pensai recevoir d'elle un salaire tel qu'il y avait des chances qu'elle dût m'en faire grand bien. Je ne sais ce qui me valut ce qui m'arriva ; ce qui est sûr, c'est que dans l'instant même elle me chassa et me bannit sans recours, et je n'osai plus après cela me rendre chez elle. Mais ce qui m'est le plus pénible en cette douloureuse aventure, c'est qu'elle a mis la chouette – qui n'est ni belle, ni gracieuse, ni propre, mais au contraire laide, vile, avec un bec crochu et sa face est toute biscornue – à ma place, et elle dirige tout en l'hôtel et à la cave, elle, la vilaine aux yeux éraillés, la vilaine garce : plût à Dieu qu'elle fût brûlée vive ! Elle ne vole que la nuit, chacun la hait, chacun cherche à lui nuire ; il n'est pas oiseau qui lui veuille du bien et qui ne s'en plaigne et n'en gémisse. Elle avait partagé la couche de son père, et à présent Pallas en fait sa parure ! J'éprouve de tout cela une telle douleur et une telle envie que, pour sûr, j'en mourrai.

Te voilà en mesure d'apercevoir ce qui m'est advenu pour avoir dit la vérité ; tant et si bien que, corbeau, je t'encourage à faire usage de mon conseil et à te souvenir que l'on dit : tant se gratte la chèvre qu'elle a du mal à se coucher."

Le corbeau dit qu'il n'en fera rien

7916 Et que jamais ne cessera
Tant qu'a Phebus ait recité
De Coronis la verité.
Il fiert de l'ele et si s'en vole.
7920 N'a pas esté a bonne escole,
(Car il avient souvent contraire
De parler quant on se doit taire),
Si qu'il en ara tele paie
7924 Comme Raison aus jengleurs paie,
Au mains a ceulz qui ont a faire
A gens qui sont de bon affaire.
De ses eles l'air acolant
7928 S'en va li corbiaus en volent.
Sans voie et sans chemin ferré,
Tant a cerchié, tant a erré
Qu'il est venus droit en Thessale.
7932 Phebus estoit en une sale
D'or, d'argent et de pierrerie
Bien et richement entaillie.
Dou son qui de sa harpe yssoit
7936 Moult doucement restentissoit
La sale et tous li lieus d'entour,
N'il n'i avoit chambre ne tour
Dont on ne le peüst oÿr.
7940 Li blans corbiaus a resjoÿr
Se prist moult fort quant il entend.
Grant chiere et grant salaire attent,
Mais il faurra a son entante.
7944 Il ressemble au cyne qui chante
Et resjoÿ*t* contre sa mort ;
Car cilz est trop folz qui s'amort
A dire chose qui desplaise
7948 A son signeur quant il est aise.
Et vraiement trop parler nuit,
N'onques ne de jour ne de nuit
Ne fu janglerie en saison.

7931. *APm* a Th. – **7944.** *APm* cisne, *E* cine – **7945.** *AE* resjoist, *Pm* resjorist, *F* resjoyr

et ne s'arrêtera pas de voler jusqu'à ce qu'il ait rapporté à Phébus la vérité sur Coronis. Il frappe l'air de ses ailes et s'envole. Il n'a pas été à bonne école, car il arrive souvent quelque contrariété si on parle, alors qu'on devrait se taire ; si bien qu'il en aura un salaire comme Raison en paie aux sots bavards, du moins à ceux qui ont affaire à des gens de bonne naissance.

Frappant l'air de ses ailes, le corbeau prend son vol. Sans emprunter ni route ni chemin empierré, il a tant parcouru d'espace, tant fait d'étapes qu'il est tout droit venu en Thessalie. Phébus se tenait dans une belle salle aux murs richement incrustés d'or, d'argent et de pierres précieuses ; la salle et tous les lieux d'alentour très doucement retentissaient des sons que produisait sa harpe, et il n'y avait chambre ni tour d'où on ne les eût pu percevoir. Le blanc corbeau éprouva une joie très vive quand il les entendit. Il s'attend à un magnifique accueil et à une grande récompense, mais son attente sera trompée ; il ressemble au cygne qui chante et se réjouit à l'approche de sa mort ; car celui-là est totalement insensé qui entreprend de dire une chose désagréable à son seigneur alors qu'il jouit de son bien-être. Et, en vérité, trop parler nuit, et jamais, ni la nuit, ni le jour, le vain bavardage ne fut de saison.

7952 Quant li corbiaus vid la maison
De Phebus, l'air fend et depart,
Et tost s'en vole celle part.
Phebus le vid, si li commande
7956 Que raison li die et li rende
Dont il vient, car moult longuement
A pris hors son esbatement.
Li corbiaus en l'eure li conte
7960 L'outrage, le lait et la honte
De Coronis et l'avoutire;
Et encor li dist il: "Biaus sire,
Par tous les sacremens qu'on fait, [191 b]
7964 Je les vi en present meffait.
A vous le di, je y sui tenus,
Car pour ce sui je cy venus."
Quant Phebus oÿ la nouvelle
7968 Du corbel qui dist que la belle
Qu'il aime de fin cuer entier
Le laist pour un autre accointier,
De son chief cheÿ sa couronne,
7972 Et sa harpe qui souef sonne
De ses mains cheï a ses piés.
S'il fust ferus de .II. espiés
Parmi le corps, il ne fust mie
7976 Plus dolans qu'il est pour s'amie
De ce qu'on li a raporté
Que vers li a fait fausseté.
(Mais ce n'est pas necessité
7980 Que quanqu'on dit soit verité;
N'en ce qu'on dit n'a pas le quart
De verité, se Dieus me gart.)
Phebus trop forment se tourmente,
7984 Trop se complaint, trop se demente,
Trop ha de mal et de dolour.
En sa rage et en sa furour
D'aventure la belle vid.
7988 Or orrés com il se chevit.

7961. *E* l'auanture

Quand le corbeau aperçut la résidence de Phébus, il fend l'air et repart de plus belle et en toute hâte il vole vers ce lieu. Phébus le vit, et lui ordonne de lui rendre compte et de lui expliquer d'où il vient, car, très longuement il a pris ses ébats à l'extérieur. Le corbeau, sur l'heure, lui relate le crime, la vilenie, la honte et l'adultère de Coronis ; à quoi il ajoute : "Beau sire, par tous les serments en usage, j'ai été le témoin oculaire de ce crime, je me suis fait une obligation de vous le dire, et c'est en effet pour cela que je suis venu ici."

Quand Phébus entendit la nouvelle de la bouche du corbeau qui lui dit que la belle, qu'il aime de toute la pureté de son cœur, l'abandonne pour s'accointer avec un autre, sa couronne tomba du haut de sa tête et sa harpe aux sons mélodieux lui chut des mains à ses pieds. S'il avait été frappé par deux épieux au travers de son corps, il n'eût pas été plus affligé qu'il l'est pour son amie dont on lui a rapporté la perfidie. (Mais rien n'oblige à croire que tout ce qu'on dit soit vrai ; et dans ce qu'on dit, Dieu me protège, il n'y a pas un quart de vérité.) Phébus très fort se torture, fortes sont ses plaintes, vives ses lamentations, immenses sont sa souffrance et sa douleur. Dans sa rage et sa fureur il vit par hasard la belle. À présent vous allez entendre comment il se comporta.

L'arc prist, la fleche mist en coche
Et si roidement la descoche
C'a Coronis l'a traite ou pis
7992 Pour ce qu'il estoit acoupis.
Coronis chiét toute estendue,
Li cuers li faut et la veüe
Li trouble en chief et de la plaie
7996 Li sans jusqu'a la terre raie.
En morant dist : "Lasse, dolante,
Bien voi que la mors m'est presente,
Et si n'ai pas mort desservi :
8000 S'en gré ne vous ai bien servi,
Amis, mais vous vous hastés trop,
Car .II. en tués a un cop.
Au mains entendés ma complainte :
8004 Je sui de vous grosse et ençainte
Et li enfes n'a riens meffait,
Doulz amis, que vous m'avez fait."
Aprés ce mot l'ame rendi.
8008 Quant Phebus la belle entendi
Et qu'il vit qu'elle est toute morte,
Trop mortelment se desconforte,
Trop fu cour(e)ciés, trop fu dolans ;
8012 Il maudist tous oisiaus volans,
Especialment le corbel
Qui desseur tous avoit corps bel ;
Il maudist l'arc et la saiette [191 vº a]
8016 Et la main dont il l'avoit traite,
L'eure, le temps et la journee,
Quant onques la vid ajournee.
Le corps fist aromatizer
8020 D'oingnement qu'on doit moult prisier,
Fai*t* par maniere si subtive
Qu'elle semble encor toute vive.
En temple Venus la deesse

8000. *A* ai *om.* (– 1) – **8009.** *Pm* Et uist bien quelle estoit morte (– 1) – **8011.** *AE* courciez, *Pm* courcie, *F* courecies (+ 1) – **8014.** *A* dessus, *E* dessur – **8021.** *APm* Fait, *F* Fais, *E* Faiz – **8022.** *A* enco – **8023.** *E* Ou t.

Il prit son arc, plaça la flèche dans la coche, et si brutalement la décoche qu'il l'a tirée dans la poitrine de Coronis pour la punir de son infidélité. Coronis tombe de tout son corps étendue, le cœur lui manque, la vue se trouble en sa tête et de la plaie le sang ruisselle jusqu'à terre. En mourant elle dit : « Malheureuse et dolente de moi ! Je vois bien que la mort se tient à mes côtés, et pourtant je ne l'ai pas méritée : si je ne vous ai pas bien servi de plein gré, ami, hélas ! quant à vous, vous êtes trop pressé, car vous tuez deux êtres d'un seul coup. À tout le moins écoutez ma complainte : je suis grosse, enceinte de vous ; et l'enfant n'a commis aucun crime, ami cher, lui dont vous êtes le père ! » Ces paroles dites, elle rendit l'âme. Quand Phébus eut entendu la belle et qu'il vit qu'elle était bien morte, il se désespéra à en mourir. Totalement il fut accablé, totalement attristé ; il maudit tous les oiseaux qui volent en l'air, particulièrement le corbeau qui dépassait tous les autres par la beauté de son corps ; il maudit l'arc et la flèche, et sa main qui l'avait tirée, l'heure, la saison, la journée et le moment où il la vit poindre. Il fit embaumer le corps avec un onguent de grand prix, appliqué avec un art si raffiné que la jeune femme paraît encore toute vivante. Il la fit placer au temple de la déesse Vénus

8024 La fist mettre a moult grant richesse.
Mais il la fist ouvrir et fendre
Avant toute euvre et l'enfant prendre,
Qui fu puis de moult grant renon:
8028 Esculapius ot a non,
Et si sceut plus de surgerie
Que nul homme qui fust en vie,
Car il faisoit les mors revivre,
8032 Si com je le truis en mon livre.
Li corbiaus attendoit merite
De la nouvelle qu'il a dite,
Moult le desire, moult li tarde.
8036 Phebus le vid et le regarde
Et dist: "En signe de memoire
Sera ta blanche plume noire
Et tuit li corbel que l'ont blanche
8040 L'aront plus noire que n'est anche
A tous jours perpetuelment;
Ne sera jamais autrement,
Pour ta mauvaise jenglerie
8044 Qui m'a tolu la druerie
De la plus belle de ce monde.
Et puet estre qu'elle estoit monde
De ce fait, et que menti m'as,
8048 Dont dolans sui, tristes et mas.
Jamais ne feras que jangler;
Maus aigles te puist estrangler!
Va t'en, de ma court iés banis;
8052 *Se* plus y viens, tu iés honnis!"
Ainsi fu li corbiaus paiés;
Si s'en vola tous esmaiés
Et devint lerres, c'est la somme;
8056 Et si le scevent bien maint homme
Qu'en tous les lieus ou il repaire
Il ne fait que jangler et braire.

8024. *E* Fu la mise – **8044.** *APmE* ma druerie – **8052.** *APmE* Se, *F* Si

au milieu d'un grand déploiement de luxe. Mais avant toute cérémonie il fit fendre et ouvrir son ventre et prendre l'enfant, qui jouit plus tard d'une très grande renommée. Il reçut pour nom Esculape, et il sut plus de médecine qu'aucun homme vivant, car il faisait revivre les morts, ainsi que je le trouve dans mon livre.

Le corbeau, pour la nouvelle qu'il avait apportée attendait une récompense, il la désire fort, elle lui tarde fort à venir. Phébus s'en aperçut et le regarda et dit : "Pour qu'il t'en souvienne, ton blanc plumage sera noir, et tous les corbeaux qui l'ont blanc l'auront plus noir que l'encre pour toujours, à perpétuité ; jamais plus il ne sera autrement à cause de ton méchant bavardage qui m'a ravi l'amour de la plus belle femme en ce monde. En effet il se peut bien qu'elle fut innocente de cet acte, et que tu m'as menti, et j'en suis affligé, triste et abattu. Désormais tu ne seras jamais plus qu'un hâbleur. Qu'un méchant aigle puisse t'étrangler ! Va-t'en, tu es banni de ma cour ; si à l'avenir tu y viens, tu es honni !" C'est ainsi que le corbeau fut payé ; et il s'envola tout troublé et devint un brigand, pour toute conclusion ; et il est bien connu de beaucoup de gens qu'en tous les lieux où il séjourne il n'est qu'un hâbleur qui braille.

Sire, m'avés vous entendu?
8060 Vous ai je bien raison rendu
Dou corbel et de la corneille?
Se Dieus me gart, trop me merveille
Comment vous creés teles bourdes.
8064 Avoir devez oreilles sourdes
Envers tous ceulz qui vous raportent
Teles paroles et enhortent; [191 v° b]
Et c'est pechié contre noblesce
8068 De croire chose qui tant blesce,
Qu'on en pert l'onneur et la vie
Et l'amour de sa douce amie.
Se vous les volés croire ainsi,
8072 Vo dame occirrés de soussy;
Et puis vous en repentirés
Et cent fois encor maudirés
La journee et ceulz qui le dirent
8076 Et les oreilles qui l'oïrent,
Le lieu, le damage et la perte
Qu'evident sera et apperte;
Si com Phebus, mais c'est a tart!
8080 Si que, pour Dieu, haiés regart
A Phebus, qui se repenti
De Coronis, qui li menti,
Quar sa foi li avoit plevie
8084 Q'autre n'ameroit en sa vie.
Pleüst Dieu que ceulz qui ce font
Et qui amour ainsi deffont
Par faus et par mauvais rappors
8088 Devenissent sauvages pors
Ou qu'il fussent mués en arbre
Ou en noire pierre de marbre:
Si changeroient blanc en noir
8092 Ainsi com cilz qui du manoir
Phebus fu bannis sans rappel,
Sur perdre la teste ou la pel.

8065. *E* Ainsi touz ceulz qui uous apportent – **8085.** *APm* Plust a d. – **8091.** *Pm* blanc et n.

Mon seigneur, m'avez-vous compris ? Vous ai-je bien rendu compte de l'aventure du corbeau et de la corneille ? Dieu me protège ! je m'étonne beaucoup de ce que vous croyez de telles sottises ; vous devez faire la sourde oreille à ceux qui vous rapportent de tels propos et vous donnent de tels conseils, car c'est un péché contre la noblesse du cœur que de croire une chose qui blesse si profondément qu'on en perd l'honneur et la vie et l'amour de sa douce amie ; si vous voulez, comme vous faites, croire ces sottises, vous tuerez votre dame à force de souci ; après quoi vous vous en repentirez et cent fois en outre vous maudirez la journée, et ceux qui firent le rapport et les oreilles qui l'écoutèrent, le lieu, le dommage et la perte qui sera évidente et manifeste ; et vous agirez comme Phébus, c'est-à-dire, hélas ! trop tard. Ayez donc, pour l'amour de Dieu, les yeux sur Phébus, qui se repentit au sujet de Coronis, qui pourtant l'avait trompé, car elle lui avait donné sa parole qu'elle n'aimerait aucun autre homme sa vie durant. Plût à Dieu que ceux qui agissent ainsi et du même coup détruisent une liaison amoureuse par des rapports mensongers et méchants, devinssent des sangliers sauvages ou fussent changés en arbres ou en marbre à la pierre noire : ainsi ils mueraient le blanc en noir, comme celui qui fut banni du palais de Phébus sans recours, à peine d'être décapité ou écorché vif ;

Dit ai que ce fu li corbiaus
8096 Qui est haÿs de tous oysiaus.

Sire, tant vous ai sarmonné
Que (vous) vëés bien que raison hé ;
Si doi estre desprisonnee
8100 Et en m'onneur restituee
Et rassise aussi hautement
Com je soloie ; ou, autrement,
Par devant Venus en appelle,
8104 La debaterai la querelle
Vo dame, et vous ferai demande, [192 a]
Car elle n'a qui la deffande. »

L'amant

A ce mot la gaite corna
8108 Et li vachiers, qui de corne ha
Son cor qui sonne haut et bruit,
Si m'esvillerent de leur bruit ;
Et quant je fui bien esvilliés,
8112 Si fui moult fort esmervilliés
Et s'os le sang tout esmeü
De ce que j'avoie veü,
Qu'onques mais en paroit n'en page
8116 N'avoie oÿ parler ymage.
Que di je ? elle ne parla mie,
Car Morpheüs par grant maistrie
Prist de l'ymage la figure,
8120 Et a mon lit, de nuit obscure,
Ou je songoie moult forment,
Vint et me dist en mon dormant
La requestë et la complainte
8124 De l'ymage qui estoit painte.
(Qui ne scet qui est Morpheüs,
Dont longuement me sui teüs,

8098. *AF* Que vous v. b. (+ 1), *Pm* Que uous sauez que – **8097.** *E* S. je uous ay t. s. (+ 1) – **8104.** *Pm* debatray je – **8111.** *A* il fu b. – **8112.** *APmE* fu – **8115.** *A* nen paroit, *E* en paroy

j'ai dit que tel fut le sort du corbeau, qui est haï de tous les oiseaux.

Mon seigneur, je vous ai fait un bien long sermon et vous voyez bien que la raison est de mon côté ; tant et si bien que je dois être rendue à la liberté, et rétablie en mon honneur, et réinstallée à la même haute place que j'avais coutume d'occuper ; sinon, je fais appel devant Vénus, et là je plaiderai la cause de votre dame et requerrai contre vous, car elle n'a pas d'avocat pour la défendre ! »

L'amant

À ce mot le guetteur corna, ainsi que le vacher, dont la trompe qui bruit et sonne fort est faite de corne ; et leur vacarme me réveilla. Et quand je fus bien réveillé, je fus très étonné, et j'eus le sang tout remué de ce que j'avais vu, car jamais ni sur la fresque d'un mur ni sur une page de livre je n'avais entendu parler une image. Que dis-je ? Ce n'est pas elle qui parla, car Morphée, en vertu de sa souveraine maîtrise, avait pris la forme du portrait, et, pendant la nuit obscure, alors que j'étais en plein rêve, il était venu à mon lit et m'avait dit, pendant mon sommeil, la plainte et la requête du portrait peint. (Si quelqu'un ne sait pas qui est Morphée, dont j'ai parlé il y a longtemps,

Lise l'*Amoureuse Fontaine*,
8128 Si le sara a po de paine.)

Ainsi pensoie et repensoie,
Et en la pensee ou j'estoie
Je pensai que j'avoie tort,
8132 Et que cilz fait mal et se tort
Qui met creature en prison
Ou il n'a nulle mesprison.
Si me levai et m'acesmai,
8136 Et puis mes coffres deffermai
Ou l'ymage estoit enfermee
Qui Toute Bele estoit nommee.
Je dix : « Ma belle, estes vous cy ?
8140 Je vous requier et pri merci
De ce qu'emprisonné vous ai. »
Moult courtoisement l'avousai
Et la remis de ma main destre [192 b]
8144 En lieu ou elle soloit estre,
Et aussi honorablement.
Et puis je pensai longuement
Et avoie moult grant merveille
8148 Dou corbel et de la corneille
Que Phebus et Pallas haïrent
Pour ce que verité lor dirent.
Et quant leurs parlers recordai,
8152 De Morpheüs bien m'acordai
Que cilz est folz qui fait message
Dont on a courrous ou damage,
Especialment en amours ;
8156 Car homs n'est si parfais en mours,
S'il est poins d'amoureuse lance,
Qu'il n'ait courrous ou desplaisance
S'on li raporte de sa dame
8160 Chose qui puist tourner a blame.

8128 ***bis.*** *AEF* (*en sous-titre*) Comment l'amant desprisonna l'ymage (*A* limage) de Toute Belle – **8135.** *E* masseuray – **8142.** *E* la leuay – **8156.** *A* C. nuls

qu'il lise la *Fontaine amoureuse*, et il le saura sans grande peine.)

COMMENT L'AMANT LIBÉRA LE PORTRAIT
DE TOUTE-BELLE

C'est ainsi que je me livrais et me relivrais à mes réflexions, et tandis que j'y étais plongé, je considérai que j'avais tort et que l'on agit mal et se fourvoie si l'on met quelqu'un en prison alors qu'il n'y a aucun méfait.
Je me levai et fis ma toilette, après quoi j'ouvris mes coffres où était enfermé le portrait qui avait pour nom Toute-Belle. Je lui dis : « Ma belle, êtes-vous là ? Je vous demande, je vous prie de m'accorder votre pardon de ce que je vous ai emprisonnée. » Je l'enlevai très courtoisement et de ma main droite je le remis à l'endroit qui avait été en permanence sa place, c'est-à-dire à la place d'honneur. Après cela je me livrai à de longues réflexions et je me trouvai très étonné du sort du corbeau et de la corneille que Phébus et Pallas haïrent parce qu'ils leur avaient dit la vérité. Et quand je me remémorai leurs paroles, je tombai bien d'accord avec Morpheus que celui-là est insensé qui transmet un message source de chagrin ou de préjudice, spécialement en matière d'amour. Nul, en effet, n'a le caractère à ce point trempé que, s'il est blessé par un trait du dieu Amour, il n'éprouve chagrin ou déplaisir si on lui apporte au sujet de sa dame une nouvelle capable d'entraîner son déshonneur.

Si ne vous devés mervillier
Se penser, muser et veillier,
Plourer, souspirer et gemir
8164 Me couvenoit, et po dormir,
Quant on me raportoit nouvelle
Qu'avoie perdu Toute Belle :
Par ycelli Dieu qui me fit,
8168 Cuer avoie si desconfit
Et si fort se desconfortoit
Qu'a po qu'en .II. pars ne partoit.
Lors maudi Amours et Fortune
8172 Qui si mortelment me fortune ;
Et si m'avoit promis en don
Plus de cent fois en un randon
Que jamais ne m'oublieroit
8176 Toute Belle ne changeroit.
Mais pas ne m'a tenu couvent,
Car sa couvenance est tout vent,
S'il est voirs ce qu'on m'en a dit :
8180 Autrement ne di je en mon dit.
Et toute voie doit confort
Querir cilz qui ha desconfort ;
Si que pour moi desanuier
8184 Prins un livret a manier
Qu'on appelle Fulgentius,
S'i trouvai Tytus Livyus
Qui de Fortune descrisoit
8188 L'ymagë, et ainsi disoit :

Jadis les matrones de Romme [192 v° a]
De leurs testes, sans conseil d'omme,
Un temple a Romme edifierent
8192 Et en l'onneur le dedierent
De la deesse de Fortune.
Son ymage au gré de chascune
Firent en fourme et en samblance

8162. *APm* penser uolez – **8177.** *A* Car, *Pm* Et – **8188** ***bis.*** *AEF* (*en sous-titre*) Comment Tytus (*A* Titus) Liuius descript l'ymage de fortune

Aussi ne devez-vous pas vous étonner s'il me fallut m'absorber dans mes pensées, perdre mon temps et veiller, pleurer, soupirer, gémir et peu dormir quand on me rapportait la nouvelle que j'avais perdu Toute-Belle : par ce Dieu qui me créa, j'avais le cœur si abattu et à ce point désespéré qu'il s'en fallait de peu qu'il ne se partagea en deux. Alors je maudis Amour, avec Fortune qui me réservait un sort si mortel, alors qu'elle m'avait garanti, en guise de don, et plus de cent fois d'affilée, que Toute-Belle jamais ne m'oublierait ni ne changerait d'ami ! Hélas ! elle ne m'a pas tenu parole, car ses promesses ne sont que du vent... si est vrai ce qu'on m'a dit d'elle ; je ne dis rien d'autre dans mon récit ! Toujours est-il qu'on doit chercher du réconfort si on éprouve du chagrin. C'est pourquoi, pour me sortir de peine, je pris en main un petit livre qu'on appelle *Fulgence*, où je découvris Tite-Live, qui faisait le portrait de Fortune et disait ceci :

COMMENT TITE-LIVE FAIT LE PORTRAIT DE FORTUNE

Jadis les matrones de Rome prirent l'initiative, sans qu'aucun homme les aidât, de construire dans leur ville un temple qu'elles dédièrent en hommage à la déesse Fortune. À son portrait, selon le bon plaisir de chacune, elles donnèrent la forme et la ressemblance

8196 De fame, pour son inconstance,
Car c'est chose assez veritable
Que trop est fame variable.
(Et on ne doit pas trop prisier
8200 Ainçois le doit on desprisier;
Ne pau, qui vient d'escharseté,
De simplece ou de pouvreté;
Et qui puet au moien venir
8204 C'est le plus seür a tenir.)
L'ymage que cy vous devis
Fu belle de corps et de vis.
.II. petis sercle[s] a sa destre
8208 Havoit et .II. a sa senestre,
Et un grant qui environnoit
Les .IIII. petis et tenoit.
En premier cercle avoit, escript
8212 D'or fin en latin, cest escript:

«*Je afflue et me depart sans bonne,* Fortune
Telz est mes jeus ou je me donne.»

En secont cercle escript estoit L'amant
8216 Un mot qui grant glose portoit:

«*Chierie sui tant com je dure,* Fortune
Et a la mort, amere et dure.»

Au tiers cercle avoit un notable L'amant
8220 Qu'on ne doit pas tenir a fable:

«*La pensee aveugle et enhorte* Fortune
Que d'amer son Dieu se deporte.»

L'amant
(Et c'est tout que dois Dieu amer [192 vº b]
8224 Qui forma ciel et terre et mer.)
Un quart cercle un escript avoit
Dont chascuns garder se devoit:

8207. *APmE* cercles – **8209.** *Pm* auironnoit – **8213.** *E* depars

d'une femme, à cause de l'inconstance de celle-ci, car c'est une chose incontestable qu'une femme est trop changeante. (Or on ne doit pas faire l'éloge du *trop*, qu'il faut au contraire mépriser, ni du *trop peu*, qui procède d'Avarice, de Mesquinerie ou de Pauvreté ; si l'on peut en venir au *moyen terme*, c'est le chemin le plus sûr à tenir.)

L'image dont je vous parle ici était belle de corps et de visage. Elle tenait deux petits cercles de sa main droite et deux de sa main gauche, et un grand qui contenait, en les entourant, les quatre petits.

Au premier cercle, il y avait, écrite en lettres d'or pur, cette inscription rédigée en latin :

« *J'afflue et me retire sans cesse, tel est le jeu auquel je me livre.* »

Au second cercle était écrite une sentence qui avait une signification profonde :

« *Je suis aimable aussi longtemps que je subsiste, mais à la mort, je suis amère et dure.* »

Au troisième cercle, il y avait une sentence digne d'être notée et qu'on ne doit pas prendre pour mensongère :

« *J'aveugle la pensée et l'exhorte à s'abstenir d'aimer son Dieu.* »

(Or la somme des commandements se résume à ceci : « Tu dois aimer Dieu qui forma le ciel, la terre et la mer. »)

Au quatrième cercle, il y avait une inscription à laquelle chacun doit prendre garde :

«Je chante et m'esbat faussement, Fortune
8228 *Ma chanson dessoipt, fausse et ment.»*

Le quint cercle qui environne *L'amant*
L'ymage abat ceptre et couronne
Et met tout a destruction;
8232 Cy ha dure conclusion,
Voire, a ceulz qui ne la desprisent,
Ainçois l'aiment, sievent et prisent,
Et vescy la droite escripture
8236 Que Titus Livyus figure:

«Pense et regarde qui je sui; Fortune
Quant tu le saras, hé me et fui.»

Ainsi vi l'ymage descripte *L'amant*
8240 De Fortune, qui trop despite,
Het, honnit, destruit et deçoipt
Tous ceulz qu'en sa grace reçoipt;
Si que longuement y pensai
8244 Et tous ceulz en mon cuer tensai
Qui m'avoi*ent* d'amer esmeü
La belle qui m'a deceü;
Si que ma joie en sera morte,
8248 S'il est voirs ce qu'on m'en raporte;
Et, par ma foi, j'en sui en doubte.
S'applicai ma pensee toute
A comparer ma dame chiere
8252 A Fortune et a sa maniere;
Et la comparai par tel guise
Com je cy aprés le devise.

8227. *Pm* mesbas – **8228.** *APm* descript – **8236.** *E* De ma dame plaisant et pure – **8237.** *APm* Pense, *F* Penre – **8245.** *APm* mauoient, *F* m'auoit

«*Je chante et me divertis hypocritement; ma chanson est trompeuse, perfide et mensongère.*»

Le cinquième cercle, celui qui entoure l'image, fait tomber le sceptre et la couronne et détruit toute chose; il y a là une pénible conclusion, en vérité, pour ceux qui ne méprisent pas la déesse, mais l'aiment, la suivent et en font l'éloge; et voici, exactement notée, l'inscription que Tite-Live y fait figurer:

«*Regarde et réfléchis qui je suis; quand tu le sauras, hais-moi et me fuis!*»

L'amant

C'est ainsi que je vis tracé le portrait de Fortune, qui outre mesure méprise, hait, honnit, détruit et trompe tous ceux à qui elle accorde ses faveurs. Je réfléchis longuement, et au fond de mon cœur je morigénai tous ceux qui m'avaient incité à aimer la belle qui m'a trompé, tant et si bien que ma joie en sera morte,... si est vrai ce qu'on m'a rapporté de sa conduite, et, ma foi, j'hésite à ce sujet. J'appliquai alors tout mon esprit à comparer ma dame bien-aimée à Fortune et au comportement de celle-ci. Ma comparaison se fit de la manière que je détaille ci-après.

Response au premier cercle

Quant j'enamai premierement
8256 Ma dame, a cui sui ligement,
Si doucement me sot attraire
Qu'onques puis ne m'en pos retraire.
Mais je ne sai par quel attrait
8260 Son cuer de moi si tost retrait
Qu'en attraiant se retraioit,
Quant par mi le cuer me traioit
Son doulz regart, qui trop m'esprit
8264 Quant onques de s'amour m'esprit.
Si qu'a Fortune comparer
La puis proprement et parer
Son corps, son cuer et ses atours
8268 Aus jeus de Fortune et ses tours ;
S'il est voirs ce qu'on m'en a dit,
Autrement ne di je en mon dit. [193 a]

Response au secont cercle

Hé las, je l'avoie si chier
8272 Et tant l'amoie sans trichier
Qu'en verité je ne savoie
Se je l'ooie ou la vëoie :
C'estoit mon cuer, c'estoit m'amour,
8276 C'estoit mon amoureus demour,
C'estoit mon desir, ma plaisance,
Ma joie et toute m'esperance.
Ai mi, ai mi, ai mi, ai mi !
8280 Or est s'amour morte pour mi
Et sa grace est esvanuie
Et sa douceur en fiel changie,
Qui m'a esté nourrice et mere.
8284 Or m'est com mort, sure et amere,
S'il est voirs ce qu'on m'en a dit ;
Autrement ne di je en mon dit.

8254 *bis.* *AEF* (*en sous-titre*) Response au premier cercle – **8255** *E* je amay (– 1) – **8257.** *A* sos – **8258.** *E* po – **8267.** *E* Son cuer son corps – **8270 *bis.*** *F* (*en sous-titre*) Response au secont cercle *A* au s. article – **8271-8302.** *om. dans A et E, mais non dans Pm* – **8274.** *E* la looie ou ueoie – **8276.** *E* amoureuse amour

En rapport avec le premier cercle

Quand au début je me mis à aimer ma dame, à qui j'appartiens comme son vassal assermenté, elle sut si doucement m'attirer à elle que je fus ensuite incapable de m'en soustraire. Mais je ne sais sous l'effet de quel charme elle a retiré si vite son cœur de moi qu'elle se retirait en même temps qu'elle m'attirait, lorsqu'en plein cœur elle me lança son doux regard, qui se saisit de moi avec une grande force le jour où elle m'embrasa de son amour. C'est ainsi que je puis exactement la comparer à Fortune, et mettre en parallèle avec les jeux et les tours de celle-ci son corps, son cœur et ses atours... si est vrai ce qu'on m'a dit d'elle (je ne dis rien d'autre dans mon récit !).

En rapport avec le second cercle

Hé ! Malheureux que j'étais, je la chérissais tant et l'aimais si fort sans tricher qu'à vrai dire je ne savais si je l'entendais ou la voyais : elle était mon cœur, elle était mon amour, elle était le séjour où celui-ci demeurait, elle était mon désir, mon plaisir, ma joie et toute mon espérance. Hélas, hélas, hélas, hélas pour moi ! À présent son amour pour moi est mort et sa faveur s'est évanouie et sa douceur s'est changée en fiel, cette douceur qui m'avait été nourrice et mère. À présent elle est pour moi sure et amère comme la mort... si est vrai ce qu'on m'a dit d'elle (je ne dis rien d'autre dans mon récit !).

Response au tiers cercle

Chieri si amoureusement
8288 L'ai et servi si humblement
Qu'en li ma droite entention
Et mon ymagination,
Mon cuer, mon plaisir, ma pensee
8292 Estient en li sans dessevree ;
Car sa grant biauté me excitoit
Et sa doulçour m'amonnestoit
D'entroublier mon Creatour
8296 Pour son gent corps a cointe atour ;
Ne ou monde n'avoit creature
Fors li de quoi j'eüsse cure,
Quant en amours or m'a traÿ
8300 Et sans nulle cause enhaÿ ;
S'il est voirs ce qu'on m'en a dit ;
Autrement ne di je en mon dit.

Response au quart cercle

Plus douce que voix de seraine,
8304 De toute melodie plaine
Est sa voix ; car quant elle chante
Mon cuer endort, mon corps enchante,
Ainsi com Fortune enchantoit
8308 Ses subgés quant elle chantoit
Et les decevoit au fausset,
Pour ce que mauvaise et fausse est.
Ce tour m'a fait ma dame gente,
8312 Qui ressemble le vent qui vente,
Qui ligierement va et vient
Et si ne scet on qu'il devient ;
Ainsi sa grace donne tost
8316 Et legierement la reto*s*t ;
S'il est voirs ce qu'on m'en a dit ;
Autrement ne di je en mon dit.

8286 bis. AFE (*en sous-titre*) Response au tiers cercle (*A* article) – **8292.** *E* Estoient (+ 1) – **8300.** *E* c. hay – **8302 *bis*.** *AFE* (*en sous-titre*) Response au quart cercle (*A* article) – **8306.** *Pm* M. cuer enchante – **8315.** *E* d. et tolt – **8316.** *APm* retost, *FE* retolt

En rapport avec le troisième cercle

Je l'ai chérie si tendrement et servie si humblement qu'à l'intérieur d'elle ma droite volonté et mon imagination, mon cœur, mon plaisir, ma pensée se trouvaient sans pouvoir s'en séparer. En effet sa grande beauté m'incitait et sa douceur m'exhortait à oublier mon Créateur, si gracieux était son corps et si élégants ses atours ! Et en dehors d'elle il n'y avait au monde nulle créature dont je me fusse soucié, quand elle a trahi l'amour que je lui vouais et m'a pris en haine sans aucune raison... si est vrai ce qu'on m'a dit d'elle (je ne dis rien d'autre dans mon récit !).

En rapport avec le quatrième cercle

Plus douce qu'une voix de sirène, pleine de toute harmonie est sa voix ; car quand elle chante, elle endort mon cœur, elle ensorcelle mon corps, comme Fortune ensorcelait ses sujets quand elle chantait et les trompait avec sa voix de fausset ; car elle est mauvaise et hypocrite. C'est le tour que m'a joué ma gracieuse dame, qui ressemble au vent qui vente et qui à son aise va et vient et nul ne sait ce qu'il devient ; c'est ainsi qu'elle donne bien vite sa faveur et que facilement elle la reprend... si est vrai ce qu'on m'a dit d'elle (je ne dis pas autre chose dans mon récit !).

Responce au quint cercle

Quant premiers ma dame acointai [193 b]
8320 Et veü son atour cointe ai,
N'i regardai commencement
Ne fin; dont je fis folement,
Car on dit que sagement oeuvre
8324 Cilz qui voit la fin de son oeuvre;
Si que folement m'esgarai,
Dont certains sui qu'encor arai
Assez de meschief et d'angoisse.
8328 Fortune vuelt que on la congnoisse
Et, se on la congnoist, qu'on la fuie
Plus que li chas ne fait la pluie;
Las, et j'ai ma dame siui
8332 Que je deüsse avoir fuÿ,
Dont je me tien pour (ce) deceü
Quant je ne l'ai mieus congneü;
S'il est voirs ce qu'on m'en a dit,
8336 Autrement ne di je en mon dit.

Or est ma dame comparee *L'amant*
A Fortune la forsenee,
Quar bien puelent aler ensemble
8340 Pour ce qu'a Fortune ressemble
En cas de variableté,
Ou il n'a point d'estableté;
Car vraiement elle se mue
8344 Si com fait espreviers en mue
(Mais elle mue son corage
Et li espreviers son plumage);
Et si scet bien aler au change,
8348 Car souvent varie et se change
S'il est voirs ce qu'on m'en a dit;
Autrement ne di je en mon dit.

8318 *bis.* *AFE* (*en sous-titre*) Response au quint cercle (*A* article) – **8325.** *E* mesgarday – **8331.** *A* sieui, *E* sui – **8333.** *A* pour deceu, *F* pour ce d. (+ 1) – **8334.** *E* Que je – **8335.** *Pm* est ainsy com len ma dit – **8336.** *Pm* nen di – **8339.** *E* peuent – **8348.** *Pm* se mue et

En rapport avec le cinquième cercle

Quand la première fois je rencontrai ma dame et que j'ai vu ses gracieux atours, je n'eus égard ni aux origines ni à l'aboutissement de nos relations ; en quoi j'agis en insensé, car on dit qu'il se conduit en sage, celui qui considère la fin de ce qu'il fait ; et c'est ainsi que je m'égarai comme un insensé ; ce pourquoi je suis certain que j'aurai encore dans l'avenir bien des désagréments et des angoisses. Fortune veut qu'on la connaisse et que, si on la connaît, on la fuie plus vite que le chat ne fait la pluie. Malheur à moi ! car j'ai suivi ma dame, que je devrais avoir fuie ; en raison de quoi je considère que je me suis trompé en ce que je n'ai pas cherché à la mieux connaître... si est vrai ce qu'on m'a dit à son sujet (je ne dis rien d'autre dans mon récit !).

L'amant

À présent voici terminée la comparaison de ma dame avec Fortune l'insensée ; les deux peuvent bien aller ensemble, puisqu'elle ressemble à la Fortune dans ses moments de fluctuation, où il n'y a point en elle de stabilité ; car, en vérité, elle change comme l'épervier qui fait sa mue (mais ce qu'elle change, c'est son cœur, alors que chez l'épervier, c'est son plumage ; et elle sait bien aller au change, car elle varie et change souvent)... si est vrai ce qu'on m'a dit à son sujet (je ne dis rien d'autre dans mon récit !).

Et seur ce vous dirai un compte,
8352 Que j'oÿ compter a un conte
Qui m'est sires et grans amis,
Et qui toute s'entente a mis
En l'esbatement des faucons,
8356 Pour ce qu'il en scet trop plus que homs
Et trop plus qu'autres s'i deduit :
[La sont presque tuit si deduit].
Quant ses faucons s'en va au change,
8360 Il le reclaime, il le lesdange,
Il crie, il huche, il huie, il brait
Tant que li faucons oit son brait ;
Aussi font tuit cil fauconnier
8364 Qui sont dou deduit parsonnier ;
Et quant li faucons les entend,
Aucunes fois gaires n'atend,
S'il est de tresbonne nature,
8368 Qu'i ne reviengne a sa droiture.
Si se radresse et se ravoie
Et se met a la droite voie ; [193 v° a]
Et son premier oisel asproie
8372 Tant qu'il ha sa chasse et sa proie.
Lors le traite amiablement
Li contes et tresdoucement ;
Il le conjoit, il l'aplanie,
8376 Il li fait chiere si treslie
Que li faucons bien appersoit
Que son service en gré resoipt
Et qu'il a bien fait la besongne.
8380 Lors faut que li contes li dongne
Le cuer de l'oisel, c'est sa chasse,
C'est ce pour quoi il vole et chasse.
(Ainsi le paist, ensi le lurre

8353-4. *E vers inversés* – **8356.** *E* en *om.* ; trop *om.* (– 2) – **8357.** *E* autre – **8358.** *AE* La sont pres que tuit si deduit, *FPm om.* – **8361.** *E* il huche *om.* (– 2) – **8368.** *AF* Qui, *Pm* Quil – **8372.** *E* Car il a – **8375.** *E* le *om.* (– 1) ; conjoint ; l' *om.* – **8376.** *A* Et li, *Pm* Et luy – **8381.** *E* la ch. – **8383.** *APm* liure, *E* li euure

Et sur ceci [l'aller au change] je vous dirai *L'amant*
une aventure que j'entendis raconter à un
comte qui est mon seigneur et mon grand ami, et qui
a concentré tous ses soins au divertissement que sont
pour lui les faucons, car il sait là-dessus bien plus que
nul autre et bien plus que d'autres il y trouve son amusement, c'est là que sont presque tous ses plaisirs.

Or quand son faucon va au change, il le rappelle, il
l'injurie, il crie, il l'interpelle, il hue, il hurle jusqu'à ce
que le faucon entende ses invectives ; c'est ainsi que
procèdent tous les fauconniers – cela est bien connu –
qui s'intéressent à ce divertissement. Or quand le faucon entend ces cris, il arrive qu'il n'attend guère, s'il a
un excellent naturel, pour revenir à sa mission. Il recti-
fie sa direction et se remet en route dans le sens du bon
chemin ; et il harcèle son premier oiseau jusqu'à ce
qu'il tienne ce gibier et en ait fait sa proie. Dès lors le
comte le traite aimablement et avec une grande douceur ; il l'accueille avec joie, le caresse, lui fait une
mine si réjouie que le faucon s'aperçoit bien que son
service a été agréé et qu'il a bien accompli sa tâche. Il
faut alors que le comte lui donne le cœur de l'oiseau :
c'est sa part de la proie, c'est ce pour quoi il vole et
chasse. C'est ainsi que le comte le repaît, c'est ainsi
qu'il le fait revenir à l'aide

8384 Dou cuer de l'oisel sur le lurre.)
Et quant pour crier ne pour braire
Ne pour chose qu'on puisse faire
Li faucons ne laisse l'emprise.
8388 Dou change qu'il a entreprise,
Se sa proie prent en volant,
Li gentilz quens a cuer dolant
Le traite felonnessement
8392 Et si parle a li rudement.
Et quant il prent aucun oisel,
Dedens un molin a choisel
Ou en la riviere le jette,
8396 Par quoi li faucons ait disette,
Ne de l'oisel cuer ne couraille
N'autre pasture ne li baille :
C'est la venjance qu'il en prent
8400 Quant il change et ne se reprent.

Si que, se ma dame de pris
A vers moi un petit mespris,
Je li doi moustrer ma clamour
8404 Piteusement et en cremour,
Com cilz qui son courrous ressongne,
Et li prier que ne m'eslongne.
Et s'elle [se] vuelt corrigier,
8408 Pardonner li doi de legier
Et le faire amiablement,
Doucement et courtoisement.
Et se a raison ne se vuelt mettre,
8412 Ains se vuelt de m'amour demettre,
Je l'en doi laissier couvenir,
Puis qu'a raison ne vuelt venir,
Et, sans plus plaindre ne crier,
8416 L'en doi hautement mercier
Et li dire a chiere levee :

8384. *APm* liure, *E* la leure – **8388.** *E* Tant quil ait aconsu sa prise – **8400.** *E* il chasce et – **8406.** *Pm* quel ne – **8407.** *A* selle se u., *F* se *om.* (– 1) – **8409-10.** *E vers inversés* – **8415.** *Pm* plus craindre ne prier

du cœur de l'oiseau placé sur le leurre. Mais quand, malgré les cris et les invectives et tout ce qu'on peut faire, le faucon ne renonce pas au change qu'il a décidé et prend au vol la proie qu'il a choisie, le noble comte, d'un cœur attristé, le traite comme on traite un félon et lui parle avec rudesse. Et quand le faucon a pris quelque oiseau, le comte jette celui-ci dans l'écluse d'un moulin ou dans la rivière pour que le faucon souffre de la faim, et ne reçoive ni le cœur ni les intestins de l'oiseau, ni quelque autre pâture. Telle est la vengeance que le comte prend du faucon qui va au change et ne se remet pas dans le bon chemin.

De tout cela je conclus ceci : à supposer que ma dame de haut prix se soit quelque peu mal conduite envers moi, je dois lui manifester mes doléances à la fois avec douceur et avec crainte, en homme qui appréhende son courroux, et la prier de ne pas me rejeter loin d'elle ; et si elle veut s'amender, je ne dois pas faire difficulté de lui pardonner, en homme aimable, bienveillant et courtois. Mais si elle ne veut pas venir à résipiscence et qu'elle entende renoncer à m'aimer, je dois lui en laisser la décision, dès lors qu'elle ne veut revenir à la raison, et, sans me plaindre davantage ni me lamenter, la remercier à haute voix et lui dire, tête levée :

«Puis qu'il vous plaist, forment m'agree»;
Car s'amour rien ne me *va*ldroit
8420 Puis qu'en li loiauté faudroit.

Toutevoie finablement
Je m'avisai que nullement [193 v° b]
En ce point vivre ne pooie,
8424 Que tousdis merancolioie
Et s'estoit mes cuers en tristesce,
Qui est chose qui trop fort blesce.
Si que une lettre li escri
8428 Et courtoisement li descri
Nompas tout ce qu'on m'en disoit,
Mais seulement qu'elle lisoit
A pluiseurs gens mes escriptures,
8432 Qui m'estoient nouvelles dures,
Si que pluiseurs gens s'en moquoient
Qui les ooient ou lisoient.
La lettre verrés sans attendre,
8436 Se vous volés a[u] lire entendre.

[Lettre XLII des mss]

Ma treschiere et seule dame! *L'amant*

(a) Je sui moult desirans[1] de savoir vostre bon estat; si vous suppli tant humblement come je puis que vous le me veuilliés faire savoir le plus souvent que vous porrés[2], car Dieus scet que c'est une des plus grans[3] joies que je puisse avoir que de oÿr en bonnes nouvelles[4]. Et se dou mien il[5] vous plaist savoir, j'estoie en bonne santé de corps et en tresbon point quant ces lettres furent escriptes.

(b) Ma treschiere et seule dame, se je vous escri[6] ce que on m'a dit, je vous pri qu'il ne vous desplaise.

8419. *APm* uaudroit, *E* uauldroit, *F* voldroit – **8436.** *APmE* au lire, *F* a l.; *E* voulez

---

1. *E* desirant. – **2.** *Pm* le plus... porrés *om.* – **3.** *A* grant. – **4.** *Pm* d'en ouir bonnes n. – **5.** *PmE* il *om.* – **6.** *E* escrips.

« Puisque tel est votre bon plaisir, cela m'agrée fort » ; car son amour ne serait pour moi d'aucun prix dès lors que la loyauté y ferait défaut.

Cependant, au bout du compte, je m'avisai que je ne pouvais absolument pas vivre en cette situation, car je ne cessais d'être en proie à la mélancolie et mon cœur demeurait plongé dans la tristesse, état qui fait trop cruellement souffrir. Finalement je lui écrivis une lettre, où, courtoisement, sans lui exposer tout ce qu'on ne cessait de me dire sur elle, je lui apprenais seulement qu'on m'avait rapporté qu'elle lisait ce que je lui écrivais à plusieurs personnes – et cela faisait pour moi autant de nouvelles pénibles – tant et si bien que quelques-uns qui les entendaient ou même les lisaient se livraient à leur sujet à des propos moqueurs. Cette lettre, vous la verrez sans attendre, si vous voulez bien vous appliquer à la lire.

Lettre 42, de l'amant [42 des mss ; XLII de PP]

Ma très chère et seule dame !

Je suis très désireux de savoir si vous êtes en bonne santé ; aussi vous supplié-je aussi humblement que je puis de vouloir bien me le faire savoir le plus souvent que vous pouvez, car Dieu sait que c'est une des plus grandes joies que je puisse éprouver que d'entendre sur ce point de bonnes nouvelles. S'il vous agrée d'avoir des nouvelles de mon état, sachez que j'étais en bonne santé de corps et en excellent état général quand cette lettre-ci fut écrite.

Ma très chère et seule dame ! Si je vous écris ce qu'on m'a rapporté, je vous prie de ne pas en être contrariée.

Veuillés savoir que uns riches homs, qui est tresbien mes sires et mes amis, m'a dit, et pour certain, que vous moustrés a chascun tout ce que je vous envoie, dont il semble a pluiseurs que ce soit une moquerie. Si en faites vostre volenté. Mais j'ai bien aucune fois esté [1] en tel lieu, comment que je vaille po, que on ne faisoit mie ainsi, et que cilz[2] qui mieulz savoit celer, ou celle, c'estoit[3] li plus dignes de guerredon. Si ne vous pense plus a escrire chose que vous ne puissiés moustrer a chascun, car il semble que ce soit pour vous couvrir, Douce dame[4], [je] fais[5] semblant d'un[e][6] autre amer. **(c)** Et certes je ne fis rien en vostre livre puis Pasques et pour ceste cause ne ne pense a faire[7]: puis que matere me faut.

(d) Mais on ne doit pas tout croire[8] ce que on oit. Je vous envoie ce que j'ai fait depuis de vostre livre, si le poés moustrer a qui qu'il vous plaist. **(e)** Car, par ma foy[9], je mettoie grant paine au faire; et comment que vous tiengniés[10] que ce soit[11] moquerie, par m'ame[12], il n'a mie .IIII. personnes au monde pour qui je l'entreprenisse[13] a faire, comment que ce soit legiere chose a un autre; mais se Douce Plaisance et Fine Amour n'estoient, ce me seroit moult dure chose au faire.

Ma treschiere et seule dame, li Saint Esperis vous hait en sa sainte garde, qui vous doint [194 a] honneur et joie de quanque vostre cuer[14] aimme.

Escript .XVIe. jour de joing[15].

Vostre tresloial[16] ami.

L'amant

Quant ma dame ma lettre oÿ,
Tout en l'eure qu'elle entroÿ
Les paroles et le raport

---

1. *A* estet. – 2. *Pm* et cilz. – 3. *E* estoit (c' *om.*). – 4. *Pm* douce amie. – 5. *A* je f., *F* je *om.*, *E* faites. – 6. *A* d'une, *FE* d'un. – 7. *E* faire *om.* – 8. *Pm* crerre. – 9. *Pm* et par m. f. – 10. *A* teingniés. – 11. *Pm* tenez que c'estoit. – 12. *PmE* par m'ame *om.* – 13. *PmE* entrepreisse. – 14. *Pm* uostre cuers. – 15. *E* juing. – 16. *E* u. loyal

Veuillez donc savoir qu'un puissant seigneur, qui est parfaitement à la fois mon seigneur et mon ami, m'a dit, et cela comme une certitude, que vous montrez à tout venant tout ce que je vous envoie, ce qui fait supposer à plus d'un que ce soit une manière de vous moquer de moi. Agissez sur ce point comme vous l'entendez. Laissez-moi cependant vous dire que je me suis bien parfois trouvé en telles sociétés où, quelque humble que soit mon mérite, on ne se conduisait pas ainsi, et où celui (ou celle) qui savait le mieux garder un secret était le plus digne de récompense.

Aussi bien ne pensé-je plus vous envoyer des textes que vous ne puissiez montrer à tout un chacun, car il y a de fortes apparences que votre jeu doive vous servir de couverture, et je fais donc semblant, ma douce dame, d'en aimer une autre.

Soyez certaine que depuis Pâques je n'ai plus touché à votre livre, et que je ne pense pas y revenir pour la bonne raison que la matière me fait défaut.

Toujours est-il qu'on ne doit pas croire tout ce qu'on entend dire.

P.-S. Je vous envoie ce que de votre livre j'ai écrit, depuis cette décision, et que vous pouvez montrer à qui bon vous semble. En fait, je vous le jure, je mettais beaucoup d'application à composer le livre ; et de quelque manière que vous considériez que ce soit matière à moquerie, par mon âme, il n'y a pas quatre personnes au monde pour lesquelles j'aurais entrepris de le composer ; même si d'autres estiment que c'est une chose facile, la vérité est au contraire que si Doux Plaisir et Parfait Amour n'existaient pas, ce serait pour moi une tâche très pénible.

Ma très chère et seule dame, que le Saint-Esprit vous conserve dans sa sainte garde, en vous donnant honneur et joie pour tout ce que votre cœur aime.

Écrit le 16e jour de juin [1364].

Votre très loyal ami.

Quand ma dame entendit lire ma lettre, à l'instant même où elle apprit le récit et les paroles

8440 Qu'on m'avoit compté de son port,
Ma lettre li chaÿ des mains ;
N'onques par semblant corps humains
Ne senti si dure dolour,
8444 Car tantost sa fine coulour,
Blanche et vermeille, fu destainte
Et en couleur de morte tainte.
Sus un lit cheoir se laissa,
8448 Son chief et son vis abaissa.
La plouroit moult piteusement
Et souspiroit parfondement,
Et en sa dolente pensee
8452 Fist ceste chanson baladee.

Chanson baladee

Cent mille fois esbahie, *La dame*
Plus dolente et courecie
Sui que nulle vraiement
8456 Quant de celli proprement
Je sui de tous poins guerpie
Qui sa damë et s'amie
Me clamoit si doucement.

8460 Car a mon gré mieus eslire,
Qui plus me deüst souffire,
Ne porroie nul choisir
De li ; car joie sans ire
8464 Seroit a moi, a voir dire,
S'assés vëoir et oïr
Pooie en ma compagnie
Son gent corps, qui eslongnie
8468 M'a et si soudainement
Et sans ce que aucunement
Ait en moi congnu folie
Dont avoir deüst envie
8472 De moi laissier telement.

8441. *APm* chei, *E* chay – **8454.** *E* courcie (– 1) – **8469.** *E* Sans ce que (– 1) – **8470.** *A* congnut, *PmE* congneu

qu'on m'avait rapportés sur sa conduite, la lettre lui tomba des mains ; jamais corps humain ne montra des signes aussi manifestes de la violente douleur qu'elle ressentait, car aussitôt son teint d'une beauté accomplie, fait de blanc et de vermeil, perdit son éclat et prit l'aspect d'une morte. Elle se laissa choir sur un lit, baissant sa tête et cachant son visage. Là elle pleurait des larmes très pitoyables et poussait de profonds soupirs et, affligée comme elle était en sa pensée, elle composa cette chanson balladée :

Chanson balladée de la dame

[Refrain]
Cent mille fois désemparée,
Je suis plus affligée et plus attristée
Que nulle autre, en vérité,
De ce que par celui-là précisément
Qui si doucement m'appelait
Sa dame et son amie
Je suis abandonnée totalement.

1. Car, à consulter ma libre volonté, pour le meilleur
   Qui dût le plus me satisfaire, [choix d'un homme
   Je ne pourrais nul élire
   Meilleur que lui ; j'aurais, à dire vrai,
   Une joie sans mélange de tristesse,
   Si souvent je pouvais voir et entendre
   En ma compagnie
   Son être gracieux qui loin de lui m'a rejetée
   Et si soudainement,
   Et sans que d'aucune façon
   Il ait découvert chez moi quelque inconduite
   Qui eût justifié son envie
   De m'abandonner d'une telle manière.

Cent mille fois, etc.

Hé las, or voy tire a tire
Meschief, langour et martyre
8476 De tous lieus a moy venir;
Mon povre cuer fondre et frire,
Dont la mort me sera mire:
Ad ce ne puis je faillir.
8480 Ma leesce est amortie,
Et ma vertu afflebie
Est si dolereusement
Que, sans faire cessement, [194 b]
8484 Tourmenteë et pallie,
Maudi mes jours et ma vie
Sans avoir confortement.

Cent mille fois esbahie, etc.

8488 Hé las, la douce debonnaire *L'amant*
Le tiers ver ne pot onques faire,
Tant estoit lasse et adolee,
Triste, dolante et esplouree;
8492 Mais les .II. vers qu'avez oÿ
Dedens ceste lettre encloÿ.

[Lettre XLIII des mss]

Mon tresdoulz cuer, mon treschier et doulz ami! *La dame*

(a) J'ai receu vos lettres, dont j'ai moult grant joie, car, aprés vous veoir, c'estoit la chose du monde que je desiroie le plus; car en verité il me estoit avis que il avoit bien[1] .III. ans que je n'avoie oÿ nouvelles de vous, et en ai esté a tel meschief que je ne cuidoie

---

8481. *A* afeblie, *Pm* aflebie, *E* affoiblie – **8484.** *APm* apalie; *F un trait oblique après* tourmentee

---

1. *E* bien *om.*

Cent mille fois...

2. Hé ! pauvre de moi ! À présent je vois successivement
Malheur, langueur et martyre
Venir à moi de toutes parts
Et mon pauvre cœur fondre et brûler de désir,
De quoi la mort seule sera mon médecin ;
À ce sort je ne puis échapper.
Ma joie est anéantie,
Et ma force d'âme est si
Douloureusement affaiblie
Que, torturée et pâlie,
Sans point de cesse,
Je maudis mes jours et ma vie
Du moindre réconfort privée.

Cent mille fois...

Hélas ! la douce dame de noble naissance ne réussit jamais à faire la troisième strophe, tant elle était malheureuse et accablée, triste, affligée et éplorée ; cependant les deux strophes que vous avez entendues furent par elle encloses dans la lettre que voici : *L'amant*

Lettre 43, de la dame [43 des mss ; XLIII de PP]

Mon très doux cœur, mon très cher et doux ami ! J'ai reçu votre lettre, qui m'a causé une très grande joie, car après la possibilité de vous voir, c'était la chose au monde que je désirais le plus ; et en effet, j'avais en vérité l'impression qu'il y avait bien trois ans que je n'avais appris de vos nouvelles, et j'en ai été si malheureuse que je ne m'imaginais avoir autant de mal pour homme. Et se je vous ai escript un po rudement et mal sagement, par m'ame, je ne l'ai peu amender, car j'estoie si troublee et avoie le cuer si marri[1] et si courrecié, car a paine peusse je dire chose ne faire qui peust plaire a personne; ne il n'estoit riens qui ne me despleust, pour ce que je ne savoie nouvelles de vous.

(b) Et aussi vous m'aviés promis que vous me venriés veoir si tost que vous porriés chevauchier; et vous avés esté en bonne santé, et si ont esté les chemins plus segur puis Pasques que il n'avoient esté depuis .III. ans, et si ne m'estes point venus veoir. Par le Dieu qui me fist, je n'eusse mie ainsi fait se je eusse esté en vostre estat. Et ainsi me promistes vous, il ha un an tout droit en ce mois, quant je estoie au Biau Chastel, que jamais ne mescreriés[2] que je[3] ne fusse vostre bonne et loial[4] amie, ne diriés chose dont je me deusse courecier[5]; et vous avés fait le contraire, si que il appert par les lettres que vous m'envoiastes derrenement, les queles je vous renvoie[6] pour veoir se il y ha chose dont je me deusse courecier[7].

Que par le Dieu qui me fist, ne par trestous[8] les se[r]mens[9] que hons puet jurer, il n'a au jour de hui homme vivant ou monde a qui j'aie donné ne promis m'amour que a vous; et pour ce sui je courecie quant vous creés le contraire. Et pour ces .II. causes que j'ai devant dittes[10] vous escri[11] je que vous estiés[12] variables et que vous ne teniés pas bien verité. Et par Dieu, combien que je le vous aie escript, me garderoie[13] je bien de le dire en lieu ou il vous tournast a villenie[14].

---

1. *E* merry. – **2.** *A* escroiriés. – **3.** *Pm* d. je n'ay pas esté joieuse, quer par celuy Dieu qui me fist je ne fu onques si couroucie de chose qui m'avenid en ce monde. Et ce n'est pas ce que vous m'avies promis il a I an tout droit en ce moys que jamais ne mescreriez que je.... – **4.** *A* leal, *Pm* loialle, *E* loiale. – **5.** *E* courcier, *Pm* couroucier. – **6.** *E* enuoie. – **7.** *Pm* si que il appert... courecier *om.* – **8.** *A* par tous. – **9.** *F* semens, *A* sairemens, *E* seremens, *Pm* sermens. – **10.** *Pm* que j'ai devant dittes *om.* – **11.** *E* escrips. – **12.** *Pm* estes. – **13.** *PmE* garderay. – **14.** *Pm* ou uous ayez villennie.

pas pouvoir jamais autant souffrir pour quelqu'un.

Si je vous ai écrit un peu rudement [dans la lettre 40] et avec bien peu de sagesse, par mon âme, je n'ai pu faire mieux, car j'étais si troublée et j'avais le cœur si affligé et si triste qu'à grand-peine j'eusse pu dire ni faire quoi que ce soit qui réussît à plaire à personne; et il n'y avait rien non plus qui ne me déplût pour la seule raison que je n'avais pas de nouvelles de vous.

Il y avait aussi votre promesse de venir me voir dès que vous pourriez monter à cheval; or vous avez été en bonne santé, et les chemins ont été plus sûrs après Pâques qu'ils n'avaient été depuis trois ans, et malgré cela vous n'êtes pas venu me voir! Par le Dieu qui me créa, je n'eusse pas agi de la sorte si mon état avait été le vôtre.

Et de même vous m'avez garanti, il y a juste un an ce mois-ci, alors que j'étais au Beau Château, que jamais vous ne douteriez que je sois votre honnête et loyale amie, ni ne diriez rien qui pût me faire de la peine; or vous avez fait le contraire, ainsi que cela ressort de la lettre que vous m'avez envoyée en dernier lieu, et que je vous renvoie pour que vous voyiez si oui ou non il s'y trouve effectivement de quoi justifier mon chagrin! Car par le Dieu qui me créa, et par tous les serments qu'on peut jurer, il n'y a à ce jour nul homme vivant au monde à qui j'aie donné ni seulement promis mon amour en dehors de vous; et voilà pourquoi je suis affligée de ce que vous croyez le contraire. C'est pour les deux raisons que je viens de dire que je vous ai écrit que vous étiez instable et que vous n'étiez pas capable de tenir parole. Mais, par Dieu, bien que je l'aie écrit, je me garderais bien de le dire là où cela pourrait porter atteinte à votre bon renom.

(c) Mon doulz cuer et ma tresdouce amour, je vous pri si acertes comme je puis, pour garder le bien et la paix de vous et de moi, car toute yre [194 v° a] et tous courrous, tous escrips et toutes paroles qui ont esté dittes et escriptes entre vous et moi, dont nos cuers peulent[1] estre et ont esté coureciés[2], soient toutes mises en oubli et que jamais il n'en souvaingne[3] ne a vous ne a moy; et que nous nous puissons doucement et loyalment amer et demener bonne vie quant il plaira a Dieu que nous nous puissons[4] veoir, en la quele[5] chose je pense a mettre tele diligence et tele ordenance qui bien vous plaira[6].

(d) Mon doulz cuer, vous dittes que uns bien grans sires et pluiseurs autres vous ont moqué par esbatement de moi et de tel[7] que vous ne congnoissiés[8]. Et par Dieu je ne fis onques chose que nulz peust savoir l'amour[9] que je avoie a vous; et se je en ai dit ou fait chose qui ne soit bien a faire[10], veuilliés le moi mander et y mettre tele ordenance come bon vous semblera; et je vous promet loialment que je la tenrai. Mais, pour Dieu[11], ma tresdouce, chiere amour[12], pour chose que on vous die ne veuilliés penser ne croire que je ne vous soie bonne et loial amie tant comme je vivrai[13]; que, par le Dieu qui me fist, de la journee que je vous dis que, se je pooie penre mon cuer dedens mon corps et le vous mettre en vostre main, je le vous bailleroie, adfin que vous en fuissiés plus seur[14], je le vous donnai et le mis en vous si parfaitement, car je porroie ainsi tost avoir et errachier tous les dens de vostre bouche sans vous mal faire et sans ce que vous en sceussiés rien, comme je porroie ravoir ne oster mon cuer de vous que je vous ai

---

1. *Pm* puevent, *E* peuent. – **2.** *E* courciez. – **3.** *E* souuiengne. – **4.** *A* puissiens. – **5.** *A* et la q. – **6.** *Pm* et que… vous plaira *om.*, *A* uous uous pl. (2e uous *barré par une autre plume: celle qui a mis les traits obliques sur les* i). – **7.** *E* de telz. – **8.** *Pm* et de tel… congnoissies *om.* – **9.** *Pm* sauoir de moy l'amour. – **10.** *Pm* s. bonne a f. – **11.** *E* Et p. D. – **12.** *Pm* Mais, pour Dieu… amour *om.* – **13.** *Pm* Et ne uueilliés penser pour chose qu'on uous die que je ne uous soie loyale et uraie tant comme il plaira a Dieu que je uive. – **14.** *A* seurs.

Mon doux cœur et mon très doux amour, je vous prie aussi sincèrement que je puis que, afin de conserver la bonne entente et la paix entre vous et moi, toute colère et tout courroux, tous propos qui ont été proférés et écrits entre vous et moi, et dont nos cœurs peuvent être ou ont été blessés, soient tous oubliés et que jamais plus ni vous ni moi ne nous en souvenions ; en sorte que nous puissions nous aimer doucement et loyalement, et mener une existence honnête quand il plaira à Dieu que nous puissions nous voir, vœu pour la réalisation duquel je compte dépenser un zèle et prendre telles dispositions qui vous plairont.

Mon doux cœur, vous dites qu'un très grand seigneur et plusieurs autres messieurs vous ont moqué quand je me divertissais avec quelqu'un que vous ne connaissiez pas. Mais, par Dieu, je n'ai jamais rien fait qui puisse révéler à qui que ce soit la nature de mon amour pour vous ; et si sur ce point j'ai dit ou fait quelque chose qui ne soit pas convenable, veuillez me le faire savoir et y mettre les choses en ordre selon ce qui bon vous semblera, et je vous garantis loyalement que je m'y conformerai.

Mais, pour l'amour de Dieu, mon très doux, mon très cher amour, à cause de ce qu'on peut vous dire, ne veuillez pas penser ni imaginer que je ne sois pas votre bonne et loyale amie tant que je vivrai ; car, par le Dieu qui me créa, dès le jour où je vous ai dit que, si je pouvais prendre mon cœur dans mon corps et le mettre en votre main, je vous le remettrais afin que vous en soyez plus assuré, je vous l'ai effectivement donné et placé chez vous de manière si définitive, que j'aurais aussi vite fait d'arracher et prendre toutes les dents de votre bouche sans vous faire mal et sans que vous vous en aperceviez, que je pourrais recouvrer mon cœur que je vous ai donné ; et, par Dieu, aussi ne le veuil je mie, car il me plaist mieulz que il soit en vous que en nul homme qui soit vivant[1] en monde, si en poés et en devés estre tout assegur[2].

(e) Mon doulz cuer, je vous prie que vous me veuilliés escrire de vostre estat et le plus souvent que vous porrés ; et, se il puet estre bonnement, que je vous voie ; car en verité se Dieus m'avoit donné en ce monde un seul souhait[3], je ne souhaideroie riens fors vous veoir, car ce est tout mon desir et toute ma pensee, ne je ne cuide[4] avoir parfaite joie jusques a l'eure[5].

(f) Mon doulz cuer, veuilliés savoir que je n'ai point veu le vallet[6] que vous m'avez escript que vous m'envoiastes en mois de may, ne n'en ay oÿ nulles nouvelles.

A Dieu, ma treschiere amour, qui vous doint paix, santé, honneur et joie de quanque vostre cuer aime[7].

(g) Mon chier ami[8], je vous envoie ce virelay, qui est fait de mon sentement. Et vous pri[9] que vous me veuilliez envoier des vostres, car je sai bien que vous en avés fait depuis que je n'oy nouvellez de vous, car je ai veu une balade en la quele il ha *En lieu de bleu, dame, vous vestés vert*. Et si ne sai pour qui vous la feystes[10] ; car, se ce fu pour moi, vous avés tort, car, foi [194 v° b] que je doi a vous qui[11] j'aimme de tout mon cuer, onques puis que vous meystes et envelopastes[12] mon cuer en fin azur et l'enfermastes en tresor dont[13] vous avés la clef, il ne fu changiés ; ne sera toute ma vie, car se je voloie bien, ne le porroie je faire sans vous, car moi ne autre n'en porte la clef que vous[14] ; si en poés ainsi estre aseur comme se vous le teniez en vostre main[15].

---

1. *A* uiuans. – **2.** *E* asseur. – **3.** *AE* un seul souhait en ce monde. – **4.** *E* cuidoie. – **5.** *E* jusques a l'eure *om.* – **6.** *E* uarlet. – **7.** *Pm* que, par le Dieu... vostre cuer aime *om.* – **8.** *E* treschier amy. – **9.** *E* prie. – **10.** *E* feites. – **11.** *APmE* que, *F* qui. – **12.** *E* et envelopastes *om.* – **13.** *E* ou t. d. – **14.** *E* clef fors u. – **15.** *Pm* car se je voloie... en vostre main *om.*

donné et l'enlever de votre corps ; mais, par Dieu, je ne veux pas agir de cette sorte, car je préfère que mon cœur soit chez vous plutôt que chez aucun homme vivant au monde, et de cela vous pouvez et devez être tout à fait assuré.

Mon doux cœur, je vous prie de vouloir bien m'écrire quant à votre état de santé, et cela le plus souvent possible ; et, si cela peut être sans risque, veuillez faire en sorte que je vous voie ; car, en vérité, si Dieu ne m'avait donné sur cette terre qu'un seul souhait, je n'en voudrais pas d'autre que de vous voir, car c'est là tout mon désir et toute ma pensée, et je ne m'attends à aucune joie complète avant ce moment-là.

Mon doux cœur, veuillez savoir que je n'ai point vu le jeune homme que vous m'avez écrit que vous m'envoyâtes au mois de mai, et je n'ai pas reçu de nouvelles à son sujet.

Je vous recommande, mon très cher amour, à Dieu, qui veuille vous accorder paix, santé, honneur et joie pour tout ce que votre cœur aime.

P.-S. Mon cher ami, je vous envoie le virelai ci-joint, qui traduit mon sentiment dans toute sa sincérité. Je vous prie de m'envoyer de vos œuvres, car je sais de bonne source que vous en avez composé depuis que je n'ai pas eu de vos nouvelles, et j'ai eu sous les yeux une ballade où l'on peut lire ce refrain : *Au lieu de bleu, dame, vous vous vêtez de vert*. Je ne sais à cause de qui vous l'avez composée ; si ce fut à cause de moi, vous êtes dans votre tort, car, par la foi que je vous dois, à vous que j'aime de tout mon cœur, jamais depuis que vous avez mis et enveloppé mon cœur dans le pur azur et que vous l'avez enfermé au trésor dont vous avez la clef, il ne fut changé de place ; et il ne le sera pas tant que je vivrai, car à supposer que je le voulusse vraiment, je ne pourrais le faire sans vous, puisque ni moi ni quelqu'un d'autre n'en porte la clef, que vous seul détenez ; et ainsi vous pouvez en être assuré comme si vous le teniez en votre main.

(h) Mon chier ami, je vous pri que vous me veuilliez renvoier[1] par ce message le commencement de vostre livre, cellui que je vous renvoiai[2] piece ha, car je n'en retins point de copie, et je l'ai trop grant fain de veoir.

(i) Et, se les lettres[3] sont mal escriptes, si le me pardonnés, car je ne treuve mie notaire tousjours a ma volenté.

Escript .X^e^. jour d'octembre.

Vostre tresloial[4] amie.

L'amant

Or avez oÿ le rescript
Que Toute Belle me rescript :
8496 Les pleurs, les lamentations
Et les humbles afflictions,
Les seremens, les griés pensees
Qui sont en son cuer amassees.
8500 Et certes, qui bien considere,
Hontes seroit et grant misere
Que une bonne dame jurast
Si forment et se parjurast :
8504 Ne le contraire ne croiroie
Ne qu'en un Mahommet de croie.
Si ne demoura pas quinzainne
Qu'en un lundi a bonne estrainne
8508 Un mien ami, qui estoit prestres
Et en l'art de logique mestres,
Vint a moi et me salua,
Et moult sagement m'argua
8512 En disant que trop mesprenoie
Que ensi legierement creoie
Especialment vers ma dame ;
Et me jura son corps et s'ame
8516 Que dit toute s'entention

---

1. *E* enuoier. – **2.** *PmE* envoyay. – **3.** *Pm* ces lettres. – **4.** *E* loyale.

8501. *PmE* Honte – **8507.** *E* bon

Mon cher ami, je vous prie de vouloir bien me renvoyer par ce messager le début de votre livre, que je vous ai retourné il y a longtemps déjà, et dont je n'ai point conservé de copie ; j'éprouve en effet un fort appétit de le revoir.

J'ajoute que si ma lettre est mal écrite, pardonnez-le-moi, car je ne trouve pas toujours un secrétaire à ma disposition. Écrit le 10e jour d'octobre [1364].

Votre très loyale amie.

L'amant

À présent vous avez entendu la réponse que Toute-Belle m'écrivit, les pleurs, les lamentations et les humbles signes d'affliction, les serments, les pénibles pensées accumulées en son cœur. Et assurément, toute réflexion faite, ce serait un acte honteux et bien misérable de la part d'une honnête dame de jurer si énergiquement un faux serment. Non, je ne saurais croire le contraire non plus que je ne croirais en un Mahomet de plâtre !

Or à moins d'une quinzaine de là, un certain lundi de bon augure, un de mes amis, qui était prêtre et maître en l'art de logique, vint chez moi, et, après m'avoir salué, avec grande sagesse, me raisonna, disant que je commettais une faute très grave en étant aussi facilement crédule, tout particulièrement pour ce qui regardait ma dame ; et il me jura sur son corps et sur son âme qu'elle lui avait dit sous le secret

Li avoit en confession,
Mais bien voloit et li plaisoit
Dou dire a moi et li loisoit.
8520 Lors me dist qu'onques ne faussa
Vers moi, n'a fausser ne pensa
En fait n'en desir n'en pensee,
Ne que ja de moi dessevree
8524 Ne sera s'amour ne sa grace
Pour chose que die ne face ;
Et que, pour Dieu, que plus ne veuille
Souffrir que si griément se dueille ;
8528 Car tant par est desconfortee,
Lasse, dolente et esplouree [195 a]
Qu'i[l] me jura Saint Esperit
Que ce iert pechiés s'elle perit.
8532 Quant il ot dit tout son plaisir
Longuement et a grant loisir,
Unes lettres me presenta
Et dit aveuc son present a :
8536 « Sire, se la lettre est mouillie
Que tenés et que j'ai baillie,
Je vous pri qu'il ne vous anoit,
Quar, se Jhesucrist ne renoit
8540 Mon a(r)me au jour du jugement,
Les larmes vi piteusement
Descendre de la fontenelle
Du cuerinet de Toute Belle,
8544 Quant ces lettres furent escriptes,
Et en plourant furent maudittes
Les langue[s] des faus mesdisans
Si fort que passét a .X. ans
8548 Ne vi chose si fort maudire ;
Si que Toute Belle, a voir dire,
De ses larmes ainsi mouilla

8521. *Pm* Ne uers (+ 1) ; *APm* ne f. – **8522.** *A* En fait en desir nen p., *Pm* En fait en desir en pensee – **8525.** *Pm* que je die (+ 1), *E* quelle die (+ 1) – **8527.** *E* se *om.* (– 1) – **8530.** *AF* Qui, *Pm* Quil – **8540.** *APmE* ame, *F* arme – **8543.** *E* Du cuer uient de la T. B. – **8546.** *A* langues

de la confession tout ce qu'elle avait sur le cœur, mais qu'elle consentait et voulait bien permettre qu'il me le répétât. Il me déclara alors que jamais elle ne m'avait trompé ni n'avait pensé à me tromper en acte, en désir ni en intention, et que jamais son amour ni sa bonne grâce ne se sépareront de moi pour quoi que je puisse dire ou faire ; et, ajoutait-il, que, pour l'amour de Dieu, je ne veuille pas plus longtemps permettre qu'elle souffre si cruellement, car elle est si découragée, si malheureuse, si affligée, si éplorée que, jura-t-il par le Saint-Esprit, ce sera un péché si elle meurt.

Quand longuement et en prenant tout son temps il m'eut dit ce qu'il voulait me dire, il me présenta une lettre et, tout en me la présentant, il dit : « Seigneur, si la lettre que je vous ai remise et que vous tenez en main est mouillée, que cela ne vous fâche pas, je vous en supplie, car, aussi vrai que je souhaite que Jésus-Christ ne renie mon âme le jour du Jugement, j'ai vu – et c'était pitié –, venant de la petite fontaine du gentil cœur de Toute-Belle, descendre des larmes, quand cette lettre fut écrite ; et, tandis qu'elle pleurait, elle maudit si fort les langues des médisants hypocrites qu'il y a dix ans passés que je ne vis si violemment maudire quelque chose. En vérité, c'est bien Toute-Belle qui de ses larmes a de la sorte mouillé

Ceste lettre et la me bailla. »
8552 Et quant il ot dit sa parole,
Je, qui ai esté a l'escole,
Lisi la lettre mot a mot
En l'eure que baillié la m'ot.
8556 Si vi qu'il y havoit creance ;
Lors fui je sans nulle doubtance
Que ce qu'il avoit dit tenoit
De ma dame, et qu'il en venoit,
8560 Qui ha de la douce rousee
De son cuer sa lettre arrousee,
C'est de ses larmes proprement
Ou son message propre ment ?
8564 Le quel je reputai sans fable,
Sage, loial et veritable,
Et croi que pas ne se parjure.
Lire les poés sans injure.

[Lettre XLIV des mss]

Mon treschier ami, bien amés de mon cuer ! *La dame*
(a) Je me recommende a vous tant comme le cuer de vostre vraie amie puet plus penser, et come celle qui sui tousjours en un[1] propos de ce que je vous ai promis ; ne pour riens je ne m'en porroie tenir que je ne vous escrisisse[2] et feysse savoir mon estat[3].
(b) Et pour ce que je ne vous porroie tant escrire, car ce seroit trop longue chose, je ai dit la plus grant partie de ma volenté au porteur de ces lettres, li quelz[4] est bien mes grans sires et amis, et je sai bien aussi que il est li vostres. Et tout ce que je li ai dit, je li ai dit en confession et chargié sur l'a(r)me[5] de li que [195 b] jamais ne soit dit a nulle personne que a vous.

8557. *Pm* fus – **8560.** *E* Qui ot – **8562.** *Pm* lermes

---

1. *Pm* ung. – **2.** *A* escripsisse. – **3.** *Pm* ne pour riens... mon estat *om.* – **4.** *Pm* escrire comme je le feroie uoulentiers se je pooie, pour briefté j'ay dit au porteur de ces lettres la p. g. p. de ma uoulenté, li quiex.... – **5.** *A* l'ame

cette lettre qu'elle me remit. »

Quand il eut terminé son discours, moi, qui ai été à l'école, je lus la lettre mot après mot dès que mon hôte me l'eut remise. Je vis ainsi qu'il y avait effectivement un billet de créance ; je fus dès lors tout à fait certain que ce qu'il avait dit, il le tenait de ma dame et qu'il venait de chez elle, qui avait arrosé sa lettre de la douce rosée de son cœur, c'est-à-dire, très exactement, de ses larmes. Ou bien son messager a-t-il menti ? Mais celui-ci, je le tins pour un homme incapable de mensonge, honnête, loyal et véridique, et je ne crois pas qu'il soit parjure. Vous pouvez lire la lettre sans scrupule.

Lettre 44, de la dame [44 des mss ; XLIV de PP]

Mon très cher ami, bien-aimé de mon cœur !

Je me recommande à vous avec le maximum de force que le cœur de celle qui est votre amie véritable peut concevoir, en femme qui est toujours dans les mêmes dispositions au sujet de ce que je vous ai promis, et que rien ne pourrait inciter à s'abstenir de vous écrire et de vous faire connaître au moins son état de santé.

Et parce que je ne pourrais pas vous écrire tout ce que je voudrais – ce serait en effet une tâche très longue – j'ai dit la plus grande partie de ma pensée au porteur de cette lettre, lequel est certainement à la fois mon éminent suzerain et mon ami, et je sais de bonne source qu'il est aussi le vôtre. Et tout ce que je lui ai dit, je le lui ai dit et confié sous le secret de la confession, avec cette clause que, sous peine de vouer son âme à la perdition, cela ne soit jamais dit à personne d'autre qu'à vous.

Et, pour Dieu, je vous suppli que il ne vous veuille desplaire se je li ai dit, car, en l'ame de moi, je croi que le cuer me fust crevés ou ventre, se je n'eusse descouvert mon meschief a aucune personne[1]; et je cuide que il est bien si li vostres amis que vous ne vous en devriés[2] mie courecier. Si vous pri tant humblement que je puis que vous le veuilliés croire[3] de ce que il vous dira de par moi; que ja Dieus ne me doint honneur ne joie de chose que je li requiere, se je li ai de riens menti de ce que je li ai dit.

(c) Mon treschier ami, veuilliés moi rescrire vostre estat, si me ferés grant joie et grant confort. Et ne veilliez mie perdre la clef du coffre que j'ai, car[4], se elle estoit perdue, je ne croi mie que je eusse jamais parfaite joie, car, par Dieu, il ne sera jamais deffermés d'autre clef que [de] celle[5] que vous avés; et il le sera quant il vous plaira, car en ce monde je n'ai de riens si grant desir.

(d) Mon chier ami, se il vous plaist, je vous pri que vous me veuilliés envoier le livre dont autre fois vous ai escript, ou aucunes de vos autres choses pour moi esbatre, car il m'est avis que vous vous en estes trop tenus.

Mon treschier ami, je pri a Nostre Signeur que il vous doint honneur et joie de quanque vostre cuer[6] aimme, et qu'il vous veuille mettre et tenir en l'estat que vous estiés quant vous partistes de moi; par ma foy, je y sui adés.

Escript le .VIIIe. jour de mars.

Vostre leal amie.

8568 Quant j'os ceste lettre leü *L'amant*
Et en mon cuer bien conceü
Ce que la lettre devisoit

---

1. *Pm* a quelque p. – **2.** *APm* deueriés. – **3.** *Pm* crerre. – **4.** *Pm* quer. – **5.** *APmE* q. de celle. – **6.** *Pm* uostres cuers, *A* uostre cuers.

8568. *A* l. ueu

Pour l'amour de Dieu, je vous supplie de ne pas m'en vouloir si je le lui ai dit, car, par mon âme, je crois que mon cœur eût éclaté au fond de moi-même, si je ne m'étais ouvert de mon malheur à personne ; et je pense que mon confident est à ce point votre ami que vous ne devriez pas vous en irriter. C'est pourquoi je vous prie aussi humblement que je puis de vouloir bien le croire sur tout ce qu'il vous dira de ma part ; car je souhaite que Dieu ne m'accorde honneur ni joie pour quoi que ce soit que je Lui puisse demander, si j'ai menti en quelque chose à notre ami en ce que je lui ai dit.

Mon très cher ami, veuillez me répondre en me parlant de votre santé ; vous me donnerez ainsi une grande joie et un grand réconfort. Veuillez aussi ne pas perdre la clef du coffre qui est en moi : si elle était perdue, je ne crois pas que j'aurais encore à l'avenir une joie complète, car, par Dieu, il ne sera jamais ouvert par une autre clef que celle que vous détenez ; et cette ouverture aura lieu quand cela vous plaira ; sur cette terre, en effet, il n'y a rien que je désire autant.

Mon cher ami, si tel est votre bon plaisir, je vous prie de vouloir bien m'envoyer le livre dont je vous ai une précédente fois déjà écrit – ou quelques-unes de vos autres œuvres – pour mon divertissement, car il me semble que vous n'avez pas été très prodigue de tels envois !

Mon très cher ami, je prie Notre-Seigneur de vous donner honneur et joie pour tout ce que votre cœur aime, et qu'Il veuille vous mettre et vous maintenir dans l'état de santé qui était le vôtre quand vous partîtes de chez moi. Quant à moi, je vous le jure, je suis toujours dans l'état où je me trouvais alors.

Écrit le 8 mars [1365].

Votre loyale amie.

Quand j'eus lu cette lettre et bien assimilé *L'amant*
en mon cœur ce que le texte expliquait

Et que li messages disoit,
8572 Sa parole recommensa
Et un petiot me tensa
En disant qu'avoie mespris
Trop fort vers ma dame de pris.
8576 Je demandai par quel maniere.
Il respondi : « La darreniere
Balade que vous avés fait
Est la cause de vo meffait,
8580 Car vous dittes tout en appert
Qu'elle vest en lieu de bleu vert ;
Et sachiés que ceste balade
Estraint son cuer et fait malade ;
8584 Si qu'en ma presence jura
Que jamais vert ne portera
En chapperon n'en vesteüre,
En verge, en chappel n'en sainture,
8588 Mais tousjours pers ou azur fin
Portera jusques a la fin.
Aussi vous l'avés comparee [195 v° a]
A Fortune la foursenee
8592 Et dit ce qu'il vous ha pleü,
Elle et moi l'avons bien sceü.
Mais ne lairai que je ne die
Que vous avés fait villenie
8596 D'ainsi parler et grant simplece ;
Car chascuns le tient a rudesce,
Comment que tousdis aiés dit :
S'il est voirs ce qu'on m'en a dit.

8600 Si que sa cause veuil deffendre,
S'un petit me volés entendre,
Et pour ce comparer vous veul
A Fortune, car a mon veul
8604 Tres bien comparer vous y puis ;
Et vesci comment je la truis.

8577. *E* Et il me dist – **8587.** *A* ceinture – **8605** ***bis.*** *AF* (*en sous-titre*) Comment li paien figuroient lymage de fortune ; *var. erronée de F* : lymage de toute belle

et ce que le messager disait, celui-ci reprit la parole et me morigéna un court instant en disant que j'avais commis une faute très grave envers ma dame si estimée ; je lui demandai : « En agissant comment ? » Il répondit : « C'est la dernière ballade que vous avez composée qui est cause de votre forfait, car vous dites sans fard qu'elle s'habille de vert au lieu de bleu. Sachez que cette ballade étouffe son cœur et le rend malade, tant et si bien qu'en ma présence même elle jura que jamais plus elle ne portera du vert ni en sa coiffure ni en ses vêtements, à sa bague, en sa couronne de fleurs ni à sa ceinture ; mais qu'au contraire elle portera toujours du bleu ou du pur azur, jusqu'à la fin de ses jours. Il y a aussi que vous l'avez comparée à Fortune la folle et dit, à ce propos, ce qui vous a passé par la tête ; nous l'avons appris de bonne source, elle et moi. Mais, ne craignez rien, je ne laisserai pas de dire que vous avez commis une action vulgaire et une grande niaiserie en parlant de la sorte, car tout un chacun considère que c'est une grossièreté, bien que vous ayez toujours ajouté : *si est vrai ce qu'on m'a dit d'elle*. C'est pourquoi je veux défendre sa cause, si vous voulez me prêter attention quelques instants. Pour cela je veux vous comparer, vous, à Fortune, car je puis, à mon gré, vous comparer à elle sans difficulté. Voici sous quelle forme je la trouve figurée.

Li paien anciennement
La figuroient autrement
8608 Que vous ne l'avés figuré,
Car en escript la figure hé.
Il avoient une cité
Noble et de grant auctorité.
8612 La estoit, com deesse et dame,
Fortune en figure de fame
Enmi une roe qui tourne
Si que rien son tour ne destourne
8616 N'on ne puet a li contrester
Si qu'on puist son tour arrester.
Trop est fiere, trop est crueuse,
Trop par est fausse et perilleuse.
8620 Deulz faces havoit la deesse,
L'une de joie et de leesce,
L'autre moustroit en sa coulour
Signifiance de dolour.
8624 La premiere resplendissoit
Et de li grant clarté yssoit,
Et l'autre estoit noire et obscure,
De nulle joie n'avoit cure.
8628 La deesse ne vëoit goute ; [195 v° b]
Comment que Catons pas ne doubte,
Ains deffent son fil qu'il ne croie
Que Fortune tresbien ne voie
8632 Ne qu'elle soit borgne ou avugle,
Mais elle deçoipt et avugle
Les siens qui desirent les tas
Des florins et les grans estas.
8636 Pres que tuit dansent a sa dance,
Fors aucun qui ont souffisance
Et qui ne veulent plus avoir
D'onneur, de profit ne d'avoir,
8640 Car Franchise et Raison les mainne :

8613. *E* en guise de f. – **8632.** *APm* et a. – **8632-3.** *APm* aueugle – **8637.** *A* quaucuns, *E* que aucun

COMMENT LES PAÏENS SE REPRÉSENTAIENT LE PORTRAIT DE FORTUNE

Les païens de l'Antiquité la figuraient autrement que vous l'avez figurée : j'en ai l'image dans un livre. Ils avaient une cité célèbre et de grande réputation. Là se trouvait, honorée comme déesse et comme grande dame, Fortune sous les traits d'une femme au milieu d'une roue qui tourne de telle façon que rien ne fait dévier son tour et que nul ne peut s'opposer à son mouvement et l'arrêter. Elle est excessivement farouche, excessivement cruelle, excessivement hypocrite et dangereuse.

La déesse avait deux visages, l'un de joie et de liesse, l'autre, par son teint, signifiait la douleur ; le premier resplendissait et une grande clarté émanait de lui ; l'autre était de couleur sombre, noirâtre, et ne voulait rien savoir de la joie. La déesse ne voyait goutte, compte tenu de ce que Caton n'hésite pas à interdire à son fils de croire que Fortune n'ait pas bonne vue et ne soit aveugle et borgne. Ce qui est sûr, c'est qu'elle trompe et rend aveugles les siens, qui désirent amonceler les florins et connaître les grandes situations. Presque tout le monde danse au rythme de sa danse, sauf d'aucuns qui, ayant ce que demande la juste mesure, ne veulent pas augmenter leur capital d'honneur, de profit et de biens, car Noblesse et Raison les conduisent :

Telz gens sont hors de son demainne.
Enmi la cité dont je compte
Avoit .V. fontaines par compte ;
8644 Et quant les gens qui aouroient
La ditte deesse voloient
Havoir d'elle ou empetrer grace,
Venir faisoient en la place
8648 Sur la fontainne .V. pucelles
Vierges, juenes, cointes et belles,
Vestues precieusement
Et assesmees richement ;
8652 Et chascune qui la venoit
Une fleur en sa main tenoit ;
Chascune chantoit a son tour
Une chanson par grant douçour
8656 Pour adoulcir la grant rigueur
De la deesse et sa fureur.
Les vierges .V. signes avoient
Par les quelz vraiement savoient
8660 Se leur priere estoit oÿe
De la deesse et essaucie.
Vesci le signe et la maniere
De l'yaue au chant de la premiere :
8664 Quant la fontainne se mouvoit,
En son fort la vierge trouvoit
Que sa chanson et sa requeste
Tenoit pour juste et pour honneste.
8668 Se au chant de la vierge seconde
La fontainne afflue et habunde,
C'est a dire que la deesse
Promet honneur, joie et richesse.
8672 Se au chant de la tierce pucelle
Croist et s'enfle la fontenelle,
La deesse est pacefiye,
Apaisentee et adoulcie.
8676 S'a la quarte qui aprés vient

8651. *APm* acesmees, *E* assemillees (+ 1) – **8662.** *A* Vezci, *Pm* Vezci, *E* Vesci – **8675.** *Pm* A plaisance et a.

de telles gens ne relèvent pas de son autorité.

Au milieu de la cité dont je parle il y avait en tout cinq fontaines. Quand les gens qui vénéraient ladite déesse voulaient lui demander et tenir d'elle une faveur, ils faisaient venir sur place, tout près de l'une des fontaines, cinq demoiselles, vierges, jeunes, élégantes et belles, vêtues d'étoffes précieuses et richement parées, et chacune, en venant là, tenait en sa main une fleur. Chacune à tour de rôle chantait une chanson très douce afin d'amadouer la grande dureté et la furie de la déesse. Les vierges avaient à leur disposition cinq signes pour leur révéler en toute vérité si leur prière avait été entendue et exaucée par la déesse.

Voici la manière d'apparaître de l'eau et le signe qui se révélait au chant de la première vierge : quand la fontaine s'agitait, la vierge apprenait inéluctablement que son chant et sa demande étaient considérés comme justes et honnêtes.

Si au chant de la seconde vierge la fontaine coulait à flots abondants, cela voulait dire que la déesse promettait honneur, joie et richesse.

Si c'est au chant de la troisième jeune fille que la source croissait et s'enflait, c'était signe que la déesse était pacifiée, apaisée et adoucie.

Si avec le chant de la suivante, c'est-à-dire de la quatrième,

La fontene clere devient,
La vierge ne fait mie doubte
Que la deesse ne l'escoute
8680 Et que faussement ne li baille [196 a]
En lieu de paix guerre ou bataille.
Se au doulz chant de la vierge quinte
En demeure ne pot ne pinte
8684 De l'iaue, ainsois s'esvanuit
Et de tous poins seche et tarit,
C'est a dire que c'est Fortune
Qui tout ainsi comme la lune
8688 Est belle et clere, toute plaine,
Et riens n'i ha dedens quinzaine.

Si que moustrer vous veul au doi
Que trop bien comparer vous doi
8692 A Fortune et as .V. fontaines
Qui estoient combles et plaines,
Et faire comparation
De leur evacuation.
8696 Je vous di, sire, que, par m'ame,
Vous avés maniere de fame :
Trop souvent mue vos courages.
Socrates li bons et li sages
8700 N'estoit mie si fort estables
Com vos courages est muables,
Et si estes enmi la roe
Qui n'arreste ne c'une aloe,
8704 Car riens n'i ha d'estableté ;
Ne d'arrest ne de fermeté
Aussi n'a il en vous souvent
Nes qu'en un cochelet au vent.
8708 Et si avés double visage ;
Tout ainsi comme avoit l'ymage
De Fortune, dont li uns pleure
Et li autres rit a toute heure,
8712 Ainsis ryés vous et plourés

8692. *A* aus, *PmE* aux – **8707.** *E* cochet (– 1)

la fontaine devenait peu abondante, la vierge était sûre que la déesse ne l'écoutait pas et que perfidement elle lui donnait guerre ou combat au lieu de la paix.
Si au doux chant de la cinquième vierge il ne demeurait, en fait d'eau, ni le contenu d'un pot, ni la mesure d'une pinte, parce que l'eau avait disparu, complètement séchée et tarie, cela signifiait que Fortune, tout comme la lune, est belle et claire lorsqu'elle est pleine, alors qu'il n'y a plus rien en elle au bout d'une quinzaine.

Il ne me reste plus qu'à vous fournir la preuve tangible que j'ai de bonnes raisons de vous comparer à Fortune et aux cinq fontaines, d'abord pleines jusqu'au bord, en fondant ma comparaison sur le progressif écoulement de leurs eaux.
Je vous dis, sur mon âme, mon seigneur, que vous avez un tempérament féminin : très souvent votre volonté change. L'honnête et sage Socrate avait une moins forte stabilité que n'est changeante votre volonté.
Vous êtes placé au milieu de la roue, qui ne s'arrête pas plus de tourner qu'une alouette de voler, car il ne s'y trouve aucune force de stabilité ; quant à la capacité d'arrêt ou de constance, souvent aussi n'y en a-t-il pas plus en vous que chez le cochelet d'une girouette dans le vent. D'autre part vous avez deux visages ; tout comme c'était le cas de l'image de Fortune, où l'un des visages pleure et l'autre rit à tout moment, ainsi vous riez et pleurez

Toutes les fois que vous volés.
Et nulle goute ne veés:
Quant si legierement creés,
8716 Ce vous aveugle et vous dessoipt;
Folz est qui telz parlers ressoipt.
Cinq personnes, si com vous dittes,
Grandes, moiennes et petites,
8720 Vous ont chanté de Toute Belle
Une chanson qui n'est pas belle
Ne gracieuse a recorder;
Pour ce ne m'i puis je acorder.
8724 Ces cinq, a parler proprement,
Sont les .V. vierges droitement,
Fors tant que les unes mesdient
Et les autres loenge dient.
8728 Des .V. fontainnes vous dirai
Et a vous les appliquerai.
Et vous orrés par quel maniere
Vous ressemblés a la premiere
8732 Des fontaines qui se mouvoit [196 b]
Au chant de la vierge, qu'on voit
Que vous estes si fort meüs
Et de vo sens si decheüs
8736 Que vous perdés vo bon memoire,
Et tout par legierement croire.
La seconde vous est deüe,
Qui au chant de la vierge afflue,
8740 Qu'en vostre cuer sont affluees
Merancolyeuses pensees,
Souspirs, tristeces et frivoles
Et ymaginations foles,
8744 Et tousdis pensés contre vous
Et si cuidiés en vos courrous
C'une blanche brebis soit noire;
Et tout par legierement croire.
8748 Et la tierce, qui croist et s'enfle

8714. *E* ny ueez – **8723.** *A* je *om.* – **8727.** *APm* loanges, *E* loenges – **8735.** *E* uos – **8745.** *A* uos, *avec s ajouté en haut, Pm* uo c.

chaque fois que votre caprice vous y pousse.

En outre vous ne voyez goutte : quand vous croyez avec une telle légèreté, cela vous rend aveugle et vous trompe ; il est insensé, celui qui acquiesce à des propos ainsi rapportés.

Cinq personnes, selon ce que vous dites, de haute noblesse, de condition moyenne et de petit état, vous ont chanté sur Toute-Belle une chanson qui n'est ni belle ni agréable à rappeler ; c'est pourquoi je ne puis pas lui donner mon accord. À ces cinq, pour parler avec précision, correspondent exactement les cinq vierges, sauf que parmi celles-ci les unes sont médisantes et les autres tiennent des propos élogieux.

Je vous parlerai des cinq fontaines et vous les appliquerai. Ainsi vous apprendrez dans quelle mesure vous ressemblez à la première fontaine, qui se mettait à bouger au chant de la première vierge, c'est-à-dire qu'on voit que vous êtes si fortement changé et à ce point déchu quant à votre intelligence, que vous perdez l'excellence de votre jugement, et tout cela du seul fait que vous croyez à la légère.

La seconde fontaine convient bien à votre cas, elle qui coule en abondance au chant de la vierge, en ce qu'en votre cœur ont afflué les pensées mélancoliques, les soupirs, les tristesses, les idées mal fondées et les folles imaginations, et sans cesse votre esprit verse dans la déraison ; et vous vous représentez par exemple dans vos chagrins qu'une brebis blanche est noire ; et tout cela du seul fait que vous croyez à la légère.

Quant à la troisième fontaine, qui grossit et s'enfle

Au chant de la vierge, en exemple
Vous met, car moult estes enflés ;
Mais vous vous estes desenflés
8752 En parlant moult diversement
De Toute Belle et rudement.
Ne sai qui ce vous ha apris,
Mais mendres en sera vos pris
8756 Et vostre honneur, c'est chose voire ;
Et tout par legierement croire.
A la quarte, qui devient clere
Au chant de la vierge, compere
8760 Vous et vostre cuer, qui s'esclaire
Aus dis mesdisans de pute aire,
Et vous les deüssiés blamer,
Haÿr, fuyr et diffamer :
8764 Comment les poés vous oÿr
Ne leurs paroles conjoÿr,
Quant il vous font d'amer recroire ?
Et tout par legierement croire ?
8768 Et la .V[e]., qui s'espart
Et s'esvanuÿt et depart
Au chant de la vierge, m'ensengne
Qu'Amours, qui est la droite ensengne
8772 D'Onneur, s'est toute esvanuÿe
De vo cuer et s'en est partie,
Honneur devant, Paix, Joie aprés,
Et Deduit qui les sieut de prés.
8776 Ainsi perdés d'Amours la gloire ;
Et tout par legierement croire.

Or ay fait la comparison
De Fortune (qui traÿson
8780 Fait a tous ceulz qu'elle gouverne
Soit en Eglise ou en taverne,
Soit en cité ou en palais :
Empererres, rois, clers et lais,

8750. *E* uous estes (+ 1) – **8778.** *E* comparaison – **8783.** *PmE* Emperieres

au chant de la vierge, je la considère comme votre modèle, car vous êtes plein de fierté. Malheureusement vous avez perdu votre fierté en parlant très méchamment et très grossièrement de Toute-Belle. Je ne sais qui vous a appris cela ; ce qui est sûr, c'est que votre valeur et votre honneur en seront, sans aucun doute, amoindris ; et tout cela du seul fait que vous croyez à la légère.

À la quatrième fontaine, qui devient rare au chant de la vierge, je vous compare, vous et votre cœur, qui demandez la lumière aux propos vulgaires des médisants, alors que vous devriez les blâmer, haïr, fuir et honnir. Comment pouvez-vous les écouter et réserver bon accueil à leurs paroles quand ils vous font lâchement renoncer à l'amour, et tout cela du seul fait que vous croyez à la légère ?

Quant à la cinquième fontaine, qui se disperse, s'en va et s'évanouit au chant de la vierge, elle m'apprend qu'Amour, qui est la marque naturelle de l'Honneur, a entièrement disparu de votre cœur, et l'a quitté, Honneur marchant devant, Paix et Joie ensuite, ainsi que Plaisir, qui les suit de près. C'est ainsi que vous perdez la gloire de l'Amour ; et tout cela du seul fait que vous croyez à la légère.

À présent j'ai terminé la comparaison de Fortune (laquelle est traîtresse à tous ceux qu'elle gouverne soit dans l'Église ou à la taverne, soit en ville ou au palais : empereur, roi, clerc et laïc,

8784 N'i ha nullui que ne deçoive [196 v° a]
Puis qu'en sa grace le ressoive)
Et de vous, et des .V. fontaines
Ou plus doucement que seraines
8788 En chantant Fortune appaisoient
Les .V. vierges et l'aouroient
Comme deesse souveraine
Pour donner repos qui est paine,
8792 Boneür qui est maleur(e)té
Et richesse en mendicité.
Pour ce vous pri qu'il vous aggree
Que leal amour confermee
8796 Soit entre vous et Toute Belle,
Car je vous jur loialment qu'elle
Vous aime d'amour vraie et pure
Par deseur toute creature ;
8800 Et se vers li avés mespris
N'en fais, n'en dis, bien ai compris
Que de bon cuer le vous pardonne
Et que cuer et amour vous donne ;
8804 Et vous li devés pardonner
Et li cuer et amour donner. »

Quant il m'ot tresbien *lesd*engié
Et son parler bien arrengié
8808 Et dit toute sa volenté,
Je respondi : « Par ma santé,
Mes amis estes et mes sires,
Si serés de ma dolour myres ;
8812 Et Dieus vous ha cy amené(s),
Car si bien m'avés sarmonné
Qu'en verité je ne croi mie
Que ma dame, qui est m'amie,
8816 Daingnast faire une lascheté
Ne penser nulle fausseté.
Pour ce bonnement li pardoing

8788. *A* appassoient – **8792.** *APmE* maleurte, *F* maleurete (+ 1) – **8793.** *APmE* Et *om.* (– 1) – **8806.** *APmE* laidengie, *F* deslengie – **8812.** *APmE* amene

il n'y a personne qu'elle ne trompe après qu'elle l'a admis parmi ses favoris) et des cinq fontaines avec vous, fontaines auprès desquelles, en chantant plus doucement que des sirènes, les cinq vierges cherchaient à apaiser Fortune et l'adoraient comme une déesse souveraine pour qu'elle donne la paix, qui est en réalité tribulation, le bonheur, qui est en réalité malheur, et la richesse, qui est, en fait, mendicité.

Voilà pourquoi je vous prie qu'il vous plaise qu'un pacte de loyal amour soit scellé et ratifié entre vous et Toute-Belle ; car je vous jure en toute loyauté qu'elle vous aime d'amour authentique et sans mélange au-dessus de toute créature ; et si vous vous êtes rendu coupable envers elle, soit en actions soit en paroles, j'ai parfaitement compris que sincèrement elle vous le pardonne et qu'elle vous fait don de son cœur et de son amour ; de votre côté, vous devez lui pardonner et lui faire don de votre cœur et de votre amour. »

L'amant

Quand il eut fini de me morigéner en termes appropriés, exprimés dans un discours bien ordonné, et ayant ainsi dit toute sa pensée, je répondis : « Je le jure sur mon salut, vous êtes mon ami et mon maître, et vous serez le médecin de ma souffrance. C'est Dieu qui vous a conduit ici, car vous m'avez fait un sermon si convaincant qu'en vérité je ne conçois pas que ma dame, qui est mon amie, puisse s'abaisser à commettre une lâcheté ni à imaginer quelque double jeu. C'est pourquoi je lui pardonne sincèrement

Et mon cuer et m'amour li doing
8820 Et met en son tresdoulz servage,
Ne jamais jour de mon eage
Pour personne n'en partirai,
Ains sui siens et tousdis serai.
8824 Et se j'ai creü folement,
Je li suppli treshumblement
Que de bon cuer le me pardoint
Et que cuer et amour me doint.
8828 Et sur ce je li escrirai
Si doucement com je sarai,
Et vous en ferés le message,
Qu'en vous me fy comme en plus sage
8832 Et en milleur ami que j'aie
Et que j'aimme d'amour plus vraie;
Et se li dirés de par mi
Que je sui son loial ami, [196 v° b]
8836 Sans barat et sans tricherie
Et sans partir n'a mort n'a vie.
Et pour ce qu'elle mieulz vous oie,
Li escrirai qu'ele vous croie.
8840 Si que mes lettres porterés
Quant de cy vous departirés,
S'il (ne) vous plaist, et je vous en pry.
Et pour ce qu'ai fait long detry
8844 D'envoier vers elle et escrire,
S'il vous plaist, vous li poés dire
Qu'elle m'a, long temps ha, tramis
Une lettre, si que j'ai mis
8848 En ces presentes la response,
Ou il n'a pointure ne ronce,
Fors que courtoisie et douceur,
Paix, joie, amour et toute honneur. »

8819. *E* De bon cuer – **8830.** *E om. et le remplace par le texte du v. 8831 ; le v. 8831 devient alors* : Que je ui onques ne ne sache – **8839.** *E* Ja li e. (+ 1) – **8842.** *APmE* Sil uous, *F* Sil ne uous (+ 1)

et lui remets mon cœur et mon amour et les soumets à sa très douce servitude. À l'avenir, pas un jour de ma vie je ne me séparerai d'elle quoi qu'on puisse me dire : je suis son vassal et toujours je le resterai. Si j'ai été d'une crédulité insensée, je la supplie en toute humilité de me le pardonner bien sincèrement et de continuer à me donner son cœur et son amour. Sur tout cela je lui écrirai une lettre aussi aimable que je pourrai, et je vous en institue le messager, car j'ai confiance en vous comme en l'ami le plus sage et le meilleur que j'aie et que j'aime de l'amitié la plus authentique. Vous lui direz de ma part que je suis son loyal ami sans fourberie ni imposture, et sans partage ma vie durant et jusqu'à ma mort. Et afin que vous puissiez plus facilement vous faire écouter, je lui demanderai par écrit qu'elle ajoute foi à ce que vous lui direz. Ainsi quand vous partirez d'ici, vous emporterez ma lettre, si vous voulez bien, et je vous prie de le faire. D'autre part, parce que j'ai beaucoup tardé à lui écrire et à lui envoyer mon messager, si vous voulez bien, je vous autorise à lui dire qu'il y a longtemps j'avais reçu d'elle une lettre, à laquelle je donne, jointe à celle-ci, ma réponse, où il n'y a ni pique ni ronce, où tout est courtoisie et douceur, paix, joie, amour, et tout dans l'honneur. »

[Lettre XLV des mss]

Mon tresdoulz cuer, ma douce suer et ma treschiere dame ! *L'amant*

[A] **(a)** Plaise vous savoir que je desire moult a savoir vostre bon estat sur toutes les choses que Dieus et Nature firent onques ; et dou mien, je sui en tresbon point, la merci Nostre Signeur, fors d'une seule chose, c'est de vous veoir. Mais ce que je voi et congnoi que ce n'est mie par vostre deffaut, ains est par ma misere, qui me fait et a fait tele plaie et si mortel en mon fin cuer loial et amoureus que jamais ne sera sanee, se vostre douceur ne la cure ; mais, par m'ame, je ne le puis amender, ainsi comme vous le sarés cy aprés, se Dieu[1] plaist[2] et je puis ; et oultre pooir nient[3]. **(b)** Et, mon doulz cuer, il ne vous couvient point excuser par devers moi se vous ne m'escrisiés plus souvent, car, par Dieu, il me semble que vous en faites trop et tant que jamais ne le porroie desservir ; et si sai certainement que vous faites trestout en bonne intention[4], ne tous li mondes ne me feroit entendant le contraire. Et certes, mon tresdoulz cuer, je vous mercie moult[5] de ce que vous ne me porriés oublier jour ne heure, et les exemples que vous y mettés en vos douces, courtoises et amiables lettres me font certain que ce que vous me mandés et escrivés est pure verités.

(c) Mais, mon tresdoulz cuer et ma treschiere[6] dame, il m'est avis que vous m'escrisiés plus briément que vous[7] n'avés acoustumé, plus obscurement et de pyeur[8] lettre ; et me semble, par vostre lettre, qui m'est plaisant a l'ueil et douce au cuer et savoureuse a la bouche, que vous n'avez mie loisir de moi escrire, ou que vous le faites ressongnamment[9] pour doubtance d'autrui, ou que il ha autre chose, la quele je ne puis savoir, se vous ne le me mandés. Et s'il le vous plaisoit [197 a] a moi mander[10] (dont je vous pri

---

1. *APm* dieus. – **2.** *E* se Dieu plaist *om.* – **3.** *Pm* et oultre pooir nient *om.* – **4.** *E* entencion. – **5.** *Pm* moult *om.* – **6.** *A* ma chiere. – **7.** *Pm* vous *om.* – **8.** *Pm* pire. – **9.** *E* uous y faites resoingnement. – **10.** *E* et s'il u. p. a le moy mander.

Lettre 45, de l'amant [45 des mss; XLV de PP]

Mon très doux cœur, ma douce sœur et ma très chère dame!

(A)*Réponse à la lettre 43 du 10 octobre 1364.*

Veuillez savoir que je désire beaucoup avoir des nouvelles de votre chère santé, et cela plus fortement que tout ce que Dieu et Nature ont jamais fait; quant à mon état général à moi, il est excellent, grâce en soit rendue à Notre-Seigneur, à une exception près, qui est l'impossibilité de vous voir. Mais hélas! j'ai beau voir et reconnaître que cette impossibilité n'est pas due à une défaillance de votre part, et que la seule cause en est ma pitoyable situation, qui a causé et cause en mon cœur parfaitement loyal et amoureux une blessure à ce point mortelle qu'elle ne sera jamais guérie si votre douceur ne la prend en cure; malgré cela, dis-je, par mon âme, je ne puis hélas y porter remède, comme vous le saurez ci-après, si Dieu veut bien et que moi-même je puisse; à quoi s'ajoute qu'à l'impossible nul n'est tenu.

Mais, mon doux cœur, il ne faut point vous excuser auprès de moi de ce que vous ne m'écrivez pas plus souvent, car, par Dieu, il me semble que vous en faites beaucoup, et tant que jamais je ne pourrai le compenser; je sais d'autre part de science certaine que vous faites tout cela avec de bonnes intentions, et personne au monde ne saurait me persuader du contraire.

Et certainement aussi, mon très doux cœur, je vous remercie beaucoup de me dire que vous ne pourriez m'oublier ni un jour ni une seule heure; et les exemples que vous citez à l'appui dans votre douce, courtoise et aimable lettre m'assurent que ce que vous me faites savoir et écrivez est pure vérité.

Mais, mon très doux cœur et ma très chère dame, il m'est avis que vous m'écrivez des lettres plus courtes que d'ordinaire, plus difficiles à déchiffrer, parce que écrites d'une écriture moins soignée; et il me semble, d'après votre écriture, qui d'ordinaire réjouit mes yeux, est douce à mon cœur et que je savoure comme une friandise, que vous n'avez pas assez de temps libre pour m'écrire, ou que vous écrivez avec une certaine appréhension, par crainte de quelqu'un, ou qu'il y a une autre raison que je ne puis savoir si vous ne me la faites connaître. Si vous acceptiez de me la faire connaître (et je vous prie

si a certes comme je puis que vous le me mandés), je me[1] aviseroie de envoier vers vous pour vostre honneur et pour vostre paix, et aussi pour mon bien et pour ma joie ; car, par m'ame, je n'aroie jamais bien se vous cheiés en paroles ou en blasme pour moi, comment que Dieus scet que il n'i ha nulle cause ne n'ara ja.

(d) Mon tresdoulz cuer, mes secretaires a esté devers moi, et m'a dit pluiseurs choses de par vous, les queles je ne veul pas escrire, pour ce que vous le savés[2] bien. Et de ce qu'il m'a dit, je vous en[3] mercy si treshumblement comme bouche le porroit[4] dire ne cuer penser. Et, se Dieu plaist, environt de ceste Pasque je metterai tele[5] painne a adcomplir ce qu'il m'a dit qu'il n'i ara point de deffaut, car, par m'ame, la sont tuit[6] mi desir et tuit[7] mi penser. **(e)** [Mais, mon tresdous cuer[8]], comment que j'aimme mont[9] mon secretaire et que je me fye fort en li et [vous] aussi, vous m'avés[10] envoié de vos joiaus par lui, li quel ont esté pris en vostre riche tresor[11] ; par m'ame, je veuil que vous sachiés certainnement que, se vous poiés faire chose qui me peust desplaire[12], cilz presens que vous m'avés envoié par lui me desplairoit. Et vous suppli humblement, se vous amés mon bien, ma paix et ma joie, que jamais il ne vous aviengne par li ne par autre ; que, par Dieu, je ne le recevroie point de li ne d'autre, pour ce que trop grant familiarité[13] engendre hayne[14] ; et comment que je sui certains comme de la mort que vous le me donnissiés plus volentiers en present[15], j'ameroie mieus les attendre .XX. ans, que ce que vous m'[en] envoyssiés[16] un seul par li[17] ne par autre.

---

1. *Pm* me *om.* – **2.** *Pm* les sauez. – **3.** *Pm* en *om.* – **4.** *Pm* comme je puis *ajouté.* – **5.** *Pm* tele *om.* – **6.** *Pm* tuit *om.* – **7.** *Pm* tuit *om.* – **8.** *AE* Mais, mon tresdous cuer, *FPm om.* – **9.** *APm* moult, *E om.* – **10.** *AE* en li et uous aussi uous m'auez, *F* en li et aussi vous m'aués. – **11.** *Pm* en uo r. t. – **12.** *E* me p. plaire. – **13.** *E* familiaire. – **14.** *Pm* pour ce que... hayne *om.* – **15.** *Pm* presence. – **16.** *APmE* m'en enu., *F* m'enu. – **17.** *Pm* par luy.

aussi instamment que je puis de le faire), je prendrais des dispositions pour vous envoyer un messager dans des conditions telles que soient assurés votre honneur et votre paix, et du même coup mon bonheur et ma joie ; car, par mon âme, je ne connaîtrais plus aucun bonheur si à cause de moi – mais Dieu sait qu'il n'y a ni n'aura jamais aucune raison à cela – vous tombiez sous le coup de méchants propos ou d'un blâme public.

Mon très doux cœur, mon secrétaire est venu me voir et m'a dit de votre part plusieurs choses dont je ne veux pas parler ici, parce que vous savez bien de quoi il s'agit. De ce qu'il m'a dit je vous remercie aussi humblement que bouche saurait le dire et cœur le concevoir. S'il plaît à Dieu, environ la Pâques prochaine, je me mettrai en peine de faire ce qu'il a dit et de telle façon qu'il n'y aura pas de défaillance de mon côté, car, par mon âme, tous mes désirs et toutes mes pensées tendent à cela.

Mais, mon très doux cœur, bien que j'aime beaucoup mon secrétaire et que j'aie grande confiance en lui, de même aussi que vous, vous m'avez envoyé par lui de vos joyaux, pris dans votre riche trésor : par mon âme, je veux que vous sachiez comme une chose sûre que, si vous étiez capable de faire quelque chose qui pût me déplaire, ce présent-là que vous m'avez envoyé par lui me déplairait. Je vous supplie humblement, si vous aimez mon bonheur, ma paix et ma joie, que jamais plus cela ne vous arrive ni par son intermédiaire ni par celui d'aucun autre, car, par Dieu, je ne l'accepterais point ni de sa part ni d'un autre, parce que l'excès de familiarité engendre la haine ; et quoique je sois certain comme de la mort que vous me donneriez plus volontiers un tel cadeau dans l'instant même, j'aimerais mieux attendre vingt ans que si vous m'en envoyiez un seul par lui ou par un autre.

[B] **(f)** Et aussi, mon tresdoulz cuer, j'ai bien veu, oÿ et consideré tout ce que li porteres de ces lettres m'a dit de par vous, par la creance qui estoit en ces lettres[1]. Si me plaist moult de ce que [vous] vous estes[2] descouverte a li, car il m'a dit et moustré (par[3]) pluiseurs choses si bien et si sagement que mes cuers est tous rapaisiés.

(g) Si vous pri si chierement et si treshumblement comme[4] je puis que tous rappors, toutes choses faites et dittes ou escriptes entre vous et moi soient oubliees et pardonnees de tresvrai cuer d'amie et d'ami, et que jamais n'en souvaingne ; si menrons[5] bonne vie, doulce, plaisant et amoureuse.

Et mon tresdoulz cuer, se je vous ai escript aucune chose que on m'avoit dit, en l'ame de moi, je l'ay fait pour vostre bien et honneur, et aussi pour vous aviser ; si ne vous en deussiés mie si troubler.

(h) Quant a la clef que je porte du tres[6] riche et gracieus tresor qui est en coffre ou toute joie, toute grace et toute douceur sont, n'aiés doubte[7] qu'elle sera [197 b] tresbien gardee, se Dieu plaist et je puis ; et la vous porterai le plus briément que je porrai, pour veoir les graces, les gloires et les richesses[8] de cest amoureus tresor.

(i) Mon tresdoulz cuer, plaise vous savoir que j'ai enformé le porteur de ces lettres de toute mon intention plus pleinnement que je ne le vous porroie escrire ; si vous pri que vous le veuilliez croire, de ce que il vous dira de par moi autant comme moy meisme[9].

(j) Et quant a vostre livre, il sera parfais, se Dieu[10] plaist et je puis, dedens .XV. jours ; et se fust piece ha, mais je ai esté long temps que je n'i hai riens fait[11] ; et tenra[12] environ .XII. coiers[13] de .XL. poins. Et

---

1. *A* en ses l., *Pm* es l. – **2.** *AE* que uous uous estes, *FPm* que uous estes. – **3.** *AE* par *om.* – **4.** *Pm* je say et *ajouté.* – **5.** *Pm* merrons. – **6.** *Pm* tres *om.* – **7.** *E* du coffre de toute joie, de t. g. et de t. d., n'ayez d. – **8.** *Pm* ricesses. – **9.** *Pm* mesmes, *E* mesme. – **10.** *AE* dieus, *FPm* dieu. – **11.** *Pm* et se fust... riens fait *om.* – **12.** *E* et y entrera. – **13.** *A* quohiers, *PmE* caiers.

(B) *Réponse à la lettre 44 du 8 mars 1365.*

Mon très doux cœur, j'ai bien vu, entendu et examiné tout ce que le porteur de cette lettre [lettre 44] m'a dit de votre part, avec la garantie du billet de créance qui s'y trouvait.

J'approuve tout à fait que vous vous soyez ouverte à lui, car il m'a dit et exposé plusieurs choses si pertinemment et si sagement que mon cœur en est de nouveau tout apaisé.

Je vous prie, avec toute l'affection et toute l'humilité dont je suis capable, que tous les rapports, toutes les actions et toutes les paroles dites ou écrites entre vous et moi ou nous concernant soient oubliés et pardonnés dans la sincérité du cœur propre à une amie et à un ami, et qu'à l'avenir il n'en soit plus fait mention; ainsi nous mènerons une vie honnête, douce, agréable et pleine d'amour.

Mon très doux cœur si j'ai mentionné dans une de mes lettres une chose qu'on m'avait dite, par mon âme, je l'ai fait pour votre bien et votre honneur, et aussi pour vous en aviser; et vous n'auriez pas dû en être si troublée.

Quant à la clef, que j'ai sur moi, du très riche et très gracieux trésor qui se trouve dans le coffre où sont toute joie, toute grâce et toute douceur, n'ayez crainte, elle sera très bien gardée, s'il plaît à Dieu et que j'en sois capable; et je vous l'apporterai dans le plus bref délai que je pourrai, de manière que je voie les grâces, les splendeurs et les richesses de ce trésor d'amour.

Mon très doux cœur, veuillez savoir que j'ai informé le porteur de cette lettre-ci de toutes mes intentions, et cela plus pleinement que je ne pourrais l'écrire; et je vous prie de vouloir bien le croire autant que moi-même au sujet de ce qu'il vous dira de ma part.

Quant à votre livre [le *Voir Dit*], il sera achevé, s'il plaît à Dieu et que j'en sois capable, dans quinze jours; et il y a longtemps que c'eût été le cas, mais j'ai été de longs mois à ne pas y travailler. Il tiendra environ douze cahiers de quarante lignes [par page]. Et quant il sera parfais, je le ferai escrire et puis si le vous envoierai.

A Dieu, ma treschiere dame, mon tresdoulz cuer et ma tresvraie[1] amour, qui vous doint honneur et joie de quanque vostre cuers aimme.

Escript le .X^{e}. jour d'avril.

Vostre tresloial[2] ami.

8852 Encor li dix je : « Biaus doulz sire, *L'amant*
Je vous pri que vous veuilliés dire
A Toute Belle, en qui commant
Sui tous, qu'a li me recommant
8856 Autant de fois com ceulz qui sont,
Qui ont esté et qui seront ;
Feront de pas, diront paroles
Et feront de tours de karoles,
8860 De vertillons et de fuisiaus ;
Et ferront de cops de martiaus,
De cloches, de haches, d'espees ;
Et com il auront de pensees ;
8864 Comme piroueles et tours
Ont fait, font et feront de tours ;
Et comme il naist en mai fueillettes,
Fruis, fleurs, graines et poilz d'erbettes ;
8868 Comme il est d'arbres, de buissons,
Et de tous espis en moissons,
De grains, de feves et de pois,
Et de drames en tous les pois
8872 Qui seront, qui sont et qui furent ;
Com tous les grains qui onques crurent :
De grains de sel et de gravelle,
De sablon, de pouldre et greelle ;
8876 Orge, avaine, soile et froment ;

---

1. *APmE* tresdouce. – **2.** *E* loial.

8860. *Pm* uertuillons – **8864.** *E* p. et tousjours (+ 1) – **8867.** *Pm* Fleurs fruis – **8869.** *APm* maisons – **8875.** *E* et de grelle – **8876.** *E* auoine ; *PmE* fourment

quand il sera achevé, je le ferai transcrire, après quoi je vous l'enverrai.

Ma très chère dame, mon très doux cœur et mon très sincère amour, je vous recommande à Dieu, qui veuille vous accorder honneur et joie pour tout ce que votre cœur aime.

Écrit le 10 avril [1365].

Votre très loyal ami.

L'amant

J'ajoutai ceci: «Beau doux seigneur, je vous prie de vouloir bien dire à Toute-Belle, aux ordres de qui je suis tout entier, que je me recommande à elle autant de fois que l'on compte de gens qui sont, qui ont été et qui seront; feront de pas, diront de paroles et feront des tours de ronde, de vertillons et de fuseaux; frapperont de coups de marteaux, de cloches, de haches et d'épées; autant qu'ils auront d'idées; autant que les moulins à vent et les tours des tourneurs ont fait, font et feront de rotations; autant qu'il naît de petites feuilles en mai, de fruits, de fleurs, de graines et de poils de petites herbes; autant qu'il est d'arbres, de buissons, et de toutes espèces d'épis à la saison des moissons, de grains, de fèves et de pois; de drachmes en tous les poids qui seront, qui sont et qui furent; autant que toutes les graines qui ont jamais poussé; que de grains de sel et de gravier, de sable, de poussière et de grêle, d'orge, d'avoine, de seigle et de froment;

Et d'estoilles ou firmament,
De jours ouvrables et de festes
Et de nuis; et de toutes bestes,
8880 Et com il fut onques d'oisiaus,
De creatures, de rosiaus,
De grans fueilles, de glans de chaisnes;
De poins d'aguilles et d'alesnes;
8884 De grans pierres et de pierrettes, [197 vº a]
Et de toutes autres chosettes;
Et autant comme il ha de goutes
En la mer et en yaues toutes,
8888 Et comme il ha en mer parfonde
De poissons et par tout le monde;
Et comme il est goutes de sang,
D'oile, de vin et de lait blanc
8892 Et de trestoute autre liqueur,
Et autretant comme li c[u]eur
Par les yeus ont plouré de larmes;
Et comme il ha et haura d'armes
8896 En paradis, en purgatoire
Et en enfer qui est sans gloire;
Et com on a forgié monnoie;
Et com il ha, en dras de soie
8900 De coulours et d'euvre sauvage,
Et comme il ha, en tout ouvrage
De chanve, de lin et de lainne,
Deliés filz c'om file a grant painne;
8904 Et autant comme de poil ha
Sur quanques Dieus onques crea;
Comme il est plumes; et cincelles,
Mousches, mouschettes et azelles
8908 En tout le monde entierement,
Ainsi, sire, treshumblement
Moi, mon cuer, mes afflictions,
Par .V.C. mille milions
8912 Plus que je ne di, li dirés

8877. *A* en f. – **8882.** *E* f. et de grans ch. – **8892.** *E* de toute autre (– 1) – **8893.** *APmE* cueur – **8902.** *E* chanure – **8903.** *Pm* a paine (– 1) – **8905.** *APm* quanque – **8906.** *Pm* cinchelles

d'étoiles au firmament, de jours ouvrables et de jours de fête, et de nuits ; autant qu'il fut de toutes espèces de bêtes et d'oiseaux, d'êtres vivants ; de roseaux, de grandes feuilles, de glands de chêne ; de pointes d'aiguilles et d'alênes ; de grandes et de petites pierres et de toutes autres sortes de petits bijoux ; et autant qu'il y a de gouttes dans la mer et dans toutes les eaux ; qu'il y a de poissons au fond de la mer et sur la terre entière ; et qu'il est de gouttes de sang, d'huile, de vin et de lait blanc et de tout autre liquide, et autant que les cœurs ont pleuré de larmes passant par les yeux ; qu'il y a et aura d'âmes au paradis, au purgatoire et dans l'enfer sans lumière céleste ; qu'on a frappé de monnaies ; qu'il y a de couleurs dans les étoffes de soie et d'œuvre grossière, et autant que, dans tout tissu de chanvre, de lin et de laine, il y a de fils fins filés à grand labeur ; autant qu'il y a de poils et de plumes sur tous les êtres animés créés par Dieu ; et que de cousins, de mouches, d'abeilles et de taons sur la terre tout entière. De même, seigneur, très humblement moi, mon cœur, mes peines cinq cent mille millions de fois plus que je ne dis, vous lui direz

Quant vous m'i recommenderés.
Aussi par .V.C. mille fois
Autant qu'en a menti de fois,
8916 Dit mensongnes et fait faus tours,
Especialment en amours,
Et fait de souspirs amoureus
Et d'autres, qui sont dolereus;
8920 Et autant comme on a de trais
D'arc, d'arsons d'arbaleste trais,
Et de pennes et de pinciaus;
Et qu'on a mengié de morsiaus
8924 Et fera del commencement
Du monde jusqu'au finement.»
Il respondi: «Par saint Martin,
Trop me faulroit lever matin,
8928 Se tout ce dire li voloie,
Et, par ma foy, je ne saroie!
Mais mon pooir et mon devoir
En ferai, sachiés le de voir.»

8932 Atant se departi de moi *L'amant*
Le premier jour du mois de moi
Et erra tant par ses journees
Qu'il a mes lettres presentees; [197 v° b]
8936 Et parfist sa legation
Si tresbien qu'en droite union
Mist nos .II. cuers et si les joint
Que jamais ne seront desjoint,
8940 Departi ne desassemblés,
Car par Amours sont assemblés
Et par la deesse Venus;
Et tous les haus dieus sont venus
8944 Et les deesses ensement,
Qui onques amoureusement
Amerent, a ceste assemblee,

8915. *APm* quon a – **8920.** *APm* il a – **8921.** *A* arbalestes (*un point de milieu sépare les mots* arc, arcons *et* arbalestes); *E* Fais en papier ou en parois – **8933.** *E* may

quand vous me recommanderez à elle. Ajoutez-y ceci : cinq cent mille fois autant qu'on a été parjure, qu'on a proféré de mensonges et commis de perfidies spécialement en amour, et poussé de soupirs d'amour, et d'autres, expression de la douleur ; et autant qu'on a tiré de traits d'arcs et d'arçons d'arbalète ; et de traits de plumes et de pinceaux ; et qu'on a mangé de morceaux et qu'on en mangera du commencement du monde jusqu'à la fin. »

Il répondit : « Par saint Martin, il me faudrait me lever très tôt le matin si je voulais lui dire tout cela ; or, par ma foi, je ne saurais ! Mais, rassurez-vous, j'en ferai ce que m'impose mon devoir... et ce que je pourrai, sachez-le en toute vérité. »

L'amant

Il partit alors de chez moi – c'était le premier jour du mois de mai [1365] – et il fit route par étapes journalières au bout desquelles il présenta ma lettre à sa destinataire ; et il s'acquitta de son ambassade d'une manière si habile qu'il rétablit entre nos deux cœurs une si parfaite union et les joignit si étroitement qu'ils ne seront plus jamais disjoints, séparés, désunis, car ce sont Amour et la déesse Vénus qui les ont réunis. Et vinrent à la célébration de notre union tous les dieux majeurs ainsi que les déesses – pour peu qu'ils eussent un jour ou l'autre aimé d'amour –,

Pour quoi jamais desassemblee
8948 Ne puist estre par nulle voie,
Et qu'en paix, en soulas, en joie
Puissiens vivre et manoir tousdis,
Et puis, en la fin, paradis!
8952 Vesci la lettre, qui tesmongne
L'effet de toute la besoingne,
Que mon cuer et ma dame chiere
M'escript a bonne et lye chiere,
8956 Et qui a la m[i]enne respont,
Qui bien l'entend et bien l'espont.

[Lettre XLVI des mss]

Mon tresdoulz cuer, ma tresdouce, vraie et loial amour! *La dame*

[A] **(a)** J'ai receu vos lettres, es queles vous me faites savoir vostre bon estat, qui est la souveraine joie que je puisse avoir que de oÿr ent bonnes nouvelles[1]. Et dou mien, dont il vous plaist a savoir (je vous en mercy tant doucement et tant amoureusement[2] comme je puis), si vous plaise savoir que j'ay bien oÿ et entendu tout ce que li porteres[3] de ces lettres m'a dit de par vous[4], par unes lettres de creance et se[5] m'a resuscité mon cuer[6], ma joie, mon esperit, et moi donne tel estat[7] qu'il n'est joie en ce monde qui ne soit tristece encontre la parfaite joie que j'ai de ce que Dieus, Amours[8] et Venus ma deesse – qui a oÿ mes prieres, mes complaintes et mes lamentations[9] – ont remis vostre cuer ou il doibt[10] estre et en voie de verité; car par celli Dieu qui me fist, onques ne fis ne pensai[11] chose par quoy vous me deuissiés eslongier, ne ne ferai ja en jour[12] de ma vie.

8947. *APm* Pour que

---

1. *APm* en b. n., *E* d'en oyr bonnes n. – **2.** *Pm* tant am. *om.* – **3.** *A* porterres, *PmE* le porteur. – **4.** *E* et de p. uous. – **5.** *E* et ce. – **6.** *Pm* mon cuer *om.* – **7.** *Pm* et m'a donne tel leesse. – **8.** *Pm* Amours *om.* – **9.** *Pm* mes l. *om.* – **10.** *APmE* doit. – **11.** *Pm* ne f. ne ne pensay. – **12.** *Pm* en j. *om.*

afin que rien ne puisse jamais plus la rompre, et que toujours nous puissions mener une vie de paix, de plaisir réciproque, de joie – après quoi, au moment de la fin, le paradis !

Voici la lettre qui atteste le résultat de toute l'affaire et que celle qui est mon cœur et ma dame bien-aimée m'écrivit avec sa bonne grâce et son amabilité, et qui répond à la mienne, comme en persuade une lecture attentive et correcte.

Lettre 46, de la dame [46 des mss ; XLVI de PP]

(A) Mon très doux cœur, mon très doux, vrai et loyal amour !

J'ai bien reçu votre lettre, dans laquelle vous me faites savoir que vous êtes en bonne santé, ce qui est la joie la plus haute que je puisse éprouver, à savoir d'entendre à son sujet de bonnes nouvelles. Quant à mon état à moi, dont vous désirez être informé – ce dont je vous remercie aussi doucement et aussi amoureusement que je puis – veuillez savoir que j'ai bien entendu et compris tout ce que le porteur de cette lettre m'a dit de votre part, avec l'appui d'une lettre de créance, et cela a ressuscité mon cœur, ma joie, mon esprit, et me donne un tel état d'âme qu'il n'est joie en ce monde qui ne soit tristesse au regard de la joie parfaite que j'éprouve à la pensée que Dieu, Amour et Vénus, elle, ma déesse, qui a entendu mes prières, mes complaintes et mes lamentations, ont remis votre cœur là où il doit être, c'est-à-dire sur le chemin de la vérité ; car, par ce grand Dieu qui me créa, jamais je ne fis ni n'imaginai quoi que ce soit qui vous donnât des raisons de vous éloigner de moi, ni je n'en ferai jamais à aucun jour de ma vie.

(b) Et puis que tout est pardonné d'une part et d'autre, pour Dieu, mon tresdoulz cuer, gardons nous l'un l'autre[1] d'or en avant paix, honneur et parfaite amour; si vivrons en joie et en plaisance, et si aurons[2] parfaite souffisance; et aussi nous serons hors des dangiers[3] de Fortune. Et mon tresdoulz cuer, je vous jure, par tous les seremens que fame porroit faire, que jamais creature ne croirai[4] encontre vous pour chose qu'on m'en die ne raporte; et je vous tien pour si bon[5] et si loial [198 a] que je sui certaine que aussi ferés vous de moi[6].

(c) Mon tresdoulz cuer, freres, compains et tres loy[aus][7] amis, vous m'avés escript que vous me venriés veoir; si vous pri si chierement comme vous amés mon bien, ma paix, ma joie et ma vie, que vous ne vous mettés point en chemin se li païs n'est plus segurs[8]; que vous ne me[9] porriés plus courecier en monde[10] que[11] de venir vers moi en peril de vostre corps, car jamais je n'aroie bien ne joie se vous [aviés[12]] aucun empechement[13].

[B] **(d)** Mon tresdoulz cuer, vous m'avés escript piece ha en unes autres lettres dont je n*e fi*s[14] onques response, que je vous escri plus briément et plus obscurement[15] que je ne soloie. Et en verité vous dittes voir, mais c'est pour ce que je ne treuve pas tousjours clerc en qui je me fye bien[16] pour escrire[17] par devers vous; et comment que je vous aie tousjours[18] acoustumé a escrire ouvertement, et que pluiseurs scevent les amours de vous et de moi, n'est il[19] nulz qui en sache parfaitement la verité, fors une et moi et vostre secretaire; et pour Dieu, mon doulz cuer, ne doubtés que je le face pour nulle autre chose[20], car il ne se

---

1. *Pm* gardon l'un a l'autre, *E* gardons l'un enuers l'autre. – **2.** *A* auerons. – **3.** *E* du dangier. – **4.** *Pm* crerrai. – **5.** *E* tien si bon. – **6.** *E* faites uous moy. – **7.** *A* loiaus, *F* loy, *Pm* loyaux, *E* loyauls. – **8.** *PmE* seurs. – **9.** *Pm* quer uous n. m. – **10.** *E* ou monde. – **11.** *E* que *om.* – **12.** *F* aviés *om.* – **13.** *APmE* auiez a. e., *A* empeechement, *PmE* empeschement. – **14.** *E* ne fis, *AF* nos (= n'os). – **15.** *Pm* et obsc. – **16.** *E* moult bien. – **17.** *Pm* a uous escripre. – **18.** *E* ay t. – **19.** *A* n'elil; *une plume plus fine a ajouté un* t *derrière* nel. – **20.** *E* chose *om.*

Et puisque tout est pardonné d'un côté comme de l'autre, pour l'amour de Dieu, mon très doux cœur, préservons-nous désormais l'un à l'autre la paix, l'honneur et le parfait amour : ainsi nous vivrons dans la joie et dans le bonheur, et nous aurons une existence de total contentement, et en même temps nous échapperons aux mauvais coups de Fortune. En outre, mon très doux cœur, je vous jure par tous les serments que pourrait faire une femme, que jamais je ne croirai personne pour des propos qu'on me dise ou rapporte contre vous, et je vous considère comme un homme assez honnête et assez loyal pour être certaine que vous agirez de même envers moi.

Mon très doux cœur, frère, compagnon et très loyal ami, vous m'avez écrit que vous viendrez me voir ; mais je vous en prie avec la même affection qui vous fait aimer mon bonheur, ma paix, ma joie et ma vie : ne vous mettez point en route si le pays n'est pas plus sûr ; car vous ne pourriez me causer un plus grand chagrin sur terre qu'en venant chez moi au péril de votre corps, car je n'aurais plus jamais ni bonheur ni joie si vous étiez exposé à quelque accident.

(B) Mon très doux cœur, vous m'avez écrit, il y a quelque temps dans une autre lettre à laquelle je n'ai jamais répondu, que je vous écrivais des lettres plus courtes et d'une écriture plus difficile à déchiffrer qu'à l'accoutumée. Et en vérité, vous ne vous trompez pas, mais c'est parce que je ne trouve pas toujours un clerc de confiance lorsque je veux vous écrire, et bien que je vous aie toujours accoutumé à ce que j'écrive sans rien dissimuler, et que plus d'un connaisse notre amour, il n'en est aucun qui en connaisse parfaitement la véritable nature, sauf une [la Colombelle], moi et votre secrétaire. Pour l'amour de Dieu, mon doux cœur, ne craignez pas que ma conduite ait une autre raison : il n'est

fait pas bon fyer[1] en tous, et telz le porroit veoir qui porroit penser ce qui n'i est pas[2]. Et volroie bien que vous ne m'escrisissiés point se ce n'estoit chansons[3], ou se ce n'estoit[4] par vostre vallet qui autre fois [y] a esté[5] et qui scet la maniere; et si m'est avis que c'est le milleur.

(e) Mon tresdoulz cuer et mon tresdoulz ami, je vous pri tant doucement com je puis que vous ne vous veuilliés courecier du jouiau[6] que je vous ai envoiét par vostre secretaire, le quel a esté[7] prins[8] en *mon* tresor[9], car je vous jur par tous les seremens que nulz puet faire[10], que puis que je vous vi je n'en ostai nulz fors celli[11] que je vous ay envoié; et soiés certains que se je eusse cuidié qu'il vous deust desplaire[12], je eusse aussi tost mors mon doit jusques a l'os que je le vous eusse envoié; si vous pri pour Dieu, mon doulz cuer, que vous le me vueilliés pardonner, et je vous promet[13] par ma foi que je ne le ferai jamais. Mais je le fis pour ce que il me faisoit moult mal de ce que je ne le vous pooie donner, et aussi que je vous envoieroie volentiers chose qui vous donnast confort et leesce; et, pour Dieu, mon doulz cuer, se je ai rien qui vous plaise, par quoi vous puissiés avoir bien et joie, si le me veilliez mander, et je vous promet que je le vous envoierai de tresbon cuer.

[C] **(f)** Je ne vous envoie pas vostre livre, pour ce que j'ai trop grant doubte qu'il ne fust perdus; et aussi c'est tout mon esbatement, et que je y veuil aucunes choses amender, les [198 b] queles je vous diroie volentiers de bouche; et toute voie le vous envoierai[14] je le plus tost[15] que je porrai avoir certain message.

(g) Je n'ai pas heu[16] les .II. balades que vous me

---

1. *AE* fier, *F* fyen. – **2.** *E* qui y p. p. ce qui n'est pas. – **3.** *E* chancon. – **4.** *E* ou se n'est. – **5.** *A* y a esté, *F* a esté. – **6.** *A* ioiau, *E* ioyau. – **7.** *A* estet. – **8.** *Pm* couroucier de ce que je uous ay enuoié p. u. s., lequel est .I. joiau qui a este p., *A* pris. – **9.** *APm* en mon t., *F* en uostre t. – **10.** *Pm* que l'en p. f. – **11.** *E* celluy. – **12.** *Pm* u. eust despleu. – **13.** *E* promect. – **14.** *E* t. u. le uous envoieray. – **15.** *Pm* t. u. je le u. e le p. t. – **16.** *A* heut.

pas bon de se fier à tout le monde, et tel pourrait prendre connaissance de nos relations et en même temps s'imaginer des choses qui n'y sont pas. C'est pourquoi je désirerais fort que vous ne m'écriviez que pour m'envoyer des chansons, sauf si c'était celui de vos serviteurs qui une fois déjà a été à notre service et qui sait comment s'y prendre ; tout compte fait, il me semble que c'est la solution la meilleure.

Mon très doux cœur et mon très doux ami, je vous prie aussi affectueusement que je puis de bien vouloir ne pas vous chagriner au sujet du joyau que je vous ai envoyé par votre secrétaire, et qui avait été prélevé sur mon trésor, car je vous jure par tous les serments que l'on peut formuler que, depuis que nous nous sommes vus la dernière fois, je n'y en ai pris aucun en dehors de celui que je vous ai envoyé ; et soyez assuré que si j'avais imaginé que cela dût vous déplaire, je me fusse mordu le doigt jusqu'à l'os plutôt que de vous l'envoyer ; c'est pourquoi je vous prie, pour l'amour de Dieu, mon doux cœur, de vouloir bien me pardonner la chose, et je vous promets sur mon honneur que je ne le ferai plus jamais. Si je l'ai fait, c'est parce que je souffrais beaucoup de ne pouvoir vous le donner ; mais c'est aussi parce que d'une manière générale j'aimerais beaucoup vous envoyer quelque chose qui vous donnât réconfort et joie ; pour l'amour de Dieu, mon doux cœur, si je possède quelque chose qui vous fasse plaisir et qui vous permette d'avoir quelque bonheur dans la joie, veuillez me le faire savoir, et je vous promets que je vous l'enverrai de très bon cœur.

(C) Je ne vous envoie pas votre livre [le *Voir Dit*], parce que je crains fort qu'il ne se perde ; et en outre c'est mon seul divertissement, et je voudrais en corriger quelques passages que je vous indiquerai volontiers de vive voix ; néanmoins, je vous l'enverrai dès que je pourrai trouver un messager sûr. Je n'ai pas eu les deux ballades dont vous me mandés que vous m'avés envoiees[1], dont je sui moult courecie, car j'ai grant doubte que elles ne soient truandees avant que je les sache; **(h)** ne je n'os puis nouvelles de vous[2] que je vous escris[3] par vostre vallet derrenement.

(i) Mon tresdoulz cuer, je vous envoie un rondelet ou vostre nom est; si vous pri tresamoureusement que vous le veuilliés penre en gré, car je ne le sceusse faire se il ne venist de vous.

Je pri Dieu qu'il vous doinst[4] honneur et joie de quanque vostres[5] cuers aime et desire[6].

Vostre tresloial[7] amie.

Rondel

Cinc, .VII., .XII., .I., .IX., .XI. et .XX. *La dame*
M'a de tresfine amour esprise;

8960 Desqu'a ma congnoissance vint
Cinc, .VII., .XII., .I., .IX., .XI. et vint,

Je sienne et il tous miens devint;
Pour son renon que chascuns prise

8964 Cinc, .VII., .XII., .I., .IX., .XI. et vint
M'a de treffine amour esprise.

Ainsi fumes nous racordé, *L'amant*
Com je vous ay ci recordé,
8968 Par tresamiable concorde.
Grant joie hai quant je m'en recorde
Et grant bien est du recorder

---

1. *A* enuoies, *Pm* enuoiez. – **2.** *E* de vous *om.* – **3.** *PmE* escrips. – **4.** *Pm* doinst *om.* – **5.** *A* uostre. – **6.** *E* et desire *om.* – **7.** *Pm* loialle, *E* loyale.

8958. *A* Cinq sept douse un nuef onze et uint

faites savoir que vous me les avez envoyées ; cela me cause un très vif chagrin, car je crains fort qu'elles ne tombent entre les mains de truands avant que je les connaisse par cœur. Je n'ai pas non plus eu de vos nouvelles depuis la lettre que je vous ai récemment écrite par votre serviteur.

Mon très doux cœur, je vous envoie un petit rondeau où figure votre nom ; je vous prie très tendrement de vouloir bien l'agréer, car je n'aurais pas su le composer si je ne l'avais appris de votre exemple.

Je prie Dieu qu'il vous accorde honneur et joie pour tout ce que votre cœur aime et désire.

Votre très loyale amie.

Rondeau [de la dame]

Cinq, sept, douze, un, neuf, onze et vingt
M'a enflammée d'un très parfait amour ;

Dès que vint à ma connaissance
Cinq, sept, douze, un, neuf, onze et vingt,

Je devins sienne et lui tout mien ;
À cause de son renom que chacun prise

Cinq, sept, douze, un, neuf, onze et vingt
M'a enflammée d'un très parfait amour.

L'amant

C'est ainsi que nous fûmes raccommodés comme je vous l'ai ci-dessus rapporté, par un accord plein d'amitié. Ma joie est grande quand je m'en souviens. Or si c'est un grand bonheur de se souvenir

Quant on voit gens bien acorder,
8972 Et plus grant bien de mettre accort
Entre gens ou il ha descort.
Et pour ce encor recorderai
Briément ce qu'a recorder hai :
8976 Comment Toute Belle encorda
Mon cuer, quant [a] moi s'acorda,
Et le trahi a sa cordelle
Par le noble et gentil corps d'elle,
8980 En une chanson recordant
D'unne voix belle et accordant
Et si doucement acordee
Qu'estre ne porroit descordee,
8984 Ains est toudis en acordance ;
Mais tout passe quant son corps danse.

Or est raison que je vous die
Le nom de ma dame jolie
8988 Et le mien qui ai fait ce dit
Que l'en appelle *Le Voir Dit*.
Et se au savoir volés entendre,
En la fin de ce livre prendre
8992 Vous couvenra le ver .IXe. [198 v° a]
Et puis .VIII. lettres de l'uittime
Qui sont droit au commencement :
La verrés nos noms clerement.
8996 Vesci comment je les ensaingne.
Il me plaist bien que chascuns taingne
Que j'aim si fort sans repentir
Ma chiere dame et sans mentir,
9000 Que je ne desire, par m'ame,
Pour li changier nulle autre fame.
Ma dame le savra de vrai,
Qu'autre dame jamais n'avrai,
9004 Ains serai sien jusqu'a la fin ;
Et, aprés ma mort, de cuer fin

8977. *APmE* quant a moy, *F* a *om.* (– 1) – **8978.** *Pm* Or ; *A* trehy, *Pm* trey – **8993.** *E* huittiesme – **9001.** *AF* fame, *PmE* femme – **9004.** *Pm* en la f.

de la vue de gens vivant en bon accord, c'en est un plus grand encore de voir se rétablir l'harmonie entre gens qui vivent dans la mésentente. C'est pourquoi je rappellerai brièvement ce qui me reste à rappeler, à savoir comment Toute-Belle s'attacha mon cœur quand elle fit la paix avec moi et le soumit à son service par la noblesse et la distinction de sa personne, rappelant l'événement en une chanson chantée d'une voix belle et juste et d'une harmonie si douce qu'elle ne saurait être brisée, car elle reste toujours à l'unisson. Mais elle surpasse tout quand en même temps elle danse.

À présent il convient que je vous dise le nom de ma dame plaisante et celui de moi-même, qui ai fait ce dit dénommé *Le Dit véridique*. Or si vous désirez le savoir il vous faudra prendre le neuvième vers à partir de la fin de ce livre, en ajoutant huit lettres du début du huitième vers. C'est alors que vous verrez nos noms en toute clarté.

Voici le commentaire que j'y ajoute : je désire grandement que chaque lecteur soit convaincu que j'aime si fort, sans repentir, sans hypocrisie, ma dame bien-aimée, que, par mon âme, je ne désire l'échanger contre nulle autre femme. Ma dame le saura sans erreur, parce que je n'aurai jamais une autre dame et que je serai sien jusqu'à la fin de mes jours, et après ma mort, mon esprit

La servira mes esperis;
– Or doint Dieus qu'il ne soit peris –
9008 Pour Li tant prier qu'Il appelle
Son ame en gloire Toute Belle.
Amen.

Explicit le livre du Voir Dit.

9007. *E* s. pis (– 1) – **9009 *bis.*** *PmE* Amen *om.* – **9009 *ter.*** *AEF* Explicit le liure du (*A* dou) uoir dit, *Pm* Explicit – **9009 *quater.*** *Dans le ms E, le* Voir Dit *est immédiatement suivi du* Lay de Plour, *suivi de la mention* Cy fine le lay de plour. *Après quoi vient le rondeau* Doulz cuers gentilz; *ce rondeau est suivi de* Explicit le Voir Dit, *comme si ce lai et ce rondeau étaient compris dans le* Voir Dit.

la servira d'un cœur très pur : que Dieu m'accorde que mon esprit ne soit pas jeté en enfer, pour qu'il puisse Le prier de saluer son âme dans la gloire du ciel en l'appelant *Toute-Belle*.

Amen.

Ici se termine le Livre du Dit véridique.

INDEX DES NOMS PROPRES

Les chiffres arabes renvoient aux vers ;
les chiffres romains aux lettres.

GLOSSAIRE

Les chiffres arabes renvoient aux vers ;
les chiffres romains aux lettres.

ABAI, 6824, « aboiement ».

ABAIER, 5732, « aboyer ».

ABATRE, 7050, « arracher de force » ; 7205, « faire cesser » ; 1136, « faire disparaître » ; 3534, – *sa baniere* « renoncer au combat ».

ABELIR, 374, 3126, 4019, 5137, « plaire, être agréable ».

ABESOINGNIER, 7336, *avoir* – « avoir besoin ».

ABILLIÉS, 1111, « paré ».

ABRIEVÉ, 5753, « prompt, rapide ».

ABRIL, 1124, « lieu planté d'arbres ».

ABSENTER (soi), 3415, « s'éloigner de ».

ACERTES, 7107, XLIII, (a certes) 309, IX, XXVII, XXXII, XLV, « sérieusement, pour de bon ; en toute vérité ».

ACESMER (soi), 8135, « se parer » ; part. passé 8651, « paré ».

ACHEMINER (soi), 1647, « se mettre en chemin ».

ACOINTANCE, 3487, 4898, « commerce, fréquentation, amitié ».

ACOINTE, 433, 3404, « familier, ami » ; subst. 7362, « amant, soupirant ».

ACOINTIER, 5914, 8319, XXXII, « connaître, rencontrer » ; 3135, « instruire, servir d'exemple » ; 1607, « faire connaître ».

ACOISIÉ, 1110, « calme, apaisé ».

ACOLER, 3705, 3708, 3744, 4116, 4118, 6326, « embrasser en jetant les bras autour du cou » ; 7757, 7927 (en parlant d'un oiseau qui « embrasse » l'air de ses ailes).

ACOMPLIR, 4001, XXXIII, « satisfaire pleinement ».

ACORDANCE, 8984, « accord, harmonie ».

ACORDANT, 8981, « qui s'accorde bien ».

ACORT, 3783, *par* – « de concert, ensemble ».

ACOUARDI, 2253, « lâche, couard ».

ACOUPI, 7140, 7992, « trompé (dans son amour) ».

ACOURÇA (s'), 6702, parf. 3 de

soi acorecier « se mettre en colère ».

ACOURER, 1375, 1451, « déchirer, briser de douleur ».

ACOUSTUMER, XXXVII, XLV, – *qqc.* « avoir l'habitude de qqc. » ; XLVI, « donner à qqn l'habitude de faire qqc. ».

ACOUTER (soi), 7217, 7218, « s'appuyer (sur les coudes) ».

ACOUVERTÉ, 3658, « couvert ».

ACQUERRE, 407, 3746, « obtenir ».

ACQUITER, 4336, 4341, « remplir une obligation, une promesse ».

ACROUPIS, 5462, part. passé de *acroupir* « frapper ».

ACUEIL, 705, 1910, 3119, 3492, 4431, « accueil ; manière dont on reçoit qqn ; par ext., manière d'être, contenance, aspect ».

ADJOURNER, 962, « faire jour » ; 3303, « se lever, briller, luire » ; *estre adjourné* 3628, 4033, 7569, 8018.

ADJOVENIR, 5098, « rendre la jeunesse à ».

ADOLÉ, 8490, « triste ».

ADRESSE, 1401, 3477, 4711, 5898, « chemin, direction ».

ADRESSIER, 4721, « conduire, guider » ; 426, 5897, *soi – par devers* « se diriger, aller vers ».

ADROIT, 6920, « svelte, bien fait ».

ADVENIR, v. *avenir.*

ADVENTURE, v. *aventure.*

ADVOÉS, 7194, « approuvé ».

AFFAIRE, 1801, 1937, 5386, 6557, « ensemble des circonstances dans lesquelles une personne se trouve » ; 7223, « controverse, point contesté » ; 2211, « manière d'agir, conduite » ; 6682, « disposition morale, caractère » ; 1162, 7926, *de bon –* « honnête, loyal » ; 14, 1296, 1888, « état, manière d'être d'une personne » ; 2401, « apparence, aspect d'une chose ».

AFFECTION, 6596, « très vif désir ».

AFFERANS, 6770, – *a* « proportionné à ».

AFFERMER, 465, 596, « affirmer, déclarer » ; 4132, « promettre ».

AFFEUTRURE, 6344, « pièce rembourrée dont on garnit certaines parties du corps ».

AFFIER, 6482, « assurer, affirmer » ; 6025, « promettre, jurer » ; intrans. 5044, « mettre sa confiance (en) ».

AFFIERT, 5513, *il – a* « il convient à ».

AFFIN, 6178, « ami ».

AFFINEE, 665, 4055, « pure, parfaite ».

AFFLEBIE, 8481, « amoindrie ».

AFFLUER, 8213, 8669, 8739, « couler en abondance » ; 8740, – *en* « arriver en abondance dans ».

AFFOLER, 2225, 7351, « blesser, meurtrir ».

AFFONDER, 6746, « faire disparaître en enfonçant ».

AFFUBLER, XXVI, « coiffer, mettre sur sa tête ».

AGENCIR, 3136, « rendre gracieux, agréable ».

AGUS, 4356, « perçants ».

AHERDIR, 857, *soi – a* « s'attacher à ».
AHONTER, 2750, « couvrir de honte » ; pronom. 2234, « être honteux ».
AIGRE, 6969, « vif, violent ».
AIR, 1119, *avoir l'–* « prendre l'air ».
AIRE, 6114, 8761, *de pute –* « de vile espèce, de mauvaise nature ».
AÏRIER (soi), 4581, « se chagriner » ; 2089, part. passé adj. « irrité, en colère ».
AISE, 438, « facilement ».
AISEMENT, 6240, « commodité, facilité ».
AISIÉS, 2001, *estre – de* « être à l'aise pour ».
AJOURNER, v. *adjourner.*
ALEE, XIII, « départ » ; XII, « voyage ».
ALENTIR, 1732, « retenir ».
ALIGENCE, 3947, « soulagement, secours, consolation ».
ALLIGEMENT, 375, 380, 385, 717, 3372, 5003, « soulagement, consolation ».
ALLIGIER, 2540, 2646, 5113, 7584, « calmer, adoucir ».
ALOE, 1194, 8703, « alouette ».
ALOURDIS, 2291, « frappé d'une sorte d'engourdissement ».
ALUMER, XI, « emplir d'une passion ardente ».
AMANGDELIER, 6721, « amandier ».
AMASSÉ, 7019, 8499, « rassemblé en grand nombre ».
AMATIS, 7405, « affaibli ».
AMBEDEUS, 7138, « tous les deux ».
AMENDER, 2455, 4278, 6039, « réparer » ; *– qqc. a* 4278 ; 867, III, V, XLVI, « corriger, améliorer » ; XL, « faire disparaître » ; 607, « embellir » ; 2608, « satisfaire » ; (nous disons aujourd'hui : faire amende honorable – éd. Paris, p. 373) ; 7702, « favoriser, aider, soutenir ».
AMENRIR, 2718, 3139, XV, « amoindrir » ; intrans. 6303, XXXVI, « devenir moindre ».
AMER, 1725, 8218, 8284, « douloureux, pénible » ; subst. 1316, 6278, « amertume » ; 416, « rudesse, méchanceté ».
AMIABLE, II, IV, VII, XXV, XLV, « agréable, qui plaît » ; 3214, « aimable, bienveillant ».
AMOLIE, 4556, 3 prés. ind. de *amolir* « adoucir ».
AMONNESTER, 8294, « inviter, exhorter » ; 3066, « conseiller, suggérer ».
AMORDRE, 3414, 7946, *soi – a* « s'appliquer, s'attacher à ».
AMORTIE, 8480, « détruite, anéantie ».
AMOUREUS, 1154, 8127, IV, X, « qui inspire l'amour, qui rend amoureux » ; 3213, « aimable, doux ».
AN (mal), 5363, *en mal –* « en mauvais point ».
ANCELLE, 3334, 6131, « servante ».
ANCHANTEMENT, v. *enchantement.*
ANCHANTERIE, 6698, *dame d'–* « maîtresse ensorceleuse ».
ANCHE, 8040, « encre ».
ANGLE, 5565, 5574, 5578, « ange ».

ANGOISSE, 8327, XL, «tourment, détresse».

ANGOISSEUS, 3190, 7141, «qui tourmente, qui cause du tourment».

ANOI, 639, 2935, XXIV, «affliction, chagrin, tourment»; 703, 4704, 5490, 5888, *faire* – «causer du chagrin, rendre malheureux»; 154, 2332, 3242, «chose qui affecte péniblement»; XXIX, XXXVIII, «contrariété, difficulté, embarras».

ANOIER, 2778, «affliger, peiner»; 6985, *aler anoiant* «causer du chagrin»; 5158, 5326, 5434, XII, «inquiéter, préoccuper».

ANUIEUS, 2928, «fâché, contrarié, peiné».

AOMBRER, 4092, «couvrir de son ombre»; pronom. 1224, 4321, «se couvrir, se cacher».

AOURNEE, 18, «ornée, parée».

APAIER, 491, XXVII, XXXV, «satisfaire».

APAISENTEE, 8675, «apaisée».

APARLER, 4080, – *qqn* «adresser la parole à».

APLANIER, 8375, «caresser de la main».

APPAREIL, 4432, «manière dont une personne est habillée».

APPAREILLIER (soi), 4442, «se préparer, se disposer à».

APPERT, 819, 8078, «évident, clair, manifeste»; 6681, 7380, «ouvert, franc, sociable»; 722, 5629, 5958, 7388, 7737, «avisé, sage»; 3839, 5220, «élégant»; *tout en* – a) 3176, 4702, 5182, 5628, «d'une manière évidente, claire»; b) 142, 7639, «d'une manière ouverte, sans dissimulation».

APPERT, prés. ind. 3 de *apparoir* «apparaître»: *il* – 141, 177, 179, XXXI, XLIII.

APPERTEMENT, 4008, 5593, 7254, «d'une manière ouverte, claire, évidente».

APPERTETÉ, 6931, «distinction, élégance».

APPETIT, 3770, «vif désir».

AQUEURE, 4917, prés. subj. 3 de *acorre* «accourir».

ARAISONNER, 3692, «adresser la parole à».

ARDURE, 1933, 2393, «sensation de chaleur»; 4992, «état de détresse poignante, dû à la passion amoureuse».

ARENE, 1629, «sable».

ARGUER, 2689, «harceler, tourmenter»; 8511, «blâmer, reprendre».

ARME, 5424, X, «le métier des armes».

AROMATIZER, 8019, «embaumer».

ARONDE, 6464, «hirondelle».

AROUSER, 4698, «rendre rose, donner des couleurs».

ARRAGIER, 6853, «arracher».

ARREST, 8705, «caractère de ce qui demeure dans le même état».

ARROCHE, 6743, prés. ind. 3 de *arrochier* «frapper»: *arrochier qqc. de qqc.* «frapper en lançant un projectile contre».

ARROUSABLE, 6944, «bien arrosé».

ARROUSER, 8561, «mouiller

légèrement » ; métaph. 4754 ; fig. 807, « pénétrer, remplir ».

ARROY, 5770, « allure, maintien » ; 5512, *de bel* – « avec affabilité ».

ARRUDIR (soi), 294, « devenir stupide » ; part. passé adj. a) 826, « hébété » ; b) II, « abêti ».

ARSON, 2656, 8921, « petit arc » ; 7727, « instrument de musique à cordes dont on joue avec un archet ».

ASPRE, 6971, « hérissé ».

ASPRECE, 4705, « âpreté, dureté, rudesse ».

ASPROIER, 8371, « poursuivre, presser avec ardeur ».

ASSASIÉ, 2874, « rassasié ».

ASSAVOURER, 1046, « goûter ».

ASSEGUR, v. *asseür*

ASSEMBLEE, 4057, 8946, « union ».

ASSEMBLER, 3526, trans. indir. « attaquer, combattre » ; pronom. 7139, *soi – a* « s'unir à ».

ASSENER, 4455, XXXV, – *a* « parvenir à » ; part. passé XXVI, XXVII, XXXIV, « loti, nanti ».

ASSENTIR (soi), 692, 3258, *soi – a* « consentir à ».

ASSEOIR, 6180, « placer » ; 4868, « assiéger » ; part. passé 6990, « situé ».

ASSESMÉ, v. *acesmer*

ASSEÜR, XVIII, XLIII, « sûr, certain ».

ASSEÜRER, 3931, 5864, « rassurer » ; 406, « donner pour sûr, affirmer, promettre » ; pronom. 3342, « reprendre confiance » ; part. passé adj. 1992, XI, « sûr, certain ».

ASSEVIR, 1649, XII, « achever, accomplir, mener à terme » ; 1036, 3133, 3308, 5803, XIX, « combler, satisfaire pleinement » ; part. passé adj. 2873, 3331, 3715... « satisfait, comblé ».

ASSOTER, 5710, « rendre sot, fou (d'amour) ».

ASSOUAGIER, 1747, « soulager, adoucir, apaiser ».

ASSOURDI, 827, II, « devenu sourd ».

ATAN, 4307, 8932, « alors ».

ATASTONS, 6855, « à tâtons ».

ATIRÉS, 7065, *bien* – « bien fait, qui a belle prestance ».

ATOUCHIER, 1518, XXXV, « toucher ».

ATOURNER, 5528, « traiter, arranger, mettre en tel état » ; 955, « disposer, préparer » ; pronom. a) 4843, « se préparer, se parer » ; b) 955, « s'appliquer, s'attacher à » ; c) 4688, « se mettre en tel état ».

ATTARGIER, 5919, *sans* – « sans mettre beaucoup de temps ».

ATTEMPRANCE, 4259, XXII, « tempérance, modération ».

ATTEMPREE, 3312, « tempérée ».

ATTEMPREEMENT, 4276, « avec modération ».

ATTRAIRE, 3795, 8257, 8261, XXXVII, « attirer » ; 6387, – *que* « avoir pour effet que » ; 5679, 5686, *attrait de* « issu de ».

ATTRAPER, 5705, « prendre en son pouvoir » ; part. passé, 4615, « retenu ».

AUBRE, 7015, « arbre ».

AUCTORITÉ, 8611, « importance ».

AUDIENCE (en), 4216, 7532, « publiquement ».

AUMAILLE, 6787, 7023, « bétail, troupeau de bêtes à cornes ».

AUNOY, 1127, « aulnaie, lieu planté d'aulnes ».

AUTER, 6861, « autel ».

AUTRIER (l'), 7050, « l'autre jour ».

AVALER, 2769, « descendre ».

AVENIR, 1163, 1549, 1708, 4083, 4795... « arriver, avoir lieu, se produire, survenir » ; impers. 785, 1317, 2551... ; 7075, 7080, 7082, 7087, « seoir » ; 4796, 5942, « atteindre » ; 1722, – *a* « parvenir à ».

AVENTURE, 679, 5330, XL, XXIII, « danger, risque » ; IV, *soi mettre en – de* « s'exposer au risque de » ; 3734, « action, entreprise hasardeuse ».

AVER, XXXV, « cupide ».

AVEUGLER, 6903, « rendre aveugle » ; au fig. 8221, 8633, 8716, « tromper ».

AVIAUS, 7044, « caprices ».

AVISER, 7239, « éclairer » ; pronom. 2449, 7635, « considérer, méditer, réfléchir » ; part. passé adj. « sage, avisé », 7862, *estre mal avisé*.

AVOI, 3754, « autorisation, accord ».

AVOIER, 1471, 3619, « conduire, diriger » ; – *a* « conduire, amener à ».

AVOUSER, 8142, « vouvoyer » ; [cf. G. Roques, *Actes et Colloques*, nº 23, p. 170].

AVOUTIRE, 7751, 7769, 7961, « adultère ».

AZELLE, 8907, « abeille ».

BAILLIS, 5443, *estre mal* – « être en mauvaise posture ».

BAISSELLE, 6139, « servante ».

BALADÉ, 4031, « en forme de ballade » ; 942, 3803, 8452, *chanson baladee* « virelai ».

BALANCE, 3730, « situation critique, péril ».

BANIERE, 7307, « étendard » ; 4241, *porter la* – « être en première ligne » ; 3534, *abatre sa* – « renoncer au combat ».

BARAT, 1656, 8836, « fraude, tromperie ».

BASME, 3996, 4790, « baume ».

BASTIR, 5482, « organiser, préparer, arranger » ; 6871, « accomplir ».

BELLEMENT, 1653, « lentement, sans hâte » ; 1341, 2515, « doucement, sans brusquerie, sans bruit ».

BENEYSSON, XXI, *la – du Lendit* « bénédiction donnée à l'occasion de la foire du Lendit qui avait lieu sur le territoire de Saint-Denis du premier lundi suivant la Saint-Barnabé à la Saint-Jean ».

BENIGNE, 6940, « bienveillante ».

BERSEE, 6977, « frappée d'une flèche ».

BESOING, 4244, « situation pressante, situation de détresse ».

BESOINGNIER, 5378, « faire ce qu'on a à faire, accomplir sa tâche ».

BESTIAGE, 7019, « troupeau ».

BESTOURNER, 957, « bouleverser, troubler, perturber ».
BIENVENUE, 2500, « accueil ».
BIERS, 6732, « berceau ».
BLAME, 3728, « action, chose qui mérite le blâme ».
BLAMER, 5248, 6277, *faire a* – « encourir un blâme ».
BOIDIE, 6804, « félonie ».
BONNE, 8213, *sans* – « sans limite, sans mesure ».
BONNEMENT, XV, « facilement, sans inconvénient » ; 3982, « honnêtement, dans le respect de l'honneur de la dame » ; 6583, « tendrement ».
BOUTER, 7573, « mettre, placer ».
BRACELÉS, 2527, diminutif hypocor. de *bras*.
BRAIRE, 6839, 8361, « crier très fort ».
BRAIT, 8362, « cri ».
BRIEF, 3048, « missive, lettre ».

CABRE, 3396, « chèvre ».
CAGES, 7022, « enclos ».
CAROLER, 3743, « danser la carole, danser en rond ».
CAUTELE, 1897, « précaution » ; 2744, *c'est a* – « c'est par précaution » ; 6142, *sans cautelle* « sans ruse, sans tromperie ».
CAVE, 6989, « caverne ».
CÉDULE, XXV, « feuillet, billet ».
CELER, 4150, « secret, discrétion ».
CELLE, 6947, impér. 2 de *celer* « cacher ».
CEMBIAUS, 3402, « appels pour tournois ; pas d'armes ».
CENDAL, 3905, « étoffe légère de soie unie, comparable au taffetas ».
CERENS, 6771, « séran, instrument qui sert à peigner le lin et le chanvre ».
CESSEMENT, 8483, *sans faire* – « sans cesse, sans arrêt ».
CHANGE, 1895, « échange » ; 8388, « direction vers une autre proie que la proie lancée » ; 8359, *aler au* – « aller en direction d'une autre proie, s'écarter de la voie ».
CHANGERESSE, 5896, « changeante, inconstante ».
CHANTE, 2731, *je vous* – « je chante vos vers ».
CHANVE, 8902, « chanvre ».
CHAPEL, 8587, « coiffure » ; 3597, « couronne (de fleurs) ».
CHAPELET, 2517, 3909, 5226, 7247, « couronne (de fleurs, de feuillage) ».
CHAPERON, 192, « coiffure » ; 2016, 8586, « coiffure que les dames portaient en manière d'aumusse, ou autour du cou ».
CHARMES, 6671, « drogues magiques ».
CHASTOI, 2255, « reproche, blâme » ; 7803, « avis, conseil, avertissement ».
CHASTOIER/CHASTIER, 2345, 4550, 7804, « conseiller, instruire, avertir » ; 5988, *chastier que* « conseiller, recommander de » ; – pronom. 7806, « s'amender, se corriger ».
CHATIS, v. *chetif*
CHAUSSE, 7264, 7334, « sorte de bas fait en drap, en toile... ».

CHEMIN, 7929, – *ferré* « chemin empierré, carrossable ».

CHERCHIER, 6152, 6422, « parcourir ».

CHETIF, 6757, 7123, « chétif, faible » ; subst. 5278, *tu ne te dois pas esprouver a la misere des chatis* « tu ne dois pas éprouver ta puissance contre les faibles » ; 2130, 2224, « privé de qualités morales, méprisable » ; subst. 3443.

CHEVALERIE, 5314, « ensemble des qualités du chevalier ».

CHEVANCE, 2156, 6674, « avoir, biens ».

CHEVIR, XXXVI, « venir à bout (de qqc.) » ; pronom. 1335, 6849, 7988, « se comporter, se conduire ».

CHEŸ, 6811, parf. 3 de *cheoir*, impers. (avec l'adv. *bien;* au sens de « arriver heureusement ») : *bien li* – « c'est tant mieux pour, heureusement pour ».

CHIERE, 454, « visage ».

CHOISEL, 8394, « réservoir d'eau d'un moulin à écluse ».

CINCELLE, 8906, « moustique ».

CLAVETTE, 4120, XXI, « petite clef ».

CLOCHES, 8862, « masses d'armes ».

CLOISTRE, 6308, *entre les mondains et en* – « chez les religieux et dans le monde profane ».

COCHE, 7989, « entaille, encoche » ; 7989, *mettre la fleche en* – « l'encocher ».

COCHELET, 8707, « girouette en forme de petit coq ».

COI, 1542, 5135, 6595, XXXI, « modeste, réservé ».

COIETTEMENT, 7207, « tranquillement » ; 3910, « doucement, sans bruit ».

COIFFE, XXVI, « coiffe, pièce de lingerie qui se mettait directement sur les cheveux et par-dessus laquelle on plaçait une autre coiffure ».

COINTE, 803, 1604, 2010, 3024, 3839, 4046, 4691, 5220, 8296, 8320, 8649, « joli, gracieux, bien soigné, élégant » ; 2491, « agréable, plaisant, joli » ; 2126, « brave, vaillant » ; 5958, 7388, 7737, « sage, avisé ».

COINTEMENT, 1160, « avec grâce, avec élégance ».

COINTÏER, 409, 3135, « gentillesse, grâce ».

COMBATABLE, 4872, « guerrier vaillant ».

COME, 7073, « chevelure » ; 7076, « crinière » ; 2400, « feuillage ».

COMMANT, 681, 8854, *en – de* « sous la domination, l'autorité de ».

COMPAGNE, 6738, X, « chacune des bandes de routiers (les Grandes Compagnies) qui terrorisèrent notamment la Bourgogne et la Champagne de 1360 à 1365, et dont la plus redoutée fut celle qui avait pour chef Arnaud de Cervole dit l'Archiprestre » ; 5448, *la Grant Compagne* « celle qui était sous les ordres de l'Archiprestre ».

COMPARATION, 8694, « comparaison ».

COMPAS, 7776, *par* – « avec mesure ».
COMPASSER, 1630, « mesurer ».
COMPETANT, 4306, « qui convient, approprié, adéquat ».
CONCORDANCES, 5651, « accords, harmonies ».
CONFONDRE, 5557, « détruire, anéantir » ; 5558, – *en poudre* « réduire en poussière ».
CONFORTEMENT, 8486, « réconfort ».
CONGNET, 2230, « petit coin ».
CONJOÏR, 6701, 8765, « bien accueillir, réserver bon accueil à, agréer » ; 8375, « traiter avec gentillesse ».
CONNINE, 7047, « femelle du lapin ».
CONSAULZ, XLI, « plans, projets ».
CONSUMMATION, 5478, « accomplissement, achèvement ».
CONTENDRE, 5353, « combattre, lutter (pour se défendre) ».
CONTRAINDRE, 1945, « serrer, tenailler, étreindre, tourmenter ».
CONTREFAIRE, VIII, « falsifier, fausser en simulant la vérité » ; subst. 529, « fait de donner le change ».
CONTRESTER, 6729, 8616, – *a* « résister à ».
CONTRETENEÜRE, XXXI, « contre-taille, partie de haute-contre ».
CONTREUVE, 7431, « chose controuvée, mensonge, fable ».
CONTREVAL, 7020, « en bas de ».
CONTREVEES, 7714, « inventées, imaginées ».
CONVOI, 2854, « action d'accompagner qqn, escorte ».
CONVOIER, 2853, 3812, « escorter, accompagner ».
COQUART, 2151, 6101, « benêt, nigaud, sot ».
COQUE, 7896, « allongée, oblongue ». A. Tobler et E. Lommatysch, *Altfranzösisches Wärterbuch...*, *cocu.* [Éd. Paris, 323 : « couverte, chaperonnée » Même racine que *cucullus.*]
COQUES, 7171, – *de mer* « navires ».
CORDELLE, 8978, *traire a sa* – « rendre docile, soumettre ».
CORNARDIE, 1271, « sottise, folie ».
CORSAGE, 4930, 5960, « ensemble du corps, en partic. le buste ».
COSME, v. *come.*
COUARDEMENT, 3064, « craintivement » ; 3706, « timidement » ; 2708, « humblement ».
COUARDIE, 2389, « couardise, lâcheté » ;
COUPLE, V, « couplet, strophe ».
COURAILLE, 8397, « entrailles, viscères ».
COURANT, 6959, « rapide ».
COURCIER, 6038, XXXII, « affliger, peiner ».
COURROUS, 5177, 8745, « tourments, chagrins ».
COUVERTE, 7389, « cachée ».
COY, v. *coi*
CRAVENTER, 2248, 6748, « détruire, mettre en pièces » ; 6615, « abattre, renverser ».

CREVÉS, XLIV, « éclaté ».
CROCHES, 7021, « crochets ».
CROCHIER, 6777, « saisir comme avec un croc ».
CROIE, 8505, « craie ».
CROS, 6744, « crochets ».
CROT, 6811, « grotte ».
CRUES, 6768, *ou – de son nés* « dans le creux de son nez ».
CUEVRECHIEF, 1488, XXVI, « sorte de voile complétant la coiffure féminine ».
CUIRE, 7142, « consumer ».
CYNELLE, 7009, « cenelle, fruit de l'aubépine ».
CYROPERIENNES, 7849, « de Cécropie, citadelle d'Athènes ».

DAMAGEUSE, 6964, 6968, « dévastatrice ».
DAMAGIER, 6669, « abîmer, maltraiter (en mordant) ».
DANCE, 2157, « musique sur laquelle on danse » ; – 8636 *dancier a la – de qqn* « être en son pouvoir ».
DANGIER, 981, « domination, pouvoir » ; XLVI, « domination capricieuse, volonté changeante » ; 4061, XXXV, XXXVI, XXXIX, « résistance, refus ; ici par personnification (représente le refus, la résistance de la dame aux désirs de son ami) » ; 2301, 7286, XXV, « difficulté, peine, obstacle » ; 791, *sans* – « sans difficulté : d'où en abondance, à souhait » ; 2881, *a trop grant* – « avec trop de difficultés ».
DEBONNAIRE, 1560, 1838, 1877, 6940, « de noble nature, au cœur généreux ; qui a de bonnes dispositions, bienveillant » ; subst. 1936, 6116, 8488.
DEBONNAIREMENT, 1759, « avec indulgence, générosité ».
DECEVANCE, 5264, « tromperie ».
DECHEÜS, 901, 8735, « dépourvu, privé ».
DEDUIRE, 3505, 6325, 6414, 7127, « divertir, amuser, distraire, réjouir » ; pronom. 6789, 6906, « se distraire, passer le temps agréablement ; éprouver de la joie, se réjouir ».
DEDUISANT, 6923, « charmant, amusant ».
DEDUIT, 567, 1128, 4226... « joie, plaisir, amusement, distraction ».
DEFFAUTE, IV, « défaut, manque ».
DEFINEMENT, 7151, « fin, terme ».
DEFRIOIE, 1114, imp. 3 de *defrire* « brûler d'impatience ».
DEGUERPIR, 3984, « abandonner, quitter ».
DELAIER, 2930, 3566, « retarder, remettre à plus tard » ; 2219, « faire attendre » ; 5733, *sans* – « sans tarder, aussitôt ».
DELIES, 5657, « d'une grande finesse ».
DELIT, 656, 1211, 1517, 7656... « plaisir, joie, jouissance ».
DELITABLE, 42, 94, « agréable, charmant, plaisant » ; 6945, « délicieux ».
DELITER (soi), 3827, 6280, « prendre plaisir » ; 3266, 7040, « se réjouir ».
DELIVRE, LXI, « libre ».

DEMAINE, 700, 1585, 4891, 8641, « pouvoir, domination, autorité ».

DEMENER, 1584, 6073, « conduire, mener à sa guise, malmener » ; 3517, XLIII, « éprouver profondément, connaître une expérience vive qui secoue ».

DEMETTRE, 4922, « renverser » ; 8412, *soi – de* « renoncer à ».

DEMEURE, 3090, 7173, XIII, « fait de rester » ; 2316, *sans –* « sans attendre, sur-le-champ ».

DEMOUR, 5156, 6386, « retard, délai ; absence » ; 391, 1489, *sans –* « sans retard, immédiatement, sans hésitation » ; 3871, 4656, 6321, « séjour, demeure ».

DEMOUREE, 4069, « retard, délai » ; 5027, 5040, 5140, XXX... « séjour, domicile ».

DEPLAIER, 4392, « déchirer, faire beaucoup souffrir ».

DEPORT, 4476, 7583, X, « plaisir, joie ».

DEPORTER (soi), 4488, « se réjouir » ; 8222, « cesser de ».

DEPRI, 3290, 3945, 5498, 6143, « prière ».

DEPRIER, 693, 3944, 5498, « prier, supplier ».

DERVEE, 6485, « hors du sens, enragée ».

DESANUIER (soi), 8183, « se distraire ».

DESAPRIS, VI, « mal appris ».

DESASSEMBLER, 8947, « défaire » ; 8940, « séparer, désunir ».

DESCLORE, 2918, « ouvrir ».

DESCONFIRE, 1587, 4638, « vaincre, briser ».

DESCONFIS, 1509, 3976, 8168, « découragé, démoralisé, affligé ».

DESCONGNEÜS, 1854, « méconnu, ignoré » ; 43, *j'estoie –* « j'avais cessé d'être connu ».

DESCORDEE, 8983, « qui manque d'harmonie, discordante ».

DESCORDER (soi), 313, 484, « être en désaccord ».

DESCORT, 315, 5995, 8973, « désaccord, discorde, dispute ».

DESDAING, 7121, « dépit ».

DESENFLER (soi), 8751, « cesser d'être en colère ».

DESFERMER, 8136, XXV, XXXV, « ouvrir » ; subst. XXV, « action d'ouvrir ».

DESJOINDRE, 8939, « séparer » ; XXII, « se séparer ».

DESJUGLER, 6902, *– de* « priver de qqc. par tromperie ».

DESPIS, 7817, « celui qui se complaît à faire le mal ».

DESPIT, 2222, *avoir – de* « mépriser » ; XL, *en – de* « en haine de ».

DESPITER, 3548, 8240, « mépriser, dédaigner, blesser ».

DESPRISIER, 6900, 7122, « mépriser, dédaigner » ; 6170, « blâmer, réprouver » ; pronom. 3410, « se rendre indigne d'estime ».

DESPUEIL, 4447, prés. ind. 1 de *despoillier* « enlever, faire disparaître ».

DESROI, 5879, « action coupable, méchanceté ».

DESROMPRE, 7133, « déchirer ».

DESSALÉS, X, « sans sel ».

DESSERTE, 2355, « mérite ».

DESSERVIR, 4096, 4505, 5612, 5794... « mériter ».

DESSEVREE, 5010, 8292, *sans* – « sans séparation possible, entièrement ».

DESSEVRER, 6067, 8523, « séparer » ; 1715, 4456, *sans* – « sans séparation possible, sans partage, entièrement ».

DESSIECE, 7132, prés. subj. 3 de *desseoir* « déplaire ».

DESTOUR, 7323, *en* – « dans un endroit écarté, loin » ; 959, 4690, *en* – « en cachette, en secret ».

DESTOURBER, XXVIII, « empêcher ».

DESTOURBIER, XL, « empêchement, ennui ».

DESTOURNER, VI, « empêcher » ; XL, « empêcher, dissuader » ; pronom. a) IV « s'égarer » ; b) 958, XXVIII, « se détourner, s'écarter, s'éloigner de ».

DESTREINDRE, 1278, « étreindre, serrer ».

DESTRESSIE, 4852, « qui n'est plus tressée ».

DESVOÏER, 3276, « éloigner » ; pronom. 2696, 6797, *soi – de* « s'écarter, s'éloigner de ».

DETAILLER, 3527, « mettre en pièces ».

DETENIR, 4318, « garder, retenir ».

DETERMINER, 1893, « arrêter, décider ».

DETRI, 1031, 3946, *sans* – « sans retard, sans attendre, sans tarder » ; 4767, *sans faire long* – « sans tarder » ; 8843, *faire long – de* « tarder à ».

DETRIER, 4554, « empêcher, faire obstacle à » ; 226, 1997, 2824, 4164, *sans* – « sans tarder, sans attendre, tout de suite » ; subst. 4165 « retard ».

DEÜ, 329, « devoir ».

DEVOTEMENT, 7106, « humblement ».

DIFFAME, 38, « honte, déshonneur, mauvaise réputation » ; 3418, *soi jeter en* – « tomber dans le déshonneur ».

DISNER, 3825, 4157, « dîner, prendre le premier ou le principal repas de la journée ».

DITTER, 935, « écrire, composer » ; subst. 2537, « action de dire, de réciter ».

DIVERS, 1437, 3190, « mauvais, cruel, pénible » ; 635, 6622, « mauvais, contraire, désagréable » ; 6760, *sa crine locue et diverse* « sa chevelure hirsute et embroussaillée ».

DIVERSEMENT, 5793, « méchamment, cruellement ».

DOCTRINE, 5981, « enseignement, instruction, avertissement ».

DOCTRINER, 1203, 1279, 4721, 5982 « endoctriner, instruire, enseigner ».

DONGIER, v. *dangier.*

DONSIAUS, 7068, « jeune homme ».

DOUBLE, 4247, « nom d'une pièce de monnaie (ici pour exprimer une très faible valeur) ».

DOUBTE, XV, XXVI, XXVIII, « crainte, peur, inquiétude » ;

8249, XXXIV, *estre en – de* «être agité par l'inquiétude à cause de»; 641, *estre en – de* + inf. «craindre de».

DOUBTER, 5701, 6893, XXXVI... «craindre».

DRAME, 5269, 6443, 8871, «unité de mesure», *peser a –* «examiner avec la plus grande minutie, le plus grand soin, la plus grande attention».

DRUE, 765, «amante».

DRUERIE, 6699, 8044, «amour, tendresse».

DUIRE, 6351, 7750, «conduire, diriger, mener».

EFFORCIER, 3678, 5281, «contraindre, forcer».

EFFORT, 6993, «force, vigueur»; 3809, *faire son – de* + inf. «rassembler et utiliser toutes ses forces pour, déployer toute son énergie pour».

EFFRAEE, 6976, «effarouchée».

EMBATRE (soi), 5217, 7204, «arriver qq. part comme poussé par le hasard»; 1226, *soi – sur qqn* «se précipiter au-devant de qqn, se diriger vers qqn»; 2879, «s'empêtrer dans».

EMBESONGNIÉS, XXXI, XXXIII, *estre – de* + inf. «être occupé à».

EMBEÜ, 4760, «enivré, exalté».

EMBLER, 6828, 6832, 6843, «voler, dérober»; 3820, «enlever, soustraire (?)»; rem. «c'est-à-dire, je crois: La satisfaction que je ressentois m'empêcha de réclamer ou d'obtenir entière merci, et d'aller au delà de douces pensées et d'honnêtes ébats» (éd. Paris, p. 151).

EMBOUCHIER (soi), 7865, «s'embusquer».

EMPECHIÉ, 5935, «déréglé, troublé».

EMPETRER, 8646, «réclamer, demander».

ENAMER, 8255, «s'éprendre de, concevoir de l'amour pour».

ENCEINDRE, 5881, «ceindre, serrer».

ENCHANTEMENT, 6734, «art d'enchanter, pouvoir magique»; 6657, «opération magique».

ENCHANTERESSE, 6654, «magicienne».

ENCHARGIER, 6648, «se charger de».

ENCHEOIR, 6379, *– en* «tomber dans».

ENCLAVER, XXV, «encastrer, enchâsser».

ENCLORRE, 2917, 5035, 8493, *– en* «inclure, mettre dans»; 6317, «enfermer»; 225, «tenir caché, dissimuler, taire»; part. passé XXV, *enclos en* «inclus, inséré dans».

ENCOMBRER, 53, «gêner, déranger, embarrasser».

ENCONTRE, 6797, «fait de rencontrer».

ENCORDER, 8976, «attacher avec une corde, lier».

ENCORNER, 5296, «corner qqc. aux oreilles».

ENCOULPER, 4734, 7700, «accuser».

ENCOURPER, v. *encoulper*

ENDEMENTIERS QUE, 2370, « pendant que, pendant le temps que ».

ENFANCE, 1305, « légèreté, sottise, inconscience ».

ENFLÉS, 8750, « gonflé de colère ».

ENFOURMER, 2981, 5800, 7449, 7642, « instruire, avertir, informer ».

ENGIEN, II, III, « esprit, intelligence, talent ».

ENGINGNIE, XXVII, « trompée ».

ENHAÏR, 8300, « prendre en haine, fuir ».

ENHORTER, 7543, 8066, 8221, « exhorter, encourager ».

ENSCIANT, XXXII, *tout a* – « sciemment ».

ENSEINGNE, XXXIII, *faire* – « signaler, noter au moyen d'une marque » ; XXXV, *ensengnes* « nouvelles ».

ENSEINGNIER, 7256, 8770, 8996, « faire connaître (par un signe, une indication), montrer, indiquer » ; part. passé adj. 5229, *bien ensengnie* « bien élevée ».

ENSEMENT, 298, 1906, 2695, 4927, 5592, 6092, 7043, « pareillement, ainsi, également ».

ENSIEUT, 5033, prés. ind. 3 de *soi ensüir* « suivre, s'ensuivre, venir après ».

ENTAILLEÜRE, 7243, « action de sculpter ».

ENTAILLIE, 7934, « ornée d'incrustations, incrustée » ; 7262, « brodée ».

ENTAILLIER, 7240, « sculpter ».

ENTAIS, 1819, « appliqué, attentif, empressé ».

ENTALENTER, 1889, « inspirer un désir à, donner envie à, exciter ».

ENTECHIÉS, 865, « frappé, accablé ».

ENTELE, 7313, « jeune ente ».

ENTENDOIENT, 6733, – *a sa chanson* « (les petits enfants) écoutaient attentivement, étaient attentifs à ses chants ».

ENTENTE, 3016, « intention, dessein, but » ; 4, 8354, « attention, soin, effort » ; 286, « manière d'entendre, de comprendre, de juger » ; 7943, *faillir a s'*– « se tromper ».

ENTORT, 5543, « dépravé, méchant ».

ENTRELAISSIER, 6569, « laisser, interrompre ».

ENTREPRIS, 888, 1802, « abattu, affligé, malheureux ».

ENTRUEIL, 4439, « espace entre les deux yeux ».

ENVIEILLIR, 5115, « devenir vieux ».

ENVIS, X, « à regret » ; 995, 4418, « difficilement ».

ENVOISEÜRE, 1693, 4485, 5000, XXXI, « joie, gaieté, plaisir ».

ENVOISIÉ, 1109, 2771, XVIII, « gai, joyeux, de bonne humeur, heureux » ; 536, *envoisie* « qui rayonne de joie, de bonheur » ; 1915, « joli, charmant ».

ENVOISIEMENT, 3592, « avec ardeur, avec entrain ».

ESBANOIER, 3758, 6320, « se réjouir, se distraire ».

ESBANOY, 5771, « plaisir, joie ».

ESBATEMENT, 835, XXIX, XXXI,

«divertissement, amusement, distraction»; III, V, XLVI, XXIX, «plaisir, joie».

ESBATRE, 6414, 7051, X, «divertir, distraire»; pronom. 48, 174, 6795, 7728, XXIX, XLIV, «s'amuser, se divertir, se distraire agréablement, se détendre»; intrans. 3472, «même sens».

ESCARLATE, 2036, «drap fin».

ESCHAUDER (soi), 3010, «se réchauffer».

ESCLAIRIER (soi), 8760, «être ouvert, sensible à».

ESCOLE, 8553, *estre a l'–* «être instruit (de qqc.)».

ESCONDIRE, 2262, 2550, 4420, XI, «repousser, rejeter, éconduire».

ESCORIABLE, 6958, «glissant, fluide; d'où instable, inconstant».

ESFORCIER, v. *efforcier.*

ESGAR, 7068, impér. 2 de *esgarder* «voir, remarquer».

ESGARÉS, 615, «troublé, désespéré».

ESLAIS, 4855, *a grans –* «à grands pas, rapidement».

ESLEVÉS, 2019, «qui est en relief».

ESLOINGNE, 7416, «moyen dilatoire».

ESLONGIER/ESLONGNIER, 8406, XI, XXXII, XLVI, «abandonner, quitter»; VII, «éloigner»; intrans. XXX, «s'éloigner, être éloigné».

ESMAI, 1090, 1243, 6010, «émoi, trouble, agitation causée par la crainte, l'inquiétude»; 7119, *avoir esmoi de* «être bouleversé à cause de».

ESMAIER, 4374, «effrayer, inquiéter, troubler»; pronom. 910, 2184, 7017, «s'effrayer, s'inquiéter, se troubler, s'émouvoir»; part. passé adj. 853, «effrayé, inquiet».

ESMEÜES, 3654, «lasses, abattues».

ESPARDRE, 7134, 7137, «disperser»; pronom. a) 6098, «se répandre»; b) 8768, «s'éparpiller, se disperser»; 6601, *espars* «répandu, éparpillé».

ESPART, 6097, «éclair»; 585, 4366 (fig.) «étincelle, lueur, éclat».

ESPERDU, 1509, 6835, 7535, «bouleversé, fortement agité, troublé».

ESPERER, 2920, «attendre, prévoir».

ESPERGNE, 3141, «épargne».

ESPINETTE, 2830, (dimin. de *épine*) *estre sur espinettes* «être sur des charbons ardents».

ESPOIR, 5725, «peut-être».

ESPONDRE, 7768, 8957, «exposer, décrire, raconter».

ESRAILLIE, 7899, dont on voit le blanc des yeux; subst. «harpie, mégère».

ESSART, 3539, «dégât, dommage».

ESSAUCIER, 7234, «élever, augmenter»; 8661, «exaucer».

ESSERVELER, 3446, «faire sauter la cervelle».

ESSIL, 2652, «ravage, tourment».

ESSILLIER, 2651, «se ronger,

se tourmenter, éprouver une grande souffrance»; part. passé adj. a) 5453, «dévasté, ruiné, détruit»; b) 797, «anéanti, brisé».

ESSOINE/ESSOINGNE, 7416, «excuse, moyen dilatoire»; 7178, XXIX, «difficulté, empêchement, embarras».

ESSUOIT, 7671, imparf. ind. 3 de *essuer* «essuyer, sécher».

ESTABLE, 6486, «qui ne change pas, stable, constant»; XXXII, «fidèle, sûr».

ESTABLETÉ, 6132, 8342, 8704, «stabilité».

ESTAHI, 1931, 4077, 5549, «incapable de parole et de raisonnement; d'où muet de saisissement, frappé d'un grand étonnement, paralysé par la stupeur».

ESTANT, 2416, *soi mettre en –* «se mettre debout, se relever».

ESTATURE, 5587, «statue».

ESTER, 7398, *laissier –* «laisser tranquille, laisser de côté, ne plus s'occuper de».

ESTOC, VI, «tronc d'arbre, tige d'une fleur».

ESTOUR, 963, «combat».

ESTOURDI, 2290, «frappé d'une sorte d'engourdissement».

ESTRABOT, 7547, «injure, persiflage, raillerie» [v. G. Roques, *Actes et Colloques*, n° 23, p. 171].

ESTRAINNE, 8507, *a bonne –* «par un heureux sort, par bonne fortune».

ESTRAIS, 7099, *estre – de* «être issu de».

ESTRANGE, 1894, 6535, «étranger»; 831, 1894, «qui n'appartient pas au groupe, qui n'est pas familier à qqn»; 1917, 4792, «étrange, singulier, bizarre».

ESTRANGEMENT, XXXV, «méchamment».

ESTRANGIER, 2882, «écarter, éloigner».

ESTRE, 2923, «endroit où l'on habite»; 164, «manoir».

ESTRIVE, 2674, «refuse».

ESTUDE, 810, 2479, «application, soin, attention».

ESTUDIER, 23, «s'appliquer, travailler, réfléchir à»; XXIV, *donner a – à qqn* «susciter des embarras à qqn, en le contraignant à se fatiguer l'esprit par une recherche».

ESVANUIR, XXIII, «faire défaut, défaillir».

EVACUATION, 8695, «action de se vider».

EXEMPLAIRE, 6119, «exemple, modèle».

EXPERIMENS, 6656, «procédés de magie, sortilèges».

FABLE, 5606, «récit fabuleux»; 7148, 7431, «fable, allégation mensongère».

FABRIQUE, 5647, «fabrication (des instruments de fer), travail du forgeron».

FAÇON, 6679, 6800, 7053, «allure, apparence, aspect physique».

FAILLE, 6684, 7022, *sans –* «incontestablement, assurément».

FAINTISE, 2636, 6167, 7309, «feinte, dissimulation, hypocrisie, tromperie».

FAITICE, v. *faitis.*

FAITICEMANT, 1619, « parfaitement ».

FAITIS, 110, 434, 1915, 3839, « bien fait, bien proportionné, joli, gracieux ».

FAONNEE, 6972, « qui a mis bas ».

FARDEL, 6649, « lourde responsabilité ».

FAUSSER, 7688, 8520, « tromper, être infidèle à » ; intrans. 5619, 8228, « être trompeur, mentir » ; 1079, 1727, 4466, *sans* – « sans fausseté, fidèlement, loyalement ».

FAUT, 7104, *il n'i – plus (mais que)* « il n'y manque pas davantage ; c.-à-d. plus rien ne manque (si ce n'est que) ».

FAUTE, 939, « manque ».

FAUTRE, 3525, « pièce de cuir fixée au plastron, sur laquelle on assoit la lance, en particulier au moment de la charge ».

FAVEUR, 5272, « disposition bienveillante ».

FELONNESSEMENT, 8391, « durement, méchamment ».

FERIR, 4314, 7974, 8861, « frapper » ; 7919, *– de l'ele* « battre des ailes (pour prendre l'envol) » ; 7818, « frapper, atteindre ».

FERMAIL, XXXI, « fermoir, agrafe ».

FESTU, 7111, « fétu de paille » ; 7505, *rompre le* – « rompre l'amitié, cesser des relations amicales ».

FIANCE, 243, 4364, 6045, VIII, XXV, XXXII, XXXV, « confiance, foi ».

FIANCER, 3201, 5865, « promettre, jurer ».

FICTIONS, XXXV, « créations littéraires ».

FIE, 2048, *a ceste* – « cette fois ».

FIEL, 8282, fig. « hostilité, haine contre qqn ».

FIER, 6727, « sauvage, farouche, féroce, redoutable » ; 6992, « sauvage, inhospitalier » ; 913, 8618, « farouche, impitoyable ».

FIER, FIERE, v. *ferir*

FIERTÉ, 4705, « cruauté ».

FINEMENT, 8925, « fin ».

FLABE, v. *fable.*

FLAHUTE, 6790, « flûte ».

FLAHUTER, 6791, « jouer (de la flûte) ».

FLAIRANS, 6933, « odorant, parfumé ».

FLAJOL, 6913, « petite flûte à une main ».

FLAJOLER, 6907, « jouer (de la flûte) » ; 7366, 7553, fig. « faire connaître, annoncer à tous vents ».

FLATERESSE, 2206, « personne qui flatte pour tromper ».

FLECHISSABLE, 6959, « flexible ».

FLORISSABLE, 6919, « fleuri ».

FLUN, 1052, 2348, 3713, 4697, 6457, XXVII, « fleuve ».

FOISSELLE, 6942, « faisselle ».

FOLAGE, 1753, « action, pensée folle ».

FONDE, 3446, « fronde ».

FONDISE, 5662, « de fonte ».

FONDRE, 8477, « se consumer de chagrin, se désespérer ».

FORCENÉ, v. *foursené.*

FOULEE, 6973, « piétinée, sur laquelle on a mis le pied ».

FOURFIST, 3177, « se déshonora ».

FOURME, 5801, *lettre de* – « grosse écriture gothique ».

FOURREE, 2032, « doublée avec de la fourrure ».

FOURSENÉ, 6852, « qui est hors du sens, qui a perdu la raison, égaré, fou de colère » ; 8338, 8591, « qui se conduit d'une manière insensée, déraisonnable ; d'où imprévisible » ; 7155, « forcené, furieux » ; (animal) 2088, « furieux ».

FOURSENERIE, 2107, « folie, égarement ».

FRAISNE, 5571, « frêne ».

FRANCHEMENT, 4296, « librement, en étant débarrassé d'une obligation » ; 2629, « spontanément » ; 1846, « sans rien exiger en retour » ; 3371, « loyalement, sincèrement ».

FRANCHISE, 137, 269, 874, 1511, 2620, 2625, 3131, 4263, 4945, 6171, 7464, 8640, XVI, « noblesse de caractère, générosité, loyauté, probité, sincérité ».

FREINGNE, 1148, prés. subj. 3 de *freindre* « briser, rompre ».

FREMAILLET, XXVIII, « boucle, chaîne servant d'ornement ».

FREMIR, 1482, 1797, 2091, « trembler ».

FRIRE, 8477, « se consumer de chagrin ».

FRIVOLE, 7712, « propos vain et frivole, faribole, baliverne » ; 8742, « chose sans réalité, futilité ».

FUEILLI, 3908, « feuillu, qui a beaucoup de feuilles ».

FUER, 795, 2189, 3832, 7305, 7742, *a nul* – « à aucun prix, d'aucune façon, en aucune manière, sous aucun motif ».

FUIABLE, 6976, « prompt à fuir ».

FUISIAUS, 8860, « fuseaux ».

FUMIERE, 2396, « fumée ».

FUZIN, 4791, « fusain ».

GAIGNON, 6845, « dogue, mâtin ».

GAIS, 4191, « guet, embuscade ».

GAITE, 8107, « guetteur, sentinelle ».

GARCE, 2222, 7299, « femme débauchée, putain ».

GARGOUILLIER, 7881, « bavarder en révélant qqc. ».

GARSONS, 5360, « personne de basse naissance ; d'où personne sans conduite, vaurien ».

GASTÉS, 5453, « ravagé, dévasté, pillé ».

GEHIR, VI, « avouer, révéler ».

GENT, 6884, « famille ».

GENTE, 7721, « oie sauvage ».

GENTILLESCE, 841, « manière, acte empreint de grâce, de délicatesse ».

GERME, 7831, « semence du mâle ».

GETTA, 6874, *que dou feu de Troie* – « qu'il arracha de l'incendie de Troie ».

GLISE, 2816, « glaise ».

GLORIFIER, 6883, « élever à la gloire des dieux » ; 459, « exalter, louer ».

GLOUTE, 6783, « avide, vorace ».

GOULOUSER, 287, 5739, « désirer ardemment ».

GRAISSE, 6408, XXXV, *prendre toute la – du pot* « prendre le meilleur ».

GRAVELLE, 8874, « sable ».

GREELLE, 8875, « grêle ».

GREVAINES, 7463, « pesantes, pénibles ».

GREVANCE, 3374, 5409, « douleur, peine, tourment » ; 5477, 6675, « dommage, préjudice » ; 4243, *faire* – « nuire, causer du tort » ; 1303, *pour ma* – « à ma charge ».

GREVER, 1377, 2253, 4165, 4734, 6071, 6530, 7142, XXVI, XXVII, XXXVII, XXXIX, « accabler, affliger, oppresser, tourmenter ».

GRIEMENT, 145, 4220, « gravement » ; 8527, « cruellement ».

GRIETÉ, 4704, 5933, « peine, douleur, souffrance ».

GRIEUGES, 4732, – *orties* « orties sauvages » ; fig. « ce qui est dur, pénible à supporter ».

GRIGOIS, 6714, « grec ».

GROE, 7338, « caillou, gravier ».

GRONDRE, 7501, « grommeler, murmurer entre ses dents ».

GRONGNE, 6283, *faire* – « manifester son mécontentement en émettant un son menaçant et sourd ».

GROUCIER, 6524, XXXV, XXXVI, « grogner, gronder ».

GUENCHIR, XXII, « éviter, esquiver ».

GUERMENTER (soi), 1241, « se lamenter, gémir ».

GUERPIR, 1057, 1695, 1709, 5941, 6490, 8457, II, VIII, XL, « quitter, laisser, abandonner ».

GUERRIER, 5444, « combattre, faire la guerre contre qqn ».

GUILLE, 1656, « tromperie, ruse ».

HAIRE, XXXV, « chemise de crin que l'on portait par mortification » ; 6351, XX, XXXV, « tourment, peine, souffrance, chagrin ».

HAIT, 4188, « disposition, humeur, état ».

HANISSOIE, 3682, *d'autre avaine ne* – « je ne hennissais pas pour une autre avoine ».

HARDEMENT, 2439, 2547, 2707, 3193, 3968, 6686, 6735, « hardiesse, audace ».

HASTIS, 7404, *estre – de* « être rapide, prompt à ».

HAUSSAGE, 1754, « hauteur » ; 5994, « orgueil, fierté ».

HAUTESCE, 1267, « importance, valeur ».

HERAUDER, 2154, « railler, critiquer ».

HERBERGIER, 3619, 5642, XXVI, « héberger, loger ».

HERITAGE, 4828, « propriété, domaine, possession ».

HESBERGIER, v. *herbergier*

HEURE, 7185, *a la bonne* – « pour le bien ».

HIDE, 4205, 5550, « effroi, frayeur, épouvante ».

HIRECIÉ, 7085, « hérissé ».

HOCHIER, 6991, « vaciller, chanceler » ; *en un grant mont qui pas ne hoche* « sur une montagne bien assise ».

HONNIR, 6629, « déshonorer, humilier, couvrir de honte » ;

6603, 6809, « maltraiter, accabler, tourmenter ».

HUCHIER, 5929, 6839, 8361, « crier » ; trans. 3660, 3910, 4203, « appeler ».

HULLANT, 6838, « hurlant ».

ISDRE, 6973, « hydre ».

ISNELLEMENT, 2516, 7754, « vite, de suite ».

JANGLER, 8049, « criailler ».

JANGLERIE, 7951, « bavardage » ; 8043, « médisance ».

JELEE, 637, « givre, glace ».

JENGLEUR, 7436, 7924, « médisant, menteur ».

JOINTE, 109, 2013, « gracieuse, élégante ».

JOLIETÉ, 809, « plaisir, agrément ».

JOLIS, 4190, « gai, joyeux » ; 6923, *jolive*.

JONGLEUR, 7437, « bateleur, saltimbanque ».

JOUELET, 917, « petit joyau ».

JOUVENTE, 5083, « jeunesse ».

LAIDENGIER, 8360, « maltraiter, injurier, railler ».

LAIETTE, XXX, XXXII, « coffret où l'on enserre de menus objets ».

LAIT, 7980, « laideur morale, ignominie ».

LAME, 6109, « pierre tombale ».

LAMPAS, 5260, « maladie de la bouche ».

LAMPROIE, 7193, « sorte de gros poisson » ; employé ici dans l'expr. *paier la* – « payer une gratification ; d'où en être pour ses frais ».

LARMOIER, 2595, 3275, « pleurer, verser des larmes ».

LAS, 897, 6079, XXX, « lacet, attache servant à retenir qqc. ; en partic. lacs, lacet pour prendre le gibier ».

LASSOIT, 6329, imparf. 3 de *lacier* « attacher par un lacs, serrer (ici au fig.) ».

LECHERIE, 7755, « amour excessif du plaisir, licence ».

LEE, 1652, « large ».

LEGIER, 978, 5908, « agile, souple » ; 5112, « vif, éveillé » ; 2645, 8408, *de* – « facilement, sans peine ».

LEGIEREMENT, 8313, « aussitôt, rapidement » ; XXXIV, « facilement, sans peine ».

LEPPE, XXX, « lippe ».

LERRES, 8055, « voleur, fripon ».

LESDANGE, v. *laidengier*.

LETTRELLES, 1812, « petites lettres ».

LEUE, 6966, prés. ind. 3 de *loer* : *quant on le* – « quand on l'admire ».

LICHE, 5223, *a* – « à lisse, de haute lisse ».

LIÉ, 89, 152, 1109, 1404, 2221, 2763, 3242, 3260, 4613, IV, XXVII... « gai, joyeux, heureux » ; 3062, 5290, 5757, 7269, *a chiere lie* « avec le sourire ; d'où avec joie » ; 858, 1578, 7441, *faire chiere lie* « être joyeux ».

LIEMENT, 6094, « gaiement, joyeusement » ; 3771, « de gaieté de cœur, volontiers ».

LIGE, 4928, *liges et naÿs* « liges-nés ».

LINAGE, 7738, « lignage ».

LINGE, 5656, « toile de lin ».

LIQUEUR, 1686, 1980, 8892, XVI, «liquide».

LOIER, XXX, «attraper avec un lacet».

LOISIR, 7403, «aise, plaisir».

LOISOIT, 8519, imparf. 3 de *loisir* «il était permis, il était possible».

LONGNET, 2231, «loin».

LONS, 6920, «grand, élancé».

LOS, 3498, «louange, éloge»; 2060, 3441, «honneur, réputation».

LOSENGE, 4011, «flatterie insidieuse, ruse».

LOUÉ, XXX, «donné».

LUISANS, 6922, «brillant».

LUITE, 3536, «combat corps à corps».

LURRE, 8384, «morceau de cuir rouge façonné en forme d'oiseau, auquel on attache un appât et que l'on montre à l'oiseau pour le faire revenir».

LURRE, 8385, prés. ind. 3 de *loirrier* «dresser».

MAINTIENG, 1018, 4534, «maintien, port, allure»; 2349, 3137, 4993, 5769, 6430, 6595, «manière, façon d'être, tempérament, nature».

MAIS QUE, 7105, «si ce n'est que».

MAISES, 7654, 7792, – *nouvelles* «mauvaises, fâcheuses nouvelles».

MAISNIE, 4838, «ensemble des personnes qui vivent sous un même toit, sous la dépendance et à la charge du même seigneur».

MAISTRIE, 66, 3694, 4552, «puissance, autorité, empire»; 8118, «talent, habileté».

MAISTRIER, 4551, «soumettre, dominer»; 65, 67, 6014, «gouverner, diriger»; 5527, «tourmenter».

MAL, 2858, *le – Saint Aquaire* «la mélancolie»; rem. «on donnoit autrefois ce nom à l'épilepsie que saint Acaire, évêque de Noyon, guérissoit; mais ici je crois qu'il faut entendre que le secrétaire mouroit de faim et de soif» (éd. Paris, p. 110).

MALE HONTE, 6819, «déshonneur».

MALEÜRTÉ, 5486, «succession d'événements fâcheux».

MALICE, 3235, «méchanceté, perversité».

MANCOLIE, 2812, «humeur sombre, état de profonde tristesse».

MANDEMENT, 1824, 4773, XXXIII, «action d'ordonner, ordre, injonction».

MANDER, XXX, XXXI, XLI, «demander»; XXXIII, «faire parvenir, envoyer qqc. à qqn»; 351, 7638, I, IV, VI, XLI, XLV, «faire connaître, faire savoir».

MANGIER, XXV, *les oreilles vous deveroient* – «les oreilles devraient vous démanger».

MANIERE, 7155, «conduite»; 2006, «contenance».

MANOIR, 1599, 6509, 6988, «habiter»; 8950, «rester, continuer à être».

MANOIR, 1598, 6509, 6989,

« endroit où on habite, habitation, demeure ».

MANSION, II, « habitation, demeure ».

MARCHE, 4312, « chemin » ; 4818, 5681, « pays, terre ».

MARCHIER, 4313, « avancer ».

MARINIER, 6186, « marin ».

MARTIAUS, 8861, « marteau » ; 5648, « utilisé pour jouer d'un instrument de musique ».

MAT, 888, 1509, 3976, 8048, « affligé, triste, découragé » ; 600, *avoir la chiere mate* « avoir une mine triste ».

MAUFÉS, 6912, « diable » ; 6789, 6869, 7829, « être diabolique ».

MAUTÉ, 6955, « méchanceté ».

MEMOIRE, VI, *bon* – « bonne renommée » ; 8037, *en signe de* – « afin que le souvenir perdure ».

MERDAILLE, 4939, 5358, « gens sans valeur, méprisables ».

MERENCOLIER, 625, 1960, « être mélancolique, triste, avoir des pensées sombres ».

MERENCOLIEUS, 2927, 3002, « mélancolique, triste ».

MERIR, 1994, « récompenser » ; 7161, *il ne vous merroit pas si dur* « il ne vous traiterait pas aussi sauvagement » ; 2354, « mériter » ; subst. 3732, « récompense ».

MERITE, 8033, « récompense ».

MERVEILLE, 81, 1145, 4020, 4172, XI, XXIX, « chose étonnante, chose étrange et extraordinaire, chose qui frappe d'étonnement et d'admiration » ; 510, 752, 2603, 3267, XXVII, XL, *avoir* – « être étonné » ; 1913, 3600, *a merveille(s)* « merveilleusement » ; 5090, « extrêmement, beaucoup » ; plur. 5738, « choses extraordinaires ».

MERVEILLIER (soi), 26, 753, 1205, 1532, 3005, 3630, 4021, 4446, 5609... « être frappé de stupeur, s'émerveiller, être surpris ».

MERVILLEUS, 7840, « extraordinaire » ; 1436, « terrible ».

MES, 4844, « messager ».

MESCHANS, XXVII, « malchanceux ».

MESCHEANCE, 5464, « malheur ».

MESCHEOIR, 5725, 5727, 5917, 6611, 7683, 7793, impers. « arriver malheur, arriver du mal ».

MESCHIEF, 1638, 2638, 4682, 5465, 5977, XXXVII... « malheur, mésaventure, infortune, tracas ».

MESCHINE, 7739, « jeune fille ».

MESCROIRE, 5872, 5901, « ne pas croire » ; 1453, 5915, 5966, 6215, XLIII, « soupçonner ».

MESDIT, 7698, « calomnie, mensonge ».

MESHEÜRS, 4335, « malheurs, mauvais coups ».

MESIAUS, 3400, « lépreux ».

MESPRESURE, 2011, 4277, « acte qui prête à blâme ».

MESPRISON, 3155, 7579, « méfait, mauvaise action » ; 5081, « méprise, erreur » ; 8134, « tort, faute ».

MESSAGE, 1462, 3037... « messager ».

MESTIER, X, « service, soin » ;

3413, « office » ; 234, 925, 1009, 2637, 2850, 5502, XXXIII, « besoin » ; 5239, *il n'est – que* « il n'est pas nécessaire que » ; 3182, « manière d'être ».

MESURE, 4259, 4276, 4947, XXII, XXV, « modération ».

MEÜ, 80, 8734, « agité, remué, ému ».

MEÜRS, 7000, « mûrs ».

MIGNOTEMENT, 971, « gracieusement ».

MINER, 6230, 7166, « détruire ».

MIRE, 736, 1260, 1666, 6092... « médecin ».

MIRE, prés. subj. 3 de *merir* ; 4112, X, XXVII, *Dieus vous le* – « Dieu vous en récompense, Dieu vous le rende » ; 4571, 8811, *Dieus li* – « Dieu le récompense ! ».

MIROIE (me), 6392, « je me représentais ».

MOISTE, 6944, « humide, bien arrosé ».

MONDAINE, 708, 1029, « du monde terrestre, de ce monde ».

MONDAINS, 6308, *entre les – et en cloistre*, v. *cloistre*.

MONDE, 16, 6196, 6456, « pure, sans souillure » ; 8046, *estre – de* « être innocente de ».

MONT, 5851, « grand nombre » ; XLV, « beaucoup ».

MONT, 5858, « monde ».

MONTER, 6565, « monter à cheval ; d'où se mettre en route, partir ».

MOQUER, 1157, « plaisanter ».

MORT, 3398, *pour* – « malgré le mors ».

MORTALITÉ, 5456, « quantité d'individus qui meurent, ensemble de morts dans un laps de temps déterminé » ; XXVIII, XXXV, « épidémie (ici la peste) ».

MOSCHETTES, 8907, « petites mouches ».

MOURS, 8156, « manière de se comporter, conduite ».

MOUSTIER, 2849, « église » ; 6861, « monastère ».

MUCIER, 5913, 6769, « se cacher ».

MUE, 6838, *beste* – « bête incapable de parler et de penser ».

MUER, 3072, 6839, « remuer, s'agiter ».

MUGUETTE, 2519, « (noix) de muscade ».

MURMURATION, 4901, « murmure de mécontentement ».

MUS, 4350, « muet ».

MUSARDE, 5545, « irréfléchie, sotte ».

MUSARDIE, 3014, « folie, bêtise ».

MUSART, 3011, « feignant, paresseux ».

MUSER, XXXV, « perdre son temps ».

MUSEURS, XXXV, « oisifs ».

MYRE, v. *mire*.

NAGER, 6885, « naviguer ».

NAYS, 4928, *liges et naÿs* « (les hommes) liges-nés (de ma dame) ».

NEIS, 7367, « même ».

NÉS, 6743, 6746, « bateaux, vaisseaux ».

NÉS, 6768, « nez ».

NEÜ, 1865, part. passé de *nuisir* « nuire ».

NEZ, v. *nés*.

NICE, 1345, 2128, 2224… « sot, niais ».
NICEMENT, IV, « niaisement, sottement ».
NICETTÉ, 5533, « niaiserie, acte de sot ».
NO, 6330, XXXVII, *a* – « à la nage ».
NOBILE, 6879, « noble ».
NOÉ, 5659, part. passé de *noer* « naviguer ».
NOIANT, 7123, « être insignifiant, de nulle valeur ».
NOIF, 1925, 7720, « neige ».
NOISE, XVIII, « bruit, tapage » ; 4940, « querelle ».
NOMBRER, 1626, « compter » ; 7024, « dire le nombre ».
NOTABLE, 7421, 7790, « bien connu » ; 8219, « maxime, sentence ».
NOTAIRE, XLIII, « scribe, secrétaire ».
NOTE, 6913, « air, mélodie ».
NOURRETURE, 3363, *estre de la – de qqn* « être élevé par qqn ».
NUISANT, 6968, « malfaisante ».
NYCE, V. *nice*.
NYT, 7050, « nid ».

OILE, 8891, « huile ».
OINGNEMENT, 8020, « onguent ».
OMBRAGE, 7389, « couvert d'ombre ; fig. dissimulé ».
OMBRE, 3618, « ombre d'espoir » ; 4320, *en leur* – « sous leur couvert ».
OMBROIER, 2404, « se mettre à l'ombre ».
ONNI, 2643, 5841, « égal » ; 6602, *qui font grans et petis onnis* « qui rendent grands et petits égaux, c.-à-d. qui font subir le même sort aux forts et aux faibles » ; 7298, « égal, qui ne change pas ».
ORDE, 6781, 6857, 6899, 7895, 7899, « sale, malpropre ».
ORDENER (soi), 1618, « se préparer ».
ORDRE, 3413, *c'est leur mestier, c'est leur* – « c'est leur office, le devoir de l'ordre de chevalerie (de bien combattre) ».
OREILLES, XXV, *les – vous deveroient mangier*, v. *mangier*.
ORENDROIT, II, « maintenant, présentement » ; 3462, « désormais ».
ORGUEILLIR (soi), 7097, « faire preuve d'orgueil ».
ORGUILLEUS, 6745, « violent et cruel ».
ORPHANTÉ, 2122, « misère morale, malheur ».
OSIERE, 6960, « osier ».
OSTE, 3625, « aubergiste » ; 2376, « celui qui reçoit l'hospitalité, qui est hébergé ».
OSTER, 31, – *le tour du firmament* « arrêter la marche des constellations (?) ».
OUTRAGE, 1758, 2107, 2439, 4764, 4858, 7960, « attitude ou conduite qui sort des limites de la bienséance ou de la raison ».
OUTRAGEUS, 2441, « téméraire ».

PACEFIYE, 8674, « apaisée ».
PACIANCE, 4745, 7120, *en patiance* « patiemment, avec résignation ».
PAIER, 7193, *vous paierés la lamproie*, v. *lamproie*.
PAILLART, 2127, « homme sans valeur ».

PAIS, 2848, « baiser » (par réf. à la *pax dei*, plaque ou patène que l'on baisait à la messe).

PAISTRE, 6749, « repaître ».

PALMES, 6932, « palmier ».

PANETIERE, 5640, « sac en bandoulière où les bergers portaient leur pain ».

PAPEGAUS, 2018, « perroquets ».

PAPIN, X, « bouillie pour les bébés ».

PARABOLES, XI, « bavardages » ; 1947, « mensonges ».

PARAGE, 7099, *de grant* – « de haut lignage ».

PARANS, 6932, « majestueux ».

PARCLOSE, 4874, 7746, *a la* – « à la fin ».

PAREMENT, 7276, « parure ».

PARÉS, 7273, « prêt, préparé ».

PARLEMENT, 5517, « discours, propos » ; 3579, « action d'échanger des paroles avec qqn ».

PARLIRE, XXXII, « achever de lire ».

PAROLE, 216, 7188, « action de parler, discours ».

PART, XVI, *je me* – « je pars ».

PARTEMENT, 2777, XIV, « départ, séparation ».

PARTI, 388, – *de maladie et de leesse* « partagé entre la maladie et la joie ».

PARTIE, 579, *sans* – « sans partage ».

PARTIR, 2791, « séparer » ; 6872, *Eneas parti de Troie son filz et son pere* « Énée éloigna de Troie son fils et son père ; il s'enfuit en emmenant avec lui son fils et son père ».

PARTIR (sans), VI, XVII, « sans partage ».

PARTUER, 5431, « tuer, achever ».

PAS, 1339, *plus que le* – « au plus vite ».

PASTES, 3681, « nourriture ».

PASTURE, 8398, « nourriture » ; fig. 1694, XX.

PATERNOSTRES, XXVI, XXVIII, XXXI, « chapelets dont chaque grain répond à un Pater Noster qu'on doit réciter ».

PAVIERE, 6765, « pavois ».

PAYS, 447, « contrée entourant une grande ville ».

PENDANT, 6990, « flanc d'une montagne ».

PER, XXIX, « compagnon ».

PERIST, 6746, « détruit ».

PERRON, 6905, « rocher ».

PESANCE, 7121, « douleur, peine ».

PETIS, 6602, « les faibles ».

PEÜ, 2149, 3252, « repu, comblé ».

PIECE, 2599, *une grant* – « un long moment » ; 7414, XXXI, – *ha* « il y a un certain temps, il y a longtemps » ; XXIX, XXXVI, *avant grant* – « avant longtemps » ; 5493, *piece ha que* « il y a longtemps que » ; XXXV, *a* – « avant longtemps » ; 2600, *a chief de* – « enfin » ; XXXVI, *jusqu'a longue* – « dans un temps éloigné, de longtemps » ; 7577, *a – mais* « jamais ».

PIECEZ (a), XXXI, « de longtemps ».

PIESSA, 1382, VI, « depuis longtemps ».

PIGNE, 6761, prés. ind. 3 de *pignier* « peigner ».

PILLEUR, 4317, 7163, « brigands ».
PIQUE, 6658, « pivert ».
PIROUELES, 8864, « toupies ».
PITEABLE, 6962, « compatissante ».
PITEUSE, 3314, 3370, 4833, « pleine de pitié, compatissante ».
PLAIE, 4379, « blesse ».
PLAINS, 6152, « plaines ».
PLAINT, 2701, 5933, « plainte ».
PLAIT, 3096, 3897, « discussion, débat ».
PLANER, 7710, « priver ».
PLANTÉ/PLENTÉ, 1576, 6997, « en grande quantité, abondamment » ; 3103, *a planté*.
PLUNGIER, 7171, « sombrer ».
POCHET (un), XXXII, « un petit peu ».
POI, 7369, « peu ».
POINGNANS, 4356, 6772, 6971, « piquant ».
POINS, XXXIX, (*jusques a tant qu'il sera*) *poins* « le moment opportun ».
POINT, XXXIII, « pointe ».
POINT, 1261, XVI, prés. ind. 3 de *poindre* « piquer, faire souffrir ».
POTAGE, 6410, 7038, « subsistance, nourriture ».
POULDRE, 8875, « poudre, poussière ».
POVRE, 6634, *un – lieu* « un endroit privé de tout confort ».
PRESENT, 8535, *aveuc son* – « en me la présentant ».
PRESENT (en), 368, 2985, « aussitôt, à l'instant ».
PREUS, 7456, « sage » ; subst. 7457, « profit, avantage ».
PROIE, 6873, « butin ».
PROPHETE, 6878, « prophétesse ».
PURE, 2590, 7308, « honnête ».
PUTERIE, 7823, « mauvaise conduite ».

QUERELLE, 8104, « cause, affaire ».
QUEUDRAS, 7011, fut. 2 de *cueillir*.
QUOQUILLES, 6926, « coquillages ».

RACOINTEMENT, 890, « nouvel accueil ».
RACORDÉ, 8966, « réconciliés ».
RAI, 1082, « rayon de lumière ».
RAIE, 7996, prés. ind. 3 de *raier* « ruisseler, couler ».
RAIMES, 7005, « branches ».
RAISON, 6667, *sans* – « injustement » ; 6063, *c'est* – « c'est naturel, c'est normal » ; 5538, 8986, XXII, *est* – « il est naturel, juste » ; *n'est pas* – « il n'y a pas de raison » ; 6609, *l'aler n'est pas* – « il n'est pas raisonnable de partir ».
RALER, 2866, « repartir ».
RAMEMBRANCE, 1552, 2338, « mémoire, souvenir ».
RAMENTEVOIR, 3345, 5394, 5523, 6291, XVI, « rappeler, remettre dans l'esprit ».
RAMÉS, 5549, *cers* – « jeune cerf dont le bois pousse ».
RANDON (en un), 8174, « d'un seul coup ».
RAPAISIER, 1407, 2000, 2773, XLV, « apaiser, calmer » ; pronom. 1999.
RAPPEL (sans), 8093, « irrévocablement ».

RAPPELLER (sans), 7889, « définitivement ».
RASSIS, 759, 6101, « sage, réfléchi, avisé ».
RASTURE, 1686, « action de racler ».
RAVOIER (soi), 8369, « se remettre sur la voie dont on s'est écarté ».
RAVOIR, 6841, « posséder à nouveau ».
RECITER, 6212, 5777, 7041, « raconter, rapporter ».
REÇOI, 7098, *me – par mariage* « accepte de m'épouser ».
RECORDER, 967, 8967, 8974, 8975, « rappeler » ; pronom. 8969.
REFU, 6950, *faire – de* « repousser ».
REFUSER, 4187, 7058, 7117, 7118, « repousser ».
REGIBER, 3397, « ruer ».
REMAINT, 1772, prés. ind. 3 de *remanoir* « rester, demeurer ».
REMANANT, 683, « le reste ».
REMIRER, 1096, « contempler ».
REMUER (soi), 5601, XLI, « changer ».
RENCHEOIR, 662, « retomber malade, avoir une rechute » ; XXXIV, « recommencer une faute, récidiver ».
REONDE, 7089, « ronde ».
REPAIRE, 1853, « habitation, demeure ».
REPAIRIER, 1864, « demeurer, habiter ».
REPARTIR, 2765, – *de* « gratifier de sa part de » ; 3474, *soi – de* « être gratifié de ».
REPENTIR, 1731, « rendre repentant ».
REPONDRE, 2760, « cacher » ; 225, « tenir caché » ; pronom. 1172, 6947.
RESONGNIER, 6285, 8405, VI, XVII, XIX, « craindre, appréhender, redouter ».
RESPITIER, 1845, « sauver ».
RESSONGNAMMENT, XLV, « furtivement, craintivement ».
RESSONNER, 6793, « résonner, retentir ».
RESSORT, 2475, 4572, « force, énergie ».
RETENIR, II, XXXV, *sans (rien) –* « sans réserve ».
RETOLIR, 8316, « reprendre » ; 393, 1139, 3202, 4537, *sans –* « sans garder droit de reprendre » (expr. jur. ici empl. au fig.).
RETOUR, 2474, « secours » ; 4715, « refuge ».
RETRAIRE, 575, 1861, 1876, 6176, III, « raconter, dire, décrire, rapporter, parler de » ; 1880, « séparer, éloigner » ; pronom. a) 4384, 7459, 8258, 8261, « se détacher, se séparer, s'éloigner » ; b) 6388, « cesser de » ; 1871, 3796, 6117, *sans –* « sans retour, sans réserve ».
REUVE, v. *rouver*.
REVEL, 60, 5475, XXV, XXVI, « joie, allégresse » ; XXXI, *revelz* « divertissements, réjouissances ».
REVELÉ, 6823, XXV, « révélé ; d'où connu ».
REVELEE, 4849, « révoltée ».
REVELER (soi), 5199, « se révolter ».
RIBAUDIE, 2106, « mauvaise

conduite, insolence, inconvenance ».

RIBAUT, 6343, « portefaix ».

RIGOLER, 7550, « se moquer de, railler ».

RIOTE, 7146, « dispute, reproche ».

RIOTER, 7147, « faire des reproches ».

ROBER, 4319, « dépouiller, voler ».

ROISIN, 6939, « raisin ».

RONDESSE, 7092, « globe ; ici firmament, voûte céleste (?) ».

ROSINE, 5806, « couleur de rose ».

ROUANT, 6967, – *de sa queue* « faisant la roue ».

ROUS, 7505, « rompu, brisé » : *rompre le festu*, v. *festu*.

ROUTE, 3824, « compagnie ».

ROUVER, 545, 2356, 2544, 2546, 2554, XVIII, XXXVII, « demander ».

RUDE, 6772, « raide, âpre au toucher ».

RUER, 6806, « lancer avec violence » ; fig. 7547.

RUSÉ, 7395, « tout à fait usé, détérioré ».

RUSER, 2161, 3216, « user de finesse, tromper » ; 3673, *en rusant* « en tapinois ».

RUSERESSE, 2207, « rusée ».

SABLON, 8875, « sable ».

SACREMENS, 7963, « serments ».

SADE, XVI, XIX, « savoureuse » ; 1623, « doux ».

SAINGNIER (soi), 4758, « se signer ».

SAINTURE, 8587, « bande de tissu autour de la taille ».

SANER, 1258, 2986, 5050, XLV, « guérir » ; 768, *sener* « soigner ».

SÄOULE, 6783, « rassasiée ».

SAUS, 4141, *les – menus* « à pas pressés, rapidement ».

SAUTERIAUS, 3780, *fromages –* ; *sauterel* « fossé que les paysans faisaient aux bouts de leurs champs pour l'écoulement des eaux » ; ces fossés étant caractéristiques du paysage briard, le mot est ici utilisé pour désigner ce qui vient de la Brie ; « on pourrait aussi y voir *sautereau*, sauterelle, mot de la Brie, utilisé par dérision pour désigner ce qui vient de la Brie » (G. Roques, *Actes et colloques*, Klincksieck, n° 23, 1982, p. 169).

SAVOIR, XXXI, « apprendre ».

SAVOUREE, 6935, « savoureuse ».

SECRETAIRE, 2458, 6534... « confident ».

SEEL, 5297, 5786, « sceau ».

SEELLEE, 424, « cachetée ».

SEGUR, XXXIX, XLIII, XLVI, « sûr ».

SENER, v. *saner*.

SENÉS, 5687, « sensé ».

SENTEMENT, 3966, « affection sincère » ; XXXV, *je ne sai faire que de –* « je ne sais dire que ce que je sens ».

SENTES, 6856, « sentiers, chemins ».

SEOIR, 4934, « être séant ».

SERAINE, 1218, 8303, 8787, « sirène ».

SERGENT, 3895, « serviteur ».

SES, 4356, « secs ».

SEÜR, 6740, « sûrement, sans aucun doute ».

SEVRA, 5644, «sépara».
SIECLE, XXXIII, «la vie terrestre».
SIGNOURIE, 6889, «empire».
SOILE, 8876, «seigle».
SOLACIER, 7127, «réjouir»; 3472, «se distraire, se divertir»; pronom. 6325, «se réjouir»: *de cui tu te solaces* «en la présence duquel tu te réjouis»; 2731, «consoler».
SOLAS, v. *soulas*.
SOLER, 7264, 7334, «soulier».
SOLOIR, 5172, 6509, 7690, 8102, 8144, XVI, XXXI, «avoir pour habitude, avoir l'habitude de».
SOMME, 2733, 6627, 8055, *c'est la* – «bref, en un mot, en résumé».
SOMMER, 1222, 3270, «raconter».
SOMMIEREMENT, 5949, «complètement, tout à fait».
SON, 7151, 7152, *en* – «au début».
SONNER, 6792, «jouer (de la flûte)»; 1077, 3691, «prononcer».
SOUBTILITÉ, 1368, «ingéniosité, habileté».
SOUEF, 7972, «suavement».
SOUÉS, 6925, «doux au toucher, poli».
SOUFFRIR, 4745, 7120, – *en paciance* «supporter patiemment, avec résignation».
SOULAS, 653, 2946, 8949, X, «plaisir, joie»; 6080, «consolation».
SOUSPESSON, XXV, XXXII, «soupçon».
SOUSTENANCE, 1210, «appui, soutien».
SOUSTENIR, 6998, «supporter»; 7034, «retenir».
SUBGÉS, 4416, 4517, 4971, 5199, 7108, «sujet de qqn».
SUBGIS, v. *subgés*.
SUBTIVE, 21, «faite avec art».
SUETTE, 7893, «chouette».
SUPPEDITÉ, 1870, «surmonté».
SURGERIE, 8029, «chirurgie».

TACLE, 926, «bouclier».
TANS, 2051, «fois».
TANSON, v. *tençon*.
TARGE, 7089, «bouclier rond (plus généralement le mot désigne tous les boucliers de formes irrégulières qui se tenaient comme des rondelles de poing ou se portaient pendus au cou)».
TARGIER (sans), 3613, «sans tarder».
TART (a), XXX, «très lentement».
TAUXER, 4286, – *l'amende* «la déterminer, l'estimer, la fixer».
TEMPLES, 6369, «tempes».
TEMPRE, 171, *et tempres et tart* «sans cesse».
TENÇON, 1125, 2508, 7224, «querelle, dispute».
TENDRE, 3936, «délicate».
TENDRE (au), 2656, *rompre mon arson au* – «en le tendant».
TENEURE/TENURE, X, XXXI, «partie d'un chant à plusieurs voix, intermédiaire entre la basse et la haute-contre».

TENRES, 6608, « de santé délicate ».

TENSON, v. *tençon*.

TERMINE, 3272, « terme, fin ».

TERRIEN, XXXIX, « de ce monde » ; 1690, 5066, X, *dieu* – « ce qu'on a de plus précieux sur terre ».

TERRINE, 5807, « blême, livide ».

TIERS, 5153, *en* – « au troisième mois ».

TIEULES, 6546, 6617, « tuiles ».

TIRE À TIRE, 8474, « successivement ».

TIRER, 3502, 4524, 4742, « se diriger, s'acheminer ».

TISTRE, 5654, « l'art de tisser ».

TOILLE, v. *tollir*.

TOLLIR, 715, 2742, 3243, 4780, 5103, 5173, 6981, 8044, « enlever, reprendre ».

TOLT/TOLU, v. *tollir*.

TOR, 1493, « taureau ».

TOUDROIE, prés. cond. 1 de *toudre*, v. *tollir*.

TOUNOIRE, 6097, « tonnerre ».

TOUR, 6765, « surface ».

TOUR, 1605, 4691, *fait a* – « bien fait ».

TOURBLE, 6974, « trouble ».

TOURET, XXVI, « coiffure féminine servant à retenir et à envelopper les cheveux ».

TRAIRE, 4566, 7060, « tirer » ; 970, 3792, 4564, « lancer » ; 3164, « emmener de force » ; 4353, 7991, 8016, « atteindre » ; 1106, 4386, 5827, « supporter » ; 2521, 3084, – *a chief* « terminer » ; pronom. XLI, « aller » ; intrans. 576, 1973, 4966, « aller ».

TRAIT (a), 3791, « lentement, à loisir ».

TRAITIÉ, 519, « composition littéraire » ; 4298, « convention, décision ».

TRAITIER, 4299, « décider ».

TRAITIS, 1914, 2528, 6925, « bien fait, bien formé ».

TRAMETTRE, 2786, 4338, 5150, 7413, « transmettre, envoyer, donner ».

TRAVAIL, 5760, « tourment » ; 6986, « peine, effort » ; 328, « fatigue ».

TREPIÉS, 3538, « trépied de cuisine, support métallique qui sert à poser sur le feu un chaudron ou une marmite ». Rem. « les *queux* s'en servaient fréquemment pour frapper, assommer » (éd. Paris, p. 141).

TRESMONTAINE, 125, 1217, 6181, « étoile polaire ».

TRESORIER, XXVII, « celui qui est chargé de garder ».

TREÜ, 695, 1846, 5117, « tribut, salaire ».

TRIER, 68, « séparer » ; 4978, « choisir en séparant des autres ».

TRUANDEES, XLVI, « répandues, chantées par les rues ».

TRUFFE, 7430, « tromperie ».

TRY, 1025, « élite ».

TUMER, 7170, « renverser, faire tomber » ; *il fait les arbres* – « il déracine les arbres ».

TURTRE, XXIX, « tourterelle ».

UIS, 1341, 2007, « porte ».

UITTIME, 8993, « huitième ».

VAILLANCE, 303, 1295, 1513, 4091, VI, « valeur morale ».

VAILLANT, 7111, « valeur ».

VAILLANT, 337, « petite pièce de monnaie ».
VAILLANT, 2734, 3173, 4857, 6938, 7826, X, « de grand mérite, de haute valeur morale » ; X, « de valeur, de prix ».
VAINE, 6958, « trompeuse ».
VAINS, 888, « faible, sans force morale ».
VAIRS, 4356, « de couleur changeante ».
VARIABLE, 8198, XLIII, « changeant, instable ».
VARIABLETÉ, 8341, « inconstance ».
VASSELAGE, 6686, « vaillance » ; 5961, « valeur, qualités de noblesse ».
VAUTURE, 2818, *a grant* – « à hautes voûtes ».
VER, 8489, *le tiers* – « le troisième couplet ».
VERS, 6795, « verrat (terme péjoratif et méprisant, ici désignant Polyphème) ».
VERTILLON, 8860, « morceau de plomb que les femmes passaient au bout de leurs fuseaux pour le tourner plus facilement ».
VERTU, 7110, « puissance » ; 8481, « force morale ».
VESTEÜRE, 2010, 5530, 8586, « façon de se vêtir, vêtement ».
VIAIRE, 2430, « visage ».
VIANDE, 3210, « nourriture ».
VIEE, 1634, prés. ind. 3 de *veer* « interdire ».
VIGILLE, XXXI, « veille ».
VINS, 6961, « rameau ».
VIR, 1650, 3307, 6596, « voir ».
VIRE, 4565, « trait d'arbalète ».
VIS, 2822, 3006, 3934, 4018, « visage ».
VIS, 4397, « vif, vivant ».
VIS, 2821, 4778, *ce m'est –, il m'est* – « il me semble, c'est mon avis ».
VISETER, 2811, « rendre visite à, venir voir ».
VOIAGE, 1319, *en ce* – « par la *voie* du messager de Gascogne qui retournoit vers Peronelle, et qui sans doute étoit attaché à la maison de Conflans » (éd. Paris, p. 388).
VOIE, 6856, 7134, 7929, « chemin, route » ; 6611, *en la* – « en chemin » ; 6569, « voyage ».
VOIR, 1276, 3174, 4254, 7793, « vrai, véridique » ; 7779, « vérité » ; *pour* – « en vérité » ; 6719, « réellement ».
VOIRE, 8233, « certainement » ; 2835, « bien entendu ».
VOIREMENT, 5868, « vraiment ».
VOIRRES, 6922, « verre ».
VOIS, 1231, prés. ind. 1 de *aler*.
VOLENTÉ, 3340, *de sa bonne* – « de ses bonnes dispositions pour moi ».
VOLENTIERS, XXXV, « avec empressement ».
VOLER, 3317, « pratiquer la chasse au vol, au faucon ».
VROELETTE, 2869, « jeune fille ».

WIVRE, 3180, « vipère ».

YMAGINATION, VIII, « pensée, dessein, volonté ».
YNELLEMENT, v. *isnellement*.
YNELLETÉ, 6981, « rapidité ».

Table

Composition réalisée par INTERLIGNE

IMPRIMÉ EN FRANCE PAR BRODARD ET TAUPIN
La Flèche (Sarthe).
LIBRAIRIE GÉNÉRALE FRANÇAISE - 43, quai de Grenelle - 75015 Paris.

ISBN : 2-253-06670-2 30/4557/2